本书由浙江省社会科学学术著作出版基金资助出版

人 和 论

——儒家人伦思想研究

徐儒宗　著

人民出版社

自题卷端

充我四端润我身，

寻芳洙泗序人伦①。

喜调琴瑟和声洽，

敬奉椿萱笑语亲②。

交友辅仁修厥德，

违君从道济斯民③。

须知海内皆兄弟，

胞与襟怀万古新④！

岁次甲申季秋之月　　　浦江徐儒宗题于杭州寓舍

---

① 孟子以恻隐之心、羞恶之心、辞让之心、是非之心为仁、义、礼、智之四端。《大学》："富润屋，德润身。"

② 《诗·小雅·常棣》："妻子好合，如鼓瑟琴。"椿萱：指代父母。

③ 曾子曰："君子以文会友，以友辅仁。"《荀子》："从道不从君。"又云："天之生民，非为君也；天之立君，以为民也。"

④ 子夏曰："四海之内，皆兄弟也。"张载《正蒙》："民，吾同胞；物，吾与也。"

自　序

　　予少时贫而失学,惟爱本家传,六艺经传皆通习之,然犹未窥其奥也。迨十年动乱,批儒崇法,遂取申、韩之书以观。考其人性利己之说,谓无论夫妇、父子、兄弟之亲,皆为自利以成其私,则与"文革"攻讦互斗之习,盖相通也。予心知其非,乃取老、庄之书览之。虽喜其无为清静之言,颇得自然之趣;然终觉绝仁弃义之说,难洽世俗之情。复取墨氏之编以探其义。初见其兼爱、非攻以利天下,习焉喜之;然久而始觉其兼爱普天下之人不别其情而等同焉,终至爱无所施而已。于是返而求诸儒经,深研其理而证以人情,乃豁然有得焉。

　　观夫儒门"仁"之为学,诚以为本,恕以出之;修己推己,立人达人;由近而远,盈科而进;小而修身齐家,大而民胞物与;既得人情所洽,又切时措之宜。其能深入人心而历久不衰者,盖有由矣。孔墨相较,犹之各建崇楼于高山之巅,孔则更从山麓修建道路阶梯,沿途多建水亭花榭,直达山顶,使人一入其境,随处可览名胜,欲止而不能,虽未达其巅,亦终有所获;而墨之楼则高居悬崖之上,空悬云霄之间,令人可望而不可即,致使巧伪者指为奇货,而务实者望而却步,终同于海市蜃楼,偶尔一现而已。是故遵孔氏之仁以行,虽难达博爱之境,犹不失为有德君子,故能造就古今多少爱国忧民之仁人志士；而效墨氏而能兼爱普天下者，自古及今未之有也。

推原儒者存心，本乎道德；以之济世，首务人伦。夫人伦者，理之以序，协之以和，始崇孝悌，终协天人，乃儒家济世之极则也。若乃儒家精义，既莫富于人伦；而为今人所诟病者，亦莫过于人伦。其故何哉？盖汉儒援法入儒，以应集权之势；宋儒存理灭欲，以资专制所宜。其违先儒之道也远矣！然而时迁世变，俗易风移。一姓专制，已成陈迹；大道之行，天下为公。于以古之切于实者，则今之离乎实也益显；古之宜于世者，则今之违乎世也益急。此"五四"之所以直斥汉宋以来之儒家人伦而不缓者也。

若夫取古方以疗今病，固难免刻舟之讥矣；然而挹古方治病之理以资今人处方之鉴，则犹足他山之攻尔。儒家人伦之切乎古时人情世俗，固无疑矣；而欲创切乎现代人情世俗之人伦体系，则舍儒家人伦之理，将焉取而为鉴哉？本乎此，乃试求儒家人伦之所以切合古时人情世俗者而申明之，以资创建中国特色之现代人伦体系之助者，乃予著述之旨也。

惟予才疏不敏，愿陈鄙陋以就正于同仁。苟得砖抛而玉应焉，则予之幸也夫！是为序。

岁次乙酉季秋之月（西历 2004 年 10 月）吉旦
浦江徐儒宗识于杭州寓舍

目　录

第一章 导 论

和平与发展是人类所追求的两大目标,而和平又是发展的基础和保障。中国古代哲人有云:"讲信修睦,谓之人利;争夺相杀,谓之人患。"作为"万物之灵"的"人",怎样才能自觉而理智地促进"讲信修睦"之"人利",制止"争夺相杀"之"人患",以维护人类的永久和平呢? 对此,儒家提出了以人为本的"仁"的学说。

儒家的"仁"的学说,是以"爱人"之心为出发点,以适得事理之宜的"中庸"为方法论,以谦让恭敬之"礼"为行为规范,而将具体内容落实在"人伦"教化的实践之中。通过"人伦"教化,从个体的"各正性命"以达到全体的"保合太和",使人类社会达到协调有序的和谐之境,全人类亦以"协和万邦"的宏大气势进入"万国咸宁"的大同社会。于是,人类的发展才能得以更好地展开。

所以,在儒家的人伦思想中,蕴涵有丰富的协调人际关系、调节社会秩序、维护世界和平以推动人类发展的思想精华,确实有待我们加以全面而深入的探讨以及吸取和利用。

第一节　开宗明义说人伦

儒家学说是中华传统文化思想的主流,而人伦则是儒家学说的中心内容。正如孟子在大力宣扬其王道主张时说:"设有庠序学校以教之:庠者,养也;校者,教也;序者,射也。夏曰校,殷曰序,周曰庠,学则三代共之,皆所以明人伦也。人伦明于上,小民亲于下,有王者起,必来取法,是为王者师也。"(《孟子·滕文公上》)孟子以夏、商、周三代都把"明人伦"作为施政之先务为根据,来说明当今之世若有王者起,亦必取法于斯的道理。三代的教学制度是否果若孟子所言姑置勿论,然而自孔子、孟子以降的儒学大师都以人伦教化作为推行圣道以平治天下之先务则是事实。

一、"人伦"的含义及其起源

何谓"人伦"? 关于"人",古文《书·泰誓》曰:"人为万物之灵。"《礼记·礼运》曰:"人者,五行之秀气也。"《孝经》曰:"天地之性人为贵。"故《说文》云:"人,天地之性最贵者也。"这是确定了"人"的高于万物而赋有与天地相并的价值地位。关于"伦",《说文》云:"伦,辈也;一曰道也。"可见"伦"有"辈"和"道"两项意义。而据《汉语大词典》所归纳,"伦"主要有三条义项:一作辈、类解。如《礼记·曲礼下》云:"儗人必于其伦。"郑玄注:"伦,犹类也。"二作条理、顺序解。如《逸周书·宝典》云:"悌乃知序,序乃伦。"三作道理、义理解。《书·洪范》云:"彝伦攸叙。"蔡沈注:"伦,理也。"《论语·微子》云:"言中伦。"朱注:"伦,义理之次第也。"又如《荀子·解蔽》云:"圣也者,尽伦者也。"这里,"伦"当然是指人之所以为人的道理。

基于"伦"的以上三种解释,"人伦"一词大致也有三层含义:一指人类。如《荀子·富国》云:"人伦并处。"王先谦集解:"伦,类也。"二指人的秩序,亦即《辞源》所谓"阶级社会里人的等级关系",《汉语大词典》所谓"人与人之间的关系,特指尊卑长幼之间的等级关系"。《孟子·滕文公上》云:"使契为司徒,教以人伦。"这里,"人伦"即系指尊卑长幼之间的等级关系而言。三指"人伦"所规定的准则及其所包含的义理,亦即《辞海》所谓"人与人之间的关系和应当遵守的行为准则"。《孟子·离娄下》云:"舜明于庶物,察于人伦,由仁义行,非行仁义也。"舜作为孟子理想中的圣王,所明察的自然不止于等级关系的表面现象,而更在于其所以然之奥义,才能够自觉地"由仁义行"了。

作为"人类"的人伦,乃是本书的立足点;作为"人之秩序"的人伦,乃是本书所涉及的范围;而作为"人之秩序所包含的义理"之人伦,才是本书所应着力探索的对象。因为只有对人伦所包含的义理进行探索,才能全面而系统地掌握其本质。在此基础上,才能进而加以批判地继承,弘扬其精华,从而取得古为今用的实效。因而本书之所谓"人伦",主要是指处理人际关系的原则。

然而,人伦是怎样起源,怎样形成的呢?据古书所载,"上古穴居而野处"(《易·系辞》);"无衣服履带宫室畜类之使,无器械舟车城郭险阻之备"(《吕氏春秋·恃君览》)。先民生活在如此简陋的原始社会里,人们共同占有生产资料,集体劳动,共同消费,没有阶级和等级,人与人之间也就没有剥削、压迫和奴役。正如《吕氏春秋·恃君览》所云:"昔太古尝无君矣。其民聚生群处,知母不知父,无亲戚兄弟夫妻男女之别,无上下长幼之道,无进退揖让之礼。"可见太古之时并无后世所谓的"人伦"。

　　然而,这并不是说那时没有人与人之间的关系。其实,自从人类产生之时开始,人与人之间的关系也就随之出现了。譬如说,生民之初即有男女之分,只因男女的两性关系,才能繁殖后代,尽管古时这种关系是不固定的,然而其间的关系毕竟已经产生了。再由男女关系而生儿育女,也就产生了父母与子女之间的血缘关系。所谓"知母不知父",说明母亲与子女间的关系早就被人所认定了;父亲与子女之间的血缘关系实际上也是存在的,只不过尚未被人所确切认知罢了。再则,上古氏族聚居,幼时同龄儿童之间必然少不了共同戏耍、彼此吵闹的关系;成人后共同劳动,又形成了互相协助、彼此合作的关系;而在同族内的男女长幼之间,也存在着共同生活、互相照顾关系等等。这些人与人之间的关系,早在生民之初就已经自然形成了。这种关系固然还不能称之为"人伦",然而后世之所谓"人伦",却正是从这种自然形成的各类关系中逐渐萌发起来的。

　　随着生产力的逐步发展和家庭私有制的产生,人类由母系社会过渡到父系社会,家庭中夫妇之间的关系也逐渐固定起来。如《易·大过》"九二"云:"枯杨生稊,老夫得女妻。""九五"云:"枯杨生华,老妇得其士夫。"《易·恒》之"六五"云:"恒其德,贞,妇人吉,夫子凶。"《易·小畜》"九三"云:"舆说辐,夫妻反目。"《易·渐》之"九三"云:"鸿渐于陆,夫征不复,妇孕不育。"这些都反映了夫妇之间的关系。

　　随着夫妇关系的逐渐确定,于是父母与子女之间乃至兄弟姐妹、叔侄舅甥等之间的血缘关系也就相继确定了。据《书·尧典》所载,帝尧向部下征询帝位继承人,大臣放齐就首先推荐了尧的儿子:"胤子朱启明。"意思是说您的嗣子丹朱很开明,可以继承帝位。只因尧深知自己儿子之不肖而否定了。这说明当时父子之间的血缘关系已经普遍确定了。

《诗·大雅·行苇》云:"戚戚兄弟,莫远具尔。"《诗·小雅·常棣》云:"凡今之人,莫如兄弟。"《诗·邶风·泉水》云:"问我诸姑,遂及伯姊。"《诗·秦风·渭阳》云:"我送舅氏,曰至渭阳。"这些都反映了兄弟、姐妹乃至姑侄、舅甥等之间的血缘关系均已趋向成熟。

在政治上,随着宗法家长制的确立和部落联盟的形成,以农业为经济基础、以封侯建邦为政治形式的宗法封建制国家也就产生了。于是,就出现了政治上的上下级关系。这包括天子与公卿、诸侯或诸侯与卿、大夫之间的君臣关系,天子、诸侯与百姓之间的君民关系,卿、大夫等各级官吏与百姓之间的官民关系,以及公卿、大夫等各级官员之间的上下级关系和同僚关系等等。对此,在《尚书》、《诗经》和《周易》卦爻辞中都有着充分的反映。古文《书·大禹谟》云:"后克艰厥后,臣克艰厥臣。""后"与"臣"对举,说明了君臣关系之确立。又云:"可爱非君,可畏非民。"故《汤诰》云:"民之有罪,实君所为;君之有罪,非民所致。"皆以"君"与"民"对举,则说明君民关系之确立。

在社会上,则如《易·蹇》之"九五"云:"大蹇,朋来。"《易·损》之"六三"云:"一人行,则得其友。"《诗·小雅·伐木》云:"嘤其鸣矣,求其友声。"《诗·小雅·鹿鸣》云:"我有嘉宾,鼓瑟吹笙。"这些都反映了朋友、宾主之间的关系也已为人们所重视。

由上述可见,人与人之间的各种关系都是在社会发展的进程中自然形成的。各种关系在长期相处和交往过程中,经过习惯成自然地积累,久而久之,每种关系之间必然会形成某种适宜于保持或处理这种关系的规范和准则,并为一定范围内的人们所认同和遵守,从而作为约定俗成的原则固定下来。例如《书·尧典》所载,众大臣向帝尧推荐虞舜，说他"父顽，母嚚，象傲，克谐以孝"，这说明"孝"已成为子女善事父母的道德准则。而如古文《书·君陈》云："惟尔令德孝恭。惟孝友于兄弟，克施有政。"《诗·大雅·皇矣》云："则友其兄，则笃其庆。"这些记载则明确说明了兄弟之间应互相遵从"友"的道德准则。至于《书·康诰》所云："元恶大憝，矧惟不孝不友。子弗祗服厥父事，大伤厥考心；于父不能字厥子，乃疾厥子。于弟弗念天显，乃弗克恭厥兄；兄亦不念鞠子哀，大不友于弟。惟弔兹，不于我政人得罪，天惟与我民彝大泯乱。曰：乃其速由文王作罚，刑兹无赦。"这段话更说明了父子、兄弟之间不能互相各尽义务，已被视为"刑兹无赦"的"元恶"。古文《书·伊训》云："居上克明，为下克忠。"商代良相伊尹要求君上能做到明察，臣下能做到忠诚，显然已把"忠"作为臣下的道德准则了。《易·解》"九四"云："解而拇，朋至斯孚。"孚，信也。这条爻辞意为，摆脱小人的纠附，然后朋友就能前来以诚信之心相应。这说明朋友之间必须互相以诚信相待。

从上述可知，至晚在商周之交，几种主要的社会关系已渐趋定型，而且已初步形成了共同遵守的道德准则。及至春秋时代，这些关系又有了进一步发展。正如春秋初期的卫国大臣石碏所论："君义，臣行，父慈，子孝，兄爱，弟敬，所谓六顺也。"（《左传·隐公三年》）他把君臣、父子、兄弟三对社会关系双方的道德准则都作了明确的规定。可见当时人们的人伦观念已经相当浓厚了。

二、"五伦"的定型

人伦作为每个人立身处世的行为准则，尽管在实践上早已被人们所普遍重视，然而从理论上讲，还缺乏系统的总结。首先对人伦从理论上进行全面而系统的总结并赋予适应时代发展的新内容的,乃是春秋末期的儒家创始人——孔子。

春秋时代的社会制度,是由商、周以来的以血缘关系为纽带的封建宗法制度发展而来的。然而政治上以封侯建邦为特色的封建制,早已由"礼乐征伐自天子出"的盛世历经"礼乐征伐自诸侯出、礼乐征伐自大夫出"而逐渐下移到"陪臣执国命"的末期了。随着政治权力的逐步下移和经济、文化等各方面的日益发展,人们的社会交往已日趋广泛,单凭血缘的感情显然已不能应付了。孔子为了适应社会发展趋势,在对人之本性以及社会现实进行精密观察和细致分析的基础上,创建了"仁"的学说。这是一整套既具有系统理论,又切合人的心理感情,既适用于当时的社会实践,又能适应历史发展大势的一种泛应曲当、切实可行的经世方案。这种"极高明而道中庸"的经世方案,尤其突出地表现在他的人伦思想方面。

孔子在充分研究和继承前人关于人伦观念方面的优良传统的同时,又对当时社会现实中的人际关系进行了深入的考察。孔子认为,在现实社会中,人与人之间的关系是非常复杂的。他以"仁"的思想作为指导,缜密地分析了各种各样的社会关系,终于在普遍的关系中发现了具有典型性的特殊关系。孔子把现实社会中具有典型性的人际关系提纲挈领地归纳为五大类:"君臣也,父子也,夫妇也,昆弟也,朋友之交也。五者,天下之达道也。"(《中庸》)孔子之所以把君臣、父子、夫妇、昆弟、朋友五类人际关系并称为"达道",乃是因为就此五者本身的性质而言,都分别有其相对的特殊性;而对于整个人类社会而言,每类人际关系又各有其广泛的普遍性。称之为"达道",正是体现了五者的既特殊而又普遍的典型性。

孔子认为,五达道是从"夫妇"开始的。正如《中庸》所谓"君子之道,造端乎夫妇",故而孔子非常重视夫妇关系。在中国婚姻史上,孔子第一个对夫妇关系作了全面而系统的论述。首先,他赞成当时还流行于民间的男女之间比较开放的自由恋爱。其次,他主张"夫妇和"(《礼记·礼运》);还提出"夫妇之道,不可以不久也"(《易传·序卦》)。再次,他还进而提出丈夫应该尊敬妻子:"昔三代明王之政,必敬其妻也有道。"(《礼记·哀公问》)孔子这种以相爱和相敬并应保持长久稳定的理论来看待夫妻关系的观点,为后世进步的婚姻观奠定了基础。

在家庭关系中,随着夫妇而来的,就是父母和子女之间的血缘关系。孔子特别重视"父子"关系,他把双方相互的义务规定为"父慈而子孝"。然而,孔子又看到,在现实社会中,父母对子女一般都能尽到"慈"的责任,而子女对父母则比较难以尽到"孝"的义务。孔子针对这种偏向,所以平时谈"孝"的言论就比较多。再则,孔子对年轻的学生设教,自然应多谈孝道。孔子还认为:"当不义,则子不可以不争于父";"从父之令,又焉得为孝乎?"(《孝经》)可见后世那种宣扬绝对服从父命的说法,与孔子的思想是背道而驰的。

父子关系,其实只是以血缘为纽带的家族中一种纵向的典型的特殊关系。与之相类似的,还有祖孙关系、叔侄关系、姑侄关系、舅甥关系等等,都可依据父子关系而由近及远依此类推。

在家庭关系中,随着父子而来的,就是兄弟之间的血缘关系。"兄弟"禀同气而生,故其间的关系主要是以互相团结友爱为原则。不过兄弟是有长幼之分的,所以兄对弟应该友爱,弟对兄应该恭敬,即所谓"兄爱,弟敬"(《左传·隐公三年》)或"兄友,弟恭"(《左传·文公十八年》)。弟恭敬兄的道德,孔子称之为"悌"。"孝"和"悌"都是通向"仁"的起点,所以说"孝悌为仁之本"。

兄弟关系,乃是家族中一种以血缘为纽带的横向的典型的特殊关系。与之相类似的还有姐妹关系、姐弟关系、兄妹关系,以及堂兄弟、表姐妹等关系,皆可由近而远类推。最后超出家族范围,乃至"四海之内,皆兄弟也"(《论语·颜渊》)。

在古代的统治阶级内部,还存在着政治上的上下级之间的特殊关系。这种特殊关系的典型性,突出表现在"君臣"关系上。孔子说:"君使臣以礼,臣事君以忠。"(《论语·八佾》)后来孟子还把君臣之间的关系描述为:"君之视臣如手足,则臣视君如腹心;君之视臣如犬马,则臣视君如国人;君之视臣如土芥,则臣之视君如寇雠。"(《孟子·离娄下》)孟子还认为贵戚之卿应该"君有大过则谏,反复之而不听,则易位";异姓之卿则应该"君有过则谏,反复之而不听,则去"(《孟子·万章下》)。荀子亦言为臣应该"从道不从君"(《荀子·大略》)。而且,孟、荀都极力赞颂汤、武"吊民伐罪"以推翻桀、纣为正义之举。据此,孔、孟、荀所提倡的君臣关系,乃是互相尊重敬爱的对等关系,也是颇含有民主成分的较为开明的上下级关系,绝无后世之所谓"君令臣死,不得不死","臣罪当诛,天王圣明"那种绝对服从的愚忠思想。

在政治上与君臣关系相类似的,还有君民关系、官民关系以及官僚之间的上下级关系和同僚关系等。关于君民关系,孔子说:"民以君为心,君以民为体";"君以民存,亦以民亡"(《礼记·缁衣》)。孟子说:"民为贵,社稷次之,君为轻。"(《孟子·尽心下》)荀子说:"天之生民,非为君也;天之立君,以为民也。"(《荀子·大略》)这些都充分体现了儒家进步的君民观。

在社会关系中,更普遍的是与广大众人之间的关系。对此,孔子主张"泛爱众,而亲仁"(《论语·学而》);"尊贤而容众,嘉善而矜不能"(《论语·子张》)。普通的众人属于"泛爱"的范围;其中仁者、贤者,则属于"亲"和"尊"的对象。然而在现实社会中,即使对于同样的仁者或贤者,交情也不可能是等同的。因为人与人之间,性格上会有差别,志趣和爱好上会有同异,接近的机会也有多有少。如果两人之间的性格接近,志趣和爱好相投,接触的机会也较多,那么交情也必然会深一些。于是,就形成了"朋友"这一特殊的人际关系。"朋友"是一种既突破了血缘关系,又不受政治所限制,而又有别于"众人"的一种具有典型性的特殊关系。这种关系,是完全建立于道义的基础之上的。孔子把"朋友"列为五达道之一,对传统的血缘加政治的宗法制度作了大胆的突破。这对建立和发展具有广泛社会意义的伦理道德,起到了极其重要的作用。

此外,还有一种在名分上既如父子,在道义上又像朋友的"师弟"关系。孔子弟子颜回死时,孔子说:"回也视予犹父也,予不得视犹子也。"(《论语·先进》)孔子常以多交良友为乐:"有朋自远方来,不亦乐乎!"(《论语·学而》)这里的所谓"朋",其实也包括他的众多弟子在内。孔子弟子三千,贤人七十二。他与众多弟子的关系既如父子,又像朋友,相处得非常融洽,堪为万世师弟关系之楷模。

孔子认为,以上五类典型的社会关系有其各不相同的性质。例如父子或兄弟之间的关系是与生俱来的;而如夫妇是合两姓之好,君臣是服从政治的需要,朋友纯系道义之交,都属于后天的结合。所以,在处理各种关系的态度上,应根据其不同性质而有所区别。因而他给这五类典型的社会关系所规定的不同的权利和义务,都是从人之本性出发而深合人之正常心理的。具体内容,有待专章详论。

后来,孟子又把孔子所归纳的"五达道"明确称之为"人伦"。他说:"人之有道也,饱食、煖衣、逸居而无教,则近于禽兽。圣人有忧之,使契为司徒,教以人伦:父子有亲,君臣有义,夫妇有别,长幼有序,朋友有信。"(《孟子·滕文公上》)所以,后儒又把此五者直接称之为"五伦"。于是,"五伦"的内容及其名称,也就从此定型了。

三、"五伦"顺序之演变

"五伦"的内容和名称尽管业已确定,然而五者之间的排列顺序却经历了多次演变。

孔子从自然发展观和社会发展观的角度对各类人际关系的发展进程作了探讨,并在《易传·序卦》中作了系统的论述:"有天地,然后有万物;有万物,然后有男女;有男女,然后有夫妇;有夫妇,然后有父子;有父子,然后有君臣;有君臣,然后有上下;有上下,然后礼义有所错(措)。"这段话,如果结合《易传》本身关于乾坤或阴阳之间对立统一以推动事物发展的理论进行考察,分明是把男女两性之间的矛盾视为人类最原始、最普遍的基本矛盾,有了男女两性之对立与统一,才繁衍了人类;进而又把夫妇关系视为人类由自然进入社会之后的最原始、最普遍的社会关系,认为从只有"男女"观念发展到具有"夫妇"观念,乃是人类从自然人进化为社会人的重要标志;因为人类在尚未确定夫妇关系的远古时代,知母而不知父,是无所谓父子关系的;直至有了夫妇关系,才有所谓父子、君臣以及上下诸关系的相继产生,才创造了人类社会的文明,故把"夫妇"置于"父子"和"君臣"之前而列为人伦之首。孔子这种从夫妇到父子,再到君臣、上下的排列顺序,是合乎人类社会的发展逻辑的。这是以社会发展的观点论证了"夫妇"为人伦之始。

又据《礼记·哀公问》所载,鲁哀公向孔子询问为政之道,孔子答道:"夫妇别,父子亲,君臣严。三者正,则庶物从之矣。"《大戴礼记·哀公问于孔子》所载与此相同,唯"君臣严"作"君臣义"。这里,他把夫妇别、父子亲、君臣严(或"君臣义")三者列为治国的首要问题,并明确地作了排列。接着还认为夫妇间的"爱与敬"是"政之本",并作了详细的论证。《大戴礼记》和《孔子家语》都记载了基本相同的内容,可见孔子的这种排列和论证是可信的。故《礼记·昏义》进一步发挥了孔子的这一思想:"男女有别,而后夫妇有义;夫妇有义,而后父子有亲;父子有亲,而后君臣有正。故曰:昏礼者,礼之本也。"这正是以政治的眼光论证了"正夫妇"乃为政之本。后来《诗大序》把"正夫妇"看作是"正始之道,王化之基",就是继承了孔子的思想。

又据《论语·学而》载有孔子的高足子夏说的一段话:"贤贤易色;事父母,能竭其力;事君,能致其身;与朋友交,言而有信。虽曰未学,吾必谓之学矣。"刘宝楠《论语正义》引《朴学斋札记》云:"贤贤易色,明夫妇之伦也。"据此,子夏给这几项人伦所作的排列顺序依次是:夫妇,父子,君臣,朋友。这种排列,显然是继承了孔子的思想。

由是观之,孔子对于"五伦"的排列顺序是:一夫妇,二父子,三兄弟,四君臣,五朋友。这一排列顺序,既合乎社会发展的规律,也有其科学的逻辑性。

然而,为什么《中庸》(《中庸》原为《礼记》中一篇,南宋后被抽出单独刊印)在引用孔子回答鲁哀公问政的话时,又把"五达道"的顺序更定为"君臣也,父子也,夫妇也,昆弟也,朋友之交也"呢?其实,这里在把"夫妇"退居第三的同时,又把"君臣"提到了首位。这与《礼记·哀公问》所记的同样是孔子回答鲁哀公问政时所说的"夫妇别,父子亲,君臣严"的顺序互相矛盾,显然不合孔子的本意,而是《中庸》作者为了适应君主专制制度逐渐确立的形势所作的修正。不过《中庸》仍认为"君子之道,造端乎夫妇",则保存了孔子把"夫妇"视为人伦之始的思想。

孟子大力宣扬王道,大概比较重视父子和君臣关系,故而把人伦顺序更定为"父子有亲,君臣有义,夫妇有别,长幼有序,朋友有信"(《孟子·滕文公上》),将"夫妇"退居第三而将"父子"列为"五伦"之首,对孔子所定的人伦顺序作了调整。

及至荀子时代,君主专制主义制度又有了进一步发展,为了适应这一趋势,就把"君臣"定为人伦之首,而把"五伦"的顺序又作了调整。《荀子·天论》云:"若夫君臣之义,父子之亲,夫妇之别,则日切磋而不舍也。"竟把孔子的"夫妇别、父子亲、君臣义"三者的顺序完全颠倒了!《荀子·王制》云:"君臣、父子、兄弟、夫妇,始则终,终则始,与天地同理,与万世同久,夫是之谓大本。"更把"夫妇"退居"兄弟"之后而列为第四了。

秦汉以后,由于中央集权的专制制度的进一步发展并长期占据着政治舞台,后世儒家就一直沿用了荀子所更定的顺序,即:一君臣,二父子,三兄弟,四夫妇,五朋友。显然,这一排列顺序,除了为适应时代而明显突出君权和父权之外,并无学术上的逻辑意义,而且是完全违背孔子之本意的。

纵观"五伦"顺序的演变过程,孔子是根据社会关系自身发展的历程排列"五伦"之顺序的;而《中庸》作者和孟子、荀子则都是为了适应当时趋向大一统局面的时代需要而加以调整的。本书讨论人伦思想,仍然遵从孔子所定的顺序进行叙述。一则因为孔子是儒家的创始人,理应以他所定为准;二则更因为孔子所定的顺序最符合社会发展的规律。

四、"五伦"与"三纲"辨析

长期以来,人们往往把"五伦"与"三纲"相提并论,都将之当作儒家思想加以论述,这实在是一种误解。其实,"五伦"才是属于儒家的正宗的人伦思想,而"三纲"实源于法家思想,由汉儒吸收到儒学之内,才冒充了儒家思想。两者思想体系不同,泾渭分明,毫无共同之处。兹有必要加以辨析,故将"三纲"说的源流略加探讨。

战国中晚期,各大国的君主集权的专制统治日益发展。为了迎合这一形势,法家的集大成者韩非子综合法、术、势三派之长,系统地建立了一整套极端专制主义的法家统治学说,并成为秦国统一天下所一贯奉行的指导思想。在立论的基础上,儒家的思孟学派从性善论出发而推崇道德教化自不必说,即使荀子以性恶立论,但其目的仍在于"化性起伪",即通过后天的礼义教化而修养为具有道德的人。而韩非子受《管子》的人性"自利"和荀子的"性恶论"的影响,从"人性恶"的观点出发,坚持"人性利己"之说,把一切人际关系,都看作是交相利用、冷酷无情的争夺关系,而否认其间的纯真感情和道德性。韩非子与荀子的根本分歧,在于他认为人的利己性不可能通过礼义教育以"化性起伪",而只有依靠"法"的手段来对付。他认为"喜利畏罪,人莫不然"(《韩非子·难二》),因而把人与人之间的关系,无论是君臣、父子、夫妇之间的关系,统统看成是互相利用的利害关系。

在君臣关系上,韩非子主张"尊主卑臣",集一切权力在君主一人之手以实现君主专制的统治。他一概摒弃儒家的仁义教化,而唯以权势法术是尚,主张用权术手段以驭臣,形成了以高压为手段的专制独裁统治体系。韩非子认为君臣关系完全是"官爵"与"死力"的买卖关系。《韩非子·难一》篇云:"臣尽死力以与君市,君垂爵禄以与臣市,君臣之际,非父子之亲也,计数之所出也。"韩非子还把人的利欲看成动物的本能。正如《韩非子·内储说上》所谓君视臣"犹兽鹿也,惟荐草而就"。这是何等露骨的兽欲论!在《韩非子·主道》篇提出了"明君无为于上,群臣竦惧乎下","有功则君有其贤,有过则臣任其罪"的极端独裁的权谋统治。这显然是后世"天王圣明,臣罪当诛"说法之所自出。

在人间最亲近的家庭关系中,韩非子彻底否定儒家所提倡的夫妇互相敬爱和父慈子孝等道德,也将之看成是纯粹的利害关系。《韩非子·备内》篇云:"夫妻者,非有骨肉之恩也,爱则亲,不爱则疏。……丈夫年五十而好色未解也,妇人年三十而美色衰矣。以衰美之妇人事好色之丈夫,则身死见疏贱,而子疑不为后,此后妃夫人之所以冀其君之死者也。"《韩非子·六反》篇云:"父母之于子也,产男则相贺,产女则杀之。此俱出父母之怀袵,然男子受贺,女子杀者,虑其后便,计之长利也。故父母之于子也,犹用计算之心以相待也,而况无父子之泽乎!"在韩非子看来,即使是丈夫与妻妾、父母与子女之间,都是"用计算之心以相待"的关系。

基于以上的看法,韩非子在人伦方面提出:"臣事君,子事父,妻事夫,三者顺则天下治,三者逆则天下乱。此天下之常道也。"(《韩非子·忠孝》)这完全是从专制主义立场出发,否定儒家关于夫妇、父子、君臣等双方之间基本对等的关系,而从理论上断定了君、父、夫对于臣、子、妻的绝对统治权力,显然是汉儒"三纲"说之所自出。

汉继秦制,大儒董仲舒为了适应汉代大一统专制统治的需要而提出了"独尊儒术,罢黜百家"的口号,但是他对先秦儒学却作了重大的改造。他吸取先秦百家中凡属有利于专制统治的观点使之融合于儒学之中,而把先秦儒学中原本具有的民主精神加以淡化。在人伦方面,他直接继承法家韩非子之说而提出了"三纲"的概念,认为"王道之三纲,可求于天"。及班固《白虎通义·三纲六纪》又提出了"三纲"的具体内容:"三纲者,何谓也?谓君臣、父子、夫妇也。……君为臣纲,父为子纲,夫为妇纲。"这就正式建立了"三纲"说。《白虎通义·五行》又说:"臣顺君,子顺父,妻顺夫何法?法地顺天也。"这显然是直接从韩非子"臣事君,子事父,妻事夫,三者顺则天下治"脱胎而来。所以在"三纲"中，片面强调下对上的义务，上对下具有绝对权威，而无所谓责任。这样，汉儒对原始儒家的"五伦"从理论上进行了重大的改造，把本来具有合理性的内容改造成为服务于专制统治的工具。

若将"五伦"与"三纲"加以比较，就可以看出两者之间的明显区别。先秦儒家的"五伦"，是建立在仁学的人性论基础之上的，因而每"伦"的双方基本上是互相对应的对等关系。其中夫妇关系是互相"爱与敬"，或"夫妇有义"；父子关系是"父慈子孝"或"父子有亲"；兄弟关系是"兄爱弟敬"或"兄友弟恭"；君臣关系是"君使臣以礼，臣事君以忠"；朋友关系为"朋友有信"。尽管"五伦"的排列顺序为了适应专制制度的强化而有所调整，但其间所应遵守的道德准则一直相沿未变。从中可以看出：无论哪一伦，双方都有应尽的义务，从而也相应地保证了对方所应得的权利；而且，双方都有独立的人格，互相尊重，毫无一方对于另一方的绝对服从之意，基本上都是合乎中道和"忠恕"之旨的对等关系，在人格上基本上是平等的。然而汉儒吸取韩非子之说所提出的"三纲"，是以法家的绝对专制统治思想作为理论指导的，因而每"纲"的双方变成为上下从属、下对上无条件服从的关系；其中君、父、夫对于臣、子、妻完全是违背中道的极端专制主义的绝对统治关系。

而且，先秦儒家的"五伦"说，还鼓励为子要做"争子"，为臣要做"争臣"。孔子主张"事父母几谏"；孟子则提出"君之视臣如土芥，则臣之视君如寇雠"；"君有大过则谏，反复之而不听，则易位"；甚至还可以兴"吊民伐罪"之师将其推翻；荀子亦言为臣应该"从道不从君"，其中所蕴涵的民主精神是很明显的。然而在"三纲"说的影响之下，就开始竭力提倡那种片面要求臣、子、妻的所谓"君令臣死，臣不得不死；父令子亡，子不得不亡"；"饿死事小，失节事大"的愚忠、愚孝、愚节思想,误导了整个专制时代,流毒非常深远。两相对比,何啻天渊之别!

由此可见,"五伦"与"三纲"有其本质的区别。故"三纲"的专制观念必须清除,而"五伦"的平等观念值得弘扬。

第二节 人伦的道德本体——仁

孔子创建以人为本的仁学。仁者,本心之全德,诸德之总名,也可以说是道德之本体。"仁"的最高境界是"内圣";"内圣"的道德落实到人伦教化的具体实践中就是齐家、治国、平天下的"外王"事业。所以,儒家的仁学,系以道德伦理为主体内容。所谓"道德",分言之,"道"是事物运动的规律,在人学的意义上,通常指行为所应遵循的基本道理;"德"是指"道"之有得于心者而言,乃是主体的人对"道"的获得与把握。"道德"联用,主要是指人的内在修养。所谓"伦理",就是人伦及其所包含的义理;就其实际效用而言,主要体现为人际关系所应遵守的外在行为准则。《礼记·大学》云:"诚于中,形于外。"故人际外在的人伦准则必须以各人内在的道德修养为根本。

一、"五达道"与"三达德"

据《中庸》所载,鲁哀公向孔子征询为政之道,孔子回答说:"天下之达道五,所以行之者三。曰:君臣也,父子也,夫妇也,昆弟也,朋友之交也,五者,天下之达道也;知、仁、勇三者,天下之达德也,所以行之者一也。"朱注云:"达道者,天下古今所共由之路也。知,所以知此也;仁,所以体此也;勇,所以强此也。谓之达德者,天下古今所同得之理也。达道虽人所共由,然无是三德,则无以行之。"所谓"五达道"也就是"五伦"。这说明,要践行"五伦"而臻乎极致,还必须具备知、仁、勇三种品德,方能奏效。

关于"仁",含有广狭两义。从广义讲,乃是本心之全德,诸德之总名,道德之本体。孔子说"仁者,人也",是说"仁"是关于人之所以为人的学问,这是指广义的"仁"。后人称孔子的学说为仁学,乃指此广义之"仁"而言,也可以说"仁学"就是"人学"。从狭义讲,则指爱人之心。樊迟问仁,子曰"爱人",就是指狭义的"仁"。这里把"仁"与"知"、"勇"并列为"三达德",系指狭义的爱人之心而言;若是广义的"仁",则是包括"知"、"勇"在内的。孔子认为,要践行五达道,首先必须怀有爱人之心,才能从感情上维系人际关系。爱人之心,系由孟子所谓的"不忍人之心"或"恻隐之心"扩充而来。孟子说:"所以谓人皆有不忍人之心者,今人乍见孺子将入于井,皆有怵惕恻隐之心。非所以内交于孺子之父母也,非所以要誉于乡党朋友也,非恶其声而然也。由是观之,无恻隐之心,非人也。……恻隐之心,仁之端也。"这种"恻隐之心"或"不忍人之心",乃是基于人之本性萌发出来的道德状态;它是爱人行为的原动力,是从感情上维系人际关系的内发能量。孟子说:"人皆有所不忍,达之于其所忍,仁也。"一个人假若没有一点爱人之心,那么正常的人伦关系就无从维系。朱子曰:"仁者,爱之理,心之德也。"(《论语集注·学而》)这是说,"爱人"仅仅是一种"仁"的趋向;"爱人"而能合乎适得事理之宜的道理,才是"本心之全德",才是道德之本体的广义之"仁"。

关于"知",也就是"智",兼指智慧和知识,这是从认识论上讲的。因为对于任何事物,只有正确的认识,才有正确的实践。从伦理的意义上说,乃是对于各种人际关系的辨别与理解。因为只有明确认识各类人际关系的性质并把握其特点,在处理人际关系时才不至于盲目应付而适得事理之宜。而其最重要者,莫过于要有知人之明,才能辨别人之善恶贤愚。能辨别善恶贤愚,才能根据不同情况加以区别对待而处理好人际关系。

"智"的通常意义在于能够洞达事理而处得其宜,而要达到洞达事理则在于能够掌握各方面的知识。所以孔子主张"博学于文"而强调"好学",而他对自己的评价就在于一生能够做到"学而不厌,诲人不倦"。而求知之道,首先必须具有"知之为知之,不知为不知"的实事求是的态度,其次还要具有"敏而好学,不耻下问"的谦虚好学的精神。孔子曰:"好学近乎知。"又曰:"博学之,审问之,慎思之,明辨之,笃行之。"(《中庸》)其中博学、审问、慎思、明辨四者,皆属于好学求知之事。《大学》也以格物、致知列为八条目之首。

孔子常常将"知"与"仁"并称,如曰:"知者乐水,仁者乐山;知者动,仁者静;知者乐,仁者寿。"(《论语·雍也》)他还把圣帝虞舜称为"大知"。他说:"舜其大知也与! 舜好问而好察迩言,隐恶而扬善,执其两端,用其中于民,其斯以为舜乎!"(《中庸》)孔子认为,大舜能以中道治民,这就是大知。然而,"知"必须有"仁"的制约,只有从"爱人"之"仁"出发,达到仁与知的统一,才是合乎道德的"知"。孔门弟子与孟子都认为若能仁智兼备,就达到了圣人之境。《孟子·公孙丑上》载:"昔者,子贡问于孔子曰:'夫子圣矣乎?'孔子曰:'圣则吾不能,我学不厌而教不倦也。'子贡曰:'学不厌,智也;教不倦,仁也。仁且智,夫子既圣矣!'"朱注云:"学不厌者,智之所以自明;教不倦者,仁之所以及物。"可见"学不厌"乃是智者之事。

关于"勇",就是有胆量,勇敢。既包括求道、行道的勇气,也包括长期守道、行道的恒心和毅力。孔子曰："见义不为，无勇也。"（《论语·为政》）可见"勇"必须与"义"结合起来，而做到见义勇为，才合乎正道。又曰："仁者必有勇，勇者不必有仁。"（《论语·宪问》）朱注云："仁者，必无私累，见义必为；勇者，或血气之强而已。"可见若能以"仁"存心，就自然能够做到见义勇为，说明"勇"必须有"仁"作为思想指导。孔子又曰："勇而无礼则乱。"（《论语·泰伯》）说明"勇"者不可不知"礼"，否则就会出现弊端。又《中庸》引孔子告子路曰："君子和而不流，强哉矫！中立而不倚，强哉矫！国有道，不变塞焉，强哉矫！国无道，至死不变，强哉矫！"这是勉励子路在实践人伦道德时必须怀有见义勇为的精神。

《孟子·公孙丑上》引曾子谓子襄曰："子好勇乎？吾尝闻大勇于夫子矣：自反而不缩，虽褐宽博，吾不惴焉；自反而缩，虽千万人，吾往矣。"曾子所推崇的"勇"专以是否合乎道义为标准：假若自问于道义有亏，虽然对方是一个贫贱之人，也会感到恐惧；假若自问而合乎道义，则虽然对方势力强大，亦无所畏惧。而孟子认为自己的养勇之法在于"养吾浩然之气"。这种"浩然之气"完全是一种"集义所生"的能够"配义与道"的"至大至刚"之天地正气。这种正气完全是靠正义支撑的，假若"行有不慊于心，则馁矣"。这与曾子所谓"自反而不缩，虽褐宽博，吾不惴焉"之意完全一致。正由于孟子的"浩然之气"完全是从正义出发的正气，所以才充分体现了他的"富贵不能淫，贫贱不能移，威武不能屈"的大丈夫精神。孟子还针对齐宣王自谓"好勇"之弊而与之大谈自己对于"好勇"的看法。他说："王请无好小勇。夫抚剑疾视曰：'彼恶敢当我哉！'此匹夫之勇，敌一人者也。王请大之！"接着为之历述文王、武王"一怒而安天下之民"的大勇，然后鼓励道："今王亦一怒而安天下之民，民惟恐王之不好勇也。"这完全是以"仁"作为指导，希望齐宣王能消除血气之小勇，而发扬拯民于水火之大勇。这种大勇，完全是与"仁"结合在一起的"勇"。

作为"大勇"，还必须与"智"结合起来。没有"智"的"勇"，仅仅是一种血气之勇，亦即所谓有勇无谋的匹夫之勇；而与"智"结合之"勇"，才是所谓智勇双全的大智大勇。苏东坡作《留侯论》，教人应尽量控制那种"匹夫见辱，拔剑而起，挺身而斗"的血气之勇，认为"此不足为勇也"；而极力称道怀有远大抱负的大勇："天下有大勇者，卒然临之而不惊，无故加之而不怒，此其所挟持者甚大，而其志甚远也。"所以，他批评张子房早年椎击秦皇时那种"不忍忿忿之心，以匹夫之力，而逞于一击之间"的匹夫之勇，深责"子房以盖世之才，不为伊尹、太公之谋，而特出于荆轲、聂政之计，以侥幸于不死"的行为之不足取；然而他却尽情地赞颂子房后来辅佐汉高祖时那种既有"运筹帷幄之中，决胜千里之外"的智慧，又有"秦皇之所不能惊，而项籍之所不能怒"的度量的"天下之大勇"。这里，苏东坡充分阐发了"勇"必须与智慧、度量结合起来的意义。张敬夫亦曰："小勇者，血气之怒也；大勇者，理义之怒也。血气之怒不可有，理义之怒不可无。"（朱子《孟子集注·梁惠王下》引）

在从事求知和践行的过程中，"勇"又体现为勇气和毅力。正如《中庸》所云："有弗学，学之弗能弗措也；有弗问，问之弗知弗措也；有弗思，思之弗得弗措也；有弗辨，辨之弗明弗措也；有弗行，行之弗笃弗措也。人一能之己百之，人十能之己千之。果能此道矣，虽愚必明，虽柔必强。"这段话就是鼓励人们在求知和践行过程中必须要有一往直前的勇气和坚持不懈的毅力，才能有所成就。而所谓"虽愚必明，虽柔必强"，则是基于知、勇两者所得的实效。"知"与"勇"统一于求知与践行之中。

总而言之，狭义的"爱人"之"仁"是践行人伦道德的原动力，

"智"是践行人伦道德所必须具备的知识和智慧,"勇"是践行人伦道德所必须具有的勇气和毅力。孔子曰:"知者不惑,仁者不忧,勇者不惧。"(《论语·子罕》)朱注云:"明足以烛理,故不惑;理足以胜私,故不忧;气足以配道义,故不惧。"一个人若要实行圣人之道,在立身处世上臻乎人伦之极致,知、仁、勇三者缺一不可,而三者的相济相成,乃成为广义的道德本体之"仁"。

二、人伦以"诚"和"忠"、"信"为基本素质

前面曾经提到,孔子在论述知、仁、勇三者为天下之达德时,紧接着还有一句"所以行之者一也"。这个"一"是什么呢?朱注云:"一则诚而已矣。"所谓"诚",就是真实无妄之意。要践行"五达道",必须凭借知、仁、勇三种功能的通力合作;而要保证知、仁、勇三种功能正常发挥其作用,又必须立足于"诚"的基本素质。所以,接下去又着重论述了"诚"的重要性。《中庸》把"诚"看作道之本体,既是最根本的哲学范畴,又是最基本的道德范畴。

"诚"作为哲学范畴,是为真实。真实是事物存在的最根本的属性,假若某种事物脱离了真实,也就失去其存在的意义了。《中庸》首先从本体论的高度作了论述:"诚者,天之道也;诚之者,人之道也。""诚"即指宇宙万物之实有而言。宇宙万物都天然具有"真实"这一本质属性而有其自身的客观规律,这是"诚者天之道";人能遵循宇宙万物所具有的"真实"这一本质属性并掌握其客观规律而加以运用,就是"诚之者人之道"。从天道而言,真实这一根本属性自始至终贯串于宇宙万物之中,即所谓真实无妄之本体是也。宇宙万物之所以生生不已,就是因为它"诚",不诚不能有万物。故曰:"诚者,物之终始,不诚无物。"一切事物,都因"诚"而有而生而长,诚是万物的根源,也是天道之所以自强不息的根本。故又曰:

"故至诚无息,不息则久,久则徵,徵则悠远,悠远则博厚,博厚则高明。博厚,所以载物也;高明,所以覆物也;悠久,所以成物也。"从人道而言,正因为"诚者,非自成己而已也,所以成物也",所以说:"唯天下之至诚,为能尽其性;能尽其性,则能尽人之性;能尽人之性,则能尽物之性;能尽物之性,则可以赞天地之化育;可以赞天地之化育,则可以与天地参矣。"若能尽遂宇宙万物之性以参赞天地之化育,斯乃人道之极致。

然而在实际上,宇宙万物有时也会以某种假象表现出来。在这种情况下,必须透过假象而掌握其本质,事物才能体现其真实的存在意义;假若把这种假象误当真相看,则事物就失去其存在的意义了。即如"海市蜃楼"这一现象,就其本身而言,也是自然界一种真实的事物;但它作为某处亭台楼阁的幻影,相对于该处亭台楼阁而言,则又是一种假象。如果把它作为一种自然现象加以认识,仍不失其存在的意义;但若误将其当作某处亭台楼阁来看待,那就失去其存在的意义了。《中庸》在哲学上提出"不诚无物"这一命题,其现实意义就在于:认识宇宙万物,都必须透过事物的现象而揭示其本质,并立足于事物"真实"本质的基础之上来掌握其客观规律而加以运用。

"诚"作为道德范畴,是为诚实。诚实是人性向善的基本素质。我国先民很早就很重视"诚"的品德。《尚书·太甲下》即有"神无常享,享于克诚"的记载,这里的"诚",系指侍奉鬼神的虔诚。《周易·乾文言》云:"修辞立其诚,所以居业也。"这是强调出言要"诚",明显已具有日用人伦的道德意义。《大学》将"诚意"列为"八条目"之一,而为修身乃至平天下一生事业之起点。其所谓"意诚而后心正,心正而后身修,身修而后家齐,家齐而后国治,国治而后天下平"的经世方案,同样体现了以诚为本这一精神。《中庸》更把

"诚"视为一切德行之本：即认为只有以诚为本，才能以知、仁、勇三种"达德"去实行号称"五达道"的"五伦"；而且还认为只有以诚为本，才能按照"九经"的治国纲领，以身作则、由亲及疏、由近而远地按步骤治理好天下国家。这些"诚"显然都属于道德范畴。因此，从内圣修养而言，"诚"是一切德目之本，无论是仁、义、礼、智抑或孝、悌、忠、信等等道德，如果没有以诚为本，其他一切品德就无从谈起；而从外王事业而言，"诚"又是经邦治国的心理基础，任何政治措施的推行，如果不是出于至诚，就不能使人心悦诚服地服从。所以从人伦而言，只有至诚才能感人。故《中庸》又曰："在下位不获乎上，民不可得而治矣；获乎上有道，不信乎朋友，不获乎上矣；信乎朋友有道，不顺乎亲，不信乎朋友矣；顺乎亲有道，反诸身不诚，不顺乎亲矣。"孟子亦曰："至诚而不动者，未之有也；不诚，未有能动者也。"(《孟子·离娄上》)而"诚"之修养，莫切于"慎独"。只有在独处时能做到"毋自欺"，才能真正做到诚，才能取信于人和感动人。所以孟子说："万物皆备于我矣，反身而诚，乐莫大焉。"(《孟子·尽心上》)

"诚"作为一切德目之本，主要指内在的德性，亦谓之"忠"，故后世常以"忠诚"并称。不过，"忠"与"诚"亦微有区别，"诚"指自诚于心，而"忠"则指对人尽心竭力而言。《左传·襄公十四年》曰："将死不忘卫社稷，可不谓忠乎？忠，民之望也。"《左传·昭公元年》云："临患不忘国，忠也。"《左传·僖公九年》云："公家之利，知无不为，忠也。"孔子主张"与人忠"(《论语·子路》)，又谓"君使臣以礼，臣事君以忠"(《论语·八佾》)。《荀子·臣道》云："出死无私，致忠而公。"后汉马融《忠经》曰："忠者，中也，至公无私。"程子曰："忠者，天下大公之道。"(《程氏外书》卷二)"忠"是到达"仁"的内在本质。在先秦儒学中，"忠"乃内心诚实之通称，秦汉以后，始主要用于忠君之意。

　　然而，最能直接体现"诚"或"忠"的品德者则是"信"。一个人的内心是否"忠诚"，首先可从他与人交往之际是否有"信"表现出来。所以，孔子非常重视"信"的品德。他说："人而无信，不知其可也。大车无𫐐，小车无𫐄，其何以行之哉?"（《论语·为政》）他认为一个人没有"信"，就像马车缺少驾马的横木那样无法行动。孟子进一步把"信"与仁、义、礼、智并列为"五常"，并把"朋友有信"定为"五伦"规范之一。从此，"信"就成为儒家伦常规范的一项基本内容。可见"信"在儒家道德中具有极其重要的意义。

　　"诚"之存于心者谓之"忠"，达于言则谓之"信"。故儒家常以"诚信"并称，亦常以"忠信"并称。"诚"或"忠"是"信"的依据和根基，"信"是"诚"或"忠"的外在体现，二者相为表里，皆为践行人伦道德的基本素质。春秋前期随国贤臣季梁说："所谓道，忠于民而信于神也。"（《左传·桓公六年》）孔子主张"主忠信"（《论语·学而》），认为"忠信，所以进德也"（《易传·文言》）。《礼记·礼器》亦云："忠信，礼之本也。"而从实质上讲，忠、信皆为"诚"之体现。

　　荀子则进而把天道和人伦联系起来论述"诚"的重要性。他说："天地为大矣，不诚则不能化万物；圣人为知矣，不诚则不能化万民；父子为亲矣，不诚则疏；君上为尊矣，不诚则卑。夫诚者，君子之所守也，而政事之本也。"又说："诚信生神，夸诞生惑。"意谓诚实守信可以产生神奇的社会效果，而虚夸妄诞则会产生社会惑乱。王阳明则对此更作了进一步发挥："夫天地之道，诚焉而已耳；圣人之学，诚焉而已耳。诚，故不息，故久，故徵，故悠远，故博厚。是故天惟诚也，故常清；地惟诚也，故常宁；日月惟诚也，故常明。……是故以事其亲，则诚孝尔矣；以事其兄，则诚悌尔矣；以事其君，则诚忠尔矣；以交其友，则诚信尔矣。是故蕴之为德行矣，措之为事业矣,发之为文章矣;是故言而民莫不信矣,行而民莫不悦矣,动而民莫不化矣。是何也?一诚之所发,而非可以声音笑貌幸而致之也。故曰:诚者,天之道也;思诚者,人之道也。"(《王文成公全书·南冈说》)由是观之,无论天道抑或人伦,都必须以"诚"为基本素质;一旦失去了诚,也就失去了其自身的真正价值。

总之,诚、忠、信三者有其内在的密切联系。"诚"兼指哲学和伦理道德而言,"忠"与"信"则专就伦理道德而言;"诚"与"忠"系指内存于心者而言,"信"则系指"诚"或"忠"发现于外者而言。三者乃是儒学众德目所借以成立的道德基础,因而无论是立身处世抑或人伦教化都随时随地无法抛开"诚"和"忠"、"信",此乃万古不易之正道。

三、人伦以"恕"为能近取譬的逻辑方法

"人"是一个类概念。孟子曰:"故凡同类者,举相似也,何独至于人而疑之?圣人与我同类者。……口之于味也,有同嗜焉;耳之于声也,有同听焉;目之于色也,有同美焉。至于心,独无所同然乎?心之所同然者何也?谓理也,义也。圣人先得我心之所同然耳。"(《孟子·告子上》)正因为人之心有共同的嗜欲与好恶,故而可以运用将心比心、以己度人的逻辑方法来推测别人的心理要求,运用推己及人的逻辑方法来处理人际关系。故荀子说:"圣人者,以己度者也。故以人度人,以情度情,以类度类。"(《荀子·非相》)这种以己度人、推己及人的逻辑方法,古人称之为"恕"。

《论语·颜渊》载,仲弓问仁,子曰:"出门如见大宾,使民如承大祭。己所不欲,勿施于人。在邦无怨,在家无怨。"所谓"出门如见大宾,使民如承大祭"者,修己以敬也;"在邦无怨,在家无怨"者,行仁之效也。而行仁之法则,惟在"己所不欲,勿施于人"一语而

已。又《论语·卫灵公》载，子曰："赐也，女以予为多学而识之者与?"对曰:"然，非与?"曰:"非也，予一以贯之。"何谓"一以贯之"?惜乎子贡之未能深问也。及至子贡又问:"有一言而可以终身行之者乎?"孔子乃曰:"其恕乎!"朱注引尹氏曰:"学贵于知要。子贡之问，可谓知要矣。孔子告以求仁之方也。推而极之，虽圣人之无我，不出乎此。终身行之，不亦宜乎!"可见"己所不欲，勿施于人"就是"恕"，而且是求仁之方法。故子贡亦尝告孔子曰:"我不欲人之加诸我也，吾亦欲无加诸人。"孔子则曰:"赐也，非尔所及也。"（《论语·公冶长》）观此而知子贡终身正是以"恕"自期，而孔子之不予轻许，更见此道之广大精微，非等闲所能致也。由是观之，孔子欲告子贡"一以贯之"之实，即为"己所不欲，勿施于人"之"恕"也。征诸孔子所告仲弓之言而益信。

又《论语·里仁》载，孔子又尝以"吾道一以贯之"之语告曾子。曾子释云:"夫子之道，忠恕而已矣。"朱注云:"尽己之谓忠，推己之谓恕。"又引程子曰:"忠者天道，恕者人道;忠者无妄，恕者所以行乎忠也。"由是观之，所谓"忠"，就是天赋予人的无妄之性，亦即存于人心的诚实本质;而所谓"恕"，乃是人所禀此本性以施诸行为之功用，亦即推己及人之仁爱意向。曾子言"恕"而益以"忠"者，盖谓非"忠"则无以行其"恕"，非"恕"则无所用其"忠"耳。然而孔子之道，旨在经世致用之利人事业，其所以主张"修己以敬"，实以"修己以安人"乃至"修己以安百姓"为终极目标。若惟以无妄之"忠"存乎心，而不以推己及人之"恕"施诸行动，则其所持之"忠"，犹为于世无益之物;反之，苟能以推己及人之"恕"见诸事业，则无妄之"忠"固已在其中矣! 由是言之，则孔子之道，一"恕"字足以贯之矣。据此而知孔子所谓"一以贯之"之实，即为"己所不欲，勿施于人"之"恕"，更无疑焉。此亦孔子所以告子贡惟"己所不欲，勿施于人"之"恕"为"可以终身行之"之深意也。

然而有人怀疑：仅做到"己所不欲，勿施于人"就算达到"仁"吗？其实，理解孔子的话不能以辞害意，而应以意逆志，方为得之。即以"己所不欲，勿施于人"而言，还有其言外之意："己所欲，施于人！"而且，这才是更重要的一层意思。这并非附会之说，而是有据可征的。《论语·雍也》记孔子曰："夫仁者，己欲立而立人，己欲达而达人。能近取譬，可谓仁之方也已。"这岂非"己所欲，施于人"之明证乎！可见孔子所谓"己所不欲，勿施于人"，也是一种"能近取譬"的措辞方式。只有用举一反三之法，将"己所不欲，勿施于人"与"己所欲，施于人"两层意思合而观之，方为推己及人之"恕"的完整意义，也才符合"一以贯之"的实际内容。

由是观之，"恕"包括两方面的内容：从消极方面说，就是"己所不欲，勿施于人"；从积极方面说，就是"己欲立而立人，己欲达而达人"。所谓"己欲立而立人，己欲达而达人"的实质，也可以概括为"己所欲，施于人"。故若分而言之，"恕"可包括"己所不欲，勿施于人"与"己所欲，施于人"两方面的内容；综而言之，亦即"好恶与人同之"而已。

何以推己及人之"恕"不仅"可以终身行之"，而且还能并圣人之道而"一以贯之"呢？盖谓"恕"以修身则德弘，"恕"以处世则人和，"恕"以齐家则族睦，"恕"以治国则民悦，平天下以"恕"则可致大同，协天人之际以"恕"则可使万物各正性命而保合太和。求仁之方固莫大乎此矣。则圣道"一以贯之"之实，舍此又曷足以当之哉！

人作为一个类，不仅仁义礼智之"四端"相同，即七情之赋，亦无所异。《礼记·礼运》云："饮食男女，人之大欲存焉；死亡贫苦，人之大恶存焉。故欲恶者，心之大端也。"这里的"恶"，是厌恶之意。凡人皆赋有"欲"和"恶"两方面的本能以及满足所欲和排斥所恶的愿望。这种天赋的"欲"和"恶"，乃是人类的正常心理。也正因为人类具有这种正常心理，才维护了人类的生存繁衍并推动了社会的发展。

然而，这种本属正常的欲望和满足所欲的要求，若不加以引导自律而任其放纵滋长，又会成为贪得无厌的私欲。这种私欲的横流泛滥，则又是损害他人、危害社会甚至毁灭世界的罪恶根源。

既然是人的天赋之"欲"，又如何权衡其利弊得失呢？其分界全在于公与私之间的差别而已。人若出于人欲之私，为了满足己之所欲而不顾损害他人之欲，则是以他人之所不欲者来满足己之所欲，而以己所不欲者施之于他人。若此，则人与人之间必将失去其平衡而引起争端。若在贪图私欲的同时，又嫉视他人之所欲而百般危害之，则是《大学》所谓"好人之所恶，恶人之所好，是谓拂人之性，灾必逮夫身"了。又如孟子所云："杀人之父，人亦杀其父；杀人之兄，人亦杀其兄。然则非自杀之也，一间耳。"（《孟子·尽心下》）可见人若以逞一己之私欲为目的，其结果不仅损及他人，危及社会，而且最终乃至于害己而后已。所以，对于"欲"，必须出于天理之公，方能杜绝其弊而发挥其利。

何谓出于天理之公？就是对于他人之"欲"，亦应以平等精神相待。即自己有满足某种欲望的要求时，就该想到他人也具有与自己一样的欲望以及满足欲望的权利。《诗·豳风·伐柯》云："伐柯伐柯，其则不远。"《中庸》云："君子以人治人，改而止。"所谓"执柯以伐柯"与"以人治人"，亦即将心比心、推己及人的恕道。举例而言，我欲人之爱我，我亦应以爱待人；我欲人之敬我，我亦应以敬待人。推而广之，不仅自己要做到爱人敬人，而且还须以爱敬之德影响他人，使人人感化而能尽其爱敬之道。反之，我不欲人之诬我，我亦不应诬人；我不欲人之欺我，我亦不应欺人。推而广之，不仅自己要做到不诬不欺，而且还须以不诬不欺之德影响他人，使人人感化而以不诬不欺自律。依此类推，所有德目都能做到"好恶与人同之"，方为出于天理之公。《大学》云："君子有诸己而后求诸人，无诸己而后非诸人。所藏乎身不恕，而能喻诸人者，未之有也。"因此，只有以"恕"待人，好恶与人同之，才能使人人皆归于至善，然后人与人之间才能保持平衡而建立起和谐的关系。

施仁于天下，并非人人可为，虽尧舜亦有未逮。但待人以恕，"己所不欲，勿施于人"，却是每个人都可以勉而为之。孔子曰："仁远乎哉？我欲仁，斯仁至矣。"当系指此而言。孟子曰："人能充无欲害人之心，而仁不可胜用也。"又曰："强恕而行，求仁莫近焉。"都说明了"恕"是"能近取譬"的"求仁之方"。孟子曰："爱人者，人恒爱之；敬人者，人恒敬之。"（《孟子·离娄下》）汉儒贾谊亦曰："爱出者爱反，福往者福来。"（《新书》）此皆足以说明：只有以"恕"存心，做到"己所不欲，勿施于人"和"己所欲，施于人"，处处以天下之公利为利，尽力为他人和社会创造幸福，自己也才会从中获得幸福。

第三节 人伦的道德准则——中庸、义

儒家的中庸之道，既是哲学上的认识论和方法论，又是人伦道德上的行为准则；当其具体落实到人事上时，亦相当于"义"。所以，人伦教化必须遵循"中庸"和"义"的方法和准则，才能合乎情理之所宜。

一、"执两"与"用中"

远古圣帝尧、舜、禹相传的"允执其中",乃是适用于处理一切事物的基本法则。通过孔子的继承发展,创建了全面而系统的方法论中庸之道。

关于"中"字,从方法上说,是适中、适度、正确,无过无不及而恰到好处;从道德上说,是中正、公正而合乎天理人情的正道;从行为上说,是合宜、合理,无所偏倚而恰如其分。所以,"中"可谓是一种标准或一种基本原则。而作为哲学范畴,主要是指人的主观认识和行为与事物的客观实际适相符合,从而达到一定的预期目标,故含有合乎客观规律的"真理"之意。

关于"庸"字,历来有两种解释:其一是作为常理或定理解。何晏《论语集解》曰:"庸,常也。"朱子曰:"庸,平常也。"吕东莱曰:"庸者,常也。惟常言常行,自得正中之义。"吴草庐曰:"庸者,常而不易之理,然不可以一定求也。"可见"庸"的含义,就是平凡、平常、平易可行,既无可改易而又必须灵活掌握的通常之理。系与怪异、险僻、神秘相对而言。因而从哲学意义上讲,实含有"普遍适用"之意。基于"庸"的这种解释,则"中"与"庸"的结合,旨在阐明"中"这一基本原则并非高不可攀、深不可测,而是人人不可缺少,人人必须遵守,人人可以做到,适用于一切事物而适得事理之宜的普遍真理。《中庸》云:"道也者,不可须臾离也;可离,非道也。""道不远人;人之为道而远人,不可以为道。"程子曰:"不偏之谓中,不易之谓庸。中者,天下之正道;庸者,天下之定理。"从这种意义上讲,"中庸"属于道的基本准则。

其二是作为运用解。《书·大禹谟》曰:"无稽之言勿听,弗询之谋勿庸。"即取此义。《说文》曰:"庸,用也。从用庚。庚,更事也。"郑玄《三礼目录》云:"名曰《中庸》者,以其记中和之用也。"王船山亦曰:"中庸,中之用也。"据此,"庸"就是关于道的具体运用问题,系与作为道的基本原则之"中"相对而言。"中"是道之体,"庸"是道之用。具体地说,也就是理论上的基本原则与实践中的具体运用有机地联系起来。"体"是相对静止的,固定不变的;而在具体运用"中"这一道体时,又必须根据实际情况而有适当的灵活性,这就是"庸"的功用。游定夫曰:"道之体无偏,而其用则通而不穷。不偏,中也;不穷,庸也。"郭忠孝曰:"极天下至正谓之中,通天下至变谓之庸。"而程子所谓"不偏之谓中,不易之谓庸"者,不过是说"庸"虽然有一定的灵活性,但仍不能违背"中"的原则而已。假若"庸"也是一成不变,则"中"就成了死板的"执一";如果"庸"之变易可以不受"中"的制约,则"中"就变成"偏",不成其为"中"了。只有"中"与"庸"的辩证统一,才能准确把握道的基本精神。从这种意义上讲,"中庸"乃是实行道的方法论。

其实,这两种解释既各有所指,又是相济相成的。若把两种解释结合起来理解,"中庸"的完整内涵,就是指对于"中"这一普遍真理的具体运用的方法。也就是说,"中庸"一词的内涵系综合了静态、空间性的正确之"中"和动态、时间性的灵活之"庸"两方面的含义。而其精神实质乃是把普遍的道德原理与具体的伦理实践相结合,达到一种"从心所欲,不逾矩"的理想境界。在这里,所谓"中",体现了处理事物的正确性;所谓"庸",体现了适用于一切事物的普遍性。因此,所谓"中庸",就是正确而普遍的真理。孔子曰:"中庸之为德也,其至矣乎!民鲜久矣。"因而,古代学者都把"中庸"作为至高无上的普遍真理加以推崇。

关于中道,孔子从正反两方面作了界定:既从正面提出"执两用中",又从反面提出"过犹不及"。正反两个命题合在一起,就是中道的基本含义。"执两用中"系由"执中"发展而来。因为一切事物的运动和发展都有一定的规律,只有根据事物的客观规律而做到适当的程度,才能达到最佳的预期效果。这个最适当的程度就叫做"中"。若能恰到好处地掌握住适度,就叫做"执中";偏离了这个度,就是失中。当把"执中"的方法从实践经验升华为理论时,就叫做"中道"。尧、舜、禹都把"允执其中"作为世代相传的治国方法,就是要求实事求是地坚持中道来治理国家。孔子在全面继承中道的基础上,又以托古的方式把虞舜的治国方法概括总结为"执其两端,用其中于民"(《中庸》)。这样把"执两"与"用中"对立统一起来,既丰富了中道的内容,也提升了它的理论高度。正因为只有做到"执两",才能准确地"用中",于是,孔子又从"中"的对立面提出了"过犹不及"的命题。"不及"是没有达到"中",其根源在于太拘谨和保守;而"过"则是超过了"中",其原因在于太放纵和激进。两者尽管趋向相反,但都违背事物的客观规律,因而都是偏离中道而走向极端的失中现象。这是"过犹不及"的本义。孔子所谓"执其两端,用其中于民",就是说必须把握住"过"与"不及"两种倾向之间的"度"使之不走向极端,才能有效地用中道去治理百姓。这就是"执两用中"的本义。"执两用中"与"过犹不及"合而言之,就是"执中、戒过、勉不及"而已。这乃是中庸之道所据以立论的最基本的原则。

二、"中正"与"中和"

当中庸之道具体运用于实践中时,其最通常的情况是体现为"中正"与"中和"两条法则。

"中正"法则,是用于调节同一事物内在的两极之间关系的法则。它体现为在相反相成的关系中要求达到既中且正的"中正"

标准。

"中正"法则，充分反映在《周易》的"太极阴阳"学说之中。《周易》将每一个事物的整体视为一个太极，包括保持相反相成关系的阴阳两个方面。阳性刚健，阴性柔顺。阴阳互相作用以推动事物的正常发展，谓之"刚柔相摩"。在这条规律中，当以刚柔兼胜并能保持相对平衡者为最优，谓之"中正"。其次则在阴阳之间也允许有一定程度的偏胜：偏于阳胜而仍不违乎中道者谓之"刚中"；偏于阴胜而仍不违乎中道者谓之"柔中"。但决不可阳中无阴或阴中无阳，乃所谓"孤阴不生，独阳不长"也；亦不可不阴不阳，因为阴阳若丧失了个性，也就缺乏推动事物发展的动力了。这一理论在易象中是以爻位来表示的：凡阳爻居阳位，阴爻居阴位，就是当位，谓之"得正"；凡阳爻居阴位，阴爻居阳位，就是不当位，谓之"失正"。凡阳爻居二或五之中位，象征"刚中"之德；阴爻居二或五之中位，象征"柔中"之德。若阴爻处二位，阳爻处五位，则是既"中"且"正"，称为"中正"，在易爻中尤具美善的象征。然而以"中"爻与"正"爻相比较，"中"德又优于"正"。程子曰："正未必中，中则无不正也。"故六爻当位者未必皆吉，而居"中"位的二、五两爻，则吉者独多。

《周易》认为，大至宇宙，小至一事一物，无不蕴涵着阴性与阳性这一对普遍的矛盾；并由这对矛盾在一定的客观条件下的平衡消长和互相作用，才推动了事物的运动变化和不断发展。这条基本规律，即体现为阴阳两极之间既中且正的"中正"法则。如《易·节象》曰："当位以节，中正以通。"《易·益象》曰："利有攸往，中正有庆。"正是体现了"中正"之道的作用。若将"中正"法则运用于具体事物之中，则"正"犹如横向重量之平衡，"中"犹如纵向重心之垂直。横向虽平，但若纵向倾斜，犹难免偏倚之虞；只有纵向的重心保持垂直，则横向虽略有不平，自能卓立而无倾。因为重心之垂直,已兼有横向平衡之义。这就是"中"重于"正"、"中"包含"正"的道理。

在运用"中正"法则时,必须坚决反对两种错误的观点:一是在"不及"与"过"两端之间机械地对半折中,二是在"是"与"非"之间取其中性。这两者都是"中正"所坚决反对的错误观点。

"中正"法则运用于人伦上,可以把"五伦"中的每一伦视为一个太极整体,而把其中所包含的双方视为同一整体中相反相成关系之两端。试举"父子"为例,若把父子关系视为一个太极整体,则父与子分别为相反相成之两端。而"父子"关系所应遵守的准则是"父慈子孝",如果双方都能遵守这项准则而尽到自己应尽的义务,那么实际上也会从对方相应地获得自己所应有的权利,于是双方的关系也就保持了有序和平衡。假若其中有一方没有尽到应尽的义务,则无论是父慈而子不孝抑或是子孝而父不慈,其间的关系都会因失去平衡而产生矛盾。其他各伦亦可依此类推。所以,"中正"法则体现为同一伦中的双方都能遵守相应的准则,来维护关系之有序与平衡。

"中和"法则,是用于调整多种不同事物之间关系的法则,它体现为要求参加作用的多种不同事物达到"和而不同"与"因中致和"的"中和"目标。

"中和"法则的理论,主要有《周易》所发明的"八卦"学说和《书·洪范》所首创的"五行"学说两个理论系统。"八卦"说与"五行"说的具体内容虽有不同,但作为阐明多种事物互相作用的因"中"而致"和"的"中和"法则实如出一辙。《易传·系辞》曰:"刚柔相摩,八卦相荡。鼓之以雷霆,润之以风雨;日月运行,一寒一暑。"这里,"刚柔相摩"在于追求同一事物的两端之"中";"八卦相荡"则是追求多种事物之间的"和";而其下则以雷霆、风雨、日月、寒暑等多种功能的互相作用来体现自然界的因中致和的"中和"气象。可谓"中"为其大因,"和"为其大果。

然而,"和"并非简单的同一,而是不同事物的辩证统一。《国语·郑语》载春秋初期的史伯继《书·洪范》的"五行"说而以"和"与"同"对举提出了"和实生物,同则不继"的命题,认为"先王以土与金木水火杂,以成百物"。因为同一事物相结合,虽然数量增加,但所得仍为原物,并无新事物产生;只有不同事物的互相结合才能产生新事物。后来孔子把这一理论提炼为"和而不同"的著名命题。

《左传·昭公二十年》又载春秋末期的晏子进而提出了多种不同事物之间"因中致和"的理论。他以烹调设喻:"和,如羹焉,水火醯醢盐梅,以烹鱼肉,燀之以薪,宰夫和之,齐之以味,济其不及,以泄其过。"这里,"济其不及,以泄其过"乃是所以"和之"的关键。因为各种原料只有以一定的比例参加作用,才能做出可口的羹来,其中无论何种原料的过多或缺少都会导致羹味失和,故必须把每种原料都调节到最适中的比例上。这里尽管没有出现"中"字,而实际上在"济其不及,以泄其过"时,已经运用了"执两用中"的方法把"中"与"和"有机地联系起来了:"中"指每种原料本身的适度,"和"指各种原料之间的协调;只有每种原料都适得其"中",才能使由各种原料组合而成的羹适得其"和"。因"中"而致"和",就是"中"与"和"的辩证关系。

"和而不同"与"因中致和"合而观之,就把"中和"这一法则从实践经验提升到了理论的高度,乃成为协调不同事物之间关系的基本法则。而正式提出"中和"这一哲学范畴并加以系统论证的则是《中庸》:"喜怒哀乐之未发,谓之中;发而皆中节,谓之和。中也者,天下之大本也;和也者,天下之达道也。致中和,天地位焉,万物育焉。"当感情未发之前,无所偏向,当然是"中";既发之后,必须每种感情都中节,才能达到感情总体上的"和"。但所谓"中节",并非在喜与怒或哀与乐之间取其中性,而是当喜则喜,当怒则怒,当哀则哀,当乐则乐;既出于内心之真情,又合乎事理之宜,才算是"中节"。每种感情都"中节"了,全部感情的总体也就达到"和"了。若推而论之,则"中和"这条法则适用于协调一切不同事物之间的关系,包括人与人之间、物与物之间、人与物之间、人与自然之间等等关系。《论语·学而》载有子曰:"礼之用,和为贵。"正因为礼是调节人与人之间关系的仪节,故以"和"为贵。假若把这种"和为贵"的精神进而推广到一切物与物、人与物乃至人与天之间,使宇宙间的一切事物之间都能遵循"中和"法则而摆正位置,那么天地万物都会各得其所,并能生生不已了。所以说:"致中和,天地位焉,万物育焉。"

然而,"中和"绝非调和主义。在运用"中和"法则时,必须坚持"中"与"和"的辩证统一,亦即在一定的原则下达到协调和谐,有其很强的原则性。长期以来人们一看到中庸之道包含有"中和"的内容,就想当然地将其视为调和主义,这是一种有待肃清的曲解。

若把"中和"法则运用于人际关系上,一个人能把自己放在适当的位置上谓之"中",人与人之间的关系达到协调和谐谓之"和";由于每个人都能摆正自己的位置从而促使人际关系达到协调和谐,则谓之"因中致和";而在一定的前提下互相求同存异、和睦相处,则谓之"和而不同"。

从"五伦"上说,根据"太极阴阳"方式的普遍适用性原理,既可把每一伦视为一个太极整体,而把其中所包含的双方视为相反相成关系之两端;也可把其中每一方分别视为一个太极整体,而把双方视为异质互补关系的不同事物。前者在于两端之间取"中",以维持量的相对平衡,这是"中正"法则所体现的意义;后者在于不同事物之间求"和",以达到质的协调和谐,这就是"中和"法则所体现的意义。然而,在人伦方面更为普遍的情况则是,应将"五伦"看作五种不同事物之间的关系,分别以每伦之间的"中",来实现"五伦"总体上的"和"。对此,下文将有详论,兹不赘述。

总而言之,从人伦意义上说,"中正"法则在于调节互相关系的平衡有序;"中和"法则在于调整互相关系的协调和谐。只有在平衡有序的基础上追求协调和谐,才能达到真正的太和之境。

三、"时中"与"执中达权"

事物是随着时间的运行而变化发展的,有时甚至是变幻无常的。对此,中庸之道分别体现为"时中"法则和"执中达权"法则。

"时中"法则,是从时间运行的观念上去把握事物发展的趋势,体现为因时制宜、与时俱进的一项法则。因为一切事物的变化发展,归根到底都是在时间运行的过程中展开的,因而人的行为必须适应这种随时变化的规律。合乎这一规律的,则谓之"时中"。《易·蒙彖》云:"以亨行时中也。"《中庸》云:"君子之中庸也,君子而时中。"因为只有人的观念和行为都能与时俱进,才能适应时代的发展。故《易·艮彖》云:"时止则止,时行则行,动静不失其时,其道光明。"《易传·系辞》曰:"变通者,趋时者也。"都强调了与时俱进的重大意义。

孔子和孟子都非常强调"时"的观念,认为一切事物都有其相适应的时间。小之如农作物的生长,大之如整个人类社会的发展,都离不开时间的更新。如果离开这一规律,就无法掌握中道。孔子认为夏、商、周三代由于时代不同,故其礼也必须有所因革损益。孟子更提出了"彼一时,此一时"的命题。他在向公孙丑解释"以齐王犹反手也"的道理时,就拿古今时代形势不同的观点作了论证。他说:"且王者之不作,未有疏于此时者也;民之憔悴于虐政,未有甚于此时者也。""当今之时,万乘之国行仁政,民之悦之,犹解倒悬也。故事半古之人,功必倍之,惟此时为然。"(《孟子·公孙丑上》)孟子还把孔子誉为"圣之时者"而大加推崇。《礼记·礼器》明确提出了"礼,时为大"的观点。故《礼记·礼运》亦曰:"礼也者,义之实也。协诸义而协,则礼虽先王未之有,可以义起也。"儒家的"礼",包括了社会制度、政策法律乃至日常礼节等广泛的内容,都应该适应现实的需要和时代的发展而进行改革,即使古代所未有的礼也可以创建。《周易》更认为当一个朝代不能适应时代的发展时,就必须进行改朝换代的革命:"天地革而四时成;汤武革命,顺乎天而应乎人。革之时,大矣哉!"这些,都阐明了因时制宜、与时俱进的"时中"思想。

在运用"时中"法则时,必须强调"时"与"中"的辩证统一;既要坚决反对落后于时代的保守主义,也要坚决反对随波逐流地赶时髦风气。而在"文革"期间,不仅把"保守主义"当作中庸之道进行批判,而且也把"时中"当作随波逐流地赶时髦风气进行批判,这又是一种有待肃清的曲解。"中庸"绝非顽固不化的保守之意,"时中"亦绝非与时俯仰、随波逐流地赶时髦之谓。保守和赶时髦皆无可取,而惟以"时中"为尚。

人际关系也是随着社会的发展而有所变化发展的,所以在处理人际关系的方式上也应该与时发展以切合时宜。例如五伦中的"君臣"之伦,随着君主专制制度的彻底推翻而业已不存在,不过我们也不妨将其改造为公民与国家之间的关系,并赋予新的爱国内容。"父子"之伦虽仍存在,但其中"慈"和"孝"的观念也已随着时代的发展而有所更新。例如古代所实行的"三年之丧"早已废除;

又如"不孝有三,无后为大"的观念,在古代人口过少的情况下曾起过发展人口的积极作用,而在现代中国人口极度膨胀的情况下则成为实行计划生育政策的障碍等等。其余夫妇、兄弟、朋友三伦的观念亦复如此。所以,人伦观念也必须在弘扬优良传统的基础上与时俱进加以更新,从而创建适应于现代文明的全新的人伦思想体系。

"执中达权"法则,是在对待事物变化规律的"常"与"变"的关系上,体现为原则性与灵活性高度统一的一项法则。因为一切事物在按照常规不断变化发展的同时,还可能出现某些意想不到的反常情况和难以预料的突发性事变。而中庸之道作为一种切合实际的思想方法,必须与之相适应。所以,在具体实践中运用"中"这一基本原则时,还必须根据实际情况,在不违背原则的前提下有所变通,才能恰当地处理问题而适得其宜。这种适应事物变化的灵活性就叫做"权"。"权"有二义:一是应付事物常规变化时的"权衡"之义,二是应付事物出现反常情况时的"权变"之义。如前所述,"中"与"庸"的关系,就是理论上的基本原则与实践中的具体运用的有机结合,因而"执中"辅之以"达权",才构成为完整的中庸之道。孔子说:"可与共学,未可与适道;可与适道,未可与立;可与立,未可与权。"(《论语·子罕》)他把"权"提到了最高的难度,可见能达到"中"与"权"的高度统一,乃是中庸之道的最高层次。孟子也说:"执中无权,犹执一也。所恶执一者,为其贼道也,举一而废百也。"(《孟子·尽心上》)所谓"举一而废百"的"执一",实际上就是一种以孤立的、静止的、片面的观点看问题的方法;而只有"执中"并能"达权"的中庸之道才是合乎辩证观点的正确方法。故淳于髡问孟子,当"嫂溺援之以手"与"男女授受不亲"的古礼发生矛盾时,将如何处理? 孟子毫不犹豫地说:"嫂溺不援,是豺狼也。男女授受不亲,礼也;嫂溺援之以手者,权也。"(《孟子·离娄上》)当作为正常典则之"礼"不足以应付突发事变时,就必须济之以灵活运用之"权",方能处得其宜。这个例子生动地论证了"权"与"中"的辩证关系,并着重强调了"权"的重要性。在特殊情况下,只有对礼加以变通,才合乎中道。所以,立身处世还须掌握"执中达权"的法则。

然而,达"权"并非盲目胡乱进行的。它在强调灵活性的同时,仍不可违背"中"的原则。权变而仍能不违乎"中",才真正符合适得事理之宜的中庸之道。孔子讲到自己的治学过程时说:"七十而从心所欲,不逾矩。"(《论语·为政》)所谓"从心所欲",就是根据实际情况而随时灵活变通并达到了运用自如、得心应手的程度;而这个"矩",就是适得事理之宜的"度",也就是"中"。人的主观认识和一切行为能达到与事物客观规律的"度"自然合拍,乃是中庸之道的最高境界。

在运用"执中达权"法则时,必须强调"执中"与"达权"的辩证统一;既要坚决反对没有灵活性的"执一不通"而死守教条,也要坚决反对没有原则性的"见风使舵"或任意妄为。然而在"文革"期间,竟把执 不通和见风使舵两者统统当作中庸之道进行批判,这无疑又是一种有待肃清的曲解。

在人伦方面,有时也难免会出现某些反常的现象,因而也有必要运用"执中达权"的法则进行灵活性处理。例如按照古礼,娶妻是应该"必告父母"的,然而虞舜处于"父顽、母嚚、弟傲"的特殊情况下,孟子认为他的"不告而娶"是完全合理的。又如前举"嫂溺援之以手"之例,也是设想在遭遇变故时,叔嫂之间所应作出的变通之举。在历史上,处于所谓"人伦之变"的情况下,选择了"执中达权"法则而作出灵活性处理的事例多不胜举。诸如有些正直儒者,为了坚持正义而作出"大义灭亲"之举等等,亦属此例。因此,在合乎"义"的前提下,即使是天经地义的人伦之间,也是可以作出异乎寻常的特殊性处理的。

综上所论,前文的"中正"和"中和"两项法则,是在静态和常态下所运用的法则;而本文的"时中"和"执中达权"两项法则,则是在动态或变态下所运用的法则。它们以不同的性质共同组成了中庸之道的方法论体系。

四、"中行"、"狂狷"与"乡愿"

在人的品德修养上,中庸之道要求人的行为必须遵循"中行"的准则,以期达到"从心所欲,不逾矩"的至德境界。

无论中正、中和、时中和执中达权等各项法则,归根到底还须落实到人的行为上,故中庸之道认为,人的行为必须符合客观实际情况而适得事理之宜。在处理人际关系方面,既不宜高傲自大,也不宜自卑自贱;既不宜同流合污,也不宜孤芳自赏;既不宜过于冒进,也不宜过于保守;既不宜顽固不化,也不宜胡作非为。凡是能够遵循中正、中和、时中、执中达权各项法则而行动的,谓之"中行"。孔子曰:"不得中行而与之,必也狂狷乎!狂者进取,狷者有所不为也。"(《论语·子路》)"狂者"是才资敏捷,勇于进取,敢于创新,但多任性而行的人,故偏于"过";"狷者"是质地朴实,为人耿介,但做事过于谨慎小心、循规蹈矩的人,故偏于"不及"。唯"中行"兼有二者之长而无其偏,言行皆合乎适得事理之宜的中道。故孟子曰:"孔子岂不欲中道哉?不可必得,故思及其次也。"(《孟子·尽心下》)可见中行之士是孔、孟所追求的最理想的培养对象。但是,由于人的禀赋不同,性格各异,能具备中行素质的人毕竟太少,故不得已而思及其次,就只能从"狂"和"狷"上着想了。"狂"与"狷"二者皆有可与人道的本质之美,然亦各有其偏;必须矫正其偏,使之成为中行之士,才能与之同人于道。所以,孔子对于未合中行的学生,必先指出其偏向以矫正之。例如他说:"求也退,故进之;由也兼人,故退之。"(《论语·先进》)对畏缩不前的冉有则勉以见义勇为,对过于冒失的子路则戒以不宜过躁,目的即在于使之成为中行之士。

作为中行品德,主要应该做到如下几点:1. 对于自身的言行举止应该遵循"中正"法则而有严格的要求,如在言行方面必须戒有余而勉不足,做到"敏于事而慎于言",力求言行相符;在工作岗位上,既要做好本职工作以求尽职,又不宜滥用职权而侵权越职。2. 在对待人与人的关系上,必须遵循"中和"法则,做到"躬自厚而薄责于人";在不同意见之间,则遵照"和而不同"的原则求同存异,以期和睦相处。3. 在时代发展的观念上,必须遵循"时中"法则,做到"时止则止,时行则行,动静不失其时","与时偕行",才能切合不同的环境并适应时代的发展。4. 在处去行藏方面,应该运用"执中达权"法则而以合道为准,做到"用之则行,舍之则藏"。孔子说:"富与贵,是人之所欲也,不以其道得之,不处也;贫与贱,是人之所恶也,不以其道得之,不去也。"(《论语·里仁》)孟子也说:"士穷不失义,达不离道。""得志,泽加于民;不得志,修身见于世。穷则独善其身,达则兼善天下。"(《孟子·尽心上》)等等,以期达到中庸之道的境界。

"中行"准则体现在人伦上,应该严格遵守所规定的准则努力做到自己应尽的义务。而且,必须有层次有步骤地扩充仁道。即从"孝悌为人之本"开始,按照忠恕之道的原则扩而充之,推而广之,以至最终达到"人不独亲其亲,不独子其子"的博爱境界。孟子把这一逐步扩充的层次概括为"亲亲而仁民,仁民而爱物"的原则。如果不爱自己的父母子女,是不及;假若爱别人胜过自己的父母子女,甚至爱物胜于爱人,就是过;只有把这一原则把握到恰如其分,才是中行。

在修养"中行"品德时,必须反对两种违背"中行"的错误行为:一种是脱离常情专务"素隐行怪"、片面求奇猎险的怪癖行为。对此,孔子以"不语怪力乱神"的态度加以排除。另一种是无原则、无是非、四面讨好、八面玲珑、惑世取容、同流合污的老好人处世哲学。孔子对此尤为深恶痛绝,斥之为"乡愿":"乡愿,德之贼也!"(《论语·阳货》)认为"乡愿"是道德败坏的人。对于"乡愿",孟子曾明确指出:"阉然媚于世也者,是乡原(愿)也。"其具体表现是:"非之无举也,刺之无刺也,同乎流俗,合乎污世,居之似忠信,行之似廉洁,众皆悦之,自以为是,而不可与入尧舜之道,故曰'德之贼'也。……恶乡原,恐其乱德也。"(《孟子·尽心下》)即此可见所谓"德之贼"的"乡愿",亦即通常所谓"伪君子"是也。因为这种人完全丧失了成为"中行"的素质,虽然貌似"中行",但永远不能成为"中行",所以永远"不可与入尧舜之道"。然而奇怪的是,"文革"期间竟把中庸之道等同于这种圆滑的老好人哲学进行批判,这完全是一种曲解,导致贻祸无穷,流毒至今未绝,必须加以彻底辨正。基于孔子所据以检验"中行"的实践标准是:"乡人皆好之,未可也;乡人皆恶之,未可也;不如乡人之善者好之,其不善者恶之。"(《论语·子路》)这对区别"中行"与圆滑的老好人处世哲学亦即"乡愿"的本质具有指导意义。这是因为"唯仁者能好人,能恶人"。可见"中行"是有"好"与"恶"的标准,有坚定的原则立场,是非观念清楚,爱憎态度分明。显然这与惑世取容的圆滑处世哲学毫无相同之处。故孔子赞叹道:"中庸之为德也,其至矣乎!"奇怪的是,长期以来竟把孔子所推为"至德"的中庸之道与他所斥为"德之贼"的乡愿混为一谈,岂不怪哉!

五、"中庸"与"义"

儒家常以仁、义并称,又将仁、义、礼、智、信合称为"五常",皆足以说明"义"的重要。其实,在儒家学说中,"义"与"中"同样都具有适宜、合理和正确之意。《韩非子·原道》云:"行而宜之之谓义。"朱子《论语集注》云:"义者,心之制,事之宜也。"王阳明《与王纯甫》云:"夫在物为理,处物为义","处物为义,是吾心之得其宜也"。这都说明"义"与"中"同样寓有适宜、合理之意,故有其相通之处。《白虎通义》曰:"义者,宜也,断决得中也。"段玉裁《说文解字注》曰:"义必由中断制也。"此则直接把"义"和"中"联系起来。可见凡事合乎"义"者,亦必合乎"中"也。足见"义"与"中庸"是相通的。然而在范围上,"义"与"中庸"也略有不同:从哲学意义上说,谓之"中庸",而从伦理学意义上说,则谓之"义";"中庸"是兼就天道、人道而言,"义"主要是就人事而言。所以,作为哲学方法论的"中庸",具体落实为伦理道德的准则时,通常称之为"义"。《书·洪范》云:"无偏无陂,遵王之义。"孔疏:"言大中之体,为人君者,当无偏私,无陂曲,动循先王之正义。"在这里,"大中"与"正义"其实是同义词。故从伦理学的意义上讲,"义"与"中"基本上同义,都是人所必须遵循的道德准则。

孔子非常重视"义"。他主张"行义以达其道"(《论语·季氏》)。所以说:"君子之于天下也,无适也,无莫也,义之与比。"(《论语·里仁》)其弟子有子也说:"信近于义,言可复也。"(《论语·学而》)这里,"义"都是指所应遵循的准则。孔子主张"务民之义"(《论语·雍也》),"义"是指人道之所宜者。又主张"使民也义"(《论语·公冶长》),这是告诫统治者应该合理使用民力。孔子认为:"上好义,则民莫敢不服。"(《论语·子路》)还主张"见利思义"(《论语·宪问》),所以说:"不义而富且贵,于我如浮云。"(《论语·述而》)"义"都系指正道而言。

孟子则常常把"义"与"仁"并称。他说:"王何必曰利,亦有仁义而已矣。"(《孟子·梁惠王》)"仁"是爱人之心的扩充,而"义"则是根据具体情况衡量爱人是否恰如其分的标准,二者相济方合乎道。孟子还自谓所养成的浩然之气,系由"义"积累而来:"其为气也,至大至刚,以直养而无害,则塞于天地之间。其为气也,配义与道;无是,馁也。是集义所生者,非义袭而取之也。"(《孟子·公孙丑上》)孟子认为,义之根源实具于吾心之人性自觉。所谓"集义所生",就是通过不断积累事事合乎适得事理之宜的中正之道来培养浩然之气,以养成伟大的人格。如此的"义",才是从自己性灵中生长出来而非由外铄,方与内心之"仁"相结合而为一体。而所谓"义袭而取",仅是一时的刺激冲动,旋动旋止,不能持久,不能强毅,更禁不起危难的考验和艰苦的折磨。故所谓浩然之气,系由合乎中道之正义的经常积累所产生,而不是偶然的正义行为所能取得。因而他认为在必要时还应该"舍生而取义",充分体现了"义"的重要性。

荀子认为人之所以贵于物者,即在于物无义而人有义:"水火有气而无生,草木有生而无知,禽兽有知而无义;人有气、有生、有知亦且有义,故最为天下贵也。"(《荀子·王制》)故一切人际关系间的行为必须遵守"义"的准则:"遇君则修臣下之义,遇乡则修长幼之义,遇长则修子弟之义,遇友则修礼节辞让之义,遇贱而少者则修告导宽容之义。"(《荀子·非十二子》)故荀子常以礼、义并称。

总之,处理人际关系,只有遵循"中"或"义"的准则,才合乎适得事理之宜的正道。先秦儒家常常把"义"与"仁"对举而言。"仁"是爱人之心,其中含有浓重的感情色彩;而"义"则是正确合理的行为,必须排除一切过激的感情偏向。爱人之心只有受到"义"的制约,才成为符合正道之"仁"。否则,好像宋襄公那样"不重伤,不擒二毛"的对敌慈悲行为,虽然也是一种"爱人"之心,但由于其走向极端而违背了常理,所以不是真正的"仁"。在这种意义上的所谓"义",就是正确和合理。诸如"舍生取义"、"大义灭亲"、"大义凛然"之"义",都是这个意思。这种"义",与现代"坚持正义"之"义"完全一致,所以毫无疑问是宝贵的精华,值得继承和发扬。

但是到了后来,"义"的含义有所演变,把维系人与人之间的某种感情也称之为"义",这就是人们常说的"情义"、"义气"之"义"。这种意义上的"义",其中既含有精华,也杂有糟粕。也就是说,与正义一致的义气才是精华,违背正义的义气则是糟粕,必须加以分析和区别。也就是说,"义"而能合乎"仁",才可谓之"大义"。大义所在,可以灭亲。只要能秉持大义配合于仁道,则自可养成一股沛然莫之能御的浩然正气,无论到了如何危险地步,乃至于生死关头,就不会气馁,而可惟视义之所在,生死以之了。所以,唯能"成仁",才算得"取义"。

在整个传统文化中所提倡的"义",其中既含有正义之"义",也含有情义之"义";尤其在一些民间的小说、戏曲中所宣扬的,则更多的是情义之"义"。但若细加考察,作为正统儒家的理论,都是赞同与正义一致之情义而反对违背正义之情义,因而儒家伦理思想中的情义之"义",基本上与正义之"义"是一致的,因而也是精华居多而糟粕甚少。这一坚持正义的精神,充分体现在历代儒家的史论之中,而与民间所流行的情义之"义"是有其明显区别的。

第四节　人伦的行为规范——礼

儒家的"礼"范围很广。《辞源》对"礼"释义为"规定社会行为的法则、规范、仪式的总称"。因而大致包括了典章制度、法律条令、道德规范和日常仪节等各方面的内容,而其总的功用则在于协调人类社会的各种关系。《左传·隐公十一年》云:"礼,经国家,定社稷,序民人,利后嗣者也。"《礼记·曲礼上》云:"夫礼者,所以定亲疏、决嫌疑、别同异、明是非也。"这些论述都说明了"礼"的重大社会作用。

自从周公制礼,适应于宗法封建制的礼已经相当完备。不过那时的礼,仅是为了分别上下尊卑的名分,尚未具备理论上的完整体系;而且还只局限于统治阶级内部传习,所谓"礼不下庶人",老百姓大都是"不知礼"的。及至春秋时代,社会发生巨大变化,宗法封建制濒临瓦解,原有的周礼已不适应时代的发展,因而导致"礼崩乐坏"之局。孔子作为儒家创始人,为了重新理顺各种人际关系以促进社会的安定和发展,于是对周礼进行了全面而系统的整理总结并加以大胆革新,从而创建了一整套关于"礼"的新的理论体系。

首先,孔子认识到"礼,时为大,顺次之"(《礼记·礼器》)。也就是说,制礼的原则,适应时代发展的趋势是首要的,而是否顺乎业已过时的等级名分则是次要的。因而提出了关于礼的"损益"之论。他说:"殷因于夏礼,所损益可知也;周因于殷礼,所损益可知也;其或继周者,虽百世,可知也。"(《论语·为政》)然而,"礼"应该遵循什么原则进行损益呢? 他认为"义"是"礼"所据以损益的准则:

"故礼也者,义之实也。协诸义而协,则礼虽先王未之有,可以义起也。"(《礼记·礼运》)然而,"仁者,义之本也,顺之体也"(同上),所以,"义"与"礼"又必须合乎"仁"的宗旨。这样,孔子使"礼"就范于自己所创建的仁学。于是,以"仁"的思想作为指导、并依据"义"的原则而制定"礼"的一整套理论体系就此成立了。作为礼,既有历代相"因"的不变因素,也有必须"损益"的可变因素。相因的是礼之所本的仁和义,损益的是礼的仪节形式。又如前所论,在伦理范围内,"义"与"中庸"基本同义,都是道德行为的准则。因此,就儒家之"礼"的实质而言,它是以"仁"的思想作为指导,并依据"义"和"中庸"的原则而制订出来的具体条文,是处理各种人际关系时所必须遵守的行为规范。如果说,"义"和"中庸"作为衡量道德的基本原则尚不易为一般人所准确把握的话,那么"礼"作为行为规范的具体条文则是可供实际执行而为广大人们所易于遵循的守则。而且,既然"礼"是依据仁、义和中庸的原则制定出来的,那么一般人只要按照"礼"的规范去做,也就自然合乎仁义和中庸之道了。所以,历代的儒家大师都非常重视礼的教化。

其次,孔子最先突破了"礼不下庶人"的限制,把礼从王官之学中解放出来,作为重要教育内容而推广到庶民中去。尽管他推广礼的目的是为了"小人学道则易使也",然而他毕竟打破了礼为官府所垄断的成规而把它引向了民间。再则,他之所以教民"易使",是在首先要求统治者"使民也义"的前提下才实行的;假若统治者的"使民"不合乎道义,他就要坚决予以反对,当然个会赞同统治者对于庶民的"易使"了。毫无疑问,只要统治者的"使民"果真是出乎道义而且是合理的,那么为了国家和社会的安定发展,无论统治者的使民抑或民之被使,乃至孔子的教民"易使",都是无可非议的正当行为。因此,孔子积极地把本来专由官府垄断的"礼"普及民间,显然是一项推动社会发展而有积极进步作用的伟大创举。

孔子首创私学,把礼作为重要的教育课目传授给学生,其内容大致可分三个方面:其一是当时生活中用于各种人际场合的礼俗仪式,其二是以周代礼制为基础并经过理想化设计的典章制度,其三是关于礼与仁、义的关系以及礼之所以为礼的理论。经过孔门后学的整理加工,把前两类内容分别编为《仪礼》、《周礼》二书,而后一类内容则集中收集在《礼记》一书之中(当然,这三部礼经内都未免掺有不少后儒的成分)。试对照《仪礼》和《礼记》两书即可发现:在《仪礼》中诸如《士昏礼》、《乡饮酒礼》等篇,分别记载了当时在婚礼、宴会等仪节方面的具体条文;而《礼记》中的《昏义》、《乡饮酒义》等篇,则是阐明与之相应的各类礼俗仪式所蕴涵的理论意义。《仪礼》所载的礼俗仪式与当时的生活习惯关系很密切,在协调人际关系方面起到巨大的作用,但经过时移世变,与人们的现实生活日渐疏远,越来越失去了它的现实意义;而《礼记》所载的关于礼的理论方面的内容,却有其很强的生命力,越来越被后儒所重视。考之西汉专讲《仪礼》,东汉兼讲《周礼》,汉代以后才开始兼讲《礼记》,而自北宋开始,《礼记》竟取代了《仪礼》、《周礼》的地位而被列为礼经之唯一要籍。可见孔子所传授的礼的内容当中,有价值的不在于古时那些繁文缛节的礼仪条文,而在于礼与仁、义的关系以及礼之所以为礼的理论。

关于"礼"与"仁"、"义"的关系,《礼记·坊记》载孔子云:"礼者,因人之情而为之节文,以为民坊者也。"所谓"因人之情",就是从人的合乎仁爱之心的感情出发,这是礼的内在精神。所谓"节文","节"是节制,亦即克制自己过多的欲求而使之合乎规范;"文"是文饰,意指文之以礼乐以达到艺术化。"节制"和"文饰"两方面的辩证统一而适得其"中",这是制礼的基本原则。"坊"是提防,所以防人之失者,这是礼的功用。《论语·卫灵公》亦载孔子曰:"君子义以为质,礼以行之。""质"指基本原则而言。由是观之,儒家的"礼",是以"仁"的思想作为指导,并依据"义"和"中庸"的原则而制订出来的协调人际关系的行为规范。有时,甚至"仁"与"礼"似乎是同一回事:一方面,"克己复礼为仁,一日克己复礼,天下归仁焉";另一方面,怎样才能做到"仁"呢?"非礼勿视,非礼勿听,非礼勿言,非礼勿动。"这都是说,为"仁",必须做到"礼";为"礼",必须符合"仁"。简直是"仁"就是"礼","礼"就是"仁"。其实,"仁"和"礼"并非同一范畴,而是内在精神与外在仪式的区别。然而正因为"礼"是根据"仁"的精神制订出来的,所以人的言行能符合"礼"的规范,自然也就合乎"仁"的道德了。故荀子亦云:"君子处仁以义,然后仁也;行义以礼,然后义也;制礼反本成末,然后礼也。三者皆通,然后道也。""仁义礼乐,其致一也。"然而,当礼与仁发生冲突时,则应该变动礼而服从仁。正如孟子主张"嫂溺援之以手"而斥责"嫂溺不援,是豺狼也"。因为"嫂溺援之以手"虽然不合"男女授受不亲"的古礼,但符合救嫂于危的仁心,故虽行"权"而仍不失乎"中"的原则。显然,"仁"是"礼"的道德本体,也是"礼"的最根本的范畴。因而孔子慨叹道:"仁而不仁,如礼何?"(《论语·八佾》)

关于"礼"与"法"的关系,今人往往把"礼治"看作"法治"的对立面而加以非议,这种观点有待商榷。其实,儒家的"礼"包括"法",但内容比"法"广泛。"礼"是各种法度、规范的综合体;而"法"是"礼"的主干。所以,"礼治"实为以法度治国。从这种意义上说,"礼治"并非"法治"的对立物,两者在根本上是一致的。《荀子·劝学》云:"礼者,法之大分,类之纲纪也。"《荀子·修身》云:"非礼,是无法也。"明确道出了"礼"与"法"、"礼治"与"法治"的根本联系。

关于礼之所以为礼的本质，《论语·八佾》载，林放问礼之本，孔子答道："礼，与其奢也，宁俭；丧，与其易也，宁戚。"因为礼的本质是以外在的礼节来表达内心的诚意，所以，与其礼品丰厚而诚意不足，毋宁诚意有余而礼品节俭为好；正如丧礼的本质是表达对死者的哀悼，所以，与其排场过阔而哀伤不足，毋宁哀伤有余而排场不足为妙。所以孔子又说："礼云礼云，玉帛云乎哉？"（《论语·阳货》）作为礼品的玉帛本来是为表达内心之情的，假若没有真情，则玉帛虽丰，也就失去其本来的意义了。所以《礼记·少仪》云："宾客主恭，祭祀主敬，丧事主哀，会同主诩。"即此可见礼之本质所在。

关于礼的功用，正如孔子所云："不知礼，无以立也。"（《论语·尧曰》）"立"指立身处世而言。一个人只有能自觉地摆正自己的位置并处理好与他人之间的关系，才能自立于世。假若不知礼，就会出现种种弊端，所谓"恭而无礼则劳，慎而无礼则葸，勇而无礼则乱，直而无礼则绞"（《论语·泰伯》）。恭、慎、勇、直本来都是美德，但若不以礼为规范，必将流于失"中"而处理不好人际关系，因而也就难以自立于世了。所以孔子主张为政亦以教民知礼为要务，他说："道之以政，齐之以刑，民免而无耻；道之以德，齐之以礼，有耻且格。"（《论语·为政》）这是因为，政、刑只能消极地防民犯罪，而德、礼则可以积极地导民向善。《礼记·曲礼上》亦云："道德仁义，非礼不成；教训正俗，非礼不备；分争辩讼，非礼不决；君臣上下、父子兄弟，非礼不定；宦学事师，非礼不亲；班朝治军，涖官行法，非礼威严不行；祷祠祭祀，供给鬼神，非礼不诚不庄。"所以，《周礼》特设"春官宗伯"使掌"邦礼"："大宗伯之职……以嘉礼亲万民，以饮食之礼亲宗族兄弟，以婚冠之礼亲成男女，以宾射之礼亲故旧朋友，以飨燕之礼亲四方之宾客，以脤膰之礼亲兄弟之国，以贺庆之礼亲异姓之国。"（《周礼·春官宗伯》）荀子亦云："礼之于正国家也，如权衡之于轻重也,如绳墨之于曲直也。故人无礼不生,事无礼不成,国家无礼不宁;君臣不得不尊,父子不得不亲,兄弟不得不顺,夫妇不得不欢;少者以长,老者以养。故天地生之,圣人成之。"(《荀子·大略》)可见礼的功用,全在于协调各类人际关系,以达到国家安定、社会发展的目的。所以有子说:"礼之用,和为贵。"(《论语·学而》)

然而,为了理顺各类人际关系,"礼"除了"和"的功用外,还含有"别"的一面:"夫礼者,所以定亲疏,决嫌疑,别同异,明是非也。"(《礼记·曲礼上》)故若专务于礼,上下尊卑之间区别得太过分,互相之间就会缺乏融洽的感情。为此,儒家主张在重视"礼"的同时,又济之以"乐"。《礼记·乐记》云:"乐也者,情之不可变者也;礼也者,理之不可易者也。乐统同,礼辨异。礼乐之说,管乎人情矣。"孔颖达疏:"乐主和同,则远近皆合;礼主恭敬,则贵贱有序。"从人际关系而言,"乐"的功用在于使之协调和谐,"礼"的功用在于使之井然有序。礼乐相济为用,既理顺了远近亲疏的关系和上下尊卑的名分,又互相沟通了感情,以达到融洽无间之境。故儒者常以礼乐并称,作为人伦教化中不可或缺的重要内容。

孟子曰:"君子以仁存心,以礼存心。仁者爱人,有礼者敬人。爱人者,人恒爱之;敬人者,人恒敬之。"(《孟子·离娄下》)爱人敬人而最终获得了被爱被敬的实效,由是推而广之,使得全社会的人际关系形成正常的良性循环,从而讲信修睦的大同社会也可以逐步实现。这就是"仁"和"礼"对于"人伦"所起的巨大作用。

第五节　推行人伦教化的次第

儒家主张施行人伦教化必须按照先后次第,循序渐进,方获成效。《书·尧典》云:"克明俊德,以亲九族;九族既睦,平章百姓;百姓昭明,协和万邦,黎民于变时雍。"《大学》云:"物格而后知至,知至而后意诚,意诚而后心正,心正而后身修,身修而后家齐,家齐而后国治,国治而后天下平。"这些论述都体现了一条共同的思路,即:推行人伦教化,必须以自身的道德修养为本;然后遵循"亲亲"之序从爱自己的家开始,处理好家庭或者家族内部成员之间的关系;再把爱人之心进一步由家扩展到社会,处理好社会上的各种人际关系;如果是在位者,还应将此爱人之心通过有效的政治措施推及全民,使全民都能自觉地服从人伦教化,以期实现讲信修睦的"大同"之世。

一、克明俊德

儒家非常重视自身的道德修养,以之作为立身处世的首务。《尚书》开卷首赞帝尧"克明俊德",言其能够自我修明其大德;《大学》开卷首言"大学之道,在明明德",言人能自明其明德,乃入道之先务;《中庸》则以"尊德性"作为"道问学"的纲领,令人先存心乎道体之大者。这都强调了自身道德修养之重要。

孔子曰:"古之学者为己,今之学者为人。"(《论语·宪问》)朱注引程子曰:"为己,欲得之于己也;为人,欲见知于人也。""古之学者为己,其终至于成物;今之学者为人,其终至于丧己。"以古、今论学,固然是借古讽今之意;然而学以为己,确实是儒家治学之要义。孔子又曰:"君子求诸己,小人求诸人。"(《论语·卫灵公》)所谓"为己",亦即"求诸己"之意。孟子曰:"爱人不亲反其仁,礼人不答反其敬。行有不得者,皆反求诸己。"(《孟子·离娄上》)这是对于"为己"和"求诸己"最好的解释,认为凡事都得首先反省自身的道德修养。

然则从事自身的道德修养应从何着手呢?

首先，孔子提出"修己以敬"。所谓"敬"，对人对外而言是尊敬、尊重；而对己对内而言则是态度端肃，接物不苟且，处事不敷衍而能郑重其事之意，约略相当于现代所谓的"认真"。认真学习，认真办事，认真做人，乃是品德修养所必须具备的最基本的态度。只有时时抱着认真的态度，才能学有所成，业有所就；假若凡事视同儿戏而全不在意，则学不到真正的知识，也无从造就一个能任重致远的大器。所谓"世界上怕就怕'认真'二字"，也是此意。所以儒家非常重视"敬"的品德。《易传·坤文言》云："君子敬以直内，义以方外。"《礼记·曲礼上》云："毋不敬，俨若思。"孔子主张"道千乘之国，敬事而信"（《论语·学而》），"居处恭，执事敬"（《论语·子路》），"言思忠，事思敬"（《论语·季氏》）；而极力反对"为礼不敬"（《论语·八佾》）。所谓"敬事"，亦即现代所提倡的"敬业"精神，是一种认真而负责的职业道德。孔子提倡"修己以敬"，并非为了修己而修己，而是为了进一步"修己以安人"乃至"修己以安百姓"。"安人"、"安百姓"必须以"修己以敬"为基础，而"修己以敬"应以"安人"乃至"安百姓"为目标。这就是"修己以敬"在施行人伦教化中的重要意义。

其次，孔子认为修德必先立志。他提出"士志于道"（《论语·里仁》），勉励人必须树立起崇高的理想。并认为一旦立志之后就必须坚定不移地坚持下去："三军可夺帅也，匹夫不可夺志也。"（《论语·子罕》）然而若要长期坚持己志，还得具有实践其志的恒心，所以他赞叹道："南人有言曰：'人而无恒，不可以作巫医。'善夫！"（《论语·子路》）他还要求即使在遇到艰难曲折时也不能片刻放弃己志："君子无终食之间违仁，造次必于是，颠沛必于是。"（《论语·里仁》）因而他非常赞赏颜回的好学精神："贤哉，回也！一箪食，一瓢饮，在陋巷，人不堪其忧，回也不改其乐。贤哉，回也！"（《论语·雍也》）"回之为人也，择乎中庸，得一善则拳拳服膺而弗失之矣。"（《中庸》）孔子自己一生就坚持做到了"学而不厌,诲人不倦","其为人也,发愤忘食,乐以忘忧,不知老之将至"(《论语·述而》)的境界。他的学生曾子也说:"士不可以不弘毅,任重而道远。仁以为己任,不亦重乎?死而后已,不亦远乎?"(《论语·泰伯》)从上述可见,孔子提出"士志于道"之"道",乃是"仁以为己任"之道,亦即通过人伦教化而达到治国、平天下之道。

其三,孔子提倡为人诚信,言行一致。孔子看到很多人有言过其实之病,这是品德中的一大缺陷。他说:"巧言令色,鲜矣仁。"(《论语·学而》)又说:"其言之不怍,则为之也难。"(《论语·宪问》)他认为表面花言巧语的人,必然缺乏仁爱之诚心;而大言不惭的人,则必然无意于付诸行动,其话很难兑现。针对这种现象,乃提出"敏于事而慎于言"作为君子修德之要务。只有对干事不足勉以勤敏,而对有余之言戒以谨慎,使之言行相符,才能获得人之信任。他还把"言必信,行必果"作为对士的最低要求。他还说:"多闻阙疑,慎言其余,则寡尤;多见阙殆,慎行其余,则寡悔。言寡尤,行寡悔,禄在其中矣。"(《论语·为政》)只有言行皆得其实,才能行事少犯失误,福禄也就在其中了。孔子还认为凡事都要光明正大,无愧于心。"君子不忧不惧",这是因为"内省不疚,夫何忧何惧?"(《论语·颜渊》)《中庸》亦云:"故君子内省不疚,无恶于志。君子之所不可及者,其唯人之所不见乎!"因此,《大学》和《中庸》都提出了"慎独"的修养方法。《大学》云:"小人闲居为不善,无所不至,见君子而后厌然,掩其不善,而著其善。人之视己,如见其肺肝然,则何益矣。此谓诚于中,形于外,故君子必慎其独也。"《中庸》云:"是故君子戒慎乎其所不睹,恐惧乎其所不闻。莫见乎隐,莫显乎微,故君子慎其独也。""慎独"乃修养诚信之要诀,达到诚信,才能取信于人。

其四,孔子提倡谦虚好学,不骄不谄。他称赞孔文子"敏而好学,不耻下问"(《论语·公冶长》)的谦虚好学品德。曾子也很敬佩学友颜渊"以能问于不能,以多问于寡,有若无,实若虚"《《论语·泰伯》)的谦虚好学品德。《易传·谦象》云:"天道亏盈而益谦,地道变盈而流谦,鬼神害盈而福谦,人道恶盈而好谦。谦尊而光,卑而不可逾,君子之终也。"这里极力描述了谦虚的品德及其所获的效益。再则,只有具有谦虚好学的品德,才能知过必改。孔子曰:"过而不改,是谓过矣。"(《论语·卫灵公》)孔子在赞许谦虚的同时,又对骄傲者给予无情的批评:"如有周公之才之美,使骄且吝,其余不足观也已。"(《论语·泰伯》)"君子泰而不骄,小人骄而不泰。"(《论语·子路》)"骄"还与"谄"有着密切的联系。因为小人胸襟狭窄,在贫贱时不羞极力谄人,一旦暴富后就会百般骄人。所以子贡很赞许"贫而无谄,富而无骄"的品德。这样,既体现了谦虚的美德,又保持了不为富贵所动的人格。只有谦虚好学,人们才乐于告以善言;只有不骄,人们才乐与交往;只有不谄,才能保持自己的独立人格。这样,才能与他人建立起平等和谐的人际关系。

其五,孔子还要求养成文质兼胜的君子风度。他说:"质胜文则野,文胜质则史。文质彬彬,然后君子。"(《论语·雍也》)这里,"质"指内在的道德品质;"文",既指"行有余力,则以学文"的所谓诗书六艺之文,亦指仪表、风度、言辞之优美文雅。所谓"文质彬彬",就是内外兼修,道德与知识技艺并进的真善美高度统一的人。

儒家关于道德修养的德目很广,以上仅举数例略见一斑。他如"温、良、恭、俭、让"(《论语·学而》),"恭、宽、信、敏、惠"(《论语·阳货》)等等,各有其特定含义,都是儒家所重视的德目。《大学》对于自身修养的"明明德"问题,则设计为由格物、致知、诚意、正心然后达到"身修"的过程,为后儒所取法。而"修身"的目的,则是为了施行人伦教化而打下最根本的基础。

二、"孝悌"为仁之本

根据儒家"仁"的精神,在修身的基础上,还得以"仁"的道德去造福他人,这主要体现为推行人伦教化而实现济世安民的事业。然而推行人伦教化必须有一个起点,正如《中庸》所谓"君子之道,辟如行远必自迩,辟如登高必自卑",因而行仁也必须遵循由亲及疏、由近及远的逻辑原则,因此,施行人伦教化首先应从自己最亲近的家庭或家族内部开始。这就是《大学》所言由"修身"进而"齐家"的过程。

然而,为什么"欲齐其家者"必须"先修其身"呢?这正如孟子所说:"身不行道,不行于妻子;使人不以道,不能行于妻子。"(《孟子·尽心下》)如果自己行为不正,即使家庭中最切近的妻和子也不能使之信服,其他人就更不用说了。所以《大学》说"身不修不可以治其家"。只有在提高自身道德修养的基础上才能有效地教化家人和治理家庭。

家庭乃至家族内部成员之间所体现的乃是一种血缘关系。血缘关系是一切社会关系的最初形态,也是最基层的单位。要是一个人连血缘关系都处理不好,还能处理好其他人际关系吗?因而处理好血缘关系乃是处理其他一切关系的起点。儒家把家庭乃至家族内部成员之间的亲爱友好关系称之为"亲亲"。孔子曰:"仁者,人也,亲亲为大。"并把"亲亲"列为治天下的"九经"之一,认为"亲亲则诸父昆弟不怨"(《中庸》)。孔子又曰:"君子笃于亲,则民兴于仁。"(《论语·泰伯》)说明"亲亲"乃行仁之起点。

家庭血缘关系中最基本的关系可以分为两种类型:一种是纵向的父母与子女之间的关系,一种是横向的兄弟姐妹间的关系。儒家把子女敬爱父母的道德称为"孝",把弟敬爱兄的道德称为

"悌"。"孝"和"悌"是家庭中两种最基本的道德。故有子曰:"君子务本,本立而道生。孝弟也者,其为仁之本与!"(《论语·学而》)孟子更进而认为:"仁之实,事亲是也;义之实,从兄是也。智之实,知斯二者弗去是也;礼之实,节文斯二者是也;乐之实,乐斯二者,乐则生矣;生则恶可已也,恶可已,则不知足之蹈之,手之舞之。"(《孟子·离娄上》)这是说一切仁义礼乐莫不以孝悌为本。

然而,儒家为什么把"孝悌"看得如此重要呢?

首先,从一个人对待父母和兄长的态度上就可以看出其为人的素质是仁厚还是刻薄以及是否具有爱人之心。只有对父母、兄长怀有孝悌之心,然后才可以将此孝悌之心经过扩充而推广到其他人际关系上去。因为:"贵老,为其近于亲也;敬长,为其近于兄也;慈幼,为其近于子也。"(《礼记·祭义》)看到老人和比自己年长的人,就会联想到应该像尊敬自己的父母、兄长那样加以尊敬;看到年幼的人,就会联想到应该像爱护自己的子女那样加以爱护。孔子有鉴于此,所以说:"教民亲爱,莫善于孝;教民礼顺,莫善于悌。"(《孝经》)又说:"立爱自亲始,教民睦也;立敬自长始,教民顺也。教以慈睦,而民贵有亲;教以敬长,而民贵用命。孝以事亲,顺以听命,措诸天下,无所不行。"(《礼记·祭义》)这是说,有了孝亲敬长之心,才会顺利地听从政府的人伦教化。而且,"君子之事亲孝,故忠可移于君;事兄悌,故顺可移于长;居家理,故治可移于官"(《孝经》)。所以,"民入孝弟,出尊长养老,而后成教;成教而后国可安也"(《礼记·乡饮酒义》)。

其次,只有用"孝悌"的道德先把自己家中的人都教育好了,然后可以作为榜样去影响社会,教化他人。正如《大学》所云:"所谓治国必先齐其家者,其家不可教而能教人者,无之。故君子不出家而成教于国:孝者,所以事君也;弟者,所以事长也;慈者,所以使众也。"《诗·大雅·卷阿》亦云:"有冯有翼,有孝有德,以引以翼。岂弟君子,四方为则。"君子能做到"有孝有德",才能为四方之民所取法。故曾子曰:"孝子言为可闻,行为可见。言为可闻,所以说远也;行为可见,所以说近也。近者说则亲,远者说则附。亲近而附远,孝子之道也。"(《荀子·大略》)

再次,只有以敬爱自己父母兄长之心去敬爱他人的父母兄长,才能使自己的父母兄长也同样获得他人的敬爱。孔子说:"君子之教以孝也,非家至而日见之也。教以孝,所以敬天下之为人父者也;教以悌,所以敬天下之为人兄者也。"《孝经》而且,"敬其父,则子悦;敬其兄,则弟悦。"(同上)敬爱他人的父兄,也就获得了其子弟的欣悦。正因为如此,孔子又认为:"爱亲者,不敢恶于人;敬亲者,不敢慢于人。"为了自己的父兄不为他人所厌恶和轻慢,因而自己也就不敢去危害他人和轻慢他人了。这样,人与人之间就形成了一种良性循环,由此推而广之,整个社会也就充满着讲信修睦的和谐气氛了。

因此,孔子认为作为"士",首先就应该做到"宗族称孝焉,乡党称弟焉"(《论语·子路》)。这样,就为进一步推行人伦教化创造了良好的开端。

三、泛爱众,而亲仁

孔子在"修己以敬"的基础上,又提出了"修己以安人"的主张。所谓"安人",固然也包括自己家庭成员在内,但是从仁人之心而言,更应该面向广阔的社会。然而,一方面由于天下之广,人民之众,而一个人的能力和接触范围又很有限,如果要想对普天下的人同时来一个无差别的同等的"爱",显然是很难达到的;另一方面,在现实社会中每个人的具体情况各不相同,如果不分善恶贤愚一视同仁,则是违背正常情理的。孔子明确地认识到这一点,所以他认为在"爱人"的问题上,还必须区分一定的层次。因而他提出了"泛爱众,而亲仁"(《论语·学而》)以及"尊贤而容众,嘉善而矜不能"(《论语·子路》)的主张。孔子看到,在现实社会中,由于各人所处的环境和所受的教育互不相同,所以客观上存在着善恶贤愚的差别。所以在"泛爱众"的基础上,对仁者、贤者更应当尊敬和亲近些;而对恶者、愚者则应该抱有宽容态度和同情心。实际上,只有与仁者多加亲近,对贤者给予尊敬,才有利于自己的提高;也只有对恶者、愚者抱有宽容的态度和同情心,才能帮助别人改正错误或者使之进步。这在层次上虽有所差别,但其作为"爱人"之心则同。

然而,怎样才能辨别人之善恶贤愚呢?这首先就得有知人之明。孔子曰:"不患人之不己知,患不知人也。"(《论语·学而》)所以弟子樊迟向他问知,他答曰:"知人。"(《论语·颜渊》)然而"知人"并非易事,正如《书·皋陶谟》有云:"咸若时,惟帝其难之。知人则哲,能官人。"若能做到知人,就能合理任用人才,然而这连古圣帝尧也认为很难达到。因此,孔子把"知人"当作一门学问进行探讨。"知人"主要应注意三点。首先,自己心中不能存有主观偏见。《大学》云:"人之其所亲爱而辟焉,之其所贱恶而辟焉,之其所畏敬而辟焉,之其所哀矜而辟焉。故好而知其恶,恶而知其美者,天下鲜矣!"这是说,如果单凭自己主观的好恶去评价别人,就收不到知人的效果。其次,不要为对方的表面现象所蒙蔽。孔子说:"论笃是与,君子者乎?色庄者乎?"(《论语·先进》)这是说,如果只凭着对方的言论笃实就信以为真,就会分不清是真君子还是伪君子。所以他说:"不知言,无以知人也。"(《论语·尧曰》)有效的办法是:"视其所以,观其所由,察其所安。人焉廋哉!人焉廋哉!"(《论语·为政》)这是说,在听他言论的同时,还须进一步分析其真正用意之所在,才能不为其言论所迷惑。再次,对于众人的评论,也必须有所分析:"众恶之,必察焉;众好之,必察焉。"(《论语·卫灵公》)所以,有次子贡问:"乡人皆好之,何如?"孔子答曰:"未可也。"子贡又问:"乡人皆恶之,何如?"孔子答曰:"未可也;不如乡人之善者好之,其不善者恶之。"(《论语·子路》)以善者与恶者的不同反映作为评价人物的标准,乃是一种比较客观而辩证的观人方法。

在分清了善恶贤愚之后,当务之急就莫过于亲仁和尊贤了。《中庸》记载孔子把"尊贤"列为治天下的"九经"之一,认为"尊贤则不惑"。《论语·子路》载:孔子弟子仲弓为季氏宰,问政。孔子答曰:"先有司,赦小过,举贤才。"仲弓又问:"焉知贤才而举之?"孔子答曰:"举尔所知;尔所不知,人其舍诸?"他把"举贤才"作为施政的重要项目之一。孟子亦曰:"仁者无不爱也,急亲贤之为务。""尧舜之仁不遍爱人,急亲贤也。"(《孟子·尽心上》)孔子还认为选择居室,亦以接近仁人为佳。他说:"里仁为美。择不处仁,焉得知?"(《论语·里仁》)《诗·唐风·有杕之杜》云:"彼君子兮,噬肯来游。中心好之,曷饮食之。"诗中表达了诗人好贤的心情。这都充分表明了亲仁和尊贤的思想。

在急于亲仁和尊贤的同时,还必须具有容人之量。首先,不能妒贤嫉能。《书·秦誓》云:"如有一介臣,断断猗无他技,其心休休焉,其如有容。人之有技,若己有之;人之彦圣,其心好之,不啻如自其口出。是能容之,以保我子孙黎民,亦职有利哉!人之有技,冒疾以恶之;人之彦圣,而违之俾不达。是不能容,以不能保我子孙黎民,亦曰殆哉!"这在赞许了好贤爱才品德的同时,又对妒贤嫉能的恶习作了无情的抨击。提倡这种容人之量,是与亲仁尊贤之心密切联系在一起的。其次,对于普通的众人,则应怀有宽容仁恕之心。《中庸》云:"宽裕温柔,足以有容也。"孔子曰:"躬自厚而薄责于人,则远怨矣。"(《论语·卫灵公》)又曰:"君子成人之美,不成人之恶;小人反是。"(《论语·颜渊》)所谓"成人之美"者,己所欲,施于人也;所谓"不成人之恶"者,己所不欲,勿施于人也。此乃君子之道,反之则为小人矣。孔子又尝自言其志:"老者安之,朋友信之,少者怀之。"(《论语·公冶长》)孟子则曰:"人皆有所不忍,达之于其所忍,仁也。"(《孟子·尽心下》)这是说,人情常于亲近者有所不忍,而于疏远者有所忍,能由亲近者推而及于疏远者,而亦有所不忍,此即仁也。俗语亦云:"事事肯放过他人,则德日弘。"这些都体现了对众人应怀有宽容仁恕之旨。再次,对于愚者、贱者或遭遇不幸者,应该怀有同情心和怜悯之心。对于愚者,则应该施行教育开导,使之进步向善;对于贱者,也应尊重其人格;对于遭遇不幸者,则主张"矜寡孤独废疾者皆有所养";即使对待犯有过错者,也应该怀有"如得其情,则哀矜而勿喜"的心情。

以上所述,都体现了"泛爱众,而亲仁"这一基本精神。儒家这种对善恶贤愚的分别对待,并非有意造成人与人之间的不平等,而是"爱人"之心在现实社会中十分切合实际的具体运用。

四、博施于民而能济众

儒家推行人伦教化,对于在位的统治者较之一般士人寄托了更高的希望,要求他们能够"修己以安百姓","博施于民而能济众"。诚然,这是很难达到的,孔子也认为要做到这一点,"尧舜其犹病诸";然而作为一种美好的理想和治国的理论,还是有其积极进步的研究价值的。

首先,从儒家的"仁"的理论出发,统治者的治国方略也同样是从修身、齐家开始的。不过作为统治者,他们的个人道德和家庭伦理乃是广大士民所取法的楷模,对于国中乃至天下起有表率的作用。正如《大学》所谓"上老老而民兴孝,上长长而民兴弟,上恤孤而民不倍";"一家仁,一国兴仁;一家让,一国兴让;一人贪戾,一国作乱"。可见统治者的个人行为及其家庭风范都将给国家的治乱兴亡带来巨大的影响,因而统治者的修身、齐家较之一般士人显得更为重要。对此,《大学》作了比较详细的论述:"《诗》云:'桃之夭夭,其叶蓁蓁;之子于归,宜其家人。'宜其家人,而后可以教国人。《诗》云:'宜兄宜弟。'宜兄宜弟,而后可以教国人。《诗》云:'其仪不忒,正是四国。'其为父子兄弟足法,而后民法之也。"这里分别引用了《诗经》所歌颂的夫妇、父子、兄弟之间的亲爱关系来论证统治者的治家准则对教化国人所起的巨大作用。《诗·大雅·思齐》亦云:"刑于寡妻,至于兄弟,以御于家邦。"这也说明统治者推行人伦教化,应该先从最亲密的夫妻关系开始,次及家族兄弟,然后以自己的家庭作为榜样,才可以教化士民,治理国家。《书·尧典》所谓"克明俊德,以亲九族;九族既睦,平章百姓",亦是此意。

其次,统治者必须遵循"恕"的方法,把家庭中的亲亲之"仁"加以扩充,将其推广到百姓中去。孟子说:"老吾老,以及人之老;幼吾幼,以及人之幼。天下可运于掌。""故推恩足以保四海,不推恩无以保妻子。古之人所以大过人者无他焉,善推其所为而已矣。"(《孟子·梁惠王上》)所谓"推恩"与"善推其所为",就是运用推己及人的"恕"的方法去实行仁道。孟子又说:"人皆有不忍人之心。先王有不忍人之心,斯有不忍人之政矣。以不忍人之心行不忍人之政,治天下可运之掌上。"(《孟子·公孙丑上》)这就是"推恩"之意。儒家认为治天下之道在于能得民心,所以统治者应以百姓之心为心,好恶与民同之。孟子说:"得天下有道,得其民,斯得天下矣;得其民有道,得其心,斯得民矣;得其心有道,所欲与之聚之,所恶勿施尔也。"《大学》亦云:"民之所好好之,民之所恶恶之,此之谓民之父母。"孟子更强调但凡君之所欲,皆须与民同之,方合乎为君之道。诸如："王如好货,与百姓同之,于王何有!""王如好色,与百姓同之,于王何有!""今王与百姓同乐,则王矣。"孟子认为,君人者只有做到与民同好恶,才能有效地保持君民之间的和谐关系,才能使天下归心,达到天下大治。

其三,作为统治者,其不同于一般士人之处还在于:除了把自己家庭间的亲亲之"仁"推及百姓而外,还必须从政治上区别各种不同的关系而加以合理的调节。《中庸》记述孔子提出平治天下国家有"九经":"修身则道立,尊贤则不惑,亲亲则诸父昆弟不怨,敬大臣则不眩,体群臣则士之报礼重,子庶民则百姓劝,来百工则财用足,柔远人则四方归之,怀诸侯则天下畏之。"其中除了"修身"属于自身道德修养,"亲亲"属于处理家庭乃至家族内部的血缘关系,以上已有所述而外,其他如尊贤、敬大臣、体群臣、子庶民、来百工、柔远人、怀诸侯七项,都是从统治者的政治立场出发,本乎"仁"的精神并遵循"义"的准则来调节各种不同关系的具体方法。孔子说:"齐明盛服,非礼不动,所以修身也;去谗远色,贱货而贵德,所以劝贤也;尊其位,重其禄,同其好恶,所以劝亲亲也;官盛任使,所以劝大臣也;忠信重禄,所以劝士也;时使薄敛,所以劝百姓也;日省月试,既禀称事,所以劝百工也;送往迎来,嘉善而矜不能,所以柔远人也;继绝世,举废国,治乱持危,朝聘以时,厚往而薄来,所以怀诸侯也。"从"九经"的排列顺序上可以看出:修身仍然是为政之本;关于亲亲与尊贤的关系,若从血缘感情而言,亲亲是"仁"的起点,而从政治上讲,尊贤更是"义"的起点,所以在政治上必须先尊贤而后亲亲,才能达到两者的辩证统一;以下各项按照从上到下、从近到远依次排列,从表面看来,似乎有尊卑等级之分,其实并非有意造成不平等,而是切合实际的合理安排,因为只有通过尊贤、敬大臣、体群臣的合理处置,才能达到子庶民和柔远人的目的。这正如孟子所谓"尧舜之仁不遍爱人,急亲贤也",因为尧、舜本人能力有限,不可能做到遍爱人,而"亲贤"正所以推行仁政以期达到遍爱人的目的。统治者若能遵循"九经"方案以平治天下国家,那么就可以达到"礼义以为纪:以正君臣,以笃父子,以睦兄弟,以和夫妇"的小康社会了。

其四,统治者从扩充、推广仁爱之心出发,通过"九经"的政治措施,就可以向国人实行人伦教化。假若每个国人都能达到自觉地遵循推己及人这一逻辑方法,能以其"所不忍达之于其所忍"(《孟子·尽心下》)扩充孝悌慈爱之心去敬长爱幼,那么全社会就会由"各亲其亲,各子其子"的小康社会逐步过渡到"人不独亲其亲,不独子其子"的大同社会了。因此,所谓"博施于民而能济众",并非要求统治者向每个人施行恩赐,而是要求统治者本乎爱人之心,通过有效的政治措施去推行人伦教化,使之人人能各自摆正自己的位置,各尽自己应尽的义务,各自根据具体情况合理地处理好人际关系,从而达到互相信任,互相友爱,那么人类高度和谐而文明的大同社会也就实现了。于是,统治者也就达到了"修己以安百姓"的终极目标。笔者认为,孔子提出的大同社会,并非高不可攀、远不可即的空想,而是立足于现实社会的切实可行的经世方案。只要人类的普遍觉醒,人人都能自觉认识到"讲信修睦谓之人利,争夺相杀谓之人患"(《礼记·礼运》)的道理并付诸实践,则高度文明的大同社会迟早总会实现的。

最后,儒者还推崇"民胞物与"的襟怀,主张"仁民而爱物"。由爱人之心推广到合理地爱物,就能处理好人与自然的关系。《中庸》云:"致中和,天地位焉,万物育焉。"这样,就更达到了人类与天地万物尽能各得其所,各遂其生的最高境界。当然,这是就人伦教化的进一步推衍而言,已不在人伦范围之内了。

第二章　儒家的夫妇观

　　"夫妇"观念的产生,乃是人类从自然人进化为社会人的重要标志。有了夫妇关系,然后才有父子、兄弟、君臣、师友等等诸多社会关系的相继产生,才创造了人类社会的文明。孔子把夫妇关系看作是男女双方"合二姓之好,以继万世之后"的终身大事。故《中庸》曰:"君子之道,造端乎夫妇。"孟子曰:"男女居室,人之大伦也。"所以,儒家把夫妇关系视为人伦之始、为政之本与王化之基。在"人伦"中具有特殊重要的地位。

第一节　儒家夫妇观的孕育和创建

　　夫妇观念是在漫长的社会发展进程中逐渐形成的。儒家的夫妇观作为影响中华民族的婚姻观念达二千余年之久的主导思想,肇启于周公制礼,经孔子的总结并赋予全新的内容而建立起完整而系统的理论体系。然而,它从酝酿到成熟,都离不开社会现实所提供的历史条件。

一、婚姻观念的曲折发展

自从人类产生之初,即有男女之分。《易·序卦》云:"有天地,然后有万物;有万物,然后有男女;有男女,然后有夫妇。"从只有"男女"观念发展到有"夫妇"观念,乃是人类从自然人进化为社会人的标志。

在只有"男女"观念的原始社会,通行的是"知母不知父"的群婚制。由于没有固定的配偶,自然也无所谓夫妇观念。后来,在由母系社会逐渐向父系社会过渡、原始公社逐渐为家庭私有制所代替的过程中,男女关系也从群婚制经由对偶婚制再逐步过渡到两性之间有固定关系的一夫一妻制。婚姻上的"夫妇"观念正是在这一过程中逐步形成的。

上古时代,男女之间的交往是极其自由的,因而在性关系上也大都以生理的需要和环境的方便为基础,而不是以感情为基础,所以并无所谓爱情观念。随着文明程度的逐步发展,人类从自然人进化为社会人的过程中,两性关系也在生理需要的基础上赋予了感情的因素。这种感情成分的逐步增长,以感情为主调的爱情观念也就产生了。同时,随着婚姻上"夫妇"观念的逐步形成,爱情上也产生了与之相适应的互相忠贞专一的观念。

在社会发展进程中,爱情观念和婚姻观念都分别经历了从无到有、从产生到成长乃至成熟的过程;而在两者之间,则必将经历从各自分离到互相融合乃至高度统一的过程。这两种过程,都表明了社会文明从低级到高级的发展。

然而,社会的发展在某些领域并非直线前进而往往是螺旋式发展的,爱情与婚姻的关系就是如此。这是因为,爱情与婚姻的融合乃至统一,是要有一定的条件的:一方面,必须有婚姻上的一夫一妻制来促进并保证爱情上的专一观念；另一方面，还须有便于自由恋爱的环境来适应男女双方寻求真正的爱情。缺少任何一方面，爱情和婚姻就无从达到融合和统一。本来，随着婚姻上一夫一妻制的实行和爱情上忠贞专一观念的树立，爱情与婚姻可以由分离而走向融合了。然而，随着私有制的进一步发展和专制主义制度的日益巩固，在婚姻上也奉行了"父母之命"和"媒妁之言"的礼教。按理，在婚姻大事上征求一下父母的意见，或者由熟人从中介绍一下，也属正常而文明的现象。但若把这一礼教推向极端而完全取代自由恋爱，那么爱情和婚姻又不得不重新趋向分离了。

纵观中国的整部婚姻发展史，从上古到周初的周公制礼之前，虽然婚姻观念在逐步发展，但是尚未建立起一夫一妻的制度；反映在男女关系上，尽管感情的成分在日益增加，然而毕竟还不可能有成熟的专一观念。所以，爱情和婚姻还没有很好地融合在一起。从春秋后期一直到清末为止，随着专制主义的日渐发展，男女之间的交往已日益严格，婚姻上由父母与媒人包办的礼制也日益加强，到宋代以后更推向了极端。在这样的背景下，尽管在一些文艺作品中仍然保存有追求恋爱自由的思想，但是在现实社会的绝大多数人的心目中，除了一味遵从礼教而外，已不复存在所谓自由恋爱的观念了。所以，在这段漫长的专制主义制度控制下的历史时期里，婚姻和爱情乃是日益趋向分离的。这就是婚姻观念曲折发展的大致历程。

二、周礼与贵族婚姻

上古到周初以及战国到清末两大段历史时期的婚姻与爱情固然是互相分裂的，然而其间自周初到春秋后期约五百余年间，倒是一个颇为特殊的时代。这一时代的婚姻状态的显著特征主要表现为:在贵族阶层内部,婚姻与爱情完全是分裂的;而在广大庶民之间,爱情与婚姻却是基本上一致的。

自从父系社会以来的私有制的进一步发展,贵族阶层拥有经济上和政治上的特权,既可以无限制地占有女性,也可以很随意地舍弃女性。这对树立正常的婚姻观念当然是不利的。西周建国之初,周公针对政治上和社会上的各种混乱状态而制定周礼,对于整个封建等级制度的上下尊卑及其名分都作出了具体的规定,使之系统地规范化,其中也包括所谓"一夫一妻"的婚姻制度。

诚然,周公作为宗法封建制时代的高级贵族大臣,不可能给包括贵族阶层在内的所有人作出"一夫一妻"的限制,而对于贵族阶层,他只能在允许"多妾"的前提下对"正妻"的名分给予确定,并在此基础上制定了等级分明的"婚礼"。据文献所载:"天子后立六宫,三夫人,九嫔,二十七世妇,八十一御妻,以听天下之内治"(《礼记·昏义》);"公侯有夫人,有世妇,有妻,有妾"(《礼记·曲礼下》);"卿大夫一妻二妾","士一妻一妾"(《白虎通义》)。这些都是明文规定的礼制,而实际上,某些骄奢淫逸者的姬妾还不止此数。所以当时贵族阶层的婚姻,尽管名义上是一夫一妻制,而实际上则是"一夫一妻多妾制",反映在性爱上,就只片面要求女方专一而不要求男方专一。这么多的妻妾,即使以地位最高的"正妻"而言,也不过是替丈夫奉祭祀、育子女、主中馈、备内职,并为丈夫管束众妾而已,其与丈夫之间的感情,则是无足轻重的;至于众妾,完全是供丈夫取乐的玩物,更无真正意义上的夫妻关系可言。因此,在贵族阶层中,夫妇关系是极端不平等的。

再则,在贵族阶层内部,由于周礼的实行,男女之间的交往已逐渐严格起来。诚然,即使到了春秋末期,仍然留有自由恋爱的遗风。如《左传·昭公元年》载,郑徐吾犯之妹美,子南与子皙争婚。

子产令徐吾犯"请于二子,请使女择焉"。"女自房观之,曰:'子皙信美矣,抑子南,夫也。夫夫妇妇,所谓顺也。'适子南氏。"又《左传·昭公十一年》载,泉丘人有女,梦以其帷幕孟氏之庙,遂奔僖子,其僚从之。盟于清泉之社,曰:"有子,无相弃也!"前者使女自择对象,此女采取"奔"的方式与孟僖子成婚,都是婚姻自主选择的表现。但是,总地说来,男女交往已日趋严格,婚姻全凭父母和媒妁做主,故已很难获得真正的爱情。在这样的环境里,爱情和婚姻完全处于分裂状态,故往往酿成夫妻间互不相得的悲剧。这在《诗经》、《左传》等典籍中都有充分的反映。如《诗经·邶风》中的《日月》、《终风》二诗,都是写卫庄公的夫人庄姜备受丈夫虐待的悲惨遭遇。庄姜作为齐君之爱女,卫庄公的正夫人,身价和地位不可谓不高,然而面对残暴丈夫的冷酷虐待,虽受尽辛酸,心肝欲摧而无处可告,最终也只能呼出"父兮母兮,畜我不卒"的悲叹,以痛诉哀怨而已,则其余众妾的婚姻命运就可想而知了。正因为如此,当时的贵族阶层对于夫妻关系是毫不重视的。即以当时最为贵族们所遵循的"六顺"之说而言,也只包括"君义、臣行,父慈、子孝,兄爱、弟敬"(《左传·隐公三年》),其于君臣、父子、兄弟之间的关系都作了具体规定,唯独没有提到夫妻关系。这正说明了在当时贵族的眼里,夫妻关系在诸多社会关系中是排不上号的。在这样的环境中,自然也产生不出好的情诗来。这也就是《诗经》情诗大都出自中下层社会之手的根本原因。

周礼实行后贵族阶层的婚姻尽管是极端不平等的而且婚姻与爱情是完全分裂的,然而比起以前那种毫无限制地占有女性的混乱状态来,毕竟是一种巨大的进步。

首先,周礼对于婚娶正妻制定了隆重的仪式,尽管在实际意义上正妻并未享受到真正的夫妻之爱,然而在名分上却获得了与丈夫基本上对等的地位。自从周公制礼之后,贵族阶层对于明媒正娶并在名分上基本平等的正妻,如果没有充足的理由是不敢轻易废弃的。否则,就会引起诸多非议。即使是至高无上的天子。如果随意废置皇后,也会受到诸大臣的谏诤。这一礼制对于树立正常的夫妇观念,无疑是起有一定作用的。

其次,贵族阶层尽管仍然享有"多妾"的特权,但比起以前可以无限制地占有女性来,毕竟在礼制上已有了一定程度的限制。从周礼所规定的内容看来,除了天下唯一的"天子"和数量绝少的"公侯"等高级贵族享有较多的特权而外,对于较次一等的贵族如"卿大夫"乃至处于贵族与庶民之间的"士"而言,已受到了有效的控制。可以想见,在周公制礼之前,卿大夫决不会只有"一妻二妾"而已;但到周礼施行之后,如果超越了此数,必将受到"非礼"之讥了。

其三,由正妻和众妾所组成的所谓"内治"既然已成为一种礼制,那么即使是"妾",其身份也有了相对稳定的保障,对丈夫随意遗弃失宠女子的行为多少有些限制的作用。

其四,也是最重要的一点,正妻在名分上获得了与丈夫基本对等的地位并受到礼制的维护,这一礼制所及,对于在经济条件上只能是"一夫一妻"的广大庶民来说,客观上无疑起有稳定夫妇正常关系的作用了。

由是观之,周礼所规定的婚姻制度,尽管不是以爱情为基础而且是极端不平等的,但从整个婚姻发展史上看,对于建立正常的夫妇观念,是有一定的促进作用和进步意义的。

三、周礼与庶民婚姻

自从进入以农业经济为主的家庭私有制社会之后,平民的生活方式主要是男耕女织而自食其力,因而夫妻地位基本上是平等的。这在《诗经》中也有充分的反映。例如《郑风·女曰鸡鸣》以一对猎人夫妇的枕边絮语反映了他们在日常生活中相敬如宾、和谐温馨而富有诗意的融洽感情：

> 女曰鸡鸣，士曰昧旦。子兴视夜，明星有烂。将翱将翔，弋凫与雁。
>
> 弋言加之，与子宜之。宜言饮酒，与子偕老。琴瑟在御，莫不静好。
>
> 知子之来之，杂佩以赠之。知子之顺之，杂佩以问之。知子之好之，杂佩以报之。

当妻子听见晨鸡鸣唱，望着光亮的启明星，叫醒丈夫去射猎，祝愿他射得凫雁，将为之做上好菜，共同饮酒，弹琴鼓瑟，白头偕老。她理解丈夫对自己的爱抚体贴，为了表示对丈夫的恩爱知心，临行时又给丈夫系上一串佩玉。从诗中细腻的描写可以看出，这对平民夫妻完全是一种相敬相爱的平等关系。在《诗经》的大量描写平民生活的作品中，大都反映了这种平等互爱的夫妻关系。而且，由于受经济条件所限制，丈夫也不可能占有多妻，于是就自然形成了一夫一妻的形式。古书中常把庶民称作"匹夫匹妇"，亦即一夫一妻之意。可见"一夫一妻"乃是庶民所特有的婚姻形式。不过，在周公制礼之前，还没有一种权威的礼制可供遵守，所以这种一夫一妻的关系是很不稳定的，既可以随意地结合，也可以随意地分离，因而难以建立起一种长期稳定的夫妇关系。及至周礼从名分上确定了夫妇之间必须保持长期稳定的关系，而且这种关系最适宜于民间一夫一妻的形式并有利于家庭的建设，所以就很快为广大庶民所乐于接受并自觉地遵循了。于是，庶民的婚姻就自然沿着夫妇关系长期固定的方向发展，这就促使两性间的专一观念也渐趋成熟了。

而在另一方面，周礼中那种上下尊卑等级分明的制度和男女授受不亲的礼教，一则由于"礼不下庶人"的偏见，二则由于不适合庶民的现实生活，因而只能在贵族阶层内部实行，对于民间则没有多大影响。所以在广大的中下层社会里，男女之间的交往仍然是比较自由的，还留有自由恋爱的广阔天地。对此，周礼不但没有予以禁止，相反地还鼓励上了婚龄的男女可以自由交往以利于及时婚配。甚至在一定的季节和场合，官方还要举办一些活动，男女可以公开聚会，自找对象。《周礼·地官·媒氏》记载："媒氏掌万民之判，……中春之月，令会男女，于是时也，奔者不禁；若无故而不用令者，罚之；司男女之无夫家者而会之。"可见当时设"媒氏"之官，完全是为难以找到对象的男女着想，在农闲季节举办一些男女集会，以便互相接触而获得合适的婚配，对于自由恋爱显然是支持的。即此可知，当时民间风行自由恋爱的婚姻习俗，还是很普遍的现象。这从《诗经》的许多作品中还可以清楚地看到，当时在卫国的淇水之滨和郑国的溱、洧二水之滨，以及陈国的东门之外等地区，都有男女公开聚会以自找对象的风尚。《郑风·溱洧》就是描写溱、洧之滨情侣相约春游以反映自由恋爱生活的代表作品：

> 溱与洧，方涣涣兮。士与女，方秉蕑兮。女曰：观乎？士曰：既且。且往观乎！洧之外，洵訏且乐。维士与女，伊其相谑，赠之以勺药。

> 溱与洧，浏其清兮。士与女，殷其盈兮。女曰：观乎？士曰：既且。且往观乎！洧之外，洵訏且乐。维士与女，伊其相谑，赠之以勺药。

这首诗在描写青年男女结伴春游时欢快嬉笑的动人情景中，更突出地表现了其中一对青年男女的恋爱生活。他们在春游时，途中相遇，一见钟情，经过共同游玩，最后互赠芍药而定情。诗人通过环境的渲染,通过叙述和对话,逼真、生动地写出了一对青年恋人的幸福与欢乐。又如《郑风·出其东门》之所谓"有女如云",显然也是对这种春游场面的描写。《鄘风·桑中》也是叙写男女自由约会的诗:

> 爰采唐矣,沬之乡矣。云谁之思,美孟姜矣。
> 期我乎桑中,要我乎上官,送我乎淇之上矣!
>
> 爰采麦矣,沬之北矣。云谁之思,美孟弋矣。
> 期我乎桑中,要我乎上官,送我乎淇之上矣!
>
> 爰采葑矣,沬之东矣。云谁之思,美孟庸矣。
> 期我乎桑中,要我乎上官,送我乎淇之上矣!

这首诗共三章,每章各以一位少男的口吻自叙约会自己恋人的经过,生动地反映了淇水之滨青年男女在集体聚会时自找对象的自由恋爱生活。而陈国则多以歌舞集会的形式来方便男女之间的相会,《陈风·宛丘》与《东门之枌》就是反映这种景象的诗。此外,《诗经》中还有大量反映单对男女之间互相约会或者不期而会、邂逅定情的诗。即此可见当时民间自由恋爱的气氛还是相当浓的。男女之间不但公然互相邀约共游,而且有公开的赠答、唱和、谐游、调笑、戏谑,这在秦汉以后,除了歌人妓女之外,一般所谓"良家女子"是绝对不允许这样做的了。在这些诗中,都洋溢着自由欢快的气氛,从中可以想象到双双对对的情侣互赠信物、相与歌舞的情景。在这种自由定情的场合中建立起来的恋爱关系,大都应该是以感情为基础的。这样通过自由恋爱,自然有利于产生真正的爱情;以真正的爱情为基础而建立起来的一夫一妻制婚姻,才有利于实现互相忠贞专一的婚爱观念。这就给爱情和婚姻的融合创造了适宜的条件。因而这种以自由恋爱而组成平等互爱的真正意义上的一夫一妻制，乃是当时广大庶民婚姻的基本形式。因此，如果撇开贵族阶层内部那种小范围的不合理婚姻不论，而从广大庶民婚姻的主流而言，从周初到春秋后期这五百余年间，乃是中国婚姻史上爱情与婚姻基本上一致的时代。正因为如此，在这个时代恰好出现了含有大量歌咏爱情婚姻作品的我国第一部诗歌总集《诗经》，盖非偶然了。否则，为什么在《诗经》之前，没有较好的情诗留传下来呢？如果说那是因为年代久远难以保存的话，那么《诗经》之后直到《汉乐府》的数百年间，为什么也没有几篇像样的情诗保存下来呢？更何况《汉乐府》以后，虽然历代也不乏情诗，然而终究远远达不到《诗经》时代的情诗那样率真而大胆、明快而开朗、诚挚而热烈、淳朴而健康的程度。所以，《诗经》时代之所以成为情诗的黄金时代，应与当时爱情与婚姻基本一致的时代背景有关。而这种爱情与婚姻基本一致的社会现实，为儒家提倡自由平等的夫妇观提供了合适的条件。

四、儒家夫妇观的创建

由上述可知，自周初到春秋这段历史时期的婚姻状态，贵族阶层与广大平民之间形成了明显的反差：贵族阶层由于宗法封建制的进一步发展和礼制的日益严密，使得男女交往极不自由，婚姻完全由父母、媒妁做主，从而形成了"一夫一妻多妾"的极端不平等的婚姻；不过周礼通过婚礼的形式从名分上确定了夫妇的对等关系，这对建立长期稳定的夫妇关系起有促进的作用。而在广大庶民之间，一方面由于经济条件所决定，普遍接受了一夫一妻的婚姻制度；另一方面，由于那种严格区别男女尊卑之礼还未"下庶人"，社会上仍然普遍流行着自由恋爱的风尚，从而形成了真正平等互爱的一夫一妻制。民间这种婚姻形式，大都是经过自由交往和平等恋爱而建立起来的，因而双方非常重视感情，都能互相尊重，彼此相爱，并要求互相忠贞，希望白头偕老。显然，这是一种很进步的婚姻观念。不过，这种进步的婚姻观念尽管业已长期在广大平民中普遍流行着，并在大量民歌中有着充分的反映，却一直未能从理论上加以总结。

儒家创始人——孔子，他作为伟大的哲人，正处在贵族方面的婚姻现象非常黑暗，夫妻关系不受重视，而平民方面久已形成的进步的婚姻观念又未经理论总结的历史背景中，他一方面提取了民间婚姻观念中的基本精神，另一方面也吸收了贵族婚礼中的某些合理成分，并把两者在理论上加以贯通，从而在中国婚姻史上第一个创建了全新而系统的儒家的婚姻思想。

孔子这种以庶民的婚姻观念作为基本精神，并吸收贵族婚礼中的合理成分而创建起来的夫妇观，可从他所最为称颂并列为"诗三百"之首的《关雎》一诗中充分地体现出来。毫无疑问，《关雎》是一篇充满着儒家的婚姻理想的作品：

> 关关雎鸠，在河之洲。窈窕淑女，君子好逑。
> 参差荇菜，左右流之。窈窕淑女，寤寐求之。
> 求之不得，寤寐思服。悠哉悠哉！辗转反侧。
> 参差荇菜，左右采之。窈窕淑女，琴瑟友之。
> 参差荇菜，左右芼之。窈窕淑女，钟鼓乐之。

这首诗，以超妙的艺术手法高度地概括了儒家的婚姻理想。首先，诗以雌雄有固定配偶的雎鸠之和声起兴，分明是象征了一夫一妻之间互相平等、互相忠贞而且长期固定不变的夫妇关系。其次，所谓"在河之洲"，则是给这对用"雎鸠"作为象征的多情男女描绘了广阔而美好的活动天地；而"参差荇菜，左右流之"，则是象征着他们在此广阔的天地中充分自由、毫无拘束地活动着。其三,"窈窕淑女,君子好逑"之句,说明男女双方的择偶标准不但重视美貌,而且更重视美德,双方在德貌兼优的基础上产生互相爱慕之情。这一观点,实开后世"才子佳人"式的婚姻愿望之先河。其四,所谓"求之不得,寤寐思服",这种追求的曲折和相思的深情,完全是从主人公自身的愿望而展开的,其中丝毫没有"父母之命,媒妁之言"之类的说教。其五,诗以"琴瑟友之"、"钟鼓乐之"作结,一方面说明婚姻之结合是通过举行隆重的婚礼而宣告成功的;另一方面则用琴瑟、钟鼓之声调和谐,来比喻伉俪相得、融洽无间之乐。其六,中间历经"求之不得"的曲折,仍追求不已而终获成功,这也是儒家所提倡的自强不息、知难而进以探求正道之刚健精神的充分体现。其七,全诗文辞典雅,比兴得体,内容和形式力求畅达优美,则是儒家追求文质并胜的审美观点的充分体现。其八,在声调上,也与诗的情调配合得很紧密:开头一段用平声韵,音调悠扬飘逸,正像对理想满怀希望时的雍容、舒缓之情;"求之不得"一段突然转用仄声韵,音调短促紧迫有如急弦繁管,正像受到挫折时的忧郁、抑塞之情;继而又转为平声韵,从逼促之中荡开,感情豁然开朗,犹如孔子所说的"洋洋乎盈耳"之感。声调的变化,有效地促成了感情的变化。这与儒家重视礼乐教化,认为"乐可陶冶性情"的观点是完全一致的。

由是观之,《关雎》一诗所反映的思想,既非纯是庶民的婚姻观,也非全是贵族的婚姻观,而是各取所长而形成的儒家的婚姻理想。它以庶民婚姻中由自由恋爱而结成平等互爱、互相忠贞的一夫一妻关系作为基本精神,适当吸取贵族婚礼中的合理因素以确定夫妇之间长期稳定的名分,从而体现了一种具有艺术美的婚姻理想。正因为如此,孔子才多次作出了《关雎》乐而不淫,哀而不伤"，以及"师挚之始，《关雎》之乱，洋洋乎盈耳哉"等等高度的评价。《关雎》一诗，可视为概括了儒家夫妇观的一支优美的序曲，而其丰富而系统的具体内容，则有待进一步详加探讨。

孔子虽然没有关于婚姻思想的专门著作，但若对各书所记他有关夫妇和婚姻的言论加以综合考察，不难发现他已具有比较系统的婚姻思想。其一，在《易传》中，他以乾坤卦义揭示了两性关系的基本规律，以咸卦的卦义阐明了少男少女的恋爱之道；其二，在作为主要教本的《诗经》中，许多追求恋爱自由、歌颂爱情专一、提倡相敬相爱、期望白头偕老等诗篇，都足以代表孔子的婚姻思想；其三，在《礼记》中，记述有他所提出的"夫妇和，家之肥"的观点，以及夫妇之间的"爱与敬"是"政之本"的观点等；其四，在《春秋》中，最早以"讥娶母党"的方式反对姑表近亲结婚；其五，在《论语》中，记述有为子女择偶方面主张才德并重的事例等等。这些思想，基本上已形成了一个比较完整的理论体系。兹就各方面试予论述。

第二节　乾坤卦义与两性观念

在讨论儒家的夫妇观之前，有必要先讨论一下儒家的男女两性观念。在儒家典籍中，有些内容如实地反映了当时关于两性观念的社会现实，而在理论上的探讨，主要可从乾坤两卦的卦义中加以考察。

一、两种男女观

从现代社会学的角度看，男女的生理差异是天然存在的，而男女的性别角色则是社会地发展了的。周代制定了"男女有别"的礼仪规则，正是为了引导、鼓励两性的差别，从而塑造出更具内涵的两性角色。具体说来，人从母胎中孕育到出生成长，直至结婚成人，始终要接受持续不断地性别角色训练和培养，以便男女皆可以"少而习焉，不见异物而迁焉"，实现"男女有别"的最终目的。

据《礼记·内则》说："子生，男子设弧于门左，女子设帨于门右。三日始负子，男射女否。"以之说明"射者，男子之事"（《礼记·射义》）。又载，儿童的游戏是"男鞶革，女鞶丝"，而且在幼儿"能言"之时，就引导他们学会"男唯女俞"，使之自学会的第一个词汇始即具有性别特色。由此，直至七岁，开始"男女不同席，不共食"，两性之间有了最初的隔离。继而，男子，"十年出就外傅，居宿于外，学书计……十有三年，学乐诵诗舞勺，成童舞象学射御，二十而冠始学礼"；女子，则"十年不出，姆教婉娩听从，执麻枲，治丝茧，织纴组纫，学女事，以共衣服，观于祭祀，纳酒浆笾豆菹醢，礼相助奠，十有五年而笄"。并明白指出："为宫室辨外内，男子居外，女子居内。"又据《礼记·曲礼上》所载，周代还定有"男女不杂坐，不同椸枷，不同巾栉，不亲授"，以及"外内不共井，不共湢浴，不通寝席，不乞假，男女不通衣裳"（《礼记·内则》）等规则，规定"男女非有行媒，不相知名"（《礼记·曲礼上》），以限制和隔绝男女间的日常往来。

据《国语·鲁语下》记载："公父文伯之母，季康子之从祖叔母也。康子往焉，阖门与之言，皆不逾阈。祭悼子，康子与焉，酢不受，彻俎不宴，宗不具不绎，绎不尽饫则退。"是说她作为女性，与身为男子的季康子之间，无论是谈话，还是共同参加祭礼，都始终如一地保持着合乎礼节的界限。可见周代贵族阶层的"男女有别"之礼已执行得非常严格。

贵族阶层在执行"男女有别"之礼的同时，男女之间的地位也发生了巨大的变化。西周以来的男女观念也与婚姻观念一样，贵族与庶民之间存在着两种截然不同的观点。在贵族方面,由于以男性为中心的宗法封建制所决定,无论天子、诸侯乃至公卿大夫,一切权位和财产都是由子承父业世代相传的,于是导致了家庭中男女地位的悬殊,从而形成了极端重男轻女的现象。这在《诗·小雅·斯干》中表现得淋漓尽致。这是一首周王建筑宫室落成时的祝颂诗,从叙写筑室的过程以及宫室的坚固、华美,写到主人安寝并得吉梦:

> 下莞上簟,乃安斯寝。乃寝乃兴,乃占我梦。吉梦维何?维熊维罴,维虺维蛇。
>
> 大人占之:维熊维罴,男子之祥;维虺维蛇,女子之祥。乃生男子:载寝之床,载衣之裳,载弄之璋;其泣喤喤,朱芾斯皇,室家君王。乃生女子:载寝之地,载衣之裼,载弄之瓦;无非无仪,唯酒食是议,无父母诒罹。

对于男孩与女孩,不仅寝处有"床"与"地"的差别,玩具有"璋"与"瓦"的差别,而且对男孩长大后的期望是为君为王,而对女孩长大后的期望仅仅是料理酒食、没有过错、不要连累父母担忧而已,其中反映了很浓的重男轻女思想。

然而在平民方面,从《诗经》的大量民间诗作中加以考察,无论作者是男是女,内容是歌咏爱情抑或歌咏劳动,都看不出有轻视女性的思想。可见当时虽然在贵族阶层中重男轻女思想非常严重,但是在民间基本上还是男女平等的。

儒家的两性观念,是从西周以来的社会现实中总结而来的。作为代表"士"阶层的孔子,不可避免地要受贵族阶层思想的一些影响,但反映在理论上,基本上还是接近平民思想者居多。有人认为孔子曾经说过"唯女子与小人为难养也,近之则不孙,远之则怨"的话,把"女子"与"小人"并列,可以断定孔子是轻视妇女的。其实这是一种偏见。笔者认为，这里之所谓"小人"，系指目光浅近、胸怀狭窄的人。由于古时女子缺乏文化教育，社会交往又少，以致胸襟与一般缺少文化修养的男人差不多，较之有文化的士人要狭窄一些，因而在与人相处时容易形成"近之则不孙，远之则怨"的心理状态。这是古代女子所处的条件和环境所决定的，孔子不过就事论事而偶发慨叹而已。我们评价古人的思想，不能光凭偶发慨叹的片言，而应全面地考察其整个理论体系。

二、《周易》尊卑观念的曲解

孔子的男女观念，主要体现在《易传》对于乾、坤两卦的理论探讨之中。《易传·系辞》曰："易有太极，是生两仪。"两仪者，阴阳也。孔子继承并发展了《周易》的基本原理，认为大至宇宙，小至一事一物，无不蕴涵着阴性与阳性这一对普遍的矛盾；并由这对矛盾之间的互相作用，才推动了事物的变化和发展。故其所演的八经卦乃至六十四别卦，即以阴阳二爻之相互消长以明事物生生不已之理。其中"乾"为纯阳之卦，"坤"为纯阴之卦，乾坤二卦在易理中居于首要地位。故《易传·系辞》曰："乾坤其易之门邪！"又曰："乾坤其易之缊邪！乾坤成列而易立乎其中矣。乾坤毁，则无以见易。易不可见，则乾坤或几乎息矣！"乾坤二卦为什么占有如此重要的地位呢？这是因为，从自然界而言，则"乾为天"，"坤为地"（《易传·说卦》）；"有天地，然后万物生焉"（《易传·序卦》）。从人类社会而言，则"乾道成男，坤道成女"（《易传·系辞》）；"有男女，然后有夫妇；有夫妇，然后有父子；有父子，然后有君臣；有君臣，然后有上下；有上下，然后礼义有所错"（《易传·序卦》）。有了男女两性之结合，才繁衍了人类，创造了人类社会的文明。也就是说，假若没有天地，就没有自然界的万物；没有男女，就没有人类社会的一切。所以，如果"乾坤毁",则整个宇宙岂非"或几乎息矣"!

然而,《易传·系辞》开宗明义地说:"天尊地卑,乾坤定矣;卑高以陈,贵贱位矣。"对此,古代学者从维护专制时代的礼教出发,常据此以论证男尊女卑之"礼"的合理性;而现代学者则从批判礼教出发,又常以此为据来诟病《周易》给专制时代的男尊女卑观念提供了理论根据。例如有学者认为:《易传》"肯定了天地的矛盾对立的两种属性——天是尊贵刚健,地是卑贱柔顺;从而引申到社会……认为男与夫与君应该处于尊贵的地位,以刚健为吉;女与妻与臣应该处于卑贱的地位,以柔顺为吉。这就肯定了封建社会里男尊女卑、夫尊妻卑、君尊臣卑三大教条"①。可见古今学者的立场尽管不同,但认为乾坤两卦的卦义中含有男尊女卑之义,则是他们共同的看法。然而笔者认为,这种观点并不符合《周易》的本义;《周易》中乾坤两卦完全是对等关系,而绝非具有尊卑贵贱之分的主从关系。

诚然,作为在父权制既已确立之后成书的《易经》乃至《易传》,不可避免地会反映出当时社会上男女地位渐趋不平等的现实;但是,反映现实与理论探索毕竟不是同一回事。从《易传·系辞》的本义看,其所谓尊卑贵贱,不过是指天与地在空间位置上有高低之别,并非在价值取向上有高低之分。即使把乾坤贵贱之说引申到政治上的君臣之道,远古时代的所谓"贵贱",也主要是指职务位置而言,基本上与现代所谓"上下级"同义。孟子曾说舜"贵为天子",可见他也认为天子是贵的;然而孟子又有"民贵君轻"之论,认为民比君贵。既谓"君贵",又言"民贵",岂非自相矛盾?其实不然,所

---

① 高亨:《周易大传的哲学思想》,《文史述林》,中华书局 1980 年版,第 323 页。

谓"贵为天子",指的是政治职位上的客观现实;而所谓"民为贵",则是根据自己的思想观点而提出的理论判断。可见古人所说的在政治职位上的"贵贱"与在理论上作为价值取向的"贵贱"是两种不同的概念,二者绝对不容混淆。即使到了大力提倡人格平等的近现代,在政治职位上也仍然不可没有等级差别,然而这种等级差别并不违背在人格上提倡人人平等的理论原则。《周易》之用乾坤象征天地或君臣,无非是运用抽象的矛盾规律去认识具体事物的一种方法,而并非在尊卑贵贱上作机械的类比。尽管在古代"君臣"这对具体的矛盾之间确实存在着严格的贵贱之别,但这与在理论方法上象征普遍矛盾关系的符号——"乾坤",毕竟是有区别的。所以,假若一看到被乾坤两卦所象征的天地或君臣等具体矛盾关系在客观位置上有尊卑贵贱之分,就断定乾坤两卦在抽象理论上也有尊卑贵贱之分,从而再推论出另一对被乾坤所象征的具体矛盾——男女关系也有尊卑贵贱之分,这种机械的类比方法是不符合辩证逻辑的。而历代的统治者为了维护阶级统治,总要借《周易》这块权威的招牌,把空间位置上的天尊地卑与政治职位上的君贵民贱、两性关系中的男尊女卑,乃至道德才智上的智愚贤不肖等等,统统加以机械地类比起来,以图借此来论证专制伦理的合理性。这种类比的推理,完全是对《周易》的曲解,是不符合其原意的。

三、乾坤卦义所象征的两性关系

若要准确地理解《周易》中乾坤两卦所蕴涵的本义,还得运用唯物辩证的方法对《周易》中所论述的乾坤两卦的内容详加考察。

在《周易》中,乾坤两卦对举之文大致可分四类情况。第一类是从本质和形态上直接揭示其德性和特征。例如:

乾，阳物也；坤，阴物也。（《易传·系辞》）

乾，健也；坤，顺也。（《易传·说卦》）

乾刚，坤柔。（《易传·杂卦》）

乾知大始，坤作成物；乾以易知，坤以简能。（《易传·系辞》）

夫乾，其静也专，其动也直，是以大生焉；夫坤，其静也翕，其动也辟，是以广生焉。（同上）

阖户谓之坤；辟户谓之乾。（同上）

在以上诸条中，乾和坤分别代表了互相对立着的矛盾双方中之一方。从这些内容中可概括出乾坤两卦之最基本的特征是：乾属阳而具有刚健之性；坤属阴而具有柔顺之德。乾坤两卦所具有的其他一切德性，都是从这一基本德性而生发的。在这里，所谓乾性刚健，坤性柔顺，无非是从事物中抽象出既相对立又相依存的两种基本性征而已；也正由于万事万物无不普遍具有这两种既相对立又相依存的基本性征，才从理论上概括成为"乾坤"这对普遍的矛盾。乾坤两卦的性征尽管不同甚至相反，但其地位则完全是对等的，丝毫看不出有所谓尊卑贵贱之分。

第二类是借具体事物来比拟乾坤两卦的抽象特征，如《易传·说卦》所谓"乾为马，坤为牛"，"乾为首，坤为腹"之类。这类内容只是在形式上运用了形象的比喻手法而已，其意旨实与第一类相同，两卦在地位上亦无尊卑贵贱之分。

第三类的取向正好与第二类相反，是运用乾坤卦义的抽象特征去象征具体事物，以揭示其本质特征。例如：

（一）在自然界的天与地这对矛盾中，"乾为天，坤为地"（《易传·说卦》）。

（二）在人类的男女两性这对矛盾中，"乾道成男，坤道成女"

《易传·系辞》）；乾"为父"，坤"为母"（《易传·说卦》）；坤，"妻道也"
（《易传·坤文言》）。

（三）在政治上的君与臣这对矛盾中，乾"为君"（《易传·说卦》）；
坤，"臣道也"（《易传·坤文言》）。

在这类内容中，尽管被象征的某些事物在客观位置上是有高低之
分的，如空间位置中的天与地，政治地位上的君与臣之类；然而从
理论上说，用作象征符号的"乾坤"这对矛盾，仍然是对等的。今姑
置其他内容不论，单就以乾坤之义来象征男女两性这一内容试作
探讨。

孔子在具体而深入地分析了男女两性的生理特征、心理特征，
以及由此而形成的性格特征之后，发现男女两性在很多方面是有
差别的，有些特征甚至是相反的。经过概括综合，就抽象出了男性
比较刚健，女性比较柔顺这一带有普遍性的特征。然后依据乾性
刚健、坤性柔顺这一基本易理进行推论，于是又得出了"乾道成男，
坤道成女"的结论。当然，这只是一种从具体现象中抽象出来的相
对的理论概括，决不能视为绝对的教条。因为在现实中，男女两性
的具体特征则要复杂得多，例如女性中也有很刚健的，男性中也有
很柔顺的。因而《易传·乾文言》云："刚健中正，纯粹精也；六爻发
挥，旁通情也。"可见乾卦于刚健中正之中也寓有柔顺委曲之情。
《易传·坤文言》云："坤至柔而动也刚，至静而德方。"可见坤卦于
柔顺娴静之中也含有刚健方正之气。这样在阳刚中含有阴柔之
性，阴柔中也含有阳刚之气，才是符合客观实际的辩证唯物论。由
于每个人所禀的刚健与柔顺的程度也不可能是齐一的，所以当具
体到每个人时，自然会有女子比男人更刚健的情况。然而从总体
上看，却不得不承认《周易》所概括的结论基本上是符合男女两性
的客观实际的。这正如我们从总体上说男性的身材普遍比女性

高,却不能由此而判断每一个具体的男人身材都比任何女子高。这是属于一般与特殊、抽象与具体的关系问题,一般之中不妨有特殊存在,这也是符合唯物辩证法的。所以,《周易》的"乾道成男,坤道成女"之说,基本上具有普遍的意义。然而很明显,《周易》所言,其旨仅在于概括男女两性在性格特征上各具特色而已,并非认为在人格上有尊卑贵贱之分。因为无论在身材形态抑或性格特征上的差别有多大,都不会影响人格上的人人平等,这是人所尽知的常识。所以,当用乾坤卦义来象征男女两性的特征时,其地位完全是对等的。至于由两性结合而成"夫妻",以及夫妻相对于自己的子女而称"父母",由于都系由男女两性而来,所以也同样具有乾坤所象征的男女两性的普遍意义,其地位也是彼此对等的。

第四类是揭示乾坤两卦之间的相互关系的。例如:

(一)《乾·卦辞》云:"乾:元,亨,利,贞。"《坤·卦辞》云:"坤:元,亨,利,牝马之贞。"

(二)《易传·乾象》云:"大哉乾元! 万物资始,乃统天。"《坤·象》云:"至哉坤元! 万物资生,乃顺承天。"

(三)《易传·系辞》云:"成象之谓乾,效法之谓坤。"

在(一)中,于坤卦的"贞"字前多了"牝马之"三字作为限制;在(二)中,乾是"统天"的,而坤则是"顺承天"的;在(三)中,乾是"成象"的,而坤则是"效法"的。光从这三条文字的表面现象看,乾坤两卦之间确乎都含有某种不平等的主从关系;然而经过深入地分析之后就会发现,这种表面形式上的"不平等",并不意味着乾坤两卦本质意义上的不平等,而是出于乾坤两卦互相作用时的实际需要而自然形成的现象。因为只有这样,才使得乾坤两卦互相作用时的步调能够协调一致,才能推动事物有规律地变化和发展。为了说明这一问题,兹就将(一)中的乾坤两卦的卦辞试予分析。

　　笔者谨按:关于坤卦的卦辞"元亨利牝马之贞"句,古今各本的断句或作"元亨,利牝马之贞",或作"元,亨,利牝马之贞",实皆未妥。窃谓在乾坤两卦的卦辞中,"元"是开端创造,"亨"是亨通发展,"利"是和而有利。这三者系指乾坤两卦互相作用的过程中在不同阶段所发挥的三种功用而言,故两卦相同。因而《坤·卦辞》中的"利"字也应看作一项独立内容,而不应连下成句。故笔者认为此句应把历代沿误的断句法更正为:"元,亨,利,牝马之贞。""贞"是贞正坚固。乾卦之"贞"与坤卦之"牝马之贞",皆系指德性特征而言,故两卦有所区别。"牝马"是温顺之物,这里系借牝马的温顺之性来比拟坤卦的柔顺之德,可见"牝马之贞"除了贞正坚固之德而外,尚含有顺从之义。乾卦之"贞",系指本身的德性而言;而坤卦的"牝马之贞",除了指本身的德性而外,还含有对于乾卦的配合顺从关系。也就是说,乾性刚健而贞固,故善于带动;坤性柔顺而贞固,并能专心服从乾卦的带动,故宜于配合。这就是乾坤两卦在德性上的根本差异。也正因为含有这种差异,才促成了两卦在互相作用时的协调关系:乾卦之"元、亨、利"三种功用是起带动作用的;而坤卦之"元、亨、利"三种功用则是在配合乾卦的三种功用下才发挥作用的。乾之"贞"与坤之"牝马之贞"这两种德性,各自贯串于"元、亨、利"三种功用的全过程中,而对于协调两卦之间的关系起有决定性的作用。

　　正因为如此,《坤·卦辞》接着又说:"君子有攸往:先,迷;后,得主,利。"笔者又按:此句诸本断句非常混乱,或作"先迷后得,主利",或作"先迷后得主,利",或作"先迷,后得主,利",其实均未妥。很明显,这里的"先",是先导、领先之意;"后",是随从于后之意;"得主",是得其所主而有所遵循之意。全句系以征途设喻,意谓若以坤卦柔顺之性去执行先导任务,难免会迷失方向而误入歧途;只有跟随在具有刚健之性且又善于作先导的乾卦之后去执行任务，才能有所遵循而发挥其最佳的作用。可见"先，迷"是不利的，"后，得主"才是有利的。"利"字既非"先迷后得"的结果，也非"先迷，后得主"的共同结果，而只应是"后，得主"的结果。故这里也对历代沿误的几种断句法予以辨正，认为准确的标点应该是："先，迷；后，得主，利。"这句卦辞乃是对上文"牝马之贞"句的很形象的解释。

写到这里，我们不妨再借用现代在男女两性之间最通行的交往方式交谊舞作一个形象的比喻。交谊舞自然是在近现代随着妇女解放运动和提倡男女平等的趋向才广泛风行起来的最适宜于男女两性之间互相交往和相与娱乐的艺术形式，然而它对于男女双方在舞步与舞姿上却有不同的要求，而且这种不同的要求还颇近似乎不平等的"主从"关系。因为交谊舞之能否跳得和谐优美，关键在于男女双方在舞步与舞姿上是否协调一致。为此，必须由其中的一方领先带动，而由另一方顺从配合。一般说来，男性刚健，故适于领先带动；女性柔顺，故宜于随从配合。如此两相默契，舞步才能协调一致。这在表现形式上看，男女之间确实有点近似乎"主从式"的不平等关系。不过，这种"不平等"的"主从"关系，并非由某舞蹈发明家蓄意要在舞蹈界制造男尊女卑之局而主观规定出来的，而是基于男女的不同身材，以及男性刚健与女性柔顺这些天然的基本特征，并根据舞蹈的艺术需要而自然形成，再经过长期实践总结而逐步完美起来的。凡是会跳交谊舞的人都懂得：假如在舞步形式上也来一个男女绝对"平等"，双方都以"带动者"自居，各自为政，谁也不愿服从谁，则舞步必将抵触紊乱而不成其为交谊舞了。所以，这种表现形式上的"不平等"，只是在跳舞过程中所处的"角色"不同，并非在人格上有何尊卑贵贱之分，男女双方在人格上仍然是完全平等的。好在跳交谊舞的人也决不会把这种表现形式上的"主从"关系误当作是人格上的主从关系。乾坤两卦之间互相作用时协调关系的方式亦可作如是观。

明乎此,则知前引所谓坤卦"乃顺承天","效法之谓坤"等貌似不平等的"主从"关系,也完全是从乾坤两卦互相作用时如何协调关系的方法中概括出来的普遍规律。

通过以上四类内容的分析可知,乾坤两卦的德性尽管不同,但它们的地位完全是对等的;在两卦互相作用的过程中,乾卦适于带动,坤卦宜于配合,这也正如男女两性跳交谊舞那样是出于协调舞步的需要才在表现形式上分别扮演了不同的"角色",并不存在地位上的所谓尊卑贵贱之分。若把这一理论与社会实践联系起来进行考察,就会发现乾坤卦义所揭示的两性之间的差异及其协调关系的方式基本上是符合客观实际的。明白了这一道理,就可以从总体上来探讨乾坤两卦所揭示的男女两性关系的一般规律了。

四、乾坤卦义揭示两性关系的基本规律

乾坤两卦的关系,是儒家关于事物运动发展规律的基本理论,它贯穿于包括男女两性关系在内的一切事物之中。

首先,作为易理的象征意义而言,乾是阳性刚性势力的总代表,坤是阴性柔性势力的总代表,它们分别代表了同一个整体(太极)中的两个方面(两仪)。两者之间既互相对立,又互相依存。《易传·系辞》云:"阴阳合德而刚柔有体。"王弼《周易略例》云:"夫阴之所求者,阳也;阳之所求者,阴也。"可见阴与阳之间有着谁也离不开谁的关系。而且,两种势力时刻地在进行着"刚柔相摩,八卦相荡"的互相作用,形成"刚柔相推,而生变化"之势,推动着万事万物向前发展。

其次,乾坤两卦的刚柔之性只有在双方都发挥得适度时,才宜

于协调关系，有利于事物的发展。这在乾就是"九五"爻的"飞龙在天"之象，在坤就是"六五"爻的"黄裳元吉"之象。在这种情况下，阴阳二气配合得协调融洽，而处于互相合作的最佳态势，于是阴阳和而雨泽降，在乾则"云行雨施，品物流形"，在坤则"含弘光大，品物咸亨"，出现一片欣欣向荣的局面，获得了最理想的效果。但若乾坤两卦的刚柔之性发挥不当，就不宜于协调关系，不利于事物的发展。例如双方在刚柔之性上没有达到应有的程度，这在乾之"初九"即成"潜龙勿用"之象，在坤之"初六"即成"履霜，坚冰至"之象。在这种情况下，一方是"阳气潜藏"，一方是"阴始凝也"，阴阳二气各自收敛隔离，根本不能发挥作用。反之，如果双方都把刚柔之性片面地亢进到不适当的程度，这在乾之"上九"即成"亢龙"之象，在坤之"上六"即成"龙战"之象。在这种情况下，阴阳二气针锋相持而无法协调，必将造成"亢龙有悔，穷之灾也"，"龙战于野，其道穷也"的败亡之局。可见乾刚坤柔之性既不宜过，也不宜不及，而应该双方都发挥到适中的程度，才有利于事物有规律地发展。

再次，乾刚坤柔虽然是具有普遍意义的性征，然而并不是绝对的而是相对的。乾虽纯阳之卦，但又含有阴位之爻；坤虽纯阴之卦，但也含有阳位之爻。可见阳刚中既含有阴柔之性，阴柔中也含有阳刚之气。乾刚坤柔又不是固定不变的而是可以互相转化的。《易传·系辞》云："刚柔相易，不可为典要，唯变所适。"乾本刚健之体，发展到终极，便向其相反的方向转变为"用九"中的"群龙无首"之象，形成"天德不可为首"的含有坤柔之体；坤本柔顺之体，发展到终极，便向其相反的方向转变为"用六"中的"利永贞"之象，而形成"以大终也"的含有乾刚之体。故朱熹《周易本义》云："刚化而趋于柔者，进极而退也；柔变而趋于刚者，退极而进也。"乾坤两卦之间这种刚柔可以互相进退转化的特征，标志着两卦互相作用过程中的"主从"关系也是可以互相进退转化的,因而更有利于进一步协调两卦之间的关系,推动事物的发展。

因此可以说,由于乾坤两卦在地位上的对等和在德性上的差异,才形成了矛盾双方的对立;而由于两卦之间的不可分离性和互相作用时在表现形式上的"主从"性及其可以互相转化性,才促成了同一事物中的矛盾双方的统一。如果矛盾双方只有统一而无对立,或者只有对立而无统一,都是不利于事物之发展的;只有既相对立,又相统一,才有利于推动事物有规律的变化和发展。所以,乾坤两卦作为一个整体中的两个方面,不能把它们看作是两个各自孤立的现象。它们在促进事物发展的功用上,"乾知大始,坤作成物",乾道用刚,"自强不息",坤道用柔,"厚德载物",虽然德性不同,分工有异,但其目的则是一致的。这就是《周易》之乾坤卦义的深奥精妙之处。天地万物发展的自然规律如此,人类两性之间相反相济、相辅相成的当然规律亦复如此。

孔子在《易传》中明确提出"乾道成男,坤道成女",并运用乾坤两卦互相作用的基本理论来探索和分析人类两性关系的运动规律。他把全人类看作一个整体,把男女两性看作这个整体中互相对立统一的两个方面:由于男女两性在人格上的平等和在性征上的差异,才形成了两性的对立;由于男女两性之间的不可分离性和互相配合作用时在表现形式上的"主从"性,以及这种"主从"关系之可以互相转化性,才促成了双方的统一。人类只有在男女两性的对立统一而互相协调合作的运动过程中,才繁衍了后代并共同创造了人类社会的文明。因此,从乾坤两卦象征男女两性关系的理论可以推知:男女两性尽管由于各有特色而不妨在某些工作中可以有所分工,但其目的则是一致的,都是为了创造世界的物质文明和精神文明而作出贡献,因而都应同样受到尊重,故其地位完全是平等的。至于男女两性结合而成"夫妇",以及夫妇相对于自己的子女而称"父母",其中也莫不贯穿着乾坤两卦的基本理论。因此,乾坤两卦的卦义,深刻地揭示了两性关系和夫妇关系的基本规律。

第三节　婚姻的意义及其规范

孔子创立儒家夫妇观,从社会发展的观点出发,确定了"夫妇"为人伦之首的地位;从社会意义和优生意义出发,限制了近亲通婚的范围;在双方择偶的标准上,开创了德才并重、志趣相投的优良传统;为了确定夫妇关系并维护其长期稳定,适当吸取了周礼中的合理因素。这对于提高婚姻的质量以及维护正常婚姻的长期稳定,无疑都起到极其重大的积极作用。

一、人伦之始,王化之基

在孔子之前,由于贵族阶级对于夫妻关系毫不重视,故"夫妇"在众多的社会关系中是不占位置的。孔子通过对社会现实以及广大庶民夫妇关系的缜密观察后终于发现,无论对于个人的幸福、家庭的和睦乃至国家和社会的安定和发展,夫妇关系都起有举足轻重的作用。于是,首先认识到夫妇关系在人伦中的重要性,乃毅然把它超越君臣、父子而跃居人伦之首,认为"君子之道,造端乎夫妇"(《中庸》),把夫妇关系视为人伦之始、为政之本和王化之基。所以,夫妇之道在儒家思想中具有重大的意义。

首先,孔子把夫妇关系视为男女双方的终身大事。这从哲学上说,正如《易传·系辞》所谓"易有太极,是生两仪","一阴一阳之谓道"，"阴阳合德，而刚柔有体"。王弼《周易略例》云："夫阴之所求者，阳也；阳之所求者，阴也。"可见阴与阳之间有着谁也离不开谁的关系。《周易》把整个宇宙视为一个太极，因其阴阳二气而分为天地；人禀天地之气而生，故有男女之分。作为男女两性关系，是把全人类看作一个整体（太极），把人类中的男女两性视为互相对立、互相依存的双方（两仪）；而作为夫妇关系，则是把由一男一女所组成的每一对"夫妇"看作一个整体（太极），把"夫"和"妇"视为互相对立、互相依存的双方（两仪）。只有阴阳结合而成太极，才成为完整的"道"；只有男女结合而成夫妇，才成为一个整体，亦即所谓"造端乎夫妇"的"君子之道"。而从现实意义上说，夫妇关系又是男女双方出于本性之需要。正如《礼记·礼运》所谓"饮食男女，人之大欲存焉"。男女两性只有结为夫妇，各自的本性才得以充分发挥，生活上才得以互相照顾，终身才有所依托，完美的人生才得以实现。所以孟子说："男女居室，人之大伦也。"（《孟子·万章上》）

其次，孔子认为，夫妇关系肩负着继承祖先的事业和繁衍人类后代的重大责任。他把夫妇关系看作是"合二姓之好，以继万世之后"的大事（《礼记·哀公问》、《穀梁传·桓公三年》）。所谓"以继万世之后"，亦即"肩负着繁衍人类的使命"之意。故《礼记·昏义》亦云："昏礼者，将合二姓之好，上以事宗庙，而下以继后世也，故君子重之。"根据《周易》的理论，阴阳之间时刻地在进行着"刚柔相摩"的互相作用，形成"刚柔相推而生变化"之势，推动着万事万物向前发展。故《易传·系辞》云："天地姻缊，万物化醇；男女构精，万物化生。"这是说，大自然只有在天与地互相作用之下才能化生万物；人类只有在男女两性结为夫妇之后才能繁衍后代。古代人民稀少，故繁殖后代显得尤为重要。当时都把人民的多少作为衡量政治好坏和经济繁荣与否的一项重要标准。越王句践曾把"十年生聚"列为一项重大的战略方针,可见古时繁殖人口之重要。正是在这一意义上,孟子才提出了"不孝有三,无后为大"的观点。如果从历史唯物主义的观点而言,儒家的这一提法在当时是起过积极作用的。

其三,孔子认为"夫妇"观念的产生,乃是人类从自然人进化为社会人的标志。《易传·序卦》云:"有夫妇,然后有父子;有父子,然后有君臣;有君臣,然后有上下;有上下,然后礼义有所措。"夫妇关系是由男女两性关系发展而来的特殊关系,也是人类从自然进入社会之后的最原始、最基本的社会关系。有了夫妇关系,然后才有父子、君臣、上下等诸多社会关系的相继产生,才创造了人类社会的文明。

其四,夫妇关系是建立家庭的基础,因而夫妇的关系对于家道的成败、侍奉长辈、教育子女以及协调其他家庭成员的关系等都起有决定性的作用。而家庭又是社会的细胞,只有每个家庭都和睦稳定,才有利于整个社会的安定和发展。《诗经》所谓"刑于寡妻,至于兄弟,以御于家邦",就说明了夫妇关系对于家庭、国家和社会所起的重要作用。

正因为孔子认识到夫妇关系具有如上各项重大意义,所以把"正夫妇"看作为政之本。《礼记·哀公问》记载孔子在回答鲁哀公问为政时说:"夫妇别,父子亲,君臣严。三者正,则庶物从之矣。"孔子把"夫妇别"列为治国的首要问题,接着还认为夫妇间的"爱与敬"是"政之本"。故后来《诗大序》把"正夫妇"看作是"正始之道,王化之基",就是继承了孔子的思想。

二、"同姓不婚"和"母党不婚"

孔子为了使夫妇关系在繁衍后代和发展社会中能起到更好的作用,故在赞成民间自由恋爱的基础上,又从优生学和社会学的角度出发,认为婚姻的范围有待进一步规范化,即对于近亲通婚应有所限制。因而他在赞成周礼"同姓不婚"的基础上,还最早提出"母党不婚"的进步主张。

周代以前,并无"同姓不婚"的限制。在上古的群婚时代,两性间的关系是没有任何限制的。到后来才有禁止父母与子女、兄弟与姐妹等近亲之间通婚的成规,但在同姓之间仍然可以通婚。相传尧和舜都是黄帝的子孙,而尧竟嫁女给舜,就是同姓通婚之例。殷人五世以后也可以通婚。到周代的周公制礼,才规定了同姓"虽百世而婚姻不通"的制度,这种制度其实是对父党近亲不婚的无限扩大。周人之所以禁止同姓通婚,有其多方面的意义:在政治上,有利于把异姓诸侯联结为"甥舅之国",使之与同姓的"兄弟之国"共同联合在王室的周围,以巩固其统治;在社会上,"取于异姓,所以附远厚别也"(《礼记·郊特牲》),亦即有利于加强异姓间的联系和防止同宗内部的男女混乱;而其最重要的理由则是从优生学上着想,所谓"男女同姓,其生不繁"(《左传·僖公二十三年》),"同姓不婚,惧不殖也"(《国语·晋语》),都是以优生的观点肯定了同姓不婚的意义。《国语·晋语四》载司空季子之言曰:"异姓则异德,异德则异类,异类虽近,男女相及,以生民也;同姓则同德,同德则同心,同心则同志,同志虽远,男女不相及,畏黩敬也。黩则生怨,怨乱毓灾,灾毓灭姓。是故娶妻避其同姓,畏乱灾也。"孔子完全赞同周代的这一礼制,所以他说:"取妻不取同姓,以厚别也。"(《礼记·坊记》)他作《春秋》,也对娶于同姓之例都作了贬斥。"同姓百世不通婚"的制度,把"父党不婚"推向了极端并为秦汉以后历代所沿用,这在一定程度上固然增加了对婚姻的束缚,但是在古代交通不便、宗族聚居的环境中,如果不限制同姓通婚,必然会把婚姻局限在很小的范围之内;而"同姓不婚"之制,确实有利于拓开婚姻的范围。这对古代来说,无论在优生学或社会学上都有其很重要的积极意义。

尽管周代把"父党不婚"推向了极端,然而对于表兄弟与表姐妹之间的近亲通婚却未作限制。直到孔子才首先提出了"母党不婚"以禁止表兄弟与表姐妹之间通婚的主张。鲁国的庄公和成公两君都娶于母党(齐国),故孔子在《春秋》中即变例以讥之。《白虎通义》引《春秋传》佚文云:"讥娶母党也。"《公羊义疏》亦云:"律禁舅之子、姑之子相为婚姻,实《春秋》之义也。……故《春秋》先师有讥娶母党之文。"孔子的这一主张,无疑是值得大书而特书的符合科学的进步思想。

正因为孔子有此主张,汉代以后的法律才都列有禁止姑表、姨表通婚的规定。如宋《刑统》规定,凡中表为婚者"各杖一百并离之";明清律亦规定"若取己之姑舅两姨姊妹者,杖八十"。这种禁止姑表、姨表通婚的规定,显然是遵照孔子"母党不婚"的主张而制订的。然而遗憾的是,禁止姑表、姨表通婚的法律远没有像禁止同姓通婚的礼制那样收到巨大的实效。由于经济、政治联姻的需要,汉唐以来仍多姑表、姨表为婚,甚至上层社会也未能免此陋习。如汉武帝娶其姑长公主的女儿陈氏为皇后;南北朝门阀婚姻制度盛行时,南北世族都世代重叠通婚,存在大量姑表婚;刘宋孝武帝文穆皇后是其姑母吴兴长公主的女儿;梁文帝的妻室张氏是其从姑的女儿;唐长乐公主为长孙皇后所生,下嫁给母亲的侄儿长孙仲。宋代亦多近亲世代为婚,如苏洵以其女嫁其内兄程谱之子之才,他的女儿做诗有"乡人嫁娶重母党"之句;而陆游的姑表婚姻更为大家所熟知。这些都是上层社会违背"律禁姑表、姨表通婚"的显例。而在民间则更长期盛行着所谓"亲上加亲"的姑表、姨表通婚的陋俗。虽然在法律上有明文禁止,但在世婚等落后习俗的影响下,实际上很难执行。所以,明代在《问刑条例》之末,清代在《附例》中都附加"姑舅两姨姊妹为婚,听从民便"等语,向民间世婚的习俗妥协,承认其为合法。清末刑例干脆废除这一禁例,中华民国《民法》亦同。

古代姑表、姨表近亲通婚的陋俗,一直到中华人民共和国成立以后,才严格加以禁止。《婚姻法》第六条规定:直系血亲和三代以内的旁系血亲禁止通婚。于是,孔子所提出的"母党不婚"的主张才真正得以实现。尽管姑表、姨表近亲通婚这种陋俗一直延续到新中国的婚姻法诞生后才得到有效的制止,然而孔子在两千余年前已主张"母党不婚"的历史意义却不容埋没!

三、德才并重,异质互补

婚姻既然是每个人的终身大事,所以儒家认为男女双方择偶的标准应以才德为重,而不应杂有任何富贵贫贱之类的世俗之见。

《论语·公冶长》记有两条关于孔子选婿的资料。一条是为自己的女儿择偶的:

> 子谓公冶长,"可妻也。虽在缧绁之中,非其罪也"。以其子妻之。

公冶长是孔子的弟子,生平虽已无考,但孔子说他"可妻",必然在才德方面有其可取之处;又说他"虽在缧绁之中,非其罪也",可知他的服刑是冤枉的。不过既然还在缧绁之中,则其处境之艰难可想而知。然而孔子只看重他有德有才而且无罪,并不考虑他的处境艰难,竟能毅然把女儿嫁给他,表现了在择婿上的独具卓识,丝毫不染世俗之见。这确实是一种难能而可贵的择偶思想。另一条是代为侄女(已故的兄长之女)择偶的:

> 子谓南容,"邦有道,不废;邦无道,免于刑戮"。以其兄之子妻之。

南容是孔子弟子,在孔门中素有贤名。《论语·先进》篇对此也有记载:"南容三复白圭,孔子以其兄之子妻之。"他把《诗经》中的"白圭之玷,尚可磨也;斯言之玷,不可为也"几句诗再三吟诵,可见他对谨言之道深有体会。朱熹《论语集注》引范氏曰:"南容欲谨其言如此,则必能谨其行矣。"能"谨行",就是"邦有道,不废;邦无道,免于刑戮"的关键所在。又有一次,南容问孔子:"羿善射,奡荡舟,俱不得其死然;禹、稷躬稼而有天下?"孔子盛赞他:"君子哉若人!尚德哉若人!"(《论语·宪问》)可见孔子把南容选为侄婿,完全是看重他的德行。

孔子对于女方的要求也以重德为主。他的学生子夏所说的"贤贤易色"一语正可代表孔子的这一思想。所谓"贤贤易色",就是说丈夫对于妻子,应该以重德之心来代替重貌之心。不过,孔子也没有简单地否定容貌。有一次子夏问他:"'巧笑倩兮,美目盼兮,素以为绚兮。'何谓也?"他答道:"绘事后素。"这是说,要有美好的面目,才能表现出动人的姿态,正如绘画必须先有白底一样。可见孔子对于美貌也是持肯定态度的,不过他把德看得比貌更为重要。当他见到人们只片面看重美貌而不重美德时,才发出了"吾未见好德如好色者也"的感叹。孔子这种首重才德,但也不否定容貌的择偶标准,是完全合乎情理的。

孔子这种德才并重的择偶标准对后世起到良好的作用。历史上曾有很多在婚姻上只看重德和才而不嫌贫爱富的佳话。明代朱用纯《治家格言》云:"嫁女择佳婿,毋索重聘;娶媳求淑女,勿计厚奁。"正是代表了儒家的择偶观点。

儒家对于人与人之间的关系最重视同道相合,因而表现在男女择偶的标准上,也很注重互相志趣相投。但所谓"相投",并非双方完全同一,而是根据"和而不同"的原则,以及乾坤两卦处于同一整体之中既互有差异,而又彼此相需的理论,夫妻之间也不妨在大方向基本一致的前提下讲求一点"异质互补"的效应。所谓大方向一致,就是人生志趣、奋斗目标、价值观念和道德情操上的共同性。如果没有这些共同性,就失去了存在于同一整体中的基础。所谓"异质",就是性格、气质和才能上的差异性。从某种意义上说,"异质"比"同质"相配所起的作用更大,其生命力也更强,关键即在于能否"互补"。打个粗浅的比方,好像建筑师与缝纫师在一起就难以合作,这是因为两种职业缺乏彼此相需的共同性;但若两个技术完全相同的缝纫车工在一起,尽管目标一致,但在工作效益上,则只是"同质"的量的相加,也未免显得单调而有所不足。这就远不及一个裁剪师与一个缝纫车工在一起为好,因为这样就能以各自的擅长相济相成而结为一个"裁"与"缝"的有机整体,以发挥其最佳的作用。这就是两者既有差异,而又彼此相需所产生的"异质互补"的效果。因此,如果从有利于开拓事业着想,则在专业上选择既各有擅长而又彼此相需的对象配合成婚,将是婚姻的最佳状态。夫妻双方在目标和志趣一致的情况下,即使性格或气质不同,只要注意互补,往往能刚柔相济、动静相宜、缓急相和,使生活洋溢独特的乐趣。

在中国历史上,有很多夫妇以各自不同的特长分担不同的任务来实现共同的目标,这就是在婚姻上体现了"和而不同"的原则和"异质互补"的方式。

四、关于婚姻的礼仪

一提起婚姻的礼仪,人们必然会想到"父母之命"和"媒妁之言"的礼教,认为所谓婚姻的礼仪,无非是父母和媒人实行其包办手段的体现。其实,这是用秦汉以后外儒内法的专制主义思想来看待儒家思想的一种偏见,而在先秦儒家的婚姻思想中,父母和媒人对于婚姻所起的作用与本人的自由恋爱完全是并行而不相悖的。

《礼记·内则》指出:"为礼始于谨夫妇。"周人已知男子成年会"知好色",女子成年则善"怀春";这是人成长到一定阶段的必然反映,是与日常饮食同等重要不可缺少的"人之大欲"和人本"性"的体现。所以,"丈夫生而愿为之有室,女子生而愿为之有家",于是乃制定了婚姻之礼。关于父母、媒人与婚姻的关系,《诗·齐风·南山》有云:"取妻如之何?必告父母";"取妻如之何?匪媒不得"。《礼记·坊记》载孔子引此诗以明男女之有别。但是,这跟后世把"父母之命,媒妁之言"所包办的勉强凑合以成的婚姻推向极端而完全取代自由恋爱是不能混为一谈的。显然,"必告父母"是在自己有了对象后才去征求父母的意见,主动权在自己手里;而"父母之命"则全凭父母做主包办,自己是被动的。"告"之与"命"的本质区别是很清楚的。即使到了高度文明的今天,在婚姻大事上征求一下父母的意见,委托介绍人或婚姻介绍所之类牵牵线,也属正常现象,毫无理由对此冠以"包办"之名。因为所谓包办婚姻,在于意愿上受到强迫的实质,而不在于告诉父母和委托媒人介绍的形式。更何况古时在婚姻上还没有法律作保障,为了防止被诈骗以维护正常的婚姻,须有父母保护和媒人作证,亦是常理。孔子所引的诗正是反映了这一现实,故诗中所说的父母以及媒人,只是以主婚人、介绍人和证婚人的身份出现的,绝非婚姻的包办者。因此,孔子引用"必告父母"和"匪媒不得"的诗,与他提倡自由恋爱的婚姻思想完全是相济相成而并不矛盾的。

诚然,孟子曾经引用过"父母之命,媒妁之言"的话,他说:"丈夫生而愿为之有室,女子生而愿为之有家。父母之心,人皆有之。

不待父母之命,媒妁之言,钻穴隙相窥,逾墙相从,则父母国人皆贱之。古之人未尝不欲仕也,又恶不由其道。不由其道而往者,与钻穴隙之类也。"(《孟子·滕文公下》)孟子这里的本意原是以男女不正当的关系来比喻"不由其道而仕"之可鄙。今姑置这层意思不论,单从婚姻上说,孟子也并非在强调"父母之命,媒妁之言"的礼,而在于认为男女不正当关系之不足取。婚姻作为男女的终身大事,除了以双方爱悦为基础之外,还必须光明正大地有父母主婚和媒人作证以举行一定的婚姻仪式,其正当的婚姻关系才会获得社会人们的承认。这正如现代婚姻必须办理登记手续才获得法律的承认一样,乃是很正常的事,而与自由恋爱并无矛盾。那种瞒着父母和他人在暗地里"钻穴隙相窥,逾墙相从"的偷偷摸摸的行径,即使以现代的观点看来,也属于不正当的行为。因而可以说,孟子并无用"父母之命,媒妁之言"来取代自由恋爱之意。正因为如此,当其弟子万章对于"舜之不告而娶"发生疑问时,孟子毅然答道:"告则不得娶。男女居室,人之大伦也。如告,则废人之大伦,以怼父母,是以不告。"(《孟子·万章上》)所谓"告则不得娶",分明是说假若告诉父母的话,必将遭到父母的反对而娶不成;所谓"废人之大伦,以怼父母",则是说不但娶不成妻子,而且还会与父母闹别扭。在这种娶妻与"父母之命"发生矛盾的情况下,孟子并没有主张放弃娶妻去屈从"父母之命",而是主张违背"父母之命"而坚持娶妻。他把"男女居室"这种"人之大伦"的重要性远置于"父母之命"之上,并进而认为虞舜这种敢于"不告而娶"的行为正是实行其"大孝"的表现。即此可见孟子丝毫未受"父母之命,媒妁之言"的礼教所束缚,他的观点表现得何等鲜明!

然而儒家所提倡的婚礼究竟包含哪些内容呢?据《仪礼·士昏礼》和《礼记·昏义》所载,古时婚礼包括六项仪式:一曰纳采,系男方委托媒人向女方表示欲与之结为婚姻之意；二曰问名，系男方向女家询问所求女子的名字和出生日期，若女方乐如所请，即表示答应了这门婚事；三曰纳吉，则是男方将男女两人的出生日期进行占卜得吉后，以告女家；四曰纳徵，由男方向女方家奉送财礼以聘定婚事；五曰请期，则是男方选定婚期后通知女方家并请求其应允；六曰亲迎，则是由新郎亲自到女方家迎接新娘回家成亲。这就是通常所称的"六礼"，于是，全部婚礼乃告完成。

从"纳采"到"请期"五项仪式都是由男方委托媒人向女方家联系办理。每次仪式，媒人都要以雁作为赞礼求见女方家长，这是因为雁性温顺，以取双方和顺之意。女方家长则以礼相待，并遵照来意如礼答复。所以，媒人在婚姻中起有从中介绍和担任证人的双重作用。

女方家在接受男方的"请期"之后，即于婚前三月安排受聘女子在家庙中接受婚前教育，由女师教以妇德、妇言、妇容、妇功等内容。"妇德"是妇女所应遵守的道德品质，"妇言"是言语应对的礼貌，"妇容"是关于化妆、服饰方面的艺术，"妇功"就是各项家务劳动的技能，这就是通常所称的"四德"。学好这四门课程，就为婚后治理家庭做好了准备。

在"六礼"中，最隆重的当然应数最后一项"亲迎"了。亲迎之日，男方的父亲要亲自向新郎敬酒，当面授予迎娶新妇的任务。新郎接受父命后再到女方家去迎亲。女方的家长则在家庙中排设酒席，到门外迎接女婿，彼此揖让登堂。新郎也要以雁作为赞礼拜见女方的父母，然后下堂亲自驾好新娘坐的车子，并把车上的引手绳交给新娘，引她上车，亲自驾车前进，待车轮转了三圈之后，再交给车夫驾驶，自己则乘车在前带路先行。到家时，新郎在门外恭候新娘到来。"妇至，婿揖妇以入，共牢而食，合卺而酳，所以合体、同尊卑,以亲之也。"(《礼记·昏义》)这是说,新郎向新娘作揖行礼,请她进门。就餐时,夫妇共用一种食品,合饮一个酒杯,这样做,是表示夫妇二位一体,互相平等,以加深互相亲爱之意。这里"同尊卑"三字最值得注意,这是孔子提倡夫妇平等的最有力的明证。

据经籍记载,孔子在回答鲁哀公问政以及学生问礼时,曾多次提出婚礼应"冕而亲迎",即由新郎穿戴大礼服亲自前往女方家迎接新娘,以表示对妻子的尊重和亲爱。可是,鲁哀公和子贡都曾对此提出疑问:"冕而亲迎,不已重乎?"孔子答道:"合二姓之好,以继万世之后,可谓已重乎!"所谓"合二姓之好",意即"建立夫妻的亲密关系",这是就婚姻的人生意义上说的;所谓"以继万世之后",亦即"肩负着繁衍人类的使命"之意,这是就婚姻的社会作用上说的。他分别从人生意义和社会作用上论证了婚姻的重要性。

显然,孔子之所以重视婚礼,目的全在于使人们能够充分重视夫妇关系而加以认真对待,既不宜草率地结合,也不宜轻率地分离,这对维护夫妇的正常关系起到积极的作用。而且,从"六礼"的实质上看,基本上是符合婚姻的正常程序的,不管婚礼如何简约,这六项实际内容都是不可缺少的。至于后世把婚礼引向形式上的过分排场,形成铺张浪费的陋习,这是违背孔子之原意的。

诚然,若从贵族阶层而言,由于男女之间的交往已受到严格的束缚,婚礼确实成为由"父母之命,媒妁之言"所包办的形式了;然而在周代的民间,由于男女交往仍很自由,完全可以在自由恋爱的基础上再征求父母的意见和委托媒人作证,然后举办简约而务实的婚礼,因而婚礼与自由恋爱是并行而不相悖的。而且,在古代法律不完善的境况下,只有自由恋爱和必要的婚礼相济相成,才能成为光明正大、合情合理并能受到社会舆论所保护的正常婚姻。因此可以说,男女双方应具有两相爱悦的感情,才是儒家婚姻思想中的本质精神;而所谓"必告父母"和"匪媒不得",尽管也是必要的礼节,然而比起男女双方的感情来,则仅仅是以之成立婚姻和维护婚姻的外在形式而已。

由是观之,无论孔子抑或孟子,他们所提倡的正常婚姻,既主张男女双方应有两相爱悦的感情,又主张应有父母主婚和媒人作证以举行一定的婚姻仪式,这样,才有利于处理好父母和夫妻间的关系并维护婚姻的长期稳定。但当男女相爱的关系与父母的意见形成矛盾时,他们并不主张放弃婚姻以屈从"父母之命",而是主张"不告而娶"以坚持婚姻。这从儒家经典的大量提倡自由恋爱的内容中可以得到有力的印证,也是儒家特别重视夫妇关系的具体表现。

第四节　自由与专贞统一的恋爱观念

儒家非常重视夫妇之间的感情,而在建立婚姻的过程中,恋爱乃是由"男女"通向"夫妇"的中间环节,对于夫妇的感情起到决定性的作用,故儒家也很重视男女之间的恋爱问题。在儒家经典中,关于两性恋爱的内容非常丰富,尤其在《易》、《诗》两经中表现得最为突出。

一、二气感应以相与

《周易》关于恋爱问题的论述是在其关于男女关系的理论基础之上进一步展开的。它在把乾、坤两卦分别作为男女双方的总代表以探讨其间互相作用的关系的同时,又以艮、兑两卦分别代表少男和少女来探讨青年男女之间的恋爱问题。在《周易》的八卦中,艮卦象征少男,兑卦象征少女。艮、兑两经卦,以艮下兑上的形式而组成咸卦,就是专门阐明青年男女婚前恋爱关系的卦象。

首先,《周易》之所以要用象征少男少女的艮、兑两卦结合而成的咸卦来阐明婚恋现象,实寓有男女嫁娶必须及时、婚龄必须相称之意。《周易》曾在"大过"卦中论及老夫配少妻的所谓"枯杨生稊"之象和老妇配少夫的所谓"枯杨生华"之象,认为都是"大为过甚"的反常之态。可见只有像咸卦所说的少男与少女配合成婚,才是正常合理的婚姻。

其次,咸卦认为婚姻的基础在于两性在感情上的互相吸引。记述孔子易学思想的《象传》,对咸卦中的婚爱思想作了进一步的发挥:

> 咸,感也。柔上而刚下,二气感应以相与。止而悦,男下女,是以亨、利、贞,取女吉也。天地感而万物化生,圣人感人心而天下和平:观其所感,而天地万物之情可见矣!

"柔上"指上兑阴卦,象征女性;"刚下"指下艮阳卦,象征男性;"感应",就是感情上的互相吸引;"与",郑玄曰:"犹亲也。"这就是说,刚柔二气互相感应乃至相亲,方能结为婚姻。故《周易正义》云:"夫妇之义,必须男女共相感应,方成夫妇。""亨"是交流、沟通,"利"是和谐互利,"贞"是忠贞专一。故这段话的意思就是说,男女之间只有在感情互相吸引而达到两相爱悦的基础上,由男方向女方以礼相求,双方做到互相交流感情,互相体贴和利,互相忠贞专一,这才是吉祥幸福的婚姻;并进而认为只有这样的婚姻,才合乎天理人情,才能促进社会的和平发展。观此,孔子认为只有男女双方具有感情基础,才能结成永久稳定而又美满幸福的婚姻;而没有感情基础的则不可能成为美满的婚姻。由此可见,他对于只凭父母之命、媒妁之言以勉强凑合而成的婚姻,必然是不赞成的。

其三，咸卦六爻以人体感应设喻，分别展示了男女"交感"（交流感情）过程中的不同情状和是非得失：初六以阴处下卦之始，上应九四，爻辞"咸其拇"，"拇"，足大趾，在人身为最下，象征男女交感之初，感情虽已有所萌动，然而所感尚浅，须存慎动谨始之意；六二以阴处下卦之中，"柔正"上应九五"刚中"，爻辞"咸其腓，凶，居吉"，"腓"，小腿肚，为动象，躁动必凶，以喻男女交感之时切戒躁急妄动，而应居静守正，以礼为防；九三以阳处下卦之终，阳盛刚亢，上应上六一阴，下履初、二两阴，为三心二意、相感不专之象，以示男女交感时切忌心意不专、盲目泛随于人；九四以阳处上卦之初，应下卦之始，二体始相交感，以通其志，象征男女以诚相待，静俟心志通同之日；九五"咸其脢"，"脢"，背脊肉，于人体为未能通感之象，犹九五居阳刚尊位，虽与六二有应，却同槁木无情，不能以心感应其下，象征男女交感时，未能坦诚相待，故其心难通；上六以阴居卦之终，爻辞"咸其辅颊舌"，犹言仅咸于口头，示意男女交感时切忌虚伪不诚，不宜专听言辞，而应"听其言而观其行"。咸卦六爻，反复陈述了这样的道理：在男女恋爱期间，必须严戒轻浮躁动、三心二意、虚伪不诚、言行相违等不良行为，而应发扬谨慎守正、专心一意、坦诚相待、言行相符等优良作风，以求达到志趣相投、心心相印的感情境界，双方才能建立起坚实的爱情基础。

咸卦通过对青年男女婚前相恋诸问题的理论概括，旨在阐明具有感情基础的婚姻才是美满合理的婚姻，才有利于保持夫妻关系乃至家庭结构的永久稳定。这种理论，即使在现代，无疑也是很切合实际而基本上是正确的。

二、邂逅相遇，与子偕臧

正因为孔子认为婚姻应以男女两相爱悦为本，因而非常赞成当时还盛行于民间的男女之间比较开放的自由恋爱。所以由他亲手编为教本的《诗》三百篇中，收入了很多歌咏男女自由恋爱的诗，其中大量描写女子怀春、情侣幽会、邂逅定情以及反抗不自由婚姻等内容的诗篇多不胜计，真实而生动地反映了周代民间青年男女自由交往、平等相爱的爱情生活。孔子删《诗》之说在学术界虽有异议，但他以《诗》为教则是古今学者所公认的事实，因而《诗》的内容在一定程度上可以反映孔子的思想。

在《诗经》中，专就歌咏男女自由恋爱的诗，除了如前引《溱洧》、《桑中》等描写众多青年男女在节日的欢快气氛中互找对象的诗篇之外，还有大量反映单对男女之间自由恋爱的诗。这有两种情况：一种是反映男女不期而会、邂逅定情的诗。如《召南·野有死麕》写一个青年猎人追求一个邂逅相遇的漂亮姑娘，获得了爱情：

> 野有死麕，白茅包之。有女怀春，吉士诱之。
>
> 林有朴樕，野有死鹿。白茅纯束，有女如玉。
>
> 舒而脱脱兮，无感我帨兮，无使尨也吠！

诗以"吉士"、"如玉"描绘出男女双方内心和仪表之美，突出了互相爱悦的感情基础；末章更以委婉细腻的笔调进一步表现出纯朴而健康的爱情。又如《郑风·野有蔓草》写一对男女不期而遇的喜悦：

> 野有蔓草，零露漙兮。有美一人，清扬婉兮。邂逅相遇，
> 适我愿兮。
>
> 野有蔓草，零露瀼瀼。有美一人，婉如清扬。邂逅相遇，
> 与子偕臧。

在一个大清早上，草露未干，诗人在郊野和一个秀丽的姑娘邂逅相遇，欣喜之情发于歌咏，这不仅仅是"适我愿兮"的单方喜悦，而且

是"与子偕臧"的双方共同的喜悦,使人体味到整个诗境都浸透了清晨邂逅相遇的那种欢快气氛,有效地模拟出生机蓬勃、方兴未艾的爱情乐趣。这两首诗都突出表现了男女之间一见钟情式的恋爱生活。

另一种则是男女双方既已产生感情之后才预期约会的诗。这种诗为数最多,诸如《邶风·静女》以男子的口吻叙写与恋人幽期密约的有趣情景:

> 静女其姝,俟我于城隅。爱而不见,搔首踟蹰。

> 静女其娈,贻我彤管。彤管有炜,说怪女美。

> 自牧归荑,洵美且异,匪女之为美,美人之贻。

全诗通过戏剧性的情节,突出表现了男方等待恋人时的急切和得以相会时的欢悦;并通过赠送信物的情节之勾画,生动地描绘出互相之间的一往情深。此外如《齐风·东方之日》、《陈风·东门之池》等都是从男子方面叙说幽会时的欢爱之情;《卫风·木瓜》、《陈风·东门之杨》虽没有明确指出是男是女,但细推词意,也当系男方叙说幽会赠答之情的诗。而《王风·丘中有麻》、《郑风·山有扶苏》、《萚兮》、《褰裳》、《风雨》、《齐风·莆田》、《曹风·蜉蝣》、《小雅·菁菁者莪》、《白华》、《裳裳者华》等篇,则都是从女子的角度反映约会时的各种不同的情景。其中如《山有扶苏》是女子和所爱的人相会时戏言取笑的诗:

> 山有扶苏,隰有荷华。不见子都,乃见狂且。

> 山有桥松,隰有游龙。不见子充,乃见狡童。

她所会到的,正是自己心目中视为像子都、子充一样俊美的男子,而她却故意骂他为"狂且"、"狡童",这与后世称所爱之人为"可憎"是同一种表达方式。在笑骂之中正蕴涵着深深的爱,读来最富有生活情趣。而《萚兮》则是写女子和所爱的人相会时要求与恋人共

同唱歌以表达相爱之情的诗:

> 萚兮萚兮,风其吹女。叔兮伯兮,倡,予和女!
>
> 萚兮萚兮,风其漂女。叔兮伯兮,倡,予要女!

全诗虽只是大笔勾画了女子邀请恋人唱歌的情态,而画外之意却是双双放歌唱和,情调热烈而欢快。以上这种写双方产生感情之后才互相约会的诗,主要反映了相爱着的双方都主动地进入了爱情的乐园,更体现了男女之间有目的的最富有美好意境的爱情生活。

这些诗的共同特色就是正面歌颂青年男女追求自由恋爱的生活和愿望,显得热烈、大胆、奔放而开朗。对此,孔子不但没有责备诗中的青年男女为不知礼,而且还充分赞许地评论道:"《诗》三百,一言以蔽之,曰:'思无邪。'"(《论语·为政》)这是因为孔子生当春秋后期,对于当时还盛行于民间的青年男女之间自由交往、平等相爱的爱情生活是习见不怪的,而且也认为是正当而合理的,所以他对反映这种自由恋爱生活的诗歌也持极其赞许的态度。所以,在《诗经》中,正面反映自由恋爱的诗不仅数量众多,而且比起后世反映男女之情的诗来具有两大特色:其一,后世追求恋爱自由的诗,大都是以怨愤悲苦之情来控诉礼教的束缚,很少正面歌咏的欢快之作;而《诗经》的诗,正是以充溢着率真大胆、明快开朗的风格来正面歌咏自由恋爱的美好情景,很少笼罩着礼教束缚的阴影。其二,后世吟咏男女关系的诗中,有很大一部分是统治阶级或无聊文人沉溺于淫乐和庸俗的靡靡之音;而《诗经》的大量描写自由恋爱的诗,都是以歌咏真正的爱情为基本内容,其情调完全是纯朴、诚挚、深沉而健康的。这两项特色,充分体现了当时自由恋爱的正常风貌。正因为如此,孔子才把这些诗亲手编入教本以教授学生。无法设想假如孔子不赞成自由恋爱的话,还可能会把包括这些歌咏自由恋爱的作品在内的三百篇诗总评为"思无邪"吗？还会拿这些诗去教育学生吗？然而，社会发展到专制主义日益巩固的时代，婚姻与爱情也趋向了分离的极端。经学家们既要维护礼教，又要与孔子"思无邪"的评价保持一致，面对这种矛盾，就不得不曲解诗意而作出诸如"刺淫奔也"之类的解释了。

关于孔子"思无邪"的原意，还可从前文所引他对《关雎》一诗的评价得到旁征。《关雎》描写男子思慕女子竟达到了"寤寐思服"、"辗转反侧"的程度，而孔子却对此作出了"《关雎》乐而不淫"的高度评价。正因为此诗曾获得孔子的肯定，故而后儒就不得不拉到"文王思贤"或者"后妃之德"上来进行解释。然而，同样是男女相思之情，为什么只有"生有圣德"之文王思之则"不淫"，而他人思之则为"淫奔"呢？假若《关雎》真是歌颂文王、后妃之德，那么正好说明这种男女相思之情乃是圣王所践行的正当行为，则其他大量歌咏男女爱情之诗也不能视为"淫奔之诗"了。显然，这一方面说明后儒解诗之自相矛盾；另一方面也正好说明孔子原本就没有把歌咏男女相爱之诗视为"淫诗"。这才是"思无邪"的本义。

又据《论语·子罕》所载，孔子在读了"唐棣之花，偏其反而；岂不尔思，室是远而"这几句诗时，批评道："未之思也，夫何远之有！"这首诗分明是写男女相思之情的，意谓"不是不想念你，而是你家离得太远了，才没法相会"。而孔子则认为，如果真正想念的话，任何障碍也是阻挡不了的，怎么会嫌路途遥远呢？这首诗不见于今本《诗经》，大概正是由于孔子认为诗中的主人公对于爱情缺乏真诚，不足为训，才把它删去的吧！若此，则正可从反面说明孔子对于爱情是多么注重真实感情的了。

通过孔子对《关雎》一诗真诚思慕的高度赞许与对佚诗所思不诚的批评进行对照，就可从中窥见孔子在婚恋观上对《诗经》情诗所持的态度了。正如郭沫若评论道:"'淫奔之诗'他(孔子)是不删弃的,我恐怕他还是爱读的! 我看他是主张自由恋爱实行自由离婚的人!"①郭氏说得很对,不删"淫奔之诗",主张自由恋爱和实行自由离婚,这才是真正的孔子! (关于孔子"实行自由离婚"的内容,详见下文。)

三、淑人君子,其仪一兮

儒家在提倡自由恋爱的基础上,又非常重视男女双方对于爱情的互相忠贞专一。忠诚是儒家道德的基本素质,故男女之间的爱情也应以互相忠诚为本。在《周易》代表男女的乾坤两卦之中,都含有"贞"的内容。前引专门阐明少男少女婚前恋爱关系的咸卦,也谆谆告诫男女交往切忌三心二意、虚伪不诚等不良习气,而应发扬专心一意、坦诚相待的优良风格。故《易传·系辞》亦云:"天下之动,贞夫一者也。"在《诗经》中,也有很多作品歌颂了对于爱情忠贞专一的道德品质。如《曹风·鸤鸠》云:"淑人君子,其仪一兮。其仪一兮,心如结兮。"又云:"淑人君子,其仪不忒。其仪不忒,正是四国。"这都是歌颂用心专一的名句。因而《礼记·经解》、《缁衣》以及《孝经》等多处引用了这些句子以说明互相忠诚专一的重要性。

再从《诗经》的情诗进行考察,则在尽情地歌咏自由恋爱的基础上,又突出地表现为热烈歌颂互相忠贞专一的感情。全书第一篇《关雎》,即开宗明义地借雌雄有固定配偶的雎鸠来象征对于爱情的忠诚专一。接着写男方对女方的苦思冥想,正说明所爱者专,

---

① 郭沫若:《致宗白华》,见《三叶集》,《郭沫若全集·文学编》第十五卷,人民文学出版社1990年版,第22页。

乃致所思者深。《郑风·出其东门》是写一个男子对于爱情真挚而专一的诗：

> 出其东门，有女如云。虽则如云，匪我思存。缟衣綦巾，聊乐我员。
>
> 出其闉阇，有女如荼。虽则如荼，匪我思且。缟衣茹藘，聊可与娱。

这个男子在东门外看见的游女尽管多而且美，他都不为之动心，而心中所时刻想念的只有那位衣着朴素的姑娘。这充分反映了男子见异而不思迁的专贞品质。《邶风·匏有苦叶》写一位少女在河边盼望意中人及时前来迎娶之情，末章"人涉卬否，卬须我友"之句，是从内心向恋人的表白："我在专心一意地等待着你，不是你，决不相从！"表现了女子在对待爱情上纯一不二的专贞品质。

这种专一的品质往往在爱情遭受曲折时表现得更为突出。《王风·大车》写一个女子在爱情面临着某种困境时，向男子表白自己坚定不移的爱情："谷则异室，死则同穴。谓予不信，有如曒日。"《邶风·击鼓》则是随军征战的男子回忆当年与妻子的誓言："死生契阔，与子成说。执子之手，与子偕老。"这都是以生死相约来直接抒写对爱情的忠贞不渝。

还有很多情诗，虽然没有明显直言爱情之专一，但是通过倾心思慕、刻骨怀念的抒写，仍可从中发现真挚专一的爱情思想。如《陈风·月出》写一个男子的月夜幽思，竟至于"劳心悄兮"、"劳心惨兮"的伤感程度。《陈风·泽陂》亦写男子相思之深：

> 彼泽之陂，有蒲与荷。有美一人，伤如之何？寤寐无为，涕泗滂沱。
>
> 彼泽之陂，有蒲与蕳。有美一人，硕大且卷。寤寐无为，中心悁悁。

> 彼泽之陂，有蒲菡萏。有美一人，硕大且俨。寤寐无为，
> 辗转伏枕。

诗中的男子在见不到所爱女子时，竟忧伤得寤寐不安而至于"涕泗
滂沱"。这是何等专心而深沉的相思！《郑风·子衿》则是写女子
相思之深：

> 青青子衿，悠悠我心。纵我不往，子宁不嗣音？
> 青青子佩，悠悠我思。纵我不往，子宁不来？
> 挑兮达兮，在城阙兮。一日不见，如三月兮！

诗中的女子对恋人无穷无尽的思念和盼望，竟至于"一日不见，如
三月兮"，表现出一种刻骨相思之情。《王风·采葛》写女子的相思
之苦，又从"一日不见，如三月兮"再进而觉得"如三秋"、"如三岁"
之久，更强化了想念之迫切。

渴望爱情专一的愿望，还从一些抒发失恋之苦的诗中曲折地
透露出来。《召南·江有汜》写男方因女方另有所归而抒发其怨艾
之情，既表现了自己爱心不移，同时也对女方不能专心于己而感到
遗憾。《郑风·狡童》则写女子的失恋之苦：

> 彼狡童兮，不与我言兮。维子之故，使我不能餐兮！
> 彼狡童兮，不与我食兮。维子之故，使我不能息兮！

诗中的女子之所以痛苦得吃不下、睡不着，其原因全在于思念那个
"不与我言"的"狡童"，其爱情的专心并希望对方也专心于己的心
情昭然可见。《扬之水》写女子得知旁人的谗言将不利于爱情时，
她即推心置腹地向男方倾诉衷情：

> 扬之水，不流束楚。终鲜兄弟，维予与女。无信人之言，
> 人实诳女！
> 扬之水，不流束薪。终鲜兄弟，维予二人。无信人之言，
> 人实不信！

诗中表达只有你我两人才是真心相爱,切不可轻信人言。她把自己的全部生命都付诸对方,又害怕对方不能像自己一样专心于己,可见她对专一的期望是多么迫切! 这种因为爱情遭受曲折而产生的幽怨怅恨之情,流露出一种无法排解的痛苦,大都是由于专一爱情的理想不能实现所致。

《诗经》的情诗,既尽情地歌咏恋爱自由,又真诚地歌颂爱情专一,这从表面上看来好像是互相矛盾的两回事,其实同是反映了爱情这一内容中的相辅相成的两个方面。因为在两性关系中,没有感情专一,固然不成其为真正的爱情,但没有恋爱自由,也很难得到真正的爱情。脱离以自由恋爱为基础的爱情去强调婚姻上的专一,势必陷入"从一而终"的贞节观念;违背互相忠贞这一爱情道德而侈谈恋爱自由,势必流于泛爱和庸俗的性解放。所以,只有恋爱自由与感情专一的辩证统一,才会成为真正的爱情。《诗经》时代,正由于民间习俗中还保留有自由恋爱的空间,而在人们的思想上又已普遍树立起互相忠贞专一的道德观念,因而才产生了那么多的欢快而健康的优美情诗来歌咏真正的爱情,才酝酿了儒家较为进步的恋爱观念。

其实,恋爱自由与爱情专一两者本来就是互相联系不可分割的两个方面。即以《诗经》所反映的爱情内容而言,尽管在具体内容上对追求恋爱自由与坚持爱情专一两者的倾向或有所偏重,但就表现爱情的本质而言,两者是统一的。有时,两者还并存于同一首诗中。即如《鄘风·柏舟》之篇,是歌咏一个少女为了追求自由婚姻而敢于反对母亲干涉的诗:

> 泛彼柏舟,在彼中河。髧彼两髦,实维我仪。之死矢靡他。母也天只! 不谅人只!
>
> 泛彼柏舟,在彼河侧。髧彼两髦,实维我特。之死矢靡

懠。母也天只！不谅人只！

诗中写一个少女钟情于一个青年，而她的爱情得不到母亲的谅解，但她发誓宁死不变心，反映了青年女子对父母干涉婚姻的怨愤与抗议。这与孟子所提倡的以"不告而娶"的行动来违抗"父母之命"的思想是一致的。而所谓"之死矢靡他"，对她的恋人而言，是坚持爱情的忠贞专一；而就其敢于反抗"父母之命"而言，则是追求恋爱自由。两者其实是同一回事。这一内容还从反面说明了爱情与专制主义礼教之间不可调和的矛盾。不过在《诗经》中，反映这种爱情与专制主义礼教之间的矛盾的诗为数不多，更多的是在正面歌咏自由恋爱的欢快气氛中同时歌颂互相忠贞专一的爱情，把歌颂爱情专一融合于歌咏恋爱自由之中。既真实地反映了当时民间仍然风行自由恋爱的习俗，以及由此而形成的爱情与婚姻基本一致的客观现实，而且也准确地反映了古代人民向往于恋爱自由与感情专一辩证统一的爱情理想。而孔子所开创的儒家婚恋观，正是适应广大人民的爱情理想而建立起来的一整套积极而进步的婚姻思想。

第五节　相敬相爱，协调和乐

男女双方在自由恋爱的基础上，通过一定的婚礼仪式而建立起有别于一般男女关系的夫妇关系，于是，开始了长期相处的共同生活。加深这种夫妇之间亲密关系的关键在于彼此平等，相敬相爱，互相忠贞，以保持永久协调和谐，才有利于建立美满幸福的家庭。这是儒家夫妇观的最本质的重要内容。

一、"男女别"与"夫妇义"

夫妇关系是由男女两性关系发展而来的特殊关系。所以,在夫妇这对矛盾中,既含有男女两性矛盾的普遍性,又含有较之男女两性矛盾更为深刻而复杂的特殊性。而这种特殊性的要义乃在于:一般男女之间的关系应该"有别",而夫妇之间的关系则应该"相亲"。

据前所述,《礼记·哀公问》记载孔子在回答鲁哀公问为政时曾说:"夫妇别,父子亲,君臣严。三者正,则庶物从之矣。"他把"夫妇别"列为治国的首要问题。然而"夫妇别"是什么意思呢? 注家大都解为"丈夫与妻子应有所区别"。难道夫妻之间有所区别能成为治国的首要问题吗? 而且,孔子接下去又说:"冕而亲迎,亲之也。"只说"亲之"而不言"别之",那么"亲之"与"夫妇别"有何联系呢? 为了正确理解这一意义,不妨参考《礼记·昏义》的一段话:

> 昏礼者,……妇至,婿揖妇以入,共牢而食,合卺而酳,所以合体、同尊卑,以亲之也。敬慎重正而后亲之,礼之大体,而所以成男女之别,而立夫妇之义也。

"共牢而食,合卺而酳"是为了表示夫妻二位一体(合体)、平等(同尊卑)、相亲爱(亲之),这与孔子"冕而亲迎,亲之也"之义是一致的。可见婚礼的要义在于使夫妻之间建立起亲爱的关系,而绝非在夫妻之间制造区别。下文"男女之别"与"夫妇之义"对举而言,可见"别"系指一般男女之间应有所区别,而"义"即指夫妻之间应互相亲爱;质言之,亦即夫妻关系与一般男女之间的关系应有所区别。据此,孔子之所谓"夫妇别",就是说夫妻关系是有别于一般男女关系的特殊关系而已。有一般男女之"别",才能维护夫妇之"亲","别"和"亲"乃是婚姻这一问题中不可或缺的两个方面。故"礼之大体,而所以成男女之别,而立夫妇之义"者,就是说,举行婚礼是为了确立"夫妇"之间有别于一般男女关系的特殊关系;而这种特殊关系一经确立之后,夫妻双方都应以"义"自律。这才是孔子所谓"夫妇别"的真义,才是为政之本。

"昏姻之礼,所以明男女之别也"。在婚姻之礼的规范下,男女之间严格地遵循着"男女辨姓,礼之大司"的原则,彼此"无媒不相交,无币不相见",依礼结"两姓之好"。并且,以"其夫属乎父道者,其妻属于母道;其夫属乎子道者,其妻属乎妇道"(《礼记·大传》)的原则确认男女身份,将其置于社会的监督认可之下,从而正常地实现婚姻以繁衍后代的目的。相反,男女之间淫奔乱交以及"烝"、"报"、"通"等行为,扰乱了男女应有的界限,破坏了男女已有的名分,也就彻底违背了"男女有别"的原则,必然遭到社会舆论的唾弃和鄙视,成为众矢之的。

《大戴礼记·盛德》云:"凡淫乱生于男女无别,夫妇无义。昏礼享聘者,所以别男女,明夫妇之义也。故有淫乱之狱,则饰昏礼享聘也。"这里则以"男女无别"与"夫妇无义"对举而言,并认为这是导致淫乱的根源。要防止淫乱,就必须重视婚礼以"别男女,明夫妇之义",才能从根本上制止淫乱之狱的发生。这是从相反的角度论证了"男女别"与"夫妇义"的重要性。而一旦这种理性、规范的礼俗无法有效运转,人的性冲动和欲望得不到切实地调控和疏导,两性的结合将如决堤之川流般无所顾忌和为所欲为,则必将出现"淫风大行,男女无别"的恶劣局面。正如《礼记·经解》所云:"昏姻之礼废,则夫妇之道苦,而淫辟之罪多矣。"可见孔子重视婚礼以明"男女之别"而立"夫妇之义",是具有维护正常婚姻和防止社会混乱的进步意义的。

《国语·晋语五》载,"冀缺耨,其妻馌之,敬,相待如宾"。夫妇之间客客气气、相敬如宾的风格，为观者所激赏赞许，也为历代儒者所称道，原因即在于其中蕴涵了"明夫妇之义"的意思。

孔子把"夫妇别"看作为政之本，是很有见地的。即使到了男女之间的交往日趋频繁的今天，在一般男女之间也不宜超越正常的友谊。只有在办了结婚手续之后才确立了有别于一般男女关系的夫妻关系，这也就是"夫妇别"的原则。的确，只有每对夫妻之间都能互相亲爱，而一般男女之间的交往则应有其限度，这样才有利于家庭的和睦与社会的安定。所以，孔子把"夫妇别"看作为政之本的思想，即使到现代仍未失去其生命力。

其实，孔子之所以主张"男女别"和"夫妇义"，就其本质而言，即在于提倡夫妇之间的互相忠贞。因为夫妇之间互相忠贞，既有赖于一般男女之间的"别"来加以维护，也必须自觉地遵守夫妇之间的"义"来加以自律。这显然是吸收了庶民夫妇之间互相忠贞的观念。

庶民夫妇互相忠贞的观念，不仅从《诗经》中大量正面歌颂爱情专一的诗中反映出来，而且还从反面谴责所爱不专的作品中反映出来。《卫风·氓》的"士也罔极，二三其德"，《小雅·白华》的"之子无良，二三其德"，都是被遗弃的妇女对男方爱情不专的谴责，表达了无穷的怨恨悲愤之情；《小雅·我行其野》的"不思旧姻，求尔新特"，是一个入赘女家而不见容的男子谴责女方喜新厌旧的行为等等，都对不忠于爱情的卑劣行为提出了严正的批评。可见庶民夫妻之间是多么重视互相忠贞的爱情道德；而且他们并不片面要求妻子忠于丈夫，而是要求夫妻之间应该互相忠贞。

男女关系从单纯的生理需求到逐渐赋予感情因素，而后更树立起一夫一妻之间互相忠贞专一的爱情观念，这标志着人类在两性关系上已进入高度文明的时期。更值得注意的是，《诗经》情诗所反映的歌颂感情互相忠贞专一的思想,较之后世诗歌中所反映的思想,具有两大特色:其一,不同于后世那种片面苛求妻子专一的贞节观念,而是要求夫妇双方互相忠贞专一地真心相爱;其二,也不是后世那种包办婚姻上的专一,而是歌颂在自由恋爱中培养起来的互相忠贞专一的真正爱情。这两大特色,正代表了儒家婚姻思想中的进步的专一观念。

孔子非常赞许这种忠贞专一的品质,所以他说:"天下之动,贞夫一者也。"(《易传·系辞》)并把互相忠贞看作吉祥幸福婚姻的条件之一(见前引《易传·咸象》)。因为婚姻的吉祥幸福,全在于夫妇关系之能够保持永久稳定和相爱,所以孔子说:"夫妇之道,不可以不久也,故受之以恒。"(《易传·序卦》)而互相忠贞,正是维护夫妇关系永久稳定的根本保证。

不过,孔子的忠贞观,只是要求处在婚姻期间的双方应该互相忠贞,丝毫不含后世那种片面要求妇女从一而终之意。有次曾子请问孔子:"娶女,有吉日而女死,如之何?"孔子说:"婿齐衰而吊,既葬而除之;夫死亦如之。"(《礼记·曾子问》)这是说,在男女已有婚期但未成婚之际,其中一方不幸死了,对方就应穿着丧服去祭奠一番,以表示未婚夫妻间所应有的悲痛之情,但到下葬后即可除服。不言而喻,在除服之后,无论男方或女方都可另行择配了。孔子特别强调"夫死亦如之",以表明男女双方完全一样,没有任何差别。这是多么平等而文明的观念!即此可见后世片面提倡妇女未嫁守节的吃人礼教,背离孔子的思想有多远了!

二、弗爱不亲,弗敬不正

孔子在"男女别"与"夫妇义"的基础上,更进而提出了"夫妇和"的命题,并以此作为"家之肥"的重要条件(见《礼记·礼运》)。那么怎样才能做到"夫妇和"呢？孔子吸取了庶民夫妻之间相敬相爱的优良传统而提出了"敬"和"爱"两个要素。

《礼记·哀公问》记载鲁哀公进一步问及"夫妇别"的具体含义时，孔子说："古之为政，爱人为大；所以治爱人，礼为大；所以治礼，敬为大；敬之至矣，大昏（婚礼）为大，大昏至矣！大昏既至，冕而亲迎，亲之也。是故君子兴敬以为亲，舍敬，是遗亲也。弗爱不亲，弗敬不正。爱与敬，其政之本与！"这段话的意思是说，为政之道，不外乎"仁"和"礼"两个方面，仁的本质是"爱人"，礼的本质是"敬"，所以说"爱与敬"乃是"政之本"。而"爱"和"敬"的精神又突出地表现在婚礼之中，因而婚礼在政治上有其特别重大的意义。婚礼的本质在于使夫妇相亲，从而建立起有别于一般男女关系的特殊关系，"夫妇别"这一为政纲领完全有赖于婚礼才能体现出来，所以它的重要性主要表现在亲迎之礼上。所谓"冕而亲迎"，即由新郎穿戴大礼服亲自前往女方家迎接新娘，以表示对妻子的尊重和亲爱。所谓"弗爱不亲，弗敬不正"，就是说夫妻之间如果不是以彼此爱悦的感情为基础，就建立不起互相亲爱的关系；如果没有互相尊重，就摆不正互相平等的关系。故前引《礼记·昏义》所谓"合体、同尊卑，以亲之也"，其中"同尊卑"乃是摆正夫妻关系的前提。夫妻只有在平等相待、互相尊重的基础上才谈得上真正的相亲相爱（亲之），才能达到二位一体（合体）的高度和谐状态。

"冕而亲迎"以表示对妻子的"爱"和"敬"的思想，在《诗经》中有着更为具体而生动的描写。《小雅·车辖》写新郎驾车到女方家去亲迎，与新娘同车而归，一路上以清新、开阔的意境抒发了以礼相待和倾慕喜悦的敬爱之情：

间关车之辖兮！思娈季女逝兮！匪饥匪渴，德音来括。虽无好友，式燕且喜。

依彼平林，有集维鷮。辰彼硕女，令德来教。式燕且誉，好尔无射。

虽无旨酒，式饮庶几。虽无嘉肴，式食庶几。虽无德与女，式歌且舞。

陟彼高冈，析其柞薪。析其柞薪，其叶湑兮！鲜我觏尔，我心写兮！

高山仰止，景行行止。四牡骓骓，六辔如琴。觏尔新婚，以慰我心。

诗的首章写新郎怀着喜悦的心情驾车去亲迎，与新娘同车而归，从中见出他对新娘的爱，不仅着眼于她的美貌，而更着眼于她的品德贤惠；次章以路上看见鷮雉集于平林之景起兴，表达了对新娘的尊敬和倾慕，又表示他对她的爱，不在于一时间的热恋，而在于长期相爱不厌；三章以一种文而有礼的态度表示愿与新娘共相燕乐，见出他对她相敬如宾的高雅风格；四章写他们在迎娶途中登山越岭时的愉快心情，连用四个兴句蝉联而下，表现了喜悦之中的感情奔放，而用"析其柞薪，其叶湑兮"来形容"我心写兮"，使人感受到一种融洽清新的气氛；末章写出他们在山旁大道上同车行进时的愉快心情，以"高山"、"景行"为喻，见其意境之开阔，又以"骓骓"、"如琴"为喻，见其爱情之和谐温柔。全诗以善与美融合为一，以情与景融合为一，在婚姻上体现了相敬相爱的夫妇观和一种高洁、纯真、含蓄、文雅的传统风貌。又据现代学者考证，《邶风·北风》也是一首歌咏亲迎的诗：

北风其凉，雨雪其雱。惠而好我，携手同行。其虚其邪，既亟只且。

北风其喈，雨雪其霏。惠而好我，携手同归。其虚其邪，既亟只且。

> 莫赤匪狐，莫黑匪乌。惠而好我，携手同车。其虚其邪，
> 既亟只且。

古时的风俗，娶亲要在寒冷的冬天，正如《邶风·匏有苦叶》所谓"士如归妻，迨冰未泮"；而且婚期既经定下，就应风雪无阻前往亲迎。本诗描写的正是在北风怒号、大雪纷飞的冬日，一个新郎去亲迎新娘。从中看到一对新人时而"携手同行"，时而"携手同车"，一路上手挽着手，恩恩爱爱，从容笑语而归。车子未必赶得快，可是，新娘还是埋怨赶车的人把车赶快了，她一面含情脉脉地和新郎"携手同行"，一面要求把车子赶得慢一些。她很留恋这个亲迎的场面，尽管是在大雪纷飞之中，还是希望延长一下这段欢乐的路程。这对年轻人完全陶醉在柔婉生动的恩爱之中了。此诗寓情于景，情景交融，通过朴素的画面，表达了一对新人在亲迎途中的欢爱气氛和激动心情。这种亲迎时彼此无拘的生动情景，只有在《诗经》时代那种建立在自由恋爱的基础上的婚姻才能见到，而在后世那种完全出于包办的婚姻中是绝对不可想象的。儒家所提倡的相敬相爱的夫妇观，就突出地体现在这种亲迎之礼中。

然而，鲁哀公却对亲迎之礼提出了疑问："然冕而亲迎，不已重乎？"孔子愀然作色道："合二姓之好，以继先圣之后，以为天地宗庙社稷之主，君何谓已重乎？""天地不合，万物不生。大昏，万世之嗣也，君何谓已重焉？"孔子认为，婚礼是关系到继承祖先的事业和繁衍后代的大事，冕而亲迎并不为过。而且，在"敬"字上，孔子还首先要求丈夫应该尊敬妻子。他说："昔三代明王之政，必敬其妻子也有道。妻也者，亲之主也，敢不敬欤？"（《礼记·哀公问》）孔子这种以相爱和相敬来实现"夫妇和"的观点是非常正确的。

三、妻子好合，如鼓瑟琴

这种在两相爱悦和互相尊重的基础上，通过"冕而亲迎"的隆重婚礼而结成为亲密的夫妇关系，表现了一种融洽和谐的欢乐。这在《诗经》中有着真实而生动的描写。

据上所述，《诗经》时代民间的男女青年大都是由自由恋爱而产生感情，而这种有情人的最终愿望则是结成眷属。正如首篇《关雎》写男方经过长期对于爱情的热烈追求和殷切思念，终于获得了"琴瑟友之"和"钟鼓乐之"的欢爱，不仅描写了新婚时的欢乐气氛，而更深一层的意思乃是以琴瑟、钟鼓之声调和谐来比喻新婚夫妇的情意相投、融洽无间的亲密关系。从《诗经》情诗所反映的实际内容加以考察，当时的新婚夫妇之间并不像后世那样束缚拘谨，而是在极其自由欢快的气氛中进行婚礼的。《唐风·绸缪》写新婚之夜的喜悦心情：

> 绸缪束薪，三星在天。今夕何夕？见此良人。子兮子兮，
> 如此良人何！
>
> 绸缪束刍，三星在隅。今夕何夕？见此邂逅。子兮子兮，
> 如此邂逅何！
>
> 绸缪束楚，三星在户。今夕何夕？见此粲者。子兮子兮，
> 如此粲者何！

诗中无论新郎抑或新娘，各自面对着眼前心爱的人儿，都毫无拘束地、淋漓尽致地表示了自己一种乐不可言、喜不自胜的喜悦，其间洋溢着率真、开朗、纯真而甜蜜的气氛。

儒家对于婚姻的愿望，还从一些贺婚诗和送嫁诗中反映出来。《周南·樛木》和《小雅·鸳鸯》都是贺婚诗。前者"南有樛木，葛藟累之"，是以"藤缠树"的形象比喻来赞美新婚夫妇间难解难分的感

情；后者"鸳鸯于飞"则以成双成对的鸳鸯来象征新婚夫妇相亲相爱的关系。《周南·桃夭》则是一篇优美的送嫁诗：

> 桃之夭夭，灼灼其华。之子于归，宜其室家。
>
> 桃之夭夭，有蕡其实。之子于归，宜其家室。
>
> 桃之夭夭，其叶蓁蓁。之子于归，宜其家人。

所谓"宜其室家"就是祝福新娘婚后能享受家庭间融洽和睦的幸福生活。这种祝贺，道出了人们对于婚姻的普遍愿望，也是儒家婚姻观中的重要内容。

《诗经》的情诗作为爱情与婚姻基本一致的时代的产物，则以文学的手法尽情地描写了"夫妇和"的欢乐或者抒发了对于"夫妇和"的美好愿望。正如《小雅·车辖》所谓"式燕且誉，好尔无射"，就表明夫妇间的爱，不在于一时间的热恋，而在于长期相爱不厌。如《郑风·女曰鸡鸣》以一对猎人夫妇的枕边絮语反映了他们在日常生活中相敬如宾、和谐温馨而富有诗意的融洽感情：

> 女曰鸡鸣，士曰昧旦。子兴视夜，明星有烂。将翱将翔，弋凫与雁。
>
> 弋言加之，与子宜之。宜言饮酒，与子偕老。琴瑟在御，莫不静好。
>
> 知子之来之，杂佩以赠之。知子之顺之，杂佩以问之。知子之好之，杂佩以报之。

当妻子听见晨鸡鸣唱，望着光亮的启明星，叫醒丈夫去射猎，祝愿他射得凫雁，将为之做上好菜，共同饮酒，弹琴鼓瑟，白头偕老。她理解丈夫对自己的爱抚体贴，为了表示对丈夫的恩爱知心，临行时又给丈夫系上一串佩玉。从诗中细腻的描写可以看出，这对平民夫妻完全是一种相敬相爱的平等关系。在《诗经》的大量描写平民生活的作品中，大都反映了这种平等互爱的夫妻关系。《王风·君子阳阳》写妻子叙说夫妻之间的欢爱之情：

> 君子阳阳，左执簧，右招我由房，其乐只且！
>
> 君子陶陶，左执翿，右招我由敖，其乐只且！

她的满怀得意的丈夫左手拿着乐器，右手招引她跟着他一同到房间里去，跟他一起玩乐，心花怒放，其乐无极。短短几句诗，尽情抒发了夫妻之间热情奔放、毫无拘束地极尽欢爱之乐。《郑风·缁衣》写妻子对丈夫衣着的关怀体贴，表现出她的一片至情：

> 缁衣之宜兮，敝，予又改为兮。适子之馆兮，还，予授子之粲兮！
>
> 缁衣之好兮，敝，予又改造兮。适子之馆兮，还，予授子之粲兮！
>
> 缁衣之蓆兮，敝，予又改为兮。适子之馆兮，还，予授子之粲兮！

诗中的妻子为了使丈夫穿着舒适，几次三番不厌其烦地为丈夫精心设计合体的衣服。这正是以日常生活中的互相关怀体贴来表达夫妻之间的深情厚谊。《齐风·鸡鸣》则是妻子勉励丈夫勤于事业的诗：

> 鸡既鸣矣，朝既盈矣。匪鸡则鸣，苍蝇之声。
>
> 东方明矣，朝既昌矣。匪东方则明，月出之光。
>
> 虫飞薨薨，甘与子同梦。会且归矣，无庶与子憎。

全篇作夫妇对话，丈夫留恋床笫，妻子担心他误了早朝，催他起身，并给予勉励。前二章写妻子每当夙兴之时，心常恐晚，故常误听虫声为鸡鸣，误以月光为天明，屡次催促丈夫起床赴朝；尤其是末章，更委婉地流露了她催促丈夫，是出于更深的爱他。见出妻子随时对丈夫的前途和事业的关心，表现了夫妻之间最崇高的爱情。

这些诗都说明了夫妻间的爱情不在于一时热恋而在于平时长期的互相关心和共勉,充分代表了儒家以"敬"和"爱"为基本要义而达到"夫妇和"的思想。故孔子诵《诗》至"妻子好合,如鼓瑟琴","宜尔室家,乐尔妻帑"之句时,赞叹说:"父母其顺矣乎!"(《中庸》)这是说,当夫妻和乐相处得像琴瑟共鸣那样协调和谐时,做父母的也就感到快慰和满足了。

四、夫妇和而家道成

《周易》从理论上对于"夫妇和"的要义作了周密的论述。其中乾、坤两经卦以乾下坤上的方式组成"泰"卦,就是说明夫妇相和才能建成美好家庭之理的。其《象传》云:"天地交而万物通也,上下交而其志同也。"这里虽系指天地上下而言,但作为象征性的易理,自不妨推其意于夫妇关系:"夫妇和而家道成也!"反之,以乾上坤下的方式而组成"否"卦,就是说明夫妇不和而家道难成之理的。其《象传》云:"天地不交而万物不通也,上下不交而天下无邦也。"若推其意于夫妇关系,则就是:"夫妇不和而家道难成也!"天地相交才能化生万物,上下相交才能安定国家,夫妇相和才能建立美好的家庭,这就是乾坤卦义所概括的贯通于自然、社会、国家乃至家庭中的基本规律。

怎样才能保持夫妇关系永久相和呢?可试从如下几方面来分析:

第一,乾坤两卦的卦辞中都含有"元、亨、利、贞"四项内容,可据以作为指导夫妇关系的纲领。《象传》曰:"大哉乾元! 万物资始";"至哉坤元! 万物资生"。故所谓"元",就是开端创业之意。男女成婚,即意味着新家庭和新生活的开始,故夫妇都必须胸怀奋发向上之志,共展开拓创造之能,双方应在创建新家庭的事业中共同培养起更深更厚的爱情。所谓"亨",就是亨通发展。《易传·文言》曰:"亨者,嘉之会也。"《周易本义》曰:"亨者,生物之通,物至于此,莫不嘉美。"在夫妇关系上,则可理解为志趣的交流,感情的沟通,生活内容的更新。夫妇之间的志趣切忌彼此隔阂,而宜互相交流;感情切忌彼此封闭,而宜互相沟通。经过交流沟通,才能促进双方情趣的融洽相契,也就愈能推动爱情的进一步发展。这也就是"泰"卦乾坤相交然后相通之理。还有人认为,夫妇一旦结婚之后,感情就会渐趋平淡寡味,乃有所谓"婚姻为爱情的坟墓"之说。所以,若要保持爱情永不枯竭,就必须经常更新生活内容。《易传·系辞》曰:"易穷则变,变则通,通则久。"这里的"变"就可理解为更新生活内容。感情枯竭了,只有经常以新的内容来充实生活,感情才会如源头活水,流而不竭,历久常新。所谓"利",就是和而有利。《易传·文言》曰:"利者,义之和也。"又曰:"利物足以和义。"在夫妇之间则应该讲求和谐互利,即互相作出无私的奉献,使双方都能从对方获得生活上的享受和精神上的满足而各得其宜,这才能促进爱情的不断深化和升华。夫妇双方更应该重视"贞"的情操。所谓"贞",就是贞正坚固。《易传·系辞》云:"天下之动,贞夫一者也。"夫妇双方只有具备互相忠贞专一和固守诚正无邪的品德,爱情才能保持永久巩固。据此,乾坤卦辞中"元、享、利、贞"四字,几乎全面概括了夫妇之间的爱情生活内容。

第二,根据"乾刚坤柔"和"乾健坤顺"的理论,夫妇间亦应以刚柔相济、健顺相成为佳。作为丈夫,必须具有刚健有为的精神,方显出男子汉的气魄;作为妻子,必须具备柔顺细腻的感情,才显出女性的韵味。这样各自显示出异性的特征,不仅符合男女两性的生理特征、心理特征和社会的审美习惯,而且也有利于完美夫妇的爱情生活。假若夫妇双方都一味柔顺而无刚健之气,则作为"夫妇"这一整体就会显得黯然逊色而缺乏令人振奋的生气；又若夫妇双方都一味刚健而乏柔顺之情，则在生活中也会缺乏应有的情趣。所以，有刚无柔或有柔无刚均非夫妇关系的理想状态。只有一刚一柔互相配合，才能使"夫妇"这个整体既具有奋发向上的开拓精神，又富有绸缪温馨的生活情趣。然而如前所述，"乾刚坤柔"并非绝对的和固定的，而是相对的和可以互相转化的，则"夫刚妻柔"自然也不是绝对的而是可以转化的。所以，丈夫若能于刚健中正之中含有温和之气，就更能显出男性的宽宏风范；妻子若能于柔顺娴静之中不失其方止的个性，就更能显出女性的动人魅力。刚柔相济、健顺相成，以收相反相成之效，才是夫妇关系的理想境界。又根据"乾刚坤柔"必须适度的理论，夫妇双方对于刚和柔既不宜片面地不及，又不宜片面地过于亢进，而应该掌握在适中的程度上，才有利于协调夫妇间的生活。假如丈夫过分刚健而近于粗暴武断，妻子过分柔顺而近于软弱和过分迁就，则不仅无益于协调关系，而且还会使事情走向反面。这是因为"乾刚坤柔"的理论完全是立足于夫妇人格平等和旨在更好地完美夫妇关系的基础之上而展开的，所以决不能错误地把乾刚坤柔曲解为丈夫可以粗暴地虐待妻子、妻子对丈夫的虐待只能逆来顺受之意。再则，丈夫独断而凌虐妻子固然不好，但若妻子实行"妻管严"而使丈夫惧内，也不利于夫妻关系的和谐。两者都是与乾坤之卦义完全背道而驰的。

第三，根据前述乾坤"主从"协调的理论，夫妇双方在工作与生活中必须有一方起带动作用，另一方专心与之配合，双方的意见与步伐才能协调一致。假如说，双方互不相让，自行其是，各自为政，则必然难以协调关系。一般说来，男性刚健而善于带动，女性柔顺而宜于配合，所以，作为丈夫自应主动多承担一些开拓创造方面的责任。诚然，这也不是绝对的。在现实生活中，妻子无论在魄力和才智上都比丈夫强的大有人在,所以谁主谁从还得根据实际能力而定。更多的情况则是:夫妇双方各有所长。这就不妨根据实际擅长,在某些方面夫主妇从,在另一些方面则妇唱夫随,各得其宜。这样,就更能扬长避短而收相济相成之功。这种"主从"关系并不意味着夫妻间的不平等。因为夫妻间真正的平等表现在互相尊重、互相体谅、共同商量和各尽其力,而不是在家庭生活中机械地一分两半而搞绝对平均。夫妻以绝对平均的方式来分担权利和义务决不是真正的平等。

夫妇双方若能遵从《周易》的理论指导来协调互相之间的关系,必将有利于保证婚后的永久相爱并提高夫妇关系的质量。

第六节　比翼双栖,白头偕老

夫妇关系能否实现完美无憾的理想,除了互相忠贞、相敬相爱等主观因素而外,还须在客观上兼有比翼双栖的环境和白头偕老的归宿。假若由于某种原因而导致夫妇之间的生离或者死别,那么深厚的感情只能酿成更深的痛苦。所以,能够长期双栖和白头偕老,乃是每对和睦夫妇的正常愿望。对此,在儒家经典尤其是《诗经》中有着充分的反映。

一、长相聚,莫别离

儒家非常重视夫妇团聚之乐,而极端反对导致夫妇长期离散的虐政。孟子向齐宣王极力称誉周代先祖太王时"内无怨女,外无旷夫"的善政,并敢于当面讥刺暴政给庶民带来"父子不相见,兄弟妻子离散"的危害(见《孟子·梁惠王下》),儒者之存心于此可见。《诗经》作为儒家向王者提供"观民风"、"经夫妇"、"正得失"之明鉴的经典,其中收集了大量征夫成妇抒发离别相思之苦的诗,其意在于使统治者能体恤民情,施行仁政,尽量减少夫妇离散之苦,而得以享受团聚之乐。

凡是一对恩爱的夫妻,其间必然充满着难解难分的感情,所以都希望能够长期相聚,永不分离,乃至白头偕老。而且,愈是恩爱的夫妻,愈受不了离别相思之苦。所以在《诗经》中,许多描写征夫成妇的相思之情的诗,就反映了这种外有旷夫、内有怨女的痛苦境况,强烈地表达了希望长期比翼双栖的愿望。《周南·卷耳》是采摘卷耳的女子怀念征夫的诗:

采采卷耳,不盈顷筐。嗟我怀人,置彼周行。

陟彼崔嵬,我马虺隤。我姑酌彼金罍,维以不永怀。

陟彼高冈,我马玄黄。我姑酌彼兕觥,维以不永伤。

陟彼砠矣,我马瘏矣。我仆痡矣,云何吁矣!

此诗首章直叙自己因为思念丈夫而无心于采卷耳,慨叹丈夫被放置在大道上行役奔波;二章至四章设想丈夫在途中种种困顿情况,更表现了她对远行丈夫忧思之殷切;末章连用四个"矣"字,有如急管繁弦,形象地表现了思妇的迫切心情。《卫风·伯兮》是妻子怀念丈夫久役不归的诗:

伯兮朅兮,邦之桀兮。伯也执殳,为王前驱。

自伯之东,首如飞蓬。岂无膏沐,谁适为容?

其雨其雨,杲杲出日。愿言思伯,甘心首疾。

焉得谖草,言树之背。愿言思伯,使我心痗。

此诗写思妇对于丈夫心之专,忆之深,设想安得有"忘忧草"以解忧而终不可得,则思念之忧永远也丢不了。这两首诗都形象而深刻地抒发了丈夫久役给妻子造成生活紊乱和内心的刻骨相思。《王风·君子于役》描写农村妇女思念久役不归的丈夫：

> 君子于役，不知其期。曷至哉？鸡栖于埘。日之夕矣，羊牛下来。君子于役，如之何勿思！

> 君子于役，不日不月。曷其有佸？鸡栖于桀。日之夕矣，羊牛下括。君子于役，苟无饥渴。

每当夕阳西下，禽畜归宿时，她便触景生情，想起久役不归的丈夫备感愁思难遣。《小雅·采绿》是写女子因丈夫外出、逾期不归的思念之情：

> 终朝采绿，不盈一匊。予发曲局，薄言归沐。

> 终朝采蓝，不盈一襜。五日为期，六日不詹。

> 之子于狩，言韔其弓。之子于钓，言纶之绳。

> 其钓维何？维鲂及鱮。维鲂及鱮，薄言观者。

此诗前两章从去后着想，极写幽怨神理，刻画情思入微；后两章从归后想象，极写倡随之乐愈见别离之苦，示欲无往而不与之俱，写来一往情深。他如《召南·殷其雷》、《邶风·雄雉》等也都是戍妇思念征夫的诗。

而若《邶风·击鼓》和《豳风·东山》的后两章则分别是久役在外的征夫思念妻子的诗。《邶风·击鼓》后两章云：

> 死生契阔，与子成说。执子之手，与子偕老。

> 于嗟阔兮，不我活兮！于嗟洵兮，不我信兮！

《豳风·东山》后两章云：

> 我徂东山，慆慆不归。我来自东，零雨其濛。鹳鸣于垤，妇叹于室。洒扫穹窒，我征聿至。有敦瓜苦，烝在栗薪。自我不见，于今三年。

> 我徂东山，慆慆不归。我来自东，零雨其濛。仓庚于飞，熠耀其羽。之子于归，皇驳其马。亲结其缡，九十其仪。其新

孔嘉,其旧如之何?

这些诗,都在抒写离别之苦中寄托了企求重新相聚的愿望。

因而,在许多抒写丈夫远役而归的诗中,就会表现出久别重逢时的无比喜悦。《周南·汝坟》云:"未见君子,惄如调饥";"既见君子,不我遐弃"。《召南·草虫》云:"未见君子,忧心惙惙;亦既见止,亦既觏止,我心则悦。"都以未见时的忧思与既见时的喜悦两相对比,其喜更显。《小雅·隰桑》云:

> 隰桑有阿,其叶有难。既见君子,其乐如何?
>
> 隰桑有阿,其叶有沃。既见君子,云何不乐?
>
> 隰桑有阿,其叶有幽。既见君子,德音孔胶。
>
> 心乎爱矣,遐不谓矣。中心藏之,何日忘之。

这首诗写女子与丈夫久别重晤之乐。最后用传神的笔调写出了女子对丈夫的深情蜜意,所谓"思公子兮未敢言",更见得"爱之根于心者深,故发之迟而存之久",绝非言语之所能形容了。这些诗都表明了夫妻间能够长期相聚,乃是人们的普遍愿望。《诗经》中大量怀人之诗,不妨看作儒者代表征夫戍妇向统治者的强烈呼吁。

二、永别的哀伤和白头偕老的愿望

希望夫妻能够白头偕老,也是庶民的婚姻观念,而在儒家经典中有着充分的反映。尤其在《诗经》的许多情诗中都反映了这种企求白头偕老的愿望。《郑风·女曰鸡鸣》云:"宜言饮酒,与子偕老。"这是夫妻在歌咏恩爱和欢乐的同时,又期望能够白头偕老。《邶风·击鼓》云:"执子之手,与子偕老。"这是随征战士在预感到生还无望时,追忆昔日与妻子相约的誓言,深为白头偕老的愿望无法实现而悲痛欲绝。这些民歌都表达了夫妻白头偕老的愿望。

这种白头偕老的愿望,在亲身处于丧偶悲痛中的人,有其更为强烈的反映。因为"生别离"固然悲苦,毕竟还有重晤的希望;但若夫妻中某一方的早亡,则更造成了另一方绵绵无期的悲痛。如《邶风·绿兮》是抒写丈夫睹物怀人,悼念亡妻的诗:

> 绿兮衣兮,绿衣黄里。心之忧兮,曷维其已!
> 绿兮衣兮,绿衣黄裳。心之忧兮,曷维其亡!
> 绿兮丝兮,女所治兮。我思古人,俾无訧兮!
> 绨兮绤兮,凄其以风。我思古人,实获我心!

诗人目睹亡妻亲手所制的衣服,顿觉人亡物在,凄然伤情,又进而回忆起亡妻生前贤惠之处和彼此相得之欢,更见悼念之深切。《唐风·葛生》是妇女感物起兴,悼念亡夫的诗:

> 葛生蒙楚,蔹蔓于野。予美亡此,谁与独处?
> 葛生蒙棘,蔹蔓于域。予美亡此,谁与独息?
> 角枕粲兮,锦衾烂兮。予美亡此,谁与独旦?
> 夏之日,冬之夜。百岁之后,归于其居!
> 冬之夜,夏之日。百岁之后,归于其室!

诗中的未亡人在过着孤苦无依、形影相吊的悲凄生活,而把全部希望寄托在死后与亡者同归一穴,这是多么沉痛的哀情!又据今人研究,《桧风·素冠》也是一个年轻丧偶的寡妇思念亡夫的诗:

> 庶见素冠兮?棘人栾栾兮,劳心慱慱兮。
> 庶见素衣兮?我心伤悲兮,聊与子同归兮。
> 庶见素韠兮?我心蕴结兮,聊与子如一兮。

诗写寒家妇女在哀思之余幻想能见到亡夫而不可得,以致忧伤劳瘁而无法解脱,表示愿与之同归于黄泉。表现了妇女在丧偶后对于人生绝望的悲伤心情。

由是观之,凡是一对恩爱和睦的夫妻,都希望能够白头偕老。

假若不能白头偕老,那么亲密的感情不仅不能带来幸福,反而会酿成更大的痛苦;只有在白头偕老的前提下,夫妇之间的恩爱之情才得以完美地实现。即此可知"白头偕老"在婚姻上所具有的重大意义了。因此可以说,白头偕老,乃是"夫妇和"的最终归宿。

纵观儒家经典中全部有关婚姻的内容就不难发现,其所表达的主要观点,不外乎主张夫妻间既要有和谐的感情,又能够长期团聚乃至白头偕老这两个方面。因为这是理想婚姻所应具备的两个最基本的因素,缺少其中任何一方面,就会导致精神上的痛苦而不成其为幸福的婚姻。尤其是《诗经》中抒写婚姻内容的诗,正是真实地反映了人们这种歌咏琴瑟友之与白头偕老两全其美的普遍愿望,才能使千载之下读之,仍觉得历久而常新。儒家这种把互敬和互爱看作达到"夫妇和"的要素,把互相忠贞看作"夫妇和"的根本保证,把白头偕老看作"夫妇和"的最终归宿的婚姻思想,乃是总结了民间的婚姻观念而提出的非常进步的见解。

第七节　变态婚姻和不幸婚姻

儒家的夫妇观,在坚持维护正常婚姻的同时,还表现为对一些反常关系和不幸婚姻发表了较为公正的看法并提出了合乎情理的处理方法:对某些不正当的两性关系和变态婚姻作出了无情的贬斥;对某些不幸婚姻中的被虐待者或被遗弃者则给予深切的同情;对于某些夫妇感情不调而造成婚姻危机不可挽救之时,则认为应该本乎仁恕之旨,采取文明的方法分手。

一、对于变态婚姻和婚外恋的贬斥

在《诗经》、《春秋》、《左传》等儒家经典中,对许多不正当的两性关系作了严厉的批判。《左传·桓公十六年》载,卫宣公为其子伋娶于齐,闻其美而自娶之。《诗·邶风·新台·序》谓:"《新台》,刺卫宣公也。纳伋之妻,作新台于河上而要之。国人恶,故作是诗也。"其诗云:

> 新台有泚,河水瀰瀰。燕婉之求,籧篨不鲜。
>
> 新台有洒,河水浼浼。燕婉之求,籧篨不殄。
>
> 鱼网之设,鸿则离之。燕婉之求,得此戚施。

此诗假托齐女口吻以刺宣公,言齐女本求与伋为燕婉之好,而反得宣公丑恶之人。把他比作想吃天鹅肉的癞蛤蟆,可见厌恶之深。

《鄘风·墙有茨》、《君子偕老》、《鹑之奔奔》都是讽刺卫宣姜与庶子顽通奸的无耻行为。《墙有茨》云:

> 墙有茨,不可埽也。中冓之言,不可道也。所可道也,言之丑也!
>
> 墙有茨,不可襄也。中冓之言,不可详也。所可详也,言之长也!
>
> 墙有茨,不可束也。中冓之言,不可读也。所可读也,言之辱也!

诗言其闺中之事皆丑恶而不可言,可谓刺之深矣!又《君子偕老》之首章云:

> 君子偕老,副笄六珈。委委佗佗,如山如河,象服是宜。
> 子之不淑,云如之何!

诗言宣姜虽服饰之盛如此,然而品质丑恶,实不相称。

《左传·桓公十八年》载,鲁桓公将与夫人姜氏如齐。申繻谏曰:"女有家,男有室,无相渎也,谓之有礼;易此,必败。"意谓男各有妻,女各有夫,宜界限谨严,不得轻易而亵渎之;否则,必将造成不良后果。然而桓公不听,遂及文姜如齐。文姜本是齐襄公同父异母之妹,而襄公竟与之私通,又使公子彭生杀死桓公。证明了申繻维护夫妇之礼的正确性。此后,文姜又多次到外地与襄公相会。故《诗·齐风·南山》、《敝笱》、《载驱》三诗都是讽刺齐襄公与文姜兄妹私通的无耻行为。其《南山》之前二章讥襄公云:

> 南山崔崔,雄狐绥绥。鲁道有荡,齐子由归。既曰归止,曷又怀止?

> 葛屦五两,冠绥双止。鲁道有荡,齐子庸止。既曰庸止,曷又从止?

诗以南山雄狐比襄公居高位而行为邪僻,言其妹文姜既已从此道嫁往鲁国,又何以复与之私通?严厉地斥责了襄公的兽行。

《陈风·株林》是讽刺陈灵公私通于夏徵舒之母夏姬的诗:

> 胡为乎株林?从夏南。匪适株林,从夏南!

> 驾我乘马,说于株野。乘我乘驹,朝食于株。

据《左传·宣公九年》载,陈灵公与其大夫孔宁、仪行父通于夏姬,皆衷其衵服,以戏于朝。泄冶谏曰:"公卿宣淫,民无效焉,且闻不令。君其纳之。"灵公不听而杀泄冶。后灵公终于被夏姬之子徵舒所杀。对此,《孔子家语·子路初见》载,子贡曰:"陈灵公宣淫于朝,泄冶正谏,君杀之,是与比干谏而死同,可谓仁乎?"子曰:"比干于纣,亲则诸父,官则少师,忠报之心在于宗庙,而己固必以死争之,冀身死之,纣将悔寤,其本志情在于仁者也;泄冶之于灵公,位在大夫,无骨肉之亲,怀宠不去,仕于乱朝,以区区之一身,欲正一国之淫昏,可谓狷矣。《诗》云:'民之多僻,无自立辟。'其泄冶之谓乎?"孔子认为,像陈灵公这样君臣公然宣淫于朝的无道行为,泄冶作为一个毫无骨肉之亲的区区普通大夫,实在不值得直谏以取杀身之祸。并引《诗》为证,以说明处于民多邪僻,国濒危乱之世,不必固执法度以危身的道理。足见孔子对于陈灵公的深恶痛绝之意。

纵观《诗经》的讽刺、《左传》的记述和孔子的评论,足以说明儒家对于变态婚姻和婚外恋等不道德的两性关系的严厉贬斥。

二、对于被虐和被弃者的同情

由于当时上层社会的婚姻已受到礼教的束缚而不能自主,故往往酿成夫妻间互不相得的悲剧。如《邶风·日月》和《终风》二诗,都是写卫庄公的夫人庄姜备受丈夫虐待的悲惨遭遇。《日月》云:

> 日居月诸,照临下土。乃如之人兮,逝不古处。胡能有定,宁不我顾?
>
> 日居月诸,下土是冒。乃如之人兮,逝不相好。胡能有定,宁不我报?
>
> 日居月诸,出自东方。乃如之人兮,德音无良。胡能有定,俾也可忘。
>
> 日居月诸,东方自出。父兮母兮,畜我不卒。胡能有定,报我不述。

庄姜面对残暴丈夫的冷酷无情,虽受尽辛酸,心肝欲摧而无处可告,只能哭呼天地父母,痛诉哀怨。这正好从反面表达了对于互相尊重、彼此相爱的夫妻生活的无比向往。可见夫妻间琴瑟协调,乃是人们的普遍愿望。《终风》则是对庄公残暴无情、喜怒无常的无可奈何的描述:

> 终风且暴,顾我则笑。谑浪笑敖,中心是悼。

　　终风且霾，惠然肯来。莫往莫来，悠悠我思。

　　终风且噎，不日又噎。寤言不寐，愿言则嚏。

　　噎噎其阴，虺虺其雷。寤言不寐，愿言则怀。

导致婚姻上不能白头偕老的原因，除了对方早亡而外，还有此方被彼方所遗弃的现象。这给受害一方精神上所造成的痛苦，有时还比对方早亡为更甚。《邶风·谷风》是女子委婉地表达自己被弃的痛苦。首章以"黾勉同心，不宜有怒"，"德音莫违，及尔同死"之句表达了同舟共济和白头偕老的美好希望；而末两章则控诉了婚姻上喜新厌旧的丑恶行径：

　　不我能慉，反以我为雠。既阻我德，贾用不售。昔育恐育鞠，及尔颠覆。既生既育，比予于毒。

　　我有旨蓄，亦以御冬。宴尔新昏，以我御穷。有洸有溃，既诒我肆。不念昔者，伊余来墍。

全诗以对于美好婚姻的深切期望与被弃后的痛苦心情两相对比，抒写了妇女被弃的悲惨遭遇。《卫风·氓》更以满怀悲愤的语气倾诉了受骗被弃的经过，表现了悔恨交加的痛苦心境。《王风·中谷有蓷》则是写妇女被弃后流离失所、无家可归的悲惨情景：

　　中谷有蓷，暵其乾矣。有女仳离，嘅其叹矣。嘅其叹矣，遇人之艰难矣。

　　中谷有蓷，暵其修矣。有女仳离，条其歗矣。条其歗矣，遇人之不淑矣。

　　中谷有蓷，暵其湿矣。有女仳离，啜其泣矣。啜其泣矣，何嗟及矣。

他如《秦风·晨风》云：

　　鴥彼晨风，郁彼北林。未见君子，忧心钦钦。如何如何？

忘我实多。

> 山有苞栎，隰有六驳。未见君子，忧心靡乐。如何如何？
忘我实多。

> 山有苞棣，隰有树檖。未见君子，忧心如醉。如何如何？
忘我实多。

《小雅·谷风》云：

> 习习谷风，维风及雨。将恐将惧，维予与女。将安将乐，
女转弃予。

> 习习谷风，维风及颓。将恐将惧，置予于怀。将安将乐，
弃予如遗。

> 习习谷风，维山崔嵬。无草不死，无木不萎。忘我大德，
思我小怨。

以上都是抒写妇女被弃之苦的诗。

此外，细究《王风·葛藟》、《小雅·黄鸟》、《我行其野》三首诗的内容，应是反映男人入赘于他邦他族而不见容，才不得不满怀怨愤毅然离开女方家而复归旧邦旧族的诗。这属于女方遗弃男方的现象。当然，男子被弃的境况并不像女子被弃那样悲惨，但在精神上所受的伤害也是严重的。所以，这种抒发切身的被弃之苦的诗，更有力地从反面表达了对于夫妻白头偕老的向往。因此，"白头偕老"乃是美满婚姻的最终归宿。

三、文明的离婚仪节

《易传·系辞》云："凡《易》之情，近而不相得则凶。"这是说，凡是两种不相投合的事物使之相近，必将导致凶险。作为长期共同生活的夫妇关系，尤为如此。所以，根据乾坤两卦的理论，假若夫妇感情不调，关系确已发展到如乾卦"上九"之"亢龙"之象，或如坤

卦"上六"之"龙战"之象,从而形成"穷之灾也"和"其道穷也"的婚姻危机而不可挽救之时,那就不妨运用乾之"用九"和坤之"用六"的促使矛盾转化的原则,解除原来感情既已破裂的婚姻而进行重新组合,以利于各自获得新的婚姻生活。这样才符合"天则",从而获得"以大终也"的合理而永久的归宿。

孔子及其学生曾子都曾实行自由离婚,而且在处理离婚问题时都是比较文明的。据《礼记·檀弓上》所载:

> 伯鱼之母死,期而犹哭。夫子闻之,曰:"谁欤,哭者?"门人曰:"鲤也。"夫子曰:"嘻,其甚也!"伯鱼闻之,遂除之。

伯鱼之母是孔子的出妻。孔子没有阻止其子伯鱼为出母服丧,只劝他不必过哀,可见孔子尽管与妻子离婚了,但仍然没有干涉儿子对于出母的感情。直到他的孙子子思(名伋),才不许儿子子上(名白)为出母服丧,并说:"为伋也妻者,是为白也母;不为伋也妻者,是不为白也母。""故孔氏之不丧出母,自子思始也"(《礼记·檀弓上》)。子思自己与妻离婚了,就不许儿子保留母子的感情。相比之下,孔子处理离婚问题是合乎情理的,要比子思开明得多。所以郭沫若认为孔子是实行自由离婚的。

由于受孔子的影响,孔子的学生曾子在处理离婚问题时也很开明。据《白虎通义》记载:

> 曾子去妻,黎蒸不熟。问曰:"妇有七出,不蒸亦预乎?"曰:"吾闻之也:绝交令可友,弃妻令可嫁也。黎蒸不熟而已,何问其故乎?"

乍一看,曾子仅为妻子黎蒸不熟一点小事而离婚,可谓无理之至,其实不然。从曾子的话看来,所谓"黎蒸不熟"并非出妻的真正原因,而是他的托辞。曾子之所以出妻,必然还有其更充足的理由,不过为了保全妻子的名誉以利于她再嫁,自己才甘冒无理出妻之恶名,仅借口"黎蒸不熟"的小过为由而不忍扬其大过。而且,从曾子还为出妻的再嫁利益着想这一事实看来,可知他平时对妻子必然是讲道理、重感情的,绝非冷酷无情的无理出妻之人;在此还可看出:曾子认为妇女再嫁乃是正常现象。

《礼记·杂记》载有一则关于离婚的礼节:

> 妻出,夫使人致之曰:"某不敏,不能从而共粢盛,使某也敢告于侍者。"主人对曰:"某之子不肖,不敢辟诛,敢不敬须以俟命。"使者退,主人拜送之。

男方不但不指责女方的过失,反而自称为"不敏";女方也不责怪男方,反而说自己的女儿"不肖"。双方不但不反目成仇,而且还以礼"拜送之"。这种态度深合孔子和曾子的仁恕之旨,简直可与现代最文明的离婚方式相媲美!遗憾的是,后世许多自称尊崇孔子和曾子的道学家,并没有真正继承孔门这种以仁恕存心的优良传统,而是把不许寡妇再嫁、不许儿子为出母服丧等不近人情之事推向了极端,岂不有违孔门之旨!

第八节 夫妇观念之演变及其影响

综上所论,孔子的婚姻思想可归纳为如下精神:夫妻关系是人伦之始、王化之基,要使社会稳定发展,首先必须从善于处理婚姻问题入手;婚姻应以自由恋爱而产生的感情为基础,择偶标准应以才德为重,才有利于建立起和谐的夫妻关系;为了维护正常婚姻,必须重视男女有别;为了保证优生子女,必须禁止近亲通婚;夫妻间应该互敬互爱,互相忠贞,白头偕老;万一关系确已恶化,也不应反目成仇,而是应该本乎仁恕之旨,采取文明方式分手。——在这种婚姻思想中,既无重男轻女内容,也无从一而终之说,更未赋予丈夫高于妻子、奴役妻子的任何权力,而是主张夫妻平等相待。这种婚姻思想,即使以现代的观点看来,也应该说基本上是正确而进步的。尽管孔子也曾说过"男女授受不亲"和"唯女子与小人为难养也"的话,有其消极影响,但对于他所创建的整个婚姻思想体系来说,不过是白璧微瑕而已。

战国以后,婚姻观念才逐渐背离孔子的进步思想而日益向着男女不平等的方向发展。孟子虽然调整了孔子的人伦顺序,将"夫妇有别"退居"父子有亲、君臣有义"之后,但在夫妇之间仍然没有尊卑主从之分。到荀子才片面要求妻子"夫有礼则柔从听侍,夫无礼则恐惧而自竦也"(《荀子·君道》),首先背离孔子的原意而造成了夫妻关系的不平等。故所谓"三从"、"四德"之类片面要求妇女的道德说教,就是在荀子以后到汉初期间产生的。法家韩非子更进而提出:"臣事君,子事父,妻事夫,三者顺则天下治,三者逆则天下乱。此天下之常道也。"(《韩非子·忠孝》)这完全从专制主义立场出发,从理论上提出了臣、子、妻对于君、父、夫的绝对服从关系,显然是后世"三纲"说之所自出。汉儒董仲舒为了建立大一统的伦理体系,吸取法家韩非子的学说使之融合于儒学之中而提出了"王道之三纲,可求于天"的"三纲"概念。及《白虎通义》始引纬书《含文嘉》曰:"君为臣纲,父为子纲,夫为妻纲。"才正式建立了"三纲"说,成为两千年来统治者大力宣扬男尊女卑的专制主义伦理思想。特别到宋儒提出"饿死事小,失节事大"之说后,更把片面要求妇女从一而终的贞节观念推向了极端。今人不察,竟把战国以来这一系列完全背离孔子婚姻思想的发展过程胡乱算在孔子的账上,岂不谬哉!

与中国专制时代"从一而终"的贞节观念相反,现代的西方则片面提倡自由恋爱而流于"性解放"、"性自由",又把两性关系推向了另一个极端。然而,无论是我国专制时代的"从一而终"抑或现代西方的"性解放"这两种极端,都同样对人类的婚姻、家庭和社会造成了莫大的不幸。

目前,这两种各赴极端的错误观念在我国社会上影响都很大。一种是在弘扬民族传统、抵制西方污染的幌子下,把古代的三从四德、从一而终等专制主义糟粕误当作优良传统而盲目加以继承,于是干涉子女婚姻、责难寡妇改嫁、反对中老年妇女再婚等现象层出不穷,致使很多人在这种陈旧观念的压力下无法获得应有的婚姻幸福;另一种则是在反对旧礼教、引进现代观念的幌子下,把西方的性解放、性自由之类的资产阶级腐朽思想误当作进步意识而盲目加以引进,于是反对贞操、宣扬婚外恋之类的言论亦屡见不鲜,致使许多本来和睦幸福的家庭在这种时髦潮流的冲击下遭到破裂。由于这两种观念都拥有一定的社会基础并具有片面的似是而非的理论,很容易导致人们的婚姻观念异常混乱而无所适从,最终自然就酿成了社会上的种种婚姻悲剧。

那么怎样才能纠正这两种错误观念呢?归根到底,这两种错误观念的病根都在于各自把"恋爱自由"和"爱情专一"两者作了孤立的片面的理解。所以,若要纠正这两种错误观念而建立正确文明的现代婚姻观,就必须对两者之间的关系作出正确的认识。

其实,恋爱自由与爱情专一,乃是建立理想婚姻所不可或缺的两个方面。在两性关系中,没有互相忠贞专一,固然不成其为真正的爱情,但没有恋爱自由,也就很难得到真正的爱情。脱离以自由恋爱为基础的爱情去强调婚姻上的专一,势必陷于"从一而终"的专制贞节观念;违背互相忠贞这一爱情道德而侈谈恋爱自由,势必流于资产阶级的泛爱和庸俗。所以,只有恋爱自由与爱情专一两者的高度统一，才是我们所需要的正确的婚姻观。

　　而在孔子那里，正是以他的中庸之道把恋爱自由与爱情专一两者辩证地统一起来，使之有机地融合于他的婚姻思想之中，开创了中华民族在婚姻观念上的优秀传统。这一优秀传统虽几经历代统治者所歪曲，但仍被后世许多开明进步的文人所继承和发展，并在广大劳动人民之间盛行不衰。这在历代大量优秀的文学作品中可以得到印证。历代多少描写爱情的诗歌、小说、传奇、戏曲以及民间文学，所歌颂的大都是以"情"为重的多情男女。他们对于专制礼教，莫不具有冲破藩篱以追求自由恋爱的反抗精神；而在互相之间，则又莫不怀有忠贞专一、矢志不渝的高贵品质。既无情地鞭挞了情场上的朝秦暮楚之流，亦反对毫无感情的贞节观念。大凡优秀文学作品中所歌颂的忠贞不渝品德，都是以感情为基础的。这种由孔子所开创，为进步文人与广大劳动人民所继承和发展的把追求恋爱自由与歌颂爱情专一两者高度统一起来的婚恋思想，才真正代表了中华民族的优秀传统。

　　今天，对这一优秀的民族传统加以讨论和弘扬，一方面可使醉心于西方的历史虚无主义者提高民族自尊心和自信心，另一方面也可使顽固守旧的国粹主义者认清在传统文化中究竟何者为民主性的精华，何者为专制性的糟粕。这样，无论对于清除专制主义的糟粕抑或抵制资本主义的污染，树立正确的婚姻观，以组合美满和谐的婚姻与创建具有中国特色的现代化的文明家庭，无疑都有其重大而深远的现实意义。

第三章 儒家的父子、兄弟观(上)

随着以两性结合为特征的夫妇关系的成立而生男育女,自然就产生了以血缘相通为特征的父母与子女之间的关系和兄弟姐妹之间的关系。儒家将这两种关系分别简括为父子关系和兄弟关系。也就是说父子关系中还包括了母女、母子和父女关系,兄弟关系中也包括了姐妹、姐弟和兄妹关系。而实际上,儒家所谓父子关系,只是以血缘为纽带的家族中一种纵向的上下辈之间的典型性特殊关系,若加以推衍,则与之相类似的,还有祖孙关系、叔侄关系、姑侄关系、舅甥关系、姨甥关系乃至远祖与裔孙关系等等,都可依据父子关系而由近及远依此类推;儒家所谓兄弟关系,只是以血缘为纽带的家族中一种横向的同辈之间的典型性特殊关系,若加以推衍,则与之相类似的还有堂兄弟、堂姐妹、表兄弟、表姐妹等关系,皆可根据兄弟关系而由近及远依此类推。由于这两种纵向和横向的关系都是以血缘相通为特征的,而儒家又常常把子女敬爱父母的"孝"与兄弟姐妹互相敬爱的"悌"并称为"孝悌",两种关系密不可分,故而本书试将两者合在一起进行讨论。所以,本章内容实际上包括了一切以血缘为纽带的人际关系。

第一节　血缘关系乃人之天性

一、血缘间的自然感情

作为自然人的父母与子女之间的血缘关系和兄弟姐妹之间的血缘关系,早在人类产生之初就已经客观存在着的。不过,在上古原始社会的群居群婚之世,人类"知其母而不知其父",客观存在着的父亲与子女之间的血缘关系并不为人所知。而母亲对于子女,由于担负着抚育和保护的责任,因而不仅自然为子女所知,而且还被子女后代赋予一种特殊的钦仰之情。如我国最古老的传说中的女娲氏等,不仅是当时社会的核心成员,还被视为开创世界的人类祖先。这种对于母性的钦仰之情,完全是本乎血缘关系的人之自然天性的流露。

随着生产力的发展和人们智力的提高,人类由原始群居群婚的血缘公社通过确立氏族外婚制而逐步转变为母系氏族公社。母系氏族公社通常由一个始祖母繁衍下来的数代女后裔及其女成员从外氏族招来的丈夫及子女所组成,他们的世系按母系计算。这种母系氏族公社,使得同母出生的兄弟姐妹(不管是否同父)都与母亲长期生活在一起,因而不仅可以互相认识,而且还会产生一种不同于一般的感情乃是很自然的。而这位母亲也就成为他的子女以及后代的有源可寻的祖先。古代传说有女登感神龙而生炎帝,附宝感北斗而生黄帝,女节梦接星虹而生帝挚,庆都与赤龙合婚而生唐尧,握登感抠星而生虞舜,女嬉吞薏苡而生夏禹,简狄吞玄鸟之卵而生商代始祖契,姜嫄履上帝之迹而生周代始祖后稷等等,都说明人类最早知道的祖先是女性。据《诗经·大雅·生民》之篇，周人对本族的起源是这样叙述而加以歌咏的：

　　厥初生民，时维姜嫄。生民如何？克禋克祀，以弗无子。
履帝武敏，歆攸介攸止。载震载夙，载生载育，时维后稷。

这一关于姜嫄因踏了上帝脚印而怀胎生育周代始祖后稷的故事，正说明了当时人们"知其母而不知其父"的现实。他们的母亲与某种图腾的偶合而生人类的传说，是母系氏族存在的重要反映。中国最古老的姓氏多从女旁，如姜、姬、姚、妫、姞、嬴、姒、嫪、如、妘、妙、娥等，传说中的帝王又属于上述各姓，进一步证明了我国古代曾经经历了母系氏族社会的历史阶段。当时人们虽然还"不知其父"，但对已知之"母"的无限敬畏和溯源建姓，正体现了人类本乎血缘关系的自然天性的巨大威力。

　　到母系氏族社会的晚期，在婚姻上的族外群婚制逐渐发展为对偶婚制。对偶婚是一对男女在或长或短的时间内比较固定的偶居，共同组成对偶家庭。对偶婚尽管还是可以轻易离异的婚姻，但与群婚已有很大的区别：它是一个男子与一个女子发生比较固定关系的个体婚，不同于以往群婚时单纯的性生活关系，而是男子还参加女方氏族的生产活动，一起消费和抚养子女。尽管世系仍然按照母系计算，子女属于母系，然而由于父亲与子女互相认知而开始出现了比较明确的父亲与子女的关系。这种父亲与子女的关系也和母亲与子女的关系一样，既包含有本乎血缘关系的自然天性，同时也赋有养育之恩的生活感情。对偶婚时代的父母与子女之间或兄弟姐妹之间的感情，虽然主要是出于自然的流露而没有多少伦理观念，但是后世的家庭伦理观念正是由这种自然感情发展形成的。

　　生产的进一步发展和私有制的出现，导致母系氏族制逐步向父系氏族制过渡。父系氏族制不同于母系氏族制的本质区别，在于世系按父系计算，财产由儿子继承，男子是社会和家庭的核心。实行父系制的最终目的，是男子为了生育自己的嫡亲子女，保证父系血统的纯洁，以继承自己的财产，并世代相传。为了适应这一目的，首先在婚姻家庭上引起了变化：由原来母系的族外群婚制经由对偶婚制而逐步过渡到父系制下的一夫一妻制；其次在社会政治上也引起变化：由原来比较松散的氏族公社制逐步过渡到等级森严的封建宗法制。

父系制下的一夫一妻制与母系的对偶婚制的主要区别在于：男子由原来的从妻居住转变为实行男娶女嫁，妻随夫住，共同组成家庭，经营家庭经济，生育儿女；子女由原来的从母姓转变为从父姓，是父亲的家庭成员，并继承父亲的财产。这种一夫一妻制家庭，主要是由一对当家夫妻及其父母、弟妹和子女组成，它是一个生产单位，又是一个消费单位，儿子是父亲财产的当然继承人。《孟子·尽心上》载："五亩之宅，树墙下以桑，匹妇蚕之，则老者足以衣帛矣。……百亩之田，匹夫耕之，八口之家足以无饥矣。"所谓"匹夫"、"匹妇"，亦即"一夫一妻"之意。《孟子·万章下》又载："耕者之所获，一夫百亩。百亩之粪，上农夫食九人，上次食八人，中食七人，中次食六人，下食五人。""一夫"上有年老父母，中有妻子，下有年幼子女，有的还有弟妹，所以一般家口在五至九人之间，这是庶民家庭的通常情况。由于一夫一妻制婚姻关系比对偶婚坚固得多，因而组成了比较坚固和稳定的家庭。因此，这种家庭形式从产生之日开始，即逐渐发展为中国历代庶民阶层的通常家庭方式。在这种家庭内部，父母与子女以及兄弟姐妹之间的关系已非常明确。父母培养子女，子女侍奉父母，兄弟姐妹互相友爱，皆已成为自觉的义务和品德。这在本乎血缘的自然天性的基础之上更赋予了共同生活、互相协作的亲切感情,同时也增加了伦理成分。当这种独立经营生产和生活的个体家庭日益发展而成为社会的基本细胞之后,这种家庭成员之间的伦理品德也就为全社会所公认而奉行了。

然而,正当广大庶民家庭普遍实行一夫一妻制的同时,在上层贵族社会却是另一番景象:在名义上虽然也是一夫一妻制,而实际上的婚姻状态则是一夫正妻下的嫔妃媵妾制度,质言之,亦即一夫一妻多妾制。地位越高,妾的数目越多,所以往往子嗣众多。于是,在妻与妾之间和众多子嗣之间就有了嫡、庶之分。而且,在贵族阶层,父子相继的不仅是经济上的财产,更重要的还有政治上的爵位和政权。财产可由众多子嗣分而继之,而爵位和政权则只能由其中一人单独继承。这样,选择何人继位就成了难题。为了解决这一难题,于是就产生了血缘与政治、家与国合而为一的等级森严的封建宗法制。

封建宗法制盖肇源于家天下的夏代,发展于商代,至周初而达到进一步完善。周代的礼制明确规定,天子的嫡长子是继承王位的宗子,是为大宗;其庶子和王的弟兄为小宗,并分封于王所统辖的各邑建国为诸侯(称公)。而诸侯的嫡长子继承诸侯的职位,是诸侯国内的大宗;其庶子和弟兄则封为大夫,是小宗。这样,在政治上形成封侯建邦的封建制,在血缘关系上则形成了大、小宗嫡庶分明的宗法制。王国维《殷周制度论》曾认为嫡庶制的产生是为了"息争":"然所谓'立子以贵不以长,立适以长不以贤'者,乃传子法之精髓,当时虽未必有此语,固已用此意矣。盖天下之大利莫如定,其大害莫如争。任天者定,任人者争。定之以天,争乃不生。故天子、诸侯之传世也,继统法之立子与立嫡也,后世用人之以资格也,皆任天而不参以人,所以求定而息争也。"嫡长子继承制的优越性就在于它能使嫡长子的身份成为唯一合格的选择。相比之下,在没有嫡子的情况时,就需要从庶子中进行选择,如《左传·昭公二十六年》载王子朝曰:"王后无适,则择立长,年钧以德,德钧以卜。"但是"以德"或"以贤"的选拔标准就很难确定,而且很容易被人利用、操纵。因此,政治上的"嫡长子继承制"乃是历史的必然选择。

春秋末年,由于孔子首创私学,原来学在官府的文化逐渐下移,使广大的"士"阶层得以参与政治,因而导致血缘与政治相统一的封建宗法制逐渐解体。秦灭六国,在政治上废除了封侯建邦的封建制而代之以中央集权的郡县制;与之相应,先秦时代具有政治性质的宗法制度也逐渐转化为秦汉以后主要是社会性质的家族制度。这种家族制度也随着时代的变迁而变化发展:两汉时期,则由先秦六国的贵胄遗族演变为新兴的地方豪强大族;到魏晋隋唐时期,则转化为高门阀阅的世家大族;宋元明清时期,则又发展为庶民化的家族制度。这种庶民化的家族制度,则把原本属于贵族世家的家族制度进而推广到了一夫一妻制的庶民阶层,成为全社会的普遍现象。由商周时代的宗法制度转化为秦汉以后的家族制度,虽然宗法制中对于大宗、小宗的区分已经不存在了,但是宗法制中对于嫡、庶的区分仍然在后世的家族继承制度中有所保留,而对于血缘关系的亲亲原则却一脉相承地完全继承了。

综上所述,庶民阶层一夫一妻制的家庭制度和贵族世家的宗法制度乃至家族制度,虽然从本质上说都是以血缘为纽带的制度,但由于所处的地位不同,因而也形成了不少差别。其一,在庶民家庭中,父子相继的仅仅是微薄的财产,而财产是完全可以合理分配的,因而兄弟之间的关系完全是平等的;而在王公贵族之家,父子相继的主要是政权和爵位,而政权和爵位是不可能作出合理分配的,于是不得不制订出宗法上的嫡庶制度,这就人为地造成了兄弟之间的不平等。正如清儒程瑶田《宗法小记》云:"宗之道,兄道也。大夫、士之家以兄统弟而以弟事兄之道也。""吾既君之矣,则不敢兄。故君有合族之道,……虽诸侯之昆弟皆以君道事之,而不得以之为兄而宗之也。"所谓宗法制度,严格说来,宗之道就是兄之道。嫡长子与众庶子之间乃是尊卑分明的君臣关系而不是平等的兄弟关系。其二,同为天赋的血缘关系,在庶民家庭中,父母子女、兄弟姐妹长期生活在一起,父母直接培养子女,子女亲自侍奉父母,兄弟姐妹互相帮助,同舟共济,这在本乎血缘的自然天性的基础之上更赋予了共同生活、互相协作的亲切感情;而在王公贵族之家,由于妻妾、子嗣众多,父母子女、兄弟姐妹之间就相对疏远了,加之爵位和政权不可均分,虽然制定了嫡庶制度以期"息争",然而父子、兄弟之间争权夺利甚至互相残杀之事仍时有发生。庶民与贵族的这种差别,使得古人也不得不发出感叹:兄弟之情,常笃于贫贱之家,而每薄于富贵之族!

在天赋的血缘关系这种自然感情的基础上,如何强化其亲爱和谐的积极面而消除其争夺残杀的负面因素?对此,古代思想家作了不少探索,而儒家提出的"父慈子孝"、"兄友弟恭"的人伦思想,在这方面作出了卓越的建树。

二、儒家顺应人之天性创建父子、兄弟之伦

血缘关系是一切社会关系的最初形态,其中包含有天赋的自然感情,因而先民很早就特别重视父母子女、兄弟姐妹之间的关系。

在《尚书》中,记载了许多远古帝王重视父子、兄弟关系的事迹和言论。古文《书·大禹谟》记载益赞于禹曰:"帝初于历山,往于

田,日号泣于旻天,于父母。负罪引慝,祇载见瞽瞍,夔夔齐慄,瞽亦允若。"这是伯益向大禹称颂虞舜能以诚心孝敬父母而使父母为之感化的事迹。据说大舜早年耕于历山之时,由于未能获得父母的欢心,所以竭尽诚敬之心以事奉父母,终于获得了父母的理解。又据后来《孟子·万章上》所载,虞舜不仅孝于父母,而且对其弟象也备加友爱。故后儒称虞舜为"大孝",堪为孝于父母、友于兄弟的"孝友"之楷模。

《书·康诰》曰:"元恶大憝,矧惟不孝不友。子弗祇服厥父事,大伤厥考心;于父不能字厥子,乃疾厥子;于弟弗念天显,乃弗克恭厥兄;兄亦不念鞠子哀,大不友于弟。惟吊兹,不于我政人得罪。天惟与我民彝大泯乱。曰:乃其速由文王作罚,刑兹无赦。"据宋儒蔡沈考证,《康诰》是周武王封其弟康叔为卫侯时的诰命之词。周武王有鉴于商代末年道德废弛,父子、兄弟之间的关系受到破坏,不利于社会的安定和发展,于是在康叔赴任之机作了针对性的指示。周武王把"不孝不友"之人视为"元恶大憝",他认为,如果为子者不能敬事其父而使父大为伤心,而为父者不能爱护其子反而讨厌其子,这是父子交恶;如果为弟者不念长幼之序而不能尊敬其兄,而为兄者亦不念同胞之情而不友爱其弟,这是兄弟相贼。作为至亲的父子、兄弟关系尚且如此,必将影响社会的和谐安定。因而对这种现象必须作出严厉的惩罚。在这段诰词中,首先即以"不孝不友"为言,把子敬事父之"孝"与兄友爱弟之"友"相提并论。进而对父子关系与兄弟关系从反面加以具体论述,明确规定了父子之间的关系为"父慈子孝",兄弟之间的关系为"兄友弟恭",并指出了父子、兄弟关系对于治国的重要性。这为儒家的父子、兄弟两项人伦关系奠定了理论上的基础。

《书·酒诰》曰:"嗣尔股肱,纯其艺黍稷,奔走事厥考厥长;肇牵车牛，远服贾，用孝养厥父母，厥父母庆。"这是周武王指示殷商故都妹邦臣民的诰词。周武王鼓励人民应勤于农功耕作，或敏于行商贸易，来赡养父母和长辈，使父母长辈能生活得满足快乐。

古文《书·君陈》曰："君陈，惟尔令德孝恭。惟孝友于兄弟，克施有政。命汝尹兹东郊。"这是周成王指示大臣君陈赴任东郊时的策命之词。词中称赞君陈有孝于父母、恭敬兄长的美德。并认为正是由于能够孝友于家，才能施政于邦，所以才派他去做东郊的长官。这是明确地把父子、兄弟的人伦关系与治国施政联系起来。

"友"是周公提出的关于兄弟关系的道德规范。内容是：弟要"克恭厥兄"，兄要"念鞠子哀"，"友于弟"。这样，"天显"、"民彝"才合于正道。周公说的"友"实相当于后来儒家的"悌"。

在《诗经》中，有许多篇章歌咏父母兄弟之间的真切感情。《魏风·陟岵》是一位长期行役在外的子弟，思念父母兄长而登山想望亲人的诗：

> 陟彼岵兮，瞻望父兮。父曰嗟！予子行役，夙夜无已。上慎旃哉！犹来无止。

> 陟彼屺兮，瞻望母兮。母曰嗟！予季行役，夙夜无寐。上慎旃哉！犹来无弃。

> 陟彼冈兮，瞻望兄兮。兄曰嗟！予弟行役，夙夜必偕。上慎旃哉！犹来无死。

这首诗不仅描写了登山远望亲人的情景。而且还设想了在远方的父母、兄长也在深切地思念自己和关心自己，担心自己在外昼夜劳苦，并希望自己在外能谨慎小心，以期终有回家团聚之日。真切、生动地描摹了诚挚而自然的亲人之情。《唐风·鸨羽》是一首抒写服役在外而不得归养父母的诗：

> 肃肃鸨羽，集于苞栩。王事靡盬，不能艺稷黍，父母何怙？

悠悠苍天,曷其有所!

　　肃肃鸨翼,集于苞棘。王事靡盬,不能艺黍稷,父母何食?

悠悠苍天,曷其有极!

　　肃肃鸨行,集于苞桑。王事靡盬,不能艺稻粱,父母何尝?

悠悠苍天,曷其有常!

由于国家尚未安定,一位为了保卫国家而在外服役的征人,长期不能回家种植庄稼,担忧父母在家何以生活。因而深切地盼望能早日回家供养父母,以叙天伦之乐。《邶风·凯风》的"有子七人,母氏劳苦";《小雅·蓼莪》的"哀哀父母,生我劬劳",都是子女感戴父母养育之恩的诗。而《小雅·常棣》则是一篇专写兄弟之情的诗,抒发了"凡今之人,莫如兄弟"的手足之情。《小雅·斯干》亦曰:"兄及弟矣,式相好矣,无相犹矣。"也歌咏了兄弟之间水乳交融的骨肉之情。《邶风·泉水》则是描写一位出嫁到外国的卫国女子思念故国和亲人的诗。其二章有云:"女子有行,远父母兄弟。问我诸姑,遂及伯姊。"此诗除了怀念父母、兄弟而外,还思及诸姑和伯姊,抒发了对于血缘骨肉之间一片纯真的自然感情。此外,《邶风·日月》曰:"父兮母兮,畜我不卒。"朱子《诗集传》释云:"盖忧患疾痛之极,必呼父母,人之至情也。"《小雅·小弁》曰:"维桑与梓,必恭敬止。靡瞻匪父,靡依匪母。"《诗集传》释云:"言桑梓父母所植,尚且必加恭敬,况父母至尊至亲,宜莫不瞻依也。"而《邶风·谷风》则曰:"宴尔新婚,如兄如弟。"诗以兄弟之情来比拟新婚夫妇之间的绸缪相爱之情,正见出在人们心目中兄弟之间具有一种不同寻常的特殊感情。《诗经》中这些反映父母子女、兄弟姊妹之间的血缘感情的诗,都是出于人之天性的纯真感情的自然流露,读之使人骨肉之情油然而生。

　　《易传·家人彖》曰:"父父,子子,兄兄,弟弟,夫夫,妇妇,而家道正。正家而天下定矣。"这是把以血缘为纽带的父子、兄弟关系与以爱情为纽带的夫妇关系并列为家庭中三类最重要的伦理关系,并指出了这三种伦理关系对于齐家、治国、平天下的重要性。

《左传·隐公三年》载卫国大夫石碏曰:"君义,臣行,父慈,子孝,兄爱,弟敬,所谓六顺也。"这是又以血缘为纽带的父子、兄弟关系与以政治权力为纽带的君臣关系并列为治国所必须加以理顺的三类最重要的伦理关系。只有理顺这三种伦理关系,国家才能获得安定。《左传·昭公二十六年》:"父慈子孝,……礼也。"

春秋末期,儒家创始人孔子在客观地考察了人之天性和人之常情,并继承前人的伦理思想的基础之上,紧接着"夫妇"为"人伦之始"之后,又在理论上创建了以血缘为纽带的"父子"、"兄弟"两类典型的伦理关系。所以,在孔门师生的问答中,常常以"孝悌"并称。"孝"是子女善事父母之意,以之代表父母与子女之间的正常关系;"悌"是弟敬爱兄长之意,以之代表兄弟之间的正常关系。"孝"与"悌"并称,则简明地概括了"父子"与"兄弟"两类典型人伦的正常关系。如《论语·学而》载孔子曰:"弟子,入则孝,出则弟。"《论语·子罕》载孔子曰:"出则事公卿,入则事父兄。"《论语·子路》载孔子曰:"宗族称孝焉,乡党称弟焉。"这些论述都是以"孝悌"并称,并当作人生的首要品德教导学生。故《论语·学而》载其弟子有子曰:"君子务本,本立而道生。孝悌也者,其为仁之本与!"有子不仅以"孝悌"并称,还进而明确指出了"孝悌"乃"为仁之本",可谓深合孔子之意。

《大学》曰:"君子不出家而成教于国:孝者,所以事君也;弟者,所以事长也;慈者,所以使众也。"显然是把理顺父子、兄弟的正常关系视为"成教于国"的基本内容。《中庸》曰:"君臣也,父子也,夫妇也,昆弟也,朋友之交也:五者天下之达道也。"明确提出了"父子"、"昆弟"分别为五"达道"之一。近年出土的郭店楚简《六德》则曰："为父绝君，不为君绝父；为昆弟绝妻，不为妻绝昆弟。"强调父子、兄弟关系较之君臣、夫妻关系更为重要。这是因为，父子、兄弟乃是先天所定的不容人所选择的血缘关系，不管何种情况下都无法否认其间出于同一血统这一事实；而君臣、夫妻则是后天以义相合的关系，相投则合，不投则离，不妨由人选择所定。

正因为如此，亚圣孟子就特别看重"父子"和"兄弟"二类人伦关系，并进而从人性论上作了理论的论证。《孟子·尽心上》曰："人之所不学而能者，其良能也；所不虑而知者，其良知也。孩提之童，无不知爱其亲者；及其长也，无不知敬其兄也。亲亲，仁也；敬长，义也。无他，达之天下也。"所谓"良知"、"良能"，就是人的与生俱来的一种本能。而爱亲、敬兄就是这种本能的具体体现。而"仁"和"义"就是分别由此发端的。基乎此，《孟子·离娄上》又曰："仁之实，事亲是也；义之实，从兄是也。智之实，知斯二者弗去是也；礼之实，节文斯二者是也；乐之实，乐斯二者，乐则生矣，生则恶可已也？恶可已，则不知足之蹈之、手之舞之。"孟子把孝悌分别视为仁与义的实质，并认为仁、义、礼、智等各种品德以及乐的产生，都是从父子、兄弟两伦开始的。

孝悌之所以如此重要，在孟子看来乃本于人之天性，是以人的自然联系——血缘纽带为基础的道德规范，是不教而能、不学就会的道德行为。孟子称颂大舜"为不顺于父母，如穷人无所归"，因为父母为其生命之根，无根之人就是游子浮萍，所以"人悦之、好色、富贵，无足以解忧者，惟顺于父母可以解忧"《孟子·万章上》。兄弟之间亦然，孟子谓大舜"象忧亦忧，象喜亦喜"，"彼以爱兄之道来，故诚信而喜之"（同上）。这里孟子将孝悌视为基于人的自然本性上的自然情感所形成的道德规范，与良知、良能相关。孟子认为，人性本善，因为人有四端："恻隐之心，仁之端也；羞恶之心，义之端也；辞让之心，礼之端也；是非之心，智之端也。"(《孟子·公孙丑上》)此四端就是人自然而具有的良心本心，它"非由外烁也，我固有之者"(《孟子·告子上》)。孟子举子葬其亲之例加以说明："盖上世尝有不葬其亲者，其亲死，则举而委之于壑。他日过之，狐狸食之，蝇蚋姑嘬之。其颡有泚，睨而不视。夫泚也，非为人泚，中心达于面目，盖归反虆梩而掩之。"(《孟子·滕文公上》)良心本心是纯善无杂的，发之于外就成了仁义礼智信等道德品性，这是从正面讲。从反面言，"行有不谦于心，则馁也"，故君子务必无愧于心。上古的人不埋葬父母，后来看到父尸被虫兽所损而心不忍，良心有愧，便掩其亲。由此推论，孝悌乃奠基于人人本具的良心本心，这一至精无杂而纯善的本心驱使人们自自然然地行孝。这就是孟子为孝悌找到的人性根据。

孟子以性善论来论证"孝悌"的哲学根源，有其充分的合理性。"孝悌"作为具有自然生理根源的道德规范，其天然性无可争辩。原始人类的母子关系是自然而然的，母亲哺育自己的子女是出自天性，子女对母亲的爱也是出自天性，因而一母所生且生活在一起的兄弟姊妹之间也自然具有这种出于天性的感情。这种情感虽还不能称为孝悌，但孝悌的情感实由此出。个体家庭出现后，奉养父母由氏族行为转变成子女的责任，子弟对父兄的爱由权利与义务关系而固定化，孝悌就有了伦理规范的性质。因此，从发生学角度讲，"孝悌"是以自然情感为基础的社会行为，是人的自然禀赋与社会文化相交融而产生的伦理心境。而这种伦理心境是一种直觉，不可用理性思辨去证明，而只能用心去体悟；而且，因其是一种向善的本能，故不会有利害的考虑，是一种非功利的道德意识。这就是孝悌的人性论理由。通过孟子的论证，"孝悌"就有了哲学上的根据。于是,历代儒者一直习惯于将"孝悌"并称,而作为以血缘为纽带的"父子"、"兄弟"两项人伦之正常关系的简要概括。

第二节　为人父,止于慈

《孝经》云:"父子之道,天性也。"天地间的一切动物都天然地具有爱护子女和养育子女的自然本性。人作为万物之灵,这种父母对于子女之爱的自然本性,较之动物更为深切而合理。在父母与子女的关系中,儒家对父母的要求明确规定为"慈"。《礼记·大学》曰:"为人父,止于慈。"这里的"父",当系概括"父母"而言;其所"慈"的对象,则系概括"子女"而言。儒家主张的"慈",理应包括两方面的内容:一曰养育,二曰教育。如果说,父母养育子女系本乎天赋的自然本性的话,那么父母对于子女所肩负的教育责任,无疑是基于后天的社会理性。可以说,养育属于基本的"慈",而教育则属于高层次的"慈"。生而不养,则教育无从而施;养而不教,则父母之"慈"永远局限在低级的水平。在合理的养育的基础之上施以正确的教育,父母之"慈"才有其本质的升华。所以,自然本性与社会理性的高度融合,合理的养育与正确的教育相济相成,乃成为儒家所主张的完整的"慈"。然而,儒家针对现实中的父母大都在养育上对子女过于溺爱而又不善于教育这一偏向,故在"慈"的内容上,对于养育之法未作深求,唯在强调养育之道的合理性;而对于教育,则既强调了教育的重要性并着重强调了教育之道的正确性。

一、"慈"的原则

何谓"慈"?《说文》曰:"慈,爱也,从心,兹声。"《诗·大雅·皇矣》"克顺克比"毛传："慈和徧服曰顺。"孔颖达疏引服虔曰："上爱下曰慈。"《左传·文公十八年》："宣慈惠和。"孔颖达疏曰："慈者，爱出于心，恩被于物也。"汉贾谊《新书·道术》："亲爱利子谓之慈。"故《辞源》谓"多指父母爱抚子女"。《汉语大词典》谓"上爱下，父母爱子女"。所以，"慈"就是父母对于子女之爱。

父母对于子女的爱，最基本的内容自然是在生活上加以养育和关心。然而儒家认为，仅仅在生活上的养育和关心是远远不够的。有时，在物质上给予不恰当的偏爱或溺爱，反而会不利于子女的成长，甚至还会给子女造成危害，正所谓"虽欲爱之，适以害之"。这样的事例在现实中层出不穷，在记载上也史不绝书。例如，孔子作《春秋》，开卷的《隐公元年》就记录了"郑伯克段于鄢"一段由于母亲对子女的偏爱和溺爱而引起的兄弟相残的史事。据《左传》记载，郑庄公与共叔段本是同父同母的亲兄弟，但因其母武姜偏爱幼子叔段，故多次向其夫郑武公请求立叔段为太子，武公不许。及庄公即位，其母又多次要庄公封叔段以名都大邑。叔段赖有其母做后盾，乃起兵反叛，终于被庄公打败而出走。从姜氏的主观上说，确实是为了爱叔段。诚如《孟子·万章上》所谓"亲之欲其贵也，爱之欲其富也"。她始而向武公请求立叔段为太子，以及后来向庄公请地封叔段，其目的无非为了使叔段能获得权位，并能在物质生活上过得再好一些。但后果反而害得叔段在郑国没有立足之地。其原因何在？首先，同为自己的子女，姜氏却恶庄公而爱叔段，这是"偏爱"，偏爱酿成了庄公内心的怨恨；其次，姜氏过分地为叔段谋取权利，这是"溺爱"，溺爱养成了叔段的骄横放纵之心。于是，一场兄弟相残的战争就不可避免地发生了。再如，紧接着的《隐公四年》又记录了"卫州吁弑其君完"和"卫人杀州吁于濮"两件互为因果的事。据《左传》所载，卫庄公过分宠爱嬖妾之子州吁，百般放纵使之无所忌惮。故大臣石碏进谏道："臣闻爱子,教之以义方,弗纳于邪。骄奢淫泆,所自邪也。四者之来,宠禄过也。"故请求庄公应对州吁的骄纵行为加以制止,而庄公不听。及庄公薨,州吁终于弑其兄桓公而自立。不到半年,石碏又利用国人不服州吁的机会诱杀了州吁,以平卫乱。卫庄公不适当地宠爱嬖妾之子州吁,是出于偏爱;而过分予以宠禄并任其骄纵而不加制止,则是出于溺爱。由此不仅酿成桓公被弑之灾,还终于导致了州吁的杀身之祸。

上述两例,作为母或父的郑武姜和卫庄公的爱子之心不可谓不切矣。但因为出于不恰当的偏爱和过分的溺爱,终至给其子造成了无穷的危害:一则不容于国而不得不出走,一则更遭杀身之祸。究其原因,就是石碏所一针见血地指出的"骄奢淫泆,所自邪也;四者之来,宠禄过也"。这就是说,宠禄太过,乃是"骄、奢、淫、泆"四种恶德借以产生的温床;而一旦产生这四种恶德,其后果必然招来无穷的祸患。可见父母的"慈",不仅在于主观上的爱心,而主要在于实际上爱得是否正确而合理。因此,父母对于子女之爱的"慈",还得掌握其原则和方法。

北齐颜之推《颜氏家训·教子》云:"人之爱子,罕亦能均;自古及今,此弊多矣。贤俊者自可赏爱,顽鲁者亦当矜怜。有偏宠者,虽欲以厚之,更所以祸之。共叔之死,母实为之;赵王之戮,父实使之。刘表之倾宗覆族,袁绍之地裂兵亡,可为灵龟明鉴也。""共叔之死",事如上述。"赵王之戮,父实使之",系指汉高祖刘邦因宠戚夫人而偏爱其子赵王如意,戚夫人日夜啼泣,欲其子代太子,为吕后所忌。及高祖逝后,吕后乃鸩杀赵王,并戮戚夫人,断其手足,使居厕中,号为"人彘"。事见《史记·吕后纪》。刘表偏爱幼子刘琮,袁绍溺爱幼子袁尚,终至兵败家亡。其事均见《后汉书》及《三国志》的《刘表传》和《袁绍传》,小说《三国演义》对此更作了文学性的描述。这些由于父母偏爱和溺爱所酿成的惨祸，足可为戒，故颜氏以之作为世之做父母者之龟鉴。

《颜氏家训·治家》又云："妇人之性，率宠子婿而虐儿妇。宠婿，则兄弟之怨生焉；虐妇，则姊妹之谗行焉。然则女之行留，皆得罪于其家者，母实为之。至有谚云：'落索阿姑餐。'此其相报也。家之常弊，可不诫哉！"这是揭示妇女偏爱女婿而虐待儿媳之弊。因为偏爱女婿，必将导致儿子产生怨恨；虐待儿媳，必将导致女儿趁机进谗。这样到了女儿出嫁之时，就已在全家结了怨，及其归宁之日备受兄嫂的冷落，其实是由其母平时偏爱女婿、虐待儿媳的行为所造成的。这进一步说明了父母不仅要对亲生子女不宜有所偏爱，而且对于女婿与儿媳之间也应爱得公正合理。

清儒郑板桥《家书》云："余五十二岁始得一子，岂有不爱之理！然爱之必以其道，虽嬉戏顽耍，务令忠厚悱恻，毋为刻急也。……要须长其忠厚之情，驱其残忍之性，不得以为犹子而姑纵惜也。家人儿女，总是天地间一般人，当一般爱惜，不可使吾儿凌虐他。……夫读书、中举、中进士、作官，此是小事，第一要明理做个好人。""爱之必以其道"，教儿子"第一要明理做个好人"，这乃是父母之"慈"所应遵循的基本原则。

儒家认为，父母对于子女的"慈"主要包括两方面的内容：一是养育；二是教育。养育主要在于从物质生活方面培养子女在生理方面的健康成长；教育主要在于从道德、智能方面培养子女的立身处世之道。郭店楚简《六德》曰："既生畜之，或从而教诲之，谓之圣。圣也者，父德也。"所谓"畜"，就是养育。这里正是以养育与教诲并言，并认为这是"父德"的分内之事。然而在现实中，很多父母只重物质上的养育而轻视道德、智能上的教育，往往以多赐宠禄和多积财产的方式来体现其"慈"，这样就难免陷于过分溺爱之弊。

所以儒家认为,在宠禄方面必须坚持不违乎礼,才能杜绝产生"骄、奢、淫、泆"的根源以期"弗纳于邪";而在道德方面则强调"爱子,教之以义方"。这样,才能将子女培养成无论在生理和心理上抑或在道德和智能上全面发展的有用之才。这才是"慈"的正确的含义。

在儒家经典中,直接论述养育之道的"慈"的内容并不多,远没有谈"孝"那样普遍。所以现代学者一般都认为以孔子为首的儒家都有"重孝轻慈"的倾向。其实不然。因为这仅仅是看到其表面现象而没有探究其本质所致。鄙意窃谓,孔子之所以多谈子女对于父母之"孝"而少谈父母对于子女之"慈",约有如下几项理由:

其一,孔子的言论往往是针对社会的现实问题而发。他看到,在现实社会中,父母对于子女,一般都能尽到"慈"的责任,只有过之,而无不及;而子女对于父母,则往往比较难以尽到"孝"的责任。正如俗语有所谓"父母对儿女之心好比路长,儿女对父母之心不及箸长"之说。针对这种偏向,根据儒家方法论中庸之道"戒过,勉不及"以使之合乎"中行"的原则,孔子谈"孝"多而谈"慈"少,乃属理所当然。

其二,一部论语全是孔门弟子所闻师言的记录,而在孔门就学的多为尚属"子弟"身份的年轻人,他们家中大都还有年老的父母。孔子对年轻的学生设教,自然应多谈孝道。

其三,孔子还看到,现实中的父母大都有过于溺爱而不善于教育的弊病,所以他认为,父母对于子女,不必担忧其在物质养育方面之"慈"不尽心,而在于担忧其"慈"得是否正确、合理而适得其宜,以及能否教子女以为人之道。如果说,仅仅把"慈"看作是物质养育之爱,那么孔子乃至历代儒家在这方面确实谈得很少;然而孔子乃至历代儒家都认为,父母的"慈"的内容,不仅包含物质生活方面的养育之责,而且更重要的还包括道德和文化方面的教育之责。

而儒家经典中所有教导人们品德修养和文化修养的言论,其实都可视为父母所应掌握的可以教导子女的内容,而这也是父母之"慈"所应包含的应有之义。这样,儒家经典中可供父母用为"慈"的内容不仅很多,而且要比"孝"谈得更深、更广、更透彻!

儒家特别强调家学传承即家庭教育的重要性,家学代代相传,良好风气的形成是无形的。溺爱孩子、放任孩子的教育就是"宽"的失误。所以,从古到今,人们都充分注意到了不严格要求孩子的不良后果,轻则害己败家,重则败族卖国。所以,人们对父母提出了若干警句:"小时偷针,长大偷金";"棒头出好子"等等。告诫做父母的不能放松管教,以免家出败子。但宽严在于把握分寸,掌握方法;而且,身教重于言教,在严格要求孩子的同时,父母应更严格地要求自己。给孩子良好的教育,让他们从小就明白什么是做人必须遵守的准则,培养优秀的人格,是父母们义不容辞而又神圣的职责。

二、春晖寸草,生养劬劳

尽管儒家多谈教育之道而少谈养育之道,然而在儒家经典的许多论述中,仍然真实地反映了作为父母在养育子女方面所体现的无比慈爱之情。

《书·康诰》曰:"若保赤子。"《大学》释云:"心诚求之,虽不中不远矣。"这里固然是以父母保护孩子之心来比喻执政者的保民之心,但从中也可体味出父母保护孩子的无微不至的精诚关爱之心。

《邶风·凯风》是一首描写子女称颂母亲为了养育众多子女而竭尽劳苦的诗:

凯风自南,吹彼棘心。棘心夭夭,母氏劬劳。
凯风自南,吹彼棘薪。母氏圣善,我无令人。

爰有寒泉,在浚之下。有子七人,母氏劳苦。

睍睆黄鸟,载好其音。有子七人,莫慰母心。

"凯风"就是南风。诗以长养万物的"凯风"比喻母亲无比伟大的养育之恩;而先以丛生、多刺、难长而又柔弱的小木之"棘心"形象地比喻子女们自己的幼小之时,次以长而不成才的"棘薪"比喻子女们自己长而无能,终以自责虽有众多子女反而不能奉养母亲,以报答母亲的深恩,致使母亲终生劳苦,而得不到子女的一点安慰。全诗自然流露出一片感戴母德而无比愧疚自艾之情。而《小雅·蓼莪》更是一篇怀念已故父母的名篇。诗云:

蓼蓼者莪,匪莪伊蒿。哀哀父母,生我劬劳。

蓼蓼者莪,匪莪伊蔚。哀哀父母,生我劳瘁。

缾之罄矣,维罍之耻。鲜民之生,不如死之久矣。无父何怙? 无母何恃? 出则衔恤,入则靡至。

父兮生我,母兮鞠我。拊我畜我,长我育我。顾我复我,出入腹我。欲报之德,昊天罔极。

南山烈烈,飘风发发。民莫不谷,我独何害?

南山律律,飘风弗弗。民莫不谷,我独不卒!

全诗以一片至情怀念已故父母的养育之恩,深憾现在已无从报答。据载,晋代王裒因父非罪含冤而死,每次读《诗》至"哀哀父母,生我劬劳"之句,总要泪流满面,伤心不已。同学们为了不使王裒伤心,大家都不再诵读此诗。这就是著名的"歌废蓼莪"的典故。可见此诗感人之深。

《论语·阳货》载孔子曰:"子生三年,然后免于父母之怀。"一句话,说尽了父母在抚养年幼子女时所经历的千辛万苦。又《论语·为政》载孔子曰:"父母唯其疾之忧。"朱注云:"言父母爱子之心,无所不至,惟恐其有疾病,常以为忧也。"这里,孔子之本意固然是从子女的立场出发,认为子女必须体贴父母的忧子之心而爱护自己的身体,以尽孝道;然而若从父母的立场出发,则是直接地体现了父母的爱子、忧子之情。《孟子·梁惠王上》有曰:"仰足以事父母,俯足以畜妻子。"这是说,作为当家的男人,除了负担父母及妻的生活之外,还有抚养子女的责任。

《礼记·内则》记载了古时父母养育孩子的一些情况。如:"妻将生子,及月辰,居侧室。夫使人日再问之,作而自问之。"这是孩子将要出生时,为父者即使在百忙中也必须多加关心。又云:"子生,男子设弧于门左,女子设帨于门右。三日,始负子,男射女否。"在孩子出生时,若生男孩,就在房门左边挂一副弓,若生女孩,就在房门右边挂一条巾,作为标志,以示男女之区别。又云:"异为孺子室于宫中,择于诸母与可者,必求其宽裕慈惠、温良恭敬、慎而寡言者,使为子师,其次为慈母,其次为保母,皆居子室,他人无事不往。"这是专指王公贵族生子而言的。要求在宫中安排孩子的居室,并选择品德优良的妇女作为孩子的老师,其余还有乳母、保姆等,都使之住在孩子的室内,以便抚养孩子,其他人则不得随便入内。王公以下,则"大夫之子有食母,士之妻自养子"。大夫之子还有乳母,而士之妻就得自养其子了。而广大庶民阶层养育子女,凡事当然只能由本就长年辛苦的父母亲自额外地操劳了。

在历代后儒的著述和诗文中,也常常如实地反映了父母抚养子女的慈爱之情。汉桓宽《盐铁论·忧边》云:"衣食饥寒者,慈父之道也。"更直接地指出了父母对于子女在物质生活上的养育之义。而唐代著名诗人孟郊的《游子吟》,则以文学的形式歌颂了伟大的母爱。诗云:

慈母手中线,游子身上衣。

临行密密缝,意恐迟迟归。

　　　　谁言寸草心，报得三春晖。

诗的前四句是写母亲在儿子将要远出时为儿子缝衣的情景。在儿子临行前的此时此刻，老母一针一线，针针线线都是这样的细密，是怕儿子迟迟难归，故而要把衣衫缝制得更为结实一些。其实，老母的内心何尝不是切盼儿子早些平安归来呢！慈母的一片深笃之情，正是在日常生活中最普通、最细微的地方流露出来。诗中没有言语，也没有眼泪，然而母亲一片爱子的纯情却从这普通常见的场景中充溢而出，拨动了每一个读者的心弦，唤起普天下儿女们对于母爱的亲切的联想和深挚的忆念。最后两句，以春天的阳光滋长草木的功德来比拟厚博的母爱，更寓有"欲报之德，昊天罔极"之意。此诗亲切而真淳地吟颂了一种普通而伟大的人性美——母爱，因而引起了无数读者的共鸣，千百年来一直脍炙人口。据本篇题下作者自注："迎母溧上作"，当是他居官溧阳时，回忆当时离家赴任时的情景的作品。到了清康熙年间，溧阳诗人史骐生的《写怀》有句云："父书空满筐，母线尚萦缠。"另一位溧阳诗人彭桂的《建初弟来都省亲喜极有感》亦有句云："向来多少泪，都染手缝衣。"可见《游子吟》留给人们的深刻印象是历久不衰的。有报载此诗在现代青少年中也有其巨大的影响，即此足见父母子女之爱乃是人之天性的自然流露。

　　明儒瞿九思有一组通俗的《孝顺歌》，其"亲恩"部分的五首是这样写的：

　　　　其一　欲把亲恩数一回，天高海阔总难猜。吾能数尽青丝发，只有亲恩数不来。

　　　　其二　听得娃儿哭一声，翻身就把手来擎。想他岁半周年内，一觉何曾睡得成？

　　　　其三　万事心焦只叫天，终朝终日未开颜。不知这是如何说？望见娇儿就喜欢！

其四　都是爷娘养下来，何曾只痛小婴孩？只因儿大难姑息，不好将来抱在怀！

其五　寸寸丝丝总是恩，谁能描得半毫真？《蓼莪》总是能描尽，只好依稀八九分！

其诗虽很浅俗，但对于父母的慈爱之情却写得非常真切动人。

在我国南北各地的民间，流行着很多描述父母含辛茹苦养育子女的民歌，或长篇叙写，或短章歌咏，或比喻，或白描，说尽了父母疼爱子女的无比深情。在骆承烈先生编的《中国古代孝道》一书中收有一篇很土很白的《亲恩歌》，是这样写的：

说起亲恩大如天，听我从头说一番：十月怀胎耽惊怕，临产就是生死关。

一生九死脱过去，三年乳哺受熬煎。生来不能吃东西，食娘血脉当饭餐。

白天揣着把活做，夜晚怀里揽着眠。左边尿湿放右边，右边尿湿放左边。

左右两边全湿净，将儿放在胸膛间。偎干就湿身受苦，抓屎抓尿也不嫌。

孩子脱了她不睡，敞着被窝任意玩。纵然自己有点病，怕冷也难避风寒。

孩子睡着怕他醒，不敢翻身常露肩。夏天结计蚊子咬，白天又怕蝇子餐。

又怕有人来惊动，惊得强醒不耐烦。孩子欢喜娘也喜，儿子啼哭娘不安。

这么拍来那么哄，亲亲吻吻密还甜。手里攀着怀中抱，掌上明珠是一般。

娘给梳头娘洗脸，穿衣曲顺小肘弯。小裤小袄忙里做，冬日棉来夏日单。

不会吃饭使嘴喂，惟恐儿女受饥寒。结计冷来结计热，结计吃来结计穿。

娘疼孩儿心使碎，孩儿不觉只贪玩。长大成人往回想，恩情难报这三年。

富家养儿还容易，贫家养儿更是难。无有炊烟无有米，儿女啼饥娘心酸。

万般出于无其奈，寻茶讨饭到街前。要下饭来儿先饱，娘就忍饥也心甘。

冬天做件破棉袄，自己冻着尽儿穿。娘为孩儿受冻饿，孩子小时不知难。

长大成人往回想，无有爹娘谁可怜？有时发热出痘疹，吓得爹娘心胆寒。

寻找医生求人看，煎汤熬药祷告天。恨不能的替儿病，吃饭不饱睡不眠。

多偺孩子好伶俐，这才昼夜能安然。三岁两岁才学走，恐有跌磕落伤残。

五岁六岁离怀抱，任意在外跑着玩。一时不见儿的面，眼跳心慌坐不安。

东家寻来西家找，怕是有人欺负咱。结计狗咬并车轧，只怕寻河到井边。

父母爱儿无有了，想想爹娘那一番。小篇不过说大意，千言万语说不全。

这篇民歌虽然写得既土且白，但它对孔子所谓"子生三年，然后免于父母之怀"的话，作了较为具体的发挥，然而仍说不尽父母养育子女所经历的千辛万苦。可以说,父母对于子女的无限慈爱之情,不管你用什么词语加以形容都不算过分!

三、教以义方,弗纳于邪

儒家在父母对于子女的教育之道方面,作了极其广泛而深入的探索。内容极其丰富精缜,值得加以系统的研究。

《书·召诰》曰:"若生子,罔不在厥初生,自贻哲命。"这是说,于孩子初生时若能教之以善,就有利于使之成为有德之哲人。意在说明幼儿教育之重要性。《左传·隐公三年》载卫大夫石碏谏卫庄公之言曰:"臣闻爱子,教之以义方,弗纳于邪。"《论语·学而》载孔子进一步对父母教育子女的内容作了简要的概括:"弟子,入则孝,出则弟,谨而信,泛爱众,而亲仁。行有余力,则以学文。"这一内容包括了孝悌、谨慎、诚信、爱众、亲仁等立身处世的道德修养和学习文献以加强智能的文化修养。《论语》还记录了孔子教子的几条具体事例。《阳货》篇载云:

> 子谓伯鱼曰:"女为《周南》、《召南》矣乎?人而不为《周南》、《召南》,其犹正墙面而立也与?"

《季氏》篇亦载云:

> 陈亢问于伯鱼曰:"子亦有异闻乎?"对曰:"未也。尝独立,鲤趋而过庭。曰:'学《诗》乎?'对曰:'未也。''不学《诗》,无以言。'鲤退而学《诗》。他日,又独立,鲤趋而过庭。曰:'学《礼》乎?'对曰:'未也。''不学《礼》,无以立。'鲤退而学《礼》。闻斯二者。"陈亢退而喜曰:"问一得三,闻《诗》,闻《礼》,又闻君子之远其子也。"

《论语注疏》释云:"过庭方始受训,则知不常嘻嘻亵慢。"孔子对于伯鱼既教之学《诗》,又教之学《礼》,正见出孔子很关心儿子的学业；而在陈亢的心目中形成了"君子之远其子"的印象，又见出孔子在儿子面前不失其为父之庄重威严的气象。

《礼记·学记》曰："良冶之子，必学为裘；良弓之子，必学为箕。"《孟子·离娄下》记孟子曰："中也养不中，才也养不才，故人乐有贤父兄也。"这都说明了父母家庭教育之重要。

据载，儒家的教子之道是从"胎教"开始的。就是子女尚在母腹还未出生之前，父母就应实施教育之道了。《大戴礼记·保傅》具体记述了胎教的基本要义：

> 青史氏之记曰："古者胎教：王后腹之七月，而就宴室，太史持铜而御户左，太宰持斗而御户右；比及三月者。王后所求声音非礼乐，则太师缊瑟而称不习；所求滋味非正味，则太宰倚斗而言曰：不敢以待王太子。"

卢辩注云："王后以七月就宴室，夫人妇嫔，即以三月就其侧室。"又云："周后妃任成王于身，立而不跛，坐而不差，独处而不倨，虽怒而不詈：胎教之谓也。"《列女传》曰："太任有娠，目不视恶色，耳不听淫声，口不出傲言。"综括以上论述的大意就是：王后怀胎七月或夫人妇嫔怀胎三月之时，就要与丈夫分居别室进行调养；在此期间，非礼之乐弗听，非正之味不食；目不视恶色，口不出傲言；一切言行仪态都要保持淳正恭敬、和易乐观等等。根据现代科学研究，这些规定是符合科学的。诚然，上述所论，是专就王侯贵族之家而言的，庶民家庭不可能有这种条件。不过，孕妇若能尽量多听优美的音乐，选吃合适的食物，举止做到动静适中，精神保持和易乐观，这无论对于孕妇和胎儿都是有百利而无一弊的。

关于幼儿教育，《礼记·内则》载有教子的一般进程：

> 子能食食，教以右手。能言，男唯女俞。男鞶革，女鞶丝。六年，教之数与方名。七年，男女不同席，不共食。八年，出入

门户及即席饮食必后长者，始教之让。九年，教之数日。十年，出就外傅，居宿于外，学书计。衣不帛襦袴，礼帅初，朝夕学幼仪，请肄简谅。十有三年，学《乐》，诵《诗》，舞《勺》。成童，舞《象》，学射御。二十而冠，始学《礼》，可以衣裘帛，舞《大夏》，惇行孝弟，博学不教，内而不出。

这段话的大意是：到了孩子能自己吃饭时，就要教以右手握筷子，还要根据男女的不同特性而教以不同的应对语气，系以不同的饰物。到六岁时，就可教以数目和方向。到七岁时，男孩和女孩就不宜混在一起。八岁时，即应教以尊敬长辈和谦让礼貌。九岁，就可教以年月日期和干支等知识。十岁，可使出外从师，学习书写和计算等技艺，穿戴合适的服饰，全天学习少年所应遵守的礼仪以及简编之文和诚信之德。十三岁，使之学习音乐知识，吟咏诗歌，舞《勺》的舞蹈。二十岁举行冠礼，即为成人，开始学《礼》，舞大禹创作的《大夏》之乐，诚心恭行孝悌之道。不过，其目标在于自己博学知识，尚不足以为师教人。——这一教育的程序，除了"七岁，男女不同席，不共食"一条颇觉陈旧而外，其余各条基本上是符合情理和科学的。

在北齐颜之推的《颜氏家训·教子》中，对于古代的胎教之道以及幼儿教育之重要，又作了较为系统的概括：

古者，圣王有胎教之法：怀子三月，出居别宫，目不邪视，耳不妄听，音声滋味，以礼节之。……生子孩提，师保固明孝仁礼义，导习之矣。凡庶纵不能尔，当及婴稚，识人颜色，知人喜怒，便加教诲，使为则为，使止则止。比及数岁，可省笞罚。父母威严而有慈，则子女畏慎而生孝矣。吾见世间，无教而有爱，每不能然；饮食云为，恣其所欲，宜诫翻奖，应呵反笑，至有识知，谓法当尔。骄慢已习，方复制之，捶挞至死而无威，忿怒

　　日隆而增怨,逮于成长,终为败德。孔子云"少成若天性,习惯
　　如自然"是也。俗谚曰:"教妇初来,教儿婴孩",诚哉斯语!
这是说,古代贤明的帝王在孩子尚未出生之前就在进行胎教了。
其法在于王后怀胎三个月后一切饮食举动都应循理而行。孩子出
生还在襁褓中时开始,就有师氏、保氏教以孝仁礼义之德。庶民固
然无此条件,但也应该在幼儿能"识人颜色,知人喜怒"之时就进行
教育。而且,父母必须既有威严又有慈爱,才能使子女敬畏行孝。
然而世人对子女往往不加教育,只知一味溺爱,对于孩子的饮食行
为百般迁就,任其为所欲为。应该训诫的,却加以夸奖;应该呵责
的,反而一笑了之。孩子懂事以后,以为道理就是如此。骄横轻慢
的习性既已养成,再开始严厉管教,就不但无效,反会使之增怨。
这样的孩子长大以后,必然是道德败坏之人。

　　宋司马光《书仪四》亦云:"若夫子之幼也,使之不知尊卑长幼
之礼,每致侮詈父母,殴击兄姊,父母不加诃禁,反笑而奖之,彼既
未辨好恶,谓礼当然;及其既长,习已成性,乃怒而禁之,不可复制,
于是父疾其子,子怨其父,残忍悖逆,无所不至。此盖父母无深识
远虑,不能防微杜渐,溺于小慈,养成其恶故也。"袁采《袁氏家范》
云:"人有数子,饮食衣服之爱不可不均一,长幼尊卑之分不可不严
谨,贤否是非之迹不可不分别。幼而视之以均一,则长无争财之
患;幼而教之以严谨,则长无悖慢之患;幼而有所分别,则长无为恶
之患。今人之于子,喜者其爱厚,而恶者其爱薄,初不均平,何以保
其他日无争? 少或犯长,而长或陵少,初不训责,何以保其他日不
悖? 贤者或见恶,而不肖者或见爱,初不允当,何以保其他日不
为恶?"

　　综观以上诸家所论,共同说明了这样一种道理:教育成败的关
键在于是否使子女养成良好的习惯,若要养成良好的习惯,就必须

从小抓起。因为小孩的可塑性较大，好比一团泥，可按父母的愿望塑成各种形状。如果从小娇惯放纵，坏习惯一旦形成之后，积习难改，所谓"少成若天性，习惯如自然"，即使加以严厉管教，也将无济于事了。

根据上述《礼记·内则》所载，父母对于子女的教育，大致而言主要可分两个阶段：十岁以前完全是家庭教育，主要由父母直接实行施教，当然也包括叔伯、兄姊等的辅助教导；十岁以后，使之出外从师，父母就把教育子女的主要责任委托给师长执行。因此，儒家乃有所谓"君子不亲教子"或"古者易子而教"之说。

古人重视对子女教育，这是人所共知的，但大家往往忽略的是，在如何教育子女的问题上，古代中国有一个所谓"君子不亲教子"或"易子而教"的制度法则。据现存文献资料考察，最早提到这个制度法则并加以解释的是孟子。据《孟子·离娄上》云：

公孙丑曰："君子之不教子，何也？"孟子曰："势不行也。教者必以正；以正不行，继之以怒。继之以怒，则反夷矣。'夫子教我以正，夫子未出于正也。'则是父子相夷也。父子相夷，则恶矣。古者易子而教之。父子之间不责善，责善则离，离则不祥莫大焉。"

孟子这段话，值得注意者有三：其一，"君子不教子"，并不是弃子不教，而是"易子而教"；其二，"易子而教"或"君子不教子"是古已有之的制度法则；其三，君子之所以不亲教子，是因为"教者必以正"，必然导致父子间因互求其"正"而彼此求全责备，互相责备就会使父子间产生隔阂，伤害父子感情，而"易子而教"正可避免这种伤害。《孟子·离娄下》亦载孟子曰："夫章子，子父责善而不相遇也。责善，朋友之道也；父子责善，贼恩之大者。"以善相责，这是朋友相处之道，父子间以善相责，是最伤感情的事情，章子就因为对父亲责善,得罪了父亲,而把父子关系弄僵了。故孟子认为"父子责善,贼恩之大者"。为什么父子间不能以善相责呢?鄙意窃谓:父以善责子,这是无可厚非的,关键在于子以善责父,说出"夫子教我以正,夫子未出于正也"这样的话,不仅伤害了父亲的感情,而且更主要的是有损于父亲在儿子心目中的威严形象。所以,在孟子看来,古人之所以要"易子而教",主要是为了避免父子"责善",特别是为了避免子以善责父而导致有损父亲形象的事情发生。

孟子之后,提到"君子不亲教子"法则并加以解释的,代不之人,如汉代班固《白虎通义·辟雍》云:"父所以不自教子何?为其渫渎也。又授受之道,当极说阴阳夫妇变化之事,不可以父子相教也。"颜之推《颜氏家训·教子》亦云:"或问曰:'陈亢喜闻君子之远其子,何谓也?'对曰:'有是也。盖君子之不亲教其子也,《诗》有讽刺之辞,《礼》有嫌疑之诫,《书》有悖乱之事,《春秋》有邪僻之讥,《易》有备物之象,皆非父子之可通言,故不亲授耳。'"可见前引《论语》所载"陈亢问于伯鱼"一条,《论语注疏》谓之"过庭方始受训",而陈亢又以为"君子之远其子",其实此正体现了"君子不亲教子"之意。考察班固、颜之推的解释,大致皆谓教学中有"阴阳夫妇变化"和"悖乱"、"邪僻"等内容,是父子间不可通言的,因而需要"易子而教"。为什么"阴阳夫妇变化"等内容不可在父子间通言呢?鄙意窃谓:"阴阳夫妇"之事语涉私亵,如《诗经》中描写的男欢女爱,《春秋》记载的宫廷淫乱之事,确是父子间难以通言的。如果在父子间讨论此等问题,也有损父亲在儿子心目中的威严形象。

总之,从以上所引孟子、班固、颜之推等人的言论可知,古者"易子而教",一是为了避免父子"责善",二是因为"阴阳夫妇变化"等内容不可在父子间通言,其目的皆是为了维护父亲在儿子心目中的威严形象。《三字经》说:"养不教,父之过;教不严,师之惰。"

养子而不加以教育,这是作为父亲的过错,但教育子弟之具体工作不是由父亲来完成,而是落到老师的身上。刘向《说苑·建本》所谓"子年七岁以上为之择明师",当指延师教子而言;《礼记·内则》所谓"十年,出就外傅",当指使之负笈从师而言;假若双方父亲都是博学之士,则还有互相"易子而教"的教学方式。而父亲基本上是不亲教子女的。

古人强调"君子不亲教子",主张"易子而教",目的是为了维护父之威严。如《孝经》云:"孝莫大于严父,严父莫大于配天。"《颜氏家训·教子》亦云:"父子之严,不可以狎;骨肉之爱,不可以简。简则慈孝不接,狎则怠慢生焉。"家颐《教子语》亦说:"父子之间不可溺于小慈,自小律之以威,绳之以礼,则长无不肖之悔。"因此,古时又有"严父"和"慈母"之称。为父者立之以威严,为母者施之以慈爱,如若父母两相默契配合得当,确实是一种非常有效的教育策略,也符合儒家宽猛相济、恩威并施的方法。《袁氏世范》谓"慈父固多败子"、"父严而子知敬畏"、"父宽则子玩易而恣其所行矣";《课子随笔钞》亦谓"但有严父,必出好子"。但为父者维护其威严并不等于缺乏爱心,慈爱之心是深藏于威严的外表之下的。外威而内慈,正是为了能够更好地教育子女。

关于"君子不亲教子",鄙意窃谓,并非真的绝对不教子,而只是相对而言。这主要包括两种情况:其一,有些内容,不便在父子之间直接交流,而是由师长施教更为合适。其二,教育是一门专业学问,而作为父母,并非都是专职教师,教育年幼子女,尚能胜任,到子女年长后,为了使子女能学到更多的知识并能进一步开阔视野,自然应使之向名师从学为宜。其三,理论与实践之间往往是有差距的,作为教育子女的知识多为尽善尽美的圣人之道,然而作为父母,并非皆属圣贤,用以教育子女的道理,自己往往未能达到,这就形成了孟子所说的父子之间"责善则离"的问题，有损于父子之间的关系。为了避免这种"不祥"的处境，即使父母都是有学问的专职教师，亦以"易子而教"为妥。

然而，无论是使子女"出就外傅"抑或与他人父母"易子而教"，父母并非就此撒手不管，从选择合适的老师、提供从学的经费乃至考察子女的学业等等，仍须父母全面操心。所以，从责任而言，仍属于父母所负的范围之内。

有人说，儒家主张男孩才有受教育的权利，女孩则没有。其实不然。《礼记·内则》曰："女子十年不出，姆教婉娩听从，执麻枲，治丝茧，织纴组纠，学女事以供衣服，观于祭祀，纳酒浆笾豆菹醢，礼相助奠。"陈澔注云："姆，女师也。"这是先秦时代十岁之内的女孩在家从师就学之证。当然，男女所学的内容是有区别的，男的主要学治国从政之道，而女的主要是学女工、祭礼等"女事"，也包括一些文化知识。不过，这种区别，是从适应当时男女分工的实用出发的，应属于时代局限的问题；假若有人鼓吹女子学习治国从政之道，反而是脱离当时的社会现实的。

又有人认为男子可以"十年出就外傅"，而女子至多只能请家庭教师在家中接受教育。但从"女子十年不出"与下文"二十而嫁"看来，在十岁到二十岁之间是可以外出的。外出何事？作为当时的少女，除了外出从学而外，实在别无他事需要外出。《诗·葛覃》末章云："言告师氏，言告言归。薄污我私，薄澣我衣。害澣害否，归宁父母。"朱注："宁，安也，谓问安也。"这显然是一个出外从学的有文化的女子，准备回家向父母问安时所作的诗。而据上文"是刈是濩，为絺为绤"以及本章"薄澣我衣"等句看来，作者绝非出于王室或公卿之家，大概属于大夫或士阶层的门第。当然，无论是在家请师抑或出就外傅，也只有至少在"士"以上的经济宽裕之家才能做到,而广大的庶民之家是没有这种条件的。不过,有没有条件是另一回事,关键在于儒家并非主张女子不要学文化。其实,据《左传》、《国语》等史书记载,先秦时代有许多妇女是有很高的文化修养的,即如孔子之母和孟子之母,就是既有文化又有卓识的杰出女子。即使到了男尊女卑愈益分明的秦汉以后,许多儒门闺秀都是既学女工而又博通《诗》、《书》的才女。这无疑应归功于儒家重视文化的思想。而后世之所谓"女子无才便是德"云云,只不过是一种世俗的粗鄙浅陋的见识而已,决不是儒家思想!

以上所述,仅是父母教育子女的基本情况。至于教育的具体内容,则先儒经典乃至后儒著述,凡是有益于道德修养和文化修养的文献,都可视为父母教育子女的内容,唯在于针对子女所学情况作出合理的选择而已。

四、作诫垂训,勉之以德

儒家教子之道,除了群经及后儒著述多有论述而外,还有历代相传的家诫、家训之类,也包括一些专为教育子女而作的书信之属。这是一种专为训诫子孙而作的文字,有其更强的针对性。

家训、家诫,最早盖始于对子女的口头训诫。据载,周武王有疾,谓世子曰:"见善勿怠,时至勿疑,去非勿处:此三者,道之所以止也。"又《史记·鲁世家》载,周公元子伯禽就封于鲁,赴任时,周公戒伯禽曰:"我文王之子,武王之弟,今王之叔父,我于天下亦不贱矣。然我一沐三握发,一饭三吐哺,起以待士,犹恐失天下之贤人。子之鲁,慎无以国骄人。"这是对子女当面进行口头告诫之例。其后又有出仕在外者,常以书简形式训诫家中子侄,如汉刘向《诫子书》、后汉诸葛亮《诫子书》等。继而又有笔之于书,成为一部专门著述,以期垂训于后代子孙,如北齐颜之推《颜氏家训》、宋袁采

《袁氏家范》之类。此外还有辑录历代各名家的训诫之文，积成卷帙，以资家教之用，如《戒子通录》、《课子随笔》之类。于是乃形成一个以家教为主题的内容丰富的文化系统。

作为父母而撰写家诫、家训的目的，正如颜之推《颜氏家训·序致》所云："夫圣贤之书，教人诚孝，慎言检迹，立身扬名，亦已备矣。""吾今所以复为此者，非敢轨物范世也，业以整齐门内，提撕子孙。夫同言而信，信其所亲；同命而行，行其所服。禁童子之暴谑，则师友之诫，不如傅婢之指挥；止凡人之斗阋，则尧舜之道，不如寡妻之诲谕。"颜氏认为，虽然圣贤书中教人之道业已详备，但从教导儿童和劝诫家人而言，则尧舜之道反不若傅婢和寡妻的话亲切有效。故他之所以撰写《家训》，就是要像傅婢指挥童子那样有效地把尧舜之道传授给子孙。这也代表了《家诫》、《家训》作者们的一般心理。所以，编撰《家诫》、《家训》的意图，在于极力使儒家经典易晓易知，有如傅婢诲谕儿童的言语，能够达到便于理解记忆、自觉实行的效果。

历代各种"家诫"、"家训"集中地体现了儒学的仁义思想和中庸之道的行事总则。并力图通过人们的人伦天性、社会生活和实践经验等来论证其合理性，使之能够规范子孙的行为，变成其自觉的行动，从而造就成为合乎圣贤之道的德才兼备之人。故就其大体而言，《家诫》、《家训》的内容不外乎两个方面：一为教以道德方面的立身处世之道，二为勉以好学读书以获取才智学问，或则兼而有之。就其具体而言，则对于儒家思想中的忠孝仁义、恭慎诚信、勤俭谦让、立身勉学、保家守业、交友接物等等都有所论述，并以此教谕子孙后代将其贯穿于每一行动之中。

"仁义"乃儒学宗旨，而"孝悌"乃为仁之本，故勉子孙以仁义孝悌，乃《家诫》、《家训》的基本内容。为了使其子孙后代从小就懂得仁义孝悌，"家诫"、"家训"的作者们往往援引祖先的仁义之行，由远及近，训导他们如何做到上敬父母，下睦宗亲。如王昶《诫子侄书》谓"今汝先人，世有冠冕"；《颜氏家训》谓"吾家风教，素为整密"云云，都是以祖先的仁义之德来教育后代，而后，再回到现实，举出实例，着重阐明如何用仁义孝悌之德维持父子、兄弟乃至整个家族的亲睦关系，以及提高自身的道德修养，以期成为好善的有道君子。

素有仁德之称的汉昭烈帝刘备，遗诏敕太子刘禅云："勿以恶小而为之，勿以善小而不为。惟贤惟德，能服于人。汝父德薄，勿效之。"寥寥数语，成为千古格言。以英明著称的唐太宗，尝谓皇属曰："朕即位十三年矣，外绝游观之乐，内却声色之娱。汝等生于富贵，长自深宫。夫帝子亲王，先须克己。每着一衣，则悯蚕妇；每餐一食，则念耕夫。至于听断之间，勿先恣其喜怒。朕每亲临庶政，岂敢惮于焦劳？汝等勿鄙人短，勿恃己长，乃可永久富贵，以保贞吉。先贤有言：'逆吾者是吾师，顺吾者是吾贼。'不可不察也。"作为帝王之尊，他首先要求皇属们克制约束自己，不可胆大妄为，自遭毁灭。这对普通人尤其是对掌权的人，都极有教育意义。

后汉大儒郑玄《戒子》曰："求为君子之道，钻研勿替。敬顺威仪，以近有德。显誉成于僚友，德行立于己志，可不深念耶？"蔡邕《女训》云："心犹首面也，是以甚致饰焉。面一旦不修饰，则尘垢秽之；心一朝不思善，则邪恶入之。人咸知饰其面而不修其心，惑矣。夫面之不饰，愚者谓之丑；心之不修，贤者谓之恶。愚者谓之丑犹可，贤者谓之恶，将何容焉？故览照拭面，则思其心之洁也；傅脂，则思其心之和也；加粉，则思其心之鲜也；泽发，则思其心之顺也；用栉，则思其心之理也；立髻，则思其心之正也；摄鬓，则思其心之整也。"

蜀贤向朗遗言戒子云:"天地和则万物生,君臣和则国家平,九族和则动得所求,静得所安,是以圣人守和以存以亡也。吾楚国之小子耳,而早丧所天,为二兄所诱养,使其性行不随禄利以堕。今但贫耳,贫非人患,惟和为贵,汝其勉之。"儒家处世最重视和,故向朗遗言专讲"和"字,深合圣贤之道。魏王昶《戒子侄书》云:"夫人为子之道,莫大于宝身、全行、以显父母。此三者,人知其善,而或危身破家,陷于灭亡之祸者,何也? 由所祖习非其道也。夫孝敬仁义,百行之首,行之而立,身之本也。孝敬则宗族安之,仁义则乡党重之。此行成于内,名著于外者矣。"这里,他把孝敬仁义讲得何等重要! 魏羊耽妻辛宪英戒子云:"古之君子,入则致孝于亲,出则致节于国,在职思其所司,在义思其所立,不遗父母忧患而已。军旅之间,可以济者,其惟仁恕乎! 汝其慎之。"以"仁恕"戒子,使其子羊琇得免于钟会之祸,不愧有"才鉴"之称。

晋羊祜《诫子书》曰:"吾少受先君之教,能言之年,便召以典文;年九岁,便诲以《诗》、《书》,然尚犹无乡人之称,无清异之名。今之职位,谬恩之加耳,非吾力所能致也。吾不如先君远矣,汝等复不如吾。谘度弘伟,恐汝兄弟未之能也;奇异独达,察汝等将无分也。恭为德首,慎为行基,愿汝等言则忠信,行则笃敬。无口许人以财,无传不经之谈,无听毁誉之语。闻人之过,耳可得受,口不得宣,思而后动。若言行无信,身受大谤,自入刑论,岂复惜汝,耻及祖考。思乃父言,纂乃父教,各讽诵之。"羊祜并不过高地要求其子"谘度弘伟"、"奇异独达",而是要求能成为恭慎诚信的有德之人。措辞可谓平实之至。陶渊明《与子俨等疏》曰:"汝等虽不同生,当思'四海皆兄弟'之义。鲍叔、管仲,分财无猜;归生、伍举,班荆道旧。遂能以败为成,因丧立功。他人尚尔,况同父之人哉!"教诸子以互相友爱之义,足见为父者之愿望。而北齐颜之推《颜氏家训》更全以孝悌仁义教育子孙,故周中孚《郑堂读书记》谓其"全书皆本之孝弟,推以事君上,处朋党之间,其归要不悖于六经"。宋名臣范仲淹《告诸子及弟侄》云:"吴中宗族甚众,于吾固有亲疏,然以吾祖宗视之,则均是子孙,固无亲疏也。苟祖宗之意无亲疏,则饥寒者吾安得不恤也。自祖宗来积德百余年,而始发于吾,得至大官,若享富贵而不恤宗族,异日何以见祖宗于地下,今何颜以入家庙乎?"范仲淹生活节俭,却用薪俸买田千亩,赡养族中穷人,就是这段话的实行。

明末名士高攀龙《家训》云:"吾人立身天地间,只思量作得一个人,是第一义,余事都没要紧。……作好人,眼前觉得不便宜,总算来是大便宜;作不好人,眼前觉得便宜,总算来是大不便宜。千古以来,成败昭然,如何迷人尚不觉悟,真是可哀! 吾为子孙发此真切诚恳之语,不可草草看过。"以"作好人"勉励子孙,尤为深切之至。

教育子女勤俭守业,谦让处世,以期永久立于不败之地,又是家诫、家训的一大内容。首先,"勤"是治家立业之要务。《国语·鲁语下》记鲁大夫公父文伯之母敬姜论劳逸之道以教子云:"夫民劳则思,思则善心生;逸则淫,淫则忘善,忘善则恶心生。沃土之民不材,淫也;瘠土之民莫不向义,劳也。……君子劳心,小人劳力,先王之训也。自上以下,谁敢淫心舍力? 今我,寡也,尔又在下位,朝夕处事,犹恐忘先人之业。况有怠惰,其何以避辟?"敬姜作为一位贵族妇女,儿子又做着高官,能够懂得劳动的重要,反对好逸恶劳,亲自绩麻,言传身教,自是难能可贵。

其次,"俭"乃持家养廉之美德。宋司马光《训俭示康》云:"众人皆以奢靡为荣,吾心独以俭素为美。……御孙曰:'俭,德之共也;侈,恶之大也。'共,同也,言有德者皆由俭来也。夫俭则寡欲。

君子寡欲则不役于物，可以直道而行；小人寡欲则能谨身节用，远罪丰家。故曰：'俭，德之共也。'侈则多欲。君子多欲则贪慕富贵，枉道速祸；小人多欲则多求妄用，败家丧身，是以居官必贿，居乡必盗。故曰：'侈，恶之大也。'……以俭立名，以侈自败者多矣。"这是司马光专为告诫其子司马康崇尚俭德而作的名训。陆游《放翁家训》亦云："天下之事，常成于困约，而败于奢靡。"朱柏庐《治家格言》云："自奉必须俭约，宴客切勿流连。"亦是崇俭之意。

再次，"谦让"乃立身处世之要道。唐处士朱仁轨诲了弟云："终身让路，不枉百步；终身让畔，不失一段。"范纯仁戒子弟云："人虽至愚，责人则明；虽有聪明，恕己则昏。苟能以责人之心责己，恕己之心恕人，不患不至圣贤地位也。"

曾国藩教育子侄率以勤俭谦让为本。其《家书·致九弟季弟》云："贤弟教训后辈子弟，总当以勤苦为体，谦逊为用，以药骄佚之积习。"《致四弟》云："余在外无他虑，总怕子侄习于骄、奢、佚三字。家败离不得个'奢'字，人败离不得个'佚'字，讨人嫌离不得个'骄'字。弟切戒之！"又云："时事日非，吾家子侄辈，总以谦、勤二字为主，戒傲、惰，保家之道也。""天地间惟谦、谨是载福之道。骄则满，满则倾矣。凡动口动笔，厌人之俗，嫌人之鄙，议人之短，发人之覆，皆骄也。无论所指未必果当，即使一切当，已为天道所不许。吾家子弟，满腔骄傲之气，开口便道人短长，笑人鄙陋，均非好气象。"发扬勤俭谦让，切戒骄奢淫逸，确乃保家兴业之道。

古云"俭可养廉"，故崇俭以养廉，又是古人教子的一大重要内容。《晋书》载，陶侃初为浔阳小吏，管理渔业，送了一罐糟鱼给母亲。哪知其母湛氏拒收官物，将鱼封好退还，并作书以责之："尔为吏，以官物遗我，非惟不能益吾，乃以增吾忧矣。"陶母"封鲊返书"的故事，永远值得官吏家属所学习。隋房彦谦教子云："人皆因禄富,我独以官贫,所遗子孙,在于清白耳。"唐崔玄晴母诫子云:"吾见姨兄屯田郎中辛玄驭云:'儿子从宦者,有人来云贫乏不能存,此是好消息;若闻资货充足,衣马轻肥,此恶消息。'吾常重此言,以为确论。比见亲表中仕宦者,多将钱物上其父母,父母但知喜悦,竟不问此物从何而来。必是禄俸余资,诚亦善事;如其非理所得,此与盗贼何别?纵无大咎,独不内愧于心?"辛玄驭的话最为警策,崔母认为这是确论,见识自是高人一等。以此教子,造就子孙世代清廉,为人称道。说明崔母的训诫影响非常深远。宋范仲淹《告侄》云:"汝守官处小心不得欺事,与同官和睦多礼,有事只与同官议,莫与公人商量,莫纵乡亲来部下兴贩,自家且一向清心做官,莫营私利。汝看老叔自来如何,还曾营私否?自家好,家门各为好事,以光祖宗。"贾昌朝《戒子孙》云:"又见好奢侈者,服玩必华,饮食必珍,非有高资厚禄,则必巧为计划,规取货利,勉称其所欲。一旦以贪污获罪,取终身之耻,其可救哉!"欧阳修《与十二侄》云:"昨书中言欲买朱砂来,吾不缺此物。汝于官下宜守廉,何得买官下物?吾在官所,除饮食物外,不曾买一物,汝可安此为戒也。"清白传家,乃儒门要义。这些训诫,至今仍值得弘扬。

从崇俭之义出发,很多通儒还提倡节葬之风。《北史》载,北魏源贺遗令诸子云:"吾终之后,所葬,时服单椟,足申孝心,刍灵明器,一无用也。"唐代名相姚崇遗令戒子孙云:"吾亡后,必不得辄用余财,为无益之佛事;亦不得妄出私物,徇追福之虚谈。"《宋史》载,名相王旦戒子弟云:"我家盛名清德,当务俭素,保守门风,不得事于泰侈,勿得厚葬,以金玉置柩中。"明吕坤遗命云:"衣衾仅周身,不重袭,枕椸以经史。不敛含,一毫金珠不以入棺,一寸缣帛不以送葬。明器如生,丧具以纸,余照《家礼》行。不点主,不远谢。不动鼓吹,不设宴饮。风水阴阳僧道家言,一切勿用。恤典任有无,毋乞祭葬。士民任臧否，毋玷乡祠。至于状、碑、传、表，丧家首所汲汲，儿辈无然。善恶在我，毁誉由人。盖棺论定，无藉于子孙之乞言耳。"他遗命薄葬，还要其子不要去求人写碑铭、传记，可谓通达之至！今人每以厚葬非议儒家，其实历代通儒，多尚俭葬，足为今人取法。

在交友处世、待人接物方面，"家诫"、"家训"强调宽厚待人，严格律己，取人之长，补己之短。以此教育子孙，使他们从小养成谦恭礼让的君子风度。故而极其反对矜善自伐和对他人的无端毁誉。汉东方朔《诫子》曰："明者处世，莫尚于中。优哉游哉，与道相从。首阳为拙，柳惠为工。饱食安步，以仕代农。"刘向《诫子书》曰："有忧则恐惧敬事，敬事则必有善功而福至也。""受福则骄奢，骄奢则祸至，故弔随而来。"马援的《诫兄子书》曰："吾欲汝曹闻人过失，如闻父母之名，耳可得闻，口不可得言也。好议论人长短，妄是非正法，此吾所大恶也，宁死不愿闻子孙有此行也。"马援此诫，是因其子侄轻薄无行而遭讼才作的。他的子侄得了这封诫书，便拿了它与讼书去见朝廷，得到了宽恕，从而保住了家族的地位。王昶《戒子侄书》则非但重申马援之训，更引而申之云："人或毁己，当退而求之于身。若己有可毁之行，则彼言当矣；若已无可毁之行，则彼言妄矣。当则无怨于彼，妄则无害于身，又何反报焉？"正如吴姚信《诫子》所云："顾真伪不可掩，褒贬不可妄。舍伪从实，遗己察人，可以通矣；舍己就人，去否适泰，可以弘矣。贵贱无常，唯人所速：苟善，则匹夫之子可至王公；苟不善，则王公之子反为凡庶。可不勉哉！"祸福穷达，全系乎自己的胸怀志趣。

在教育子女如何交友接物方面，还常常从现实中反复举例，以资论证。如马援《诫兄子书》云："龙伯高敦厚周慎，口无择言，谦约节俭，公正有威，吾爱之重之，愿汝曹效之。杜季良豪侠好义，忧人之忧，乐人之乐，清浊无所失，父丧致客，数郡毕至，吾爱之重之，不愿汝曹效也。效伯高不得，犹为谨敕之士，所谓刻鹄不成，尚类鹜者也；效季良不得，陷为天下轻薄子，所谓画虎不成，反类狗者也。"王昶《戒子侄书》亦云："北海徐伟长，不治名高，不求苟得，澹然自守，惟道是务。其有所是非，则托古人以见其意，当时无所褒贬，吾敬之重之，愿儿子师之。东平刘公幹，博学有高才，诚节有大义，然性行不均，少所拘忌，得失足以相补，吾爱之重之，不愿儿子慕之。乐安任绍先，淳粹履道，内敏外恕，推逊恭让，处不避污，怯而义勇，在朝忘身，吾友之善之，愿儿子遵之。"唐徐世勣遗训云："我即死，欲有言，恐悲哭不得尽，故一诀耳！我见房玄龄、杜如晦、高季辅皆辛苦立门户，亦望诒后，悉为不肖子败之。我子孙今以付汝，汝可慎察，有不厉言行、交非类者，急榜杀以闻，毋令后人笑吾，犹吾笑房、杜也。"以现实中人作为殷鉴，尤见真切，可谓谆谆告诫，用心良苦。

教育子女以仁义孝悌、勤俭清廉之德，体现了父母的一片既真切而又独具卓识的慈爱之心。

五、诗书教子，勉学以勤

"家诫"、"家训"还十分注重勉学立身方面的教诲。认为学业是修身的根本，无学将会导致轻薄无行。只有学以明理，才能居仁由义，以礼自持，而达圣贤之境。

首先，谕以读书的重要性。一向看不起儒生的刘邦，做了皇帝以后，深悔以前不学之过，并手敕太子刘盈云："吾遭乱世，当秦禁学，自喜，谓读书无益。洎践祚以来，时方省书，乃使人知作者之意，追思昔所行，多不是。汝曹力勉之。"又云："吾生不学书，但读书问字而遂知耳。以此故不大工，然亦足自辞解。今视汝书，犹不如吾。汝可勤学习,每上疏宜自书,勿使人也。"能以自己的体验现身说法,尤觉深切。汉时韦贤,字长孺,子玄成,俱以明经位至丞相。时人语曰:"遗子黄金满籝,不如教子一经。"说明教子读书之重要。梁简文帝萧纲《诫当阳公书》曰:"汝年时尚幼,所阙者学。可久可大,其唯学与!"当阳公是简文帝之子,名大心,后封浔阳王。古人所谓"学",包括道德修养与文化修养两方面的内容。简文帝教子,认为"唯学"乃为"可久可大"之业,可谓名言。唐代大儒韩愈《符读书城南》有云:"人之能为人,由腹有诗书。诗书勤乃有,不勤腹空虚。……金璧虽重宝,费用难贮储。学问藏之身,身在即有余。……人不通古今,马牛而襟裾。行身陷不义,况望多名誉?"宋欧阳修《诲学说》云:"'玉不琢,不成器;人不学,不知道。'然玉之为物,有不变之常德,虽不琢以为器,而犹不害为玉也;人之性,因物则迁,不学,则舍君子而为小人,可不念哉!"欧阳修告诫儿子,人与玉不同:玉不琢,仍不失其为玉;人不学习向上,就会误入歧途,成为品行卑下的人,故应引起警惕。

其次,勉以立志,持之以恒。蜀汉诸葛亮《诫子书》曰:"夫君子之行,静以修身,俭以养德。非澹泊无以明志,非宁静无以致远。夫学须静也,才须学也。非学无以广才,非志无以成学。淫慢则不能励精,险躁则不能治性。年与时驰,意与日去,遂成枯落,多不接世。悲守穷庐,将复何及!"这是讲立志、修身、勉学,结合实践经验,循循善诱,导之以发奋努力。司马徽《诫子书》曰:"论德则吾薄,说居则吾贫。勿以薄而志不壮,贫而行不高也。"虽处贫穷之境,仍须立志向上。宋袁采《袁氏家范》云:"大抵富贵之家教子弟读书,固欲其取科第及深究圣贤言行之精微。然命有穷达,性有昏明,不可责其必到。尤不可因其不到而使之废学。盖子弟知书,自有所谓无用之用者存焉。史传载故事,文集妙词章,与夫阴阳卜簉、方技小说,亦有可喜之谈;篇卷浩博,非岁月可竟。子弟朝夕于其间,自有资益,不暇他务,又必有朋旧业儒者相与往还谈论。何至饱食终日无所用心,而与小人为非也!"这是说,读书除了求取功名之外还有很多用处,所以不要因为子弟们达不到科第的目标就使之废学。清左宗棠《致孝威、孝宽》云:"读书作人,先要立志。……志患不立,尤患不坚。"《致霖儿》云:"好读书之人,自有书气,外面一切嗜好,不能诱之。世之所贵读书寒士者,以其用心苦,读书境遇苦,寒士可成才也。若读书不耐苦,则无所用心之人;境遇不耐苦,则无所成就之人。"勉以立志和耐苦,乃治学之要义。

其三,谕以明确为学目的,端正学习态度。《颜氏家训·勉学》云:"夫所以读书学问,本欲开心明目,利于行耳。未知养亲者,欲其观古人之先意承言,怡声下气,不惮劬劳,以致甘腝,惕然惭惧,起而行之也;未知事君者,欲其观古人之守职无侵,见危授命,不忘诚谏,以利社稷,恻然自念,思欲效之也;素骄奢者,欲其观古人之恭俭节用,卑以自牧,礼为教本,敬者身基,瞿然自失,敛容抑志也;素鄙吝者,欲其观古人之贵义轻财,少私寡欲,忌盈恶满,赒穷恤匮,赧然悔耻,积而能散也;素暴悍者,欲其观古人之小心黜己,齿弊舌存,含垢藏疾,尊贤容众,茶然沮丧,若不胜衣也;素怯懦者,欲其观古人之达生委命,强毅正直,立言必信,求福不回,勃然奋厉,不可恐慑也。历兹以往,百行皆然。纵不能淳,去泰去甚。学之所知,施无不达。"又云:"夫学者,所以求益耳。见人读数十卷书,便自高大,凌忽长者,轻慢同列;人疾之如仇敌,恶之如鸱枭。如此以学自损,不如无学也。""古之学者为己,以补不足也;今之学者为人,但能说之也。古之学者为人,行道以利世也;今之学者为己,修身以求进也。夫学者犹种树也,春玩其华,秋登其实。讲论文章,春华也;修身利行,秋实也。"这把为学与立身处世的实践密切地联系起来,崇尚学以致用,深合儒家知行合一之义。

其四,导之以治学方法。唐杜甫《宗武生日》有句云:"诗是吾家事,人传世上情。熟精文选理,休觅彩衣轻。"其《又示宗武》诗云:"觅句新知律,摊书解满床。试吟青玉案,莫羡紫罗囊。暇日从时饮,明年共我长。应须饱经术,已似爱文章。十五男儿志,三千弟子行。曾参与游夏,达者得升堂。"陆游《放翁家训》云:"子孙才分有限无如之何,然不可不使读书。贫则教训童稚,以给衣食,但书种不绝足矣。""后生才锐者最易坏,若有之,父兄当以为忧,不可以为喜也。切须常加简束,令熟读经子,训以宽厚恭谨,勿令与浮薄者游处。如此十许年,志趣自成。不然,其可虑之事盖非一端。吾此言后人之药石也。各须谨之,毋贻后悔。"陆游晚年家居,非常重视对子孙的教育。此段《家训》意在勉励子孙读书,以及导之以对待读书的正确态度。故朱柏庐《治家格言》亦曰:"子孙虽愚,经书不可不读。"

其五,勉以珍惜时间,及时进取。魏王修《诫子书》曰:"人之居世,忽去便过。日月可爱也,故禹不爱尺璧而爱寸阴。时过不可还,若年大不可少也。欲汝早成未? 必读书,并学作人。汝今逾郡县,越山河,离兄弟,去妻子者,欲令见举动之宜,效高人远节,闻一得三,志在善人,左右不可不慎。善否之要,在此际也。行止与人,务在谨之。言思乃出,行详乃动,皆用情实道理,违斯败矣。"《颜氏家训·勉学》云:"人生小幼,精神专利,长成已后,思虑散逸,固须早教,勿失机也。……幼而学者,如日出之光;老而学者,如秉烛夜行,犹贤乎瞑目而无见者也。"

其六,强调做人与读书融合为一。梁徐勉诫子崧云:"古人所谓'以清白遗子孙',不亦厚乎! 又云:'遗子黄金满籯,不如一经。'详求此言,信非徒语。"清陆陇其《三鱼堂文集·示大儿定征》云:

"非欲汝读书取富贵,实欲汝读书明白圣贤道理,免为流俗之人。读书做人,不是两件事。将所读之书,句句体贴到自己身上来,便是做人的法,如此,方叫得能读书人。若不将来身上理会,则读书自读书,做人自做人,只算做不曾读书的人。"郑板桥《家书》亦云:"夫读书,中举、中进士、作官,此是小事,第一要明理做个好人。"左宗棠写有许多勉励诸子读书的家信。其《致孝威》云:"尔等读书作人,能立志向上,思乃父之苦,体乃父之心,日慎一日,不至流于不肖,则无复挂牵矣。"又云:"读书最为要紧。所贵读书者,为能明白事理,学作圣贤,不在科名一路;如果是品端学优之君子,即不得科第亦自尊贵。若徒然写一笔时派字,作几句工致诗,摹几篇时下八股骗一个秀才、举人、进士、翰林,究竟是什么人物?"谆谆告诫的虽然都是普通寻常的道理,其实正是从普通寻常的告诫中体现了父母教导子女的一片苦心。而其更能以"读书明理,不在科名"的观点教子,确已跳出陋俗窠臼,堪称卓识。

综观历代家诫、家训,古人教子主要有两大内容,一是做人,二是读书,而且常把读书与做人联系在一起。他们认为,读书固然是为了求知,更重要的是为了学做人。做什么样的人?就是居家要孝悌,待人要诚实,做事要勤奋,生活要节俭,为官要清廉,交友要谨慎等等。他们都把做人看得比读书做官更重要,这是儒家思想的一大特色,也是中华民族传统文化的一大特色。

古人教子有很多值得学习和借鉴的地方。他们重视身教,教育后代,自己先以身作则作出榜样,以为子孙所取法。古人教育子女的家诫、家训以及家书之类,都是从他们心里流出来的,包含着自己的信念,对后辈的殷切期望,故而往往成为掷地有声、千古传诵的格言,值得加以弘扬。

父母是人生的第一个老师,他们对自己的子女怀着深深的爱,又最理解他们,父母的修养情操和他们的话,对子女的影响特别大,可以说有着神奇的力量,可以激起他们感情的涟漪,沟通两代人的心扉,起着感染和潜移默化的作用。

历代的政治舞台上,曾有多少人建功立业,封侯拜相。然而,他们有的却因子弟的骄奢淫逸而致家族败落,有的因子弟的轻狂犯法而遭九族覆灭。世代荣华富贵与一朝倾覆败没,几乎成为贵族世家所遵循的两道轨迹。追求世代荣华富贵和防止家族一朝覆没,成为富贵之家处心积虑思索的问题。为此,最有效的小法莫过于取法儒家的仁义、中庸之道,这就成为"家诫"、"家训"的初衷。以积极的态度,用儒学经义训诲子孙后代,使之孝悌仁义,好学上进,以实现父母的深切期望。

历代的家训、家诫之类,著述众多,内容宏富,寄托了每一位父母谆谆教导子女的一片真切慈爱之情。正如王修《诫子书》所谓"父欲令子善,唯不能煞身,其余无惜也"。父母对于子女,除了杀身而外,其余确实都是无所吝惜的。一语说尽了天下的父母之心。以上所述,仅仅是微窥其全豹之一斑而已。

第三节　为人子,止于孝

基于父母对于子女无私地给予养育、教育的一片慈爱之情,子女对于父母也自然产生了一种出于内心的纯真的爱戴之情。儒家本乎这种子女对于父母的爱戴之情,进一步探索了子女如何更好地善事父母的理论,成为整个仁学体系的重要组成部分,并以之付诸生活实践。在父母与子女的关系中,儒家对子女的要求明确规定为"孝"。《礼记·大学》曰:"为人子,止于孝。"这里的"子",当系兼指子女而言；而所"孝"的对象，则系兼指父母而言。相对于父母爱子女之"慈"包括有"养育"和"教育"两方面的内容而言，作为子女爱父母之"孝"也包括有"养体"和"养志"两方面的内容。养体属于物质生活上的基本的"孝"，而养志则属于精神生活上的高层次的"孝"。能养体而不善于养志，仍然把"孝"局限在低水平上；只有在善于养体的基础上更善于养志，子女的"孝"才有本质上的升华。因此，善于养体与善于养志的高度统一，才合乎儒家所要求的"孝"。

一、"孝"的含义及其哲学基础

儒家提倡的"孝"，是中国人的最重要的传统道德之一，是中国社会的上至天子、下至庶民所共同具有的最基本的一项伦理规范和行为准则。而这种孝道观又是中华民族区别于世界上其他民族的最大的文化特质。所以，我们谈"孝"，不仅是简单地讨论怎样去顺从或供养父母的问题，而更重要的是要研究"孝"的理论，探索"孝"的哲学，浚本清源地对"孝"的道理进行全面的考察理解，才能给"孝"以正确的评价，正确地继承和弘扬其中的精华。

何谓"孝"？《说文》曰："孝，善事父母者。从老省，从子，子承老也。"可见"孝"是个会意字，上部是省略了笔画的"老"字，下部是"子"字；子女"善事父母"，即为"孝"。《诗·小雅·六月》："侯谁在矣？张仲孝友。"毛《传》："善父母为孝，善兄弟为友。"《尔雅·释训》的解释相同。《论语·学而》："其为人也孝弟。"朱《注》："善事父母为孝，善事兄长为弟。"根据以上诸家的解释，"孝"的本义为"善事父母"，质言之，就是子女敬爱奉养父母的道德。然而《礼记·祭统》则曰："孝者，畜也。顺于道，不逆于伦，是之谓畜。"郑《注》："畜谓顺于德教。"据此，"善事父母"还有一个更高的前提，就是要"顺于道"或"顺于德教"。这就是说,"善事父母"也还得讲求合理性和正确性,并非片面地为了"善事父母"而可以不顾一切,连违道的事也可以干。比如说,当"善事父母"与"道"产生矛盾时,就得以"道"为准;只有合乎"道"的"善事父母"才是达到了正确、合理的"孝"。这一精神贯穿于儒学的整个"孝"的思想之中,但以前往往为谈"孝"者所忽视,导致对于儒家之"孝"的许多曲解。今特表而出之,以期对儒家之"孝"有一个较为公允的评价。

从本质上说,"孝"是人类诞生以来子女爱戴父母的一种自然感情的体现,它是由人的自然性和社会性综合决定的。"反哺"、"跪乳"是动物行为,人也有这种天性。而中国古人聚居的形式和生存、生产的方式,是中国人重视家庭血缘关系的社会习惯性条件。

从"孝"的起源而言,血缘关系是萌发"孝"的观念的根源,而血亲家庭则是培养"孝"的伦理道德的温床。随着生产力的发展和社会的进步,特别是由于个体家庭和私有制的产生,人们对与自己相关的血缘亲族关系的认识逐步得到提高,"孝"的观念亦随之逐渐得以确立。由于自然地理环境的原因,我国大约自商、周以来便形成了自足的和分散的小农自然经济。这种经济形式的特点是,以家庭为消费或生产的基本单位。在这里,家长既有生产劳动指挥权,也有财产占有权,加之又有丰富的生产经验和技术,这就很自然地形成了家长的权威。在此基础上,又产生了崇敬、事奉家长的要求,并转化为一种道德责任和道德义务,于是"孝"的完全意义便大体上具备了。

古代中国是一个伦理型社会,家族制度和宗法组织是维持整个社会秩序的基础,孝亲敬祖和慎终追远是华夏族人最基本的性格特征。在一切伦理关系中,父子关系是其中最重要的组成部分,是家庭伦理之主干,而"孝"乃是父子关系之核心。儒家的"孝"的道德,是从社会现实和生活实践中总结出来的理论。其目的在于正确、合理地处理父子之间的关系,以期达到亲爱和谐的境界。

我国先民很早就有行孝的传统。据传,虞舜事亲尽孝,其父欣悦,天下大化。《书·尧典》谓虞舜"瞽子,父顽、母嚚、象傲,克谐以孝"。首先为虞舜树立了一个"大孝"的形象。

《论语·泰伯》载孔子曰:"禹,吾无间然矣,菲饮食而致孝乎鬼神,恶衣服而致美乎黻冕。"孔子对大禹自己菲食恶衣,却隆重丰盛地举行祭祀以崇敬祖先的品德大加赞美。据殷墟甲骨卜辞所载,殷王祭祖虔诚、隆重、频繁。《礼记·表记》云:"殷人尊神,率民以事神,先鬼而后礼,先罚而后赏,尊而不亲,其民之敝荡而不静,胜而无耻。"从甲骨文中"孝"字的使用和殷人普遍祭祖来看,人们对"孝"当颇为重视。然而殷人虔信鬼神,重鬼治而轻人治,尚未形成"孝道"的伦理。通观夏、殷两代的孝亲之心主要表现为祖先崇拜观念,发挥着维系宗族团结、协调人际关系的作用。其孝道显然还处于一种较低的水平,对民众单纯依靠鬼神的威慑力量来增加统治者的尊严。在宗法体系中,突出了人际关系中上下等级"尊尊"的一面,而忽视了血缘关系中"亲亲"的一面。

自西周始,建立了比较完善的宗法分封制度。配合政治制度的变革,周公在意识形态中也进行了相应的变革,使传统的宗法性宗教向人文化的方向发展,为之增加了道德伦理方面的内容,明确提出了孝的观念。在西周金文中,与孝字连用出现频率最高的是:"追"字和"享"字。如《邾遗殷》云:"用追孝于其父母,用锡永寿。"《王孙逸者钟》云:"用享以孝于我皇祖文考,用祈匃眉寿。"《殳季良父壶》云:"用享孝于兄弟、婚媾、诸老,用祈匃眉寿。"《克鼎》云:"显孝于神。"从"享孝"、"追孝"等字的用法看,金文中的孝字,主要还是针对故去的祖先的。但是在大力提倡祖先崇拜的同时,周人的孝道观也增加了生活伦理的内容,即在颂扬祖先功德,祈求祖灵佑护的同时,孝道中也出现了"孝养"的观念。如《书·康诰》曰:"矧惟不孝不友,子弗祗服厥父事,大伤考心。"《书·酒诰》曰:"妹土,嗣尔股肱,纯其艺黍稷,奔走事厥考厥长。肇牵车牛,远服贾,用孝养厥父母,厥父母庆,自洗腆,致用酒。"这段话是周公对殷族遗民的训诫之词,要求他们自食其力,专心农事,农事之余则牵着牛车到外地去从事贸易,以便孝敬、赡养自己的父母兄长。《文侯之命》曰:"父义和,汝克昭乃显祖,汝肇刑文武,用会绍乃辟,追孝于前文人。"《诗经》中讲到孝的也不少。如《小雅·天保》曰:"吉蠲为饎,是用孝亨。"《大雅·下武》曰:"永言孝思,孝思维则。""永言孝思,昭哉嗣服。"《既醉》曰:"威仪孔时,君子有孝子。孝子不匮,永锡尔类。"《周颂·雝》曰:"假哉皇考!绥予孝子。"由此可见,孝道在西周已经是一种相当普遍的道德伦理了。

然而,同样是父母与子女之间的血缘关系,贵族阶层与庶民阶层的观念是有所不同的。贵族阶层的子女往往着眼于对父母的爵位、政权和财产的继承,故常常薄于亲恩而切于权利,甚至为了权位而酿成父子相残之变;而庶民之家则更多地表现了子女对父母养育之恩的深切的感戴之情,故常常自愧无以报答,如《诗·邶风·凯风》所谓"母氏圣善,我无令人",《小雅·蓼莪》所谓"欲报之德,昊天罔极"等,表达了子女对父母真挚而深沉的孝思。

春秋时期,三代以来的封建宗法制开始土崩瓦解,并严重影响了维系人际关系的孝道,出现了很多子弑父、臣弑君的现象,说明建立在传统宗法基础上的孝道,已经发生了动摇。若要重建道德伦理,使之能规范社会上的行动,必须首先重建人们的信仰。儒家创始人孔子,继承并发展了庶民关于"孝"的思想,强调了"孝"是子女对于父母表示感恩、敬爱、关切的真挚、深切的感情。于是对孝道进行了新的诠释和论证,从而创建了儒家的孝道伦理。

孔子创建了以"仁"为核心观念的哲学体系,并且"约礼入仁",用仁学的观点重新解释了西周的"礼",主张以忠恕之道作为"能近取譬"的方法,来达到以"爱人"为本质之"仁"。然而"仁"的根源则在于"孝",也就是说,"孝"是"仁"的起点和出发点。早在孔子之前,一些先秦典籍就已经指认了"孝"和"仁"在道德领域内的主导地位,并特别凸显了它们所包含的情感内涵。《国语·周语》曰:"爱人能仁。"《国语·晋语》曰:"守情说父,孝也。"孔子正是在这种思想氛围下,进一步把"仁"置于"孝"的本根基础之上。《论语·学而》载孔子曰:"弟子入则孝,出则弟,谨而信,泛爱众,而亲仁。"《论语·泰伯》载孔子曰:"君子笃于亲,则民兴于仁。"《孝经·开宗明义章》记孔子曰:"夫孝,德之本也,教之所由生也。"都把孝作为一切道德的根本和教化的本源。《论语·学而》又载其弟子有若更为清晰地指出:"君子务本,本立而道生;孝弟也者,其为仁之本与。"从而明确地把"孝"看成是"为仁"之"本"。于是,为了论证"仁"的正当合理,孔子首先深刻地论证了"孝"的正当合理。《论语·阳货》所载孔子对宰我有关"三年之丧"的质疑所作的回答,即包含着"孝"的理论所以成立的基本内涵:

> 宰我问:"三年之丧,期已久矣。君子三年不为礼,礼必坏;三年不为乐,乐必崩。旧谷既没,新谷既升,钻燧改火,期可已矣。"子曰:"食夫稻,衣夫锦,于女安乎?"曰:"安。""女安,则为之!夫君子之居丧,食旨不甘,闻乐不乐,居处不安,故不为也。今女安,则为之!"宰我出。子曰:"予之不仁也!子生三年,然后免于父母之怀。夫三年之丧,天下之通丧也,予也有三年之爱于其父母乎!"

在孔子看来,首先,孝的根据就在于父母生养子女的血缘关系。他之所以特别强调"子生三年,然后免于父母之怀",正是为了凸显建立在血缘关系上的父母对于子女的养育之恩就是子女孝敬父母的终极理由,"三年之丧"的依据不再是对祖先灵魂的畏惧或者祈求,而是对父母抚育之恩的怀念。其次,孝的本质就在于基乎血亲因素的情感意蕴。他之所以特别强调"予也有三年之爱于其父母乎",正是为了凸显子女对于父母的"孝",并非出于遵守外在的礼法,而是本乎内心感戴父母之爱的纯真感情。其三,孝的动力就在于内心情感体验的安适和悦。他之所以特别强调"夫君子之居丧,食旨不甘,闻乐不乐,居处不安,故不为也",正是为了凸显"短丧"从根本上违背了亲子之爱,不能使君子的内心亲情处于安适和悦的状态,即所谓于心"不安",因而属于"不仁",所以君子"不为"。诚然,仅就"三年之丧"的外在形式而言,确有其时代局限,至今早已失去其实行的意义;但是,就其"子生三年,然后免于父母之怀"的本质精神而言,作为论证子女孝敬父母乃至永久怀念已故父母的当然性,是完全合乎天赋之"情"和人类社会之"理"的,因而也是符合科学逻辑的。在这里,正好体现了孔子主张"合情"即"合理"、"心安"即"理得"的"情"与"理"高度统一的思维方式。正是从这种依据血亲情理对于"孝"的正当合理作出的有力论证出发,孔子进一步肯定了"仁者爱人"的正当合理,主张通过"孝乎惟孝、友于兄弟,施于有政"(《论语·为政》引《尚书》语)的途径,来实现"克己复礼,天下归仁"(《论语·颜渊》)的理想目标。这样,他就凭借以"孝"释"仁"、以"仁"释"礼"的做法,把"情"与"理"的统一看成是判定一切行为是否可行("为"或"不为")的理由根据。从而在中国伦理史上第一次自觉地确立了"情"与"理"高度统一的哲理精神。这种重视"情"与"理"高度统一的哲理精神构成了儒家思维的基本特征。匡亚明先生在《孔子评传》中指出,孔子"很重视亲子之间的情感因素,认为孝是由父母对子女的爱引起的子女对父母的爱。在这种爱的基础上产生的尊敬的心情,愉悦的颜色,乃至奉养的行动,必然是纯真无伪的情感的流露"①。可谓说中了孔子的"情"与"理"高度统一的孝道精神。

曾子和子思又进而运用孔子所传的"一以贯之"的"忠恕"之道作为孝道的哲学基础而加以论证。曾子指出:"忠者,其孝之本与!""君子立孝,其忠之用,礼之贵。"(《大戴礼记·曾子立孝》)子思在《中庸》引孔子曰:"忠恕违道不远,施诸己而不愿,亦勿施于人。"具体落实到孝道上,就是"所求乎子,以事父"。若以"忠恕"的原则来看孝道,则人之所以要孝敬父母,一方面是发自内心的对父母养育之恩的感激之情;另一方面,人若希望自己的子女孝敬自己,首先要孝敬自己的父母。于是,孝敬父母就不再是因为社会的外在压力、鬼神的约束,而是出自人们内心的一种情感要求和道德自觉。所以曾子又曰:"善必自内始。"(《大戴礼记·曾子立事》)只有这种发自内心的孝道,才能表现出尽心竭力的行为和温顺愉悦的态度。子思、孟子又进而从人性论上加以论证。《中庸》云:"仁者人也,亲亲为大。"《孟子·梁惠王上》云:"未有仁而遗其亲者也。"《孟子·离娄上》云:"仁之实,事亲是也。"孝道不仅出于血缘亲情,而且也符合社会生活中的相关逻辑。

于是,孔子及其继承者使孝道完成了从天国到人间的转化,使其从一种对祖先的崇拜转变成一种对自我意识进行反思的人生哲学,从虔诚礼敬的祭祀活动转变成深入现实生活的家庭规范。质言之,儒家使孝道的内容从以祭祀活动追孝祖先转变为主要在现

① 匡亚明:《孔子评传》,南京大学出版社 1990 年版,第 218 页。

实生活中孝养父母。

从人类发展的意义上讲，儒家的孝道揭示了人的生命历程中的义务和权利。一个人在其生命历程的不同阶段上具有不同的权利和义务。未成年时，要父母抚养，这是权利；成年后，赡养老人和养育幼儿，这是义务；年老后，要子女赡养，这也是权利。儒家的孝道就是从老年人的角度出发来阐述这种权利和义务的。

总之，儒家伦理观的核心范畴，就是具有浓郁情感意蕴的"孝"和"仁"，而"孝"又是"仁"的根源及其发展前提。故在孝道上，把孝敬父母这种源于天性的情感，化为一种系统的道德规范，使之融于社会生活内容之中，扩展到社会各阶层；并把养性之源、修身之本，乃至齐家、治国、平天下之道，都与孝有机地联系起来，使孝道成为一门完整的、系统的学科，使之成为整个仁学体系的本原和起点。因此，孔子对于中国哲学传统的首要贡献，在于他率先在道德领域内自觉地确立了情理精神，代表了儒家思潮发展的主流方向，并且长期主导着中国文化传统的健康发展。

二、养体与养志

儒家的孝道，具体落实到践履上，可以包括物质上的孝养和精神上的孝敬两个方面。

早在《尚书》所载的周公思想里，孝已包含有两层相互关联的内容。其在《酒诰》曰："嗣尔股肱，纯其艺黍稷，奔走事厥考厥长；肇牵车牛，远服贾，用孝养厥父母。"这是强调在生活上奉养父母。其在《人诰》曰："若考作室，既底法，厥子乃弗肯堂，矧肯构？厥父菑，厥子乃弗肯播，矧肯获？厥考翼其肯，曰：予有后，弗弃基。"这是鼓励在事业上继承父母。为什么周公在一篇《大诰》里，反反复复讲了八九次"予不敢不极卒宁王图事"？就在于孝道要求他努力去完成周文王开创的大业。故在《康诰》曰:"子弗祗服厥父事,大伤厥考心。"因此,在周公看来,"孝养厥父母"和"祗服厥父事"是孝的两大要义,二者缺一不可。

春秋以后,个体家庭相对独立,父母子女间的关系逐渐成为家庭伦理的主要内容,故孝道显得尤为重要。孔子继承周公的孝道精神,进而对作为生活伦理的孝行在理论上作了系统的论证。孔子认为,"孝"不仅是外在的道德规范,也是内在的主观要求,因而很强调"孝"的内在自觉性,并明确指出"孝"不止于"养",而且还要做到"敬"。据《论语·为政》载,子游问孝,子曰:"今之孝者,是谓能养。至于犬马,皆能有养;不敬,何以别乎?"这里提出"敬"作为人类跟动物的区别。因为人与动物的最大区别在于人是有思想、有情感的,所以孝子养亲,乃出于对父母养育之恩的感怀,发自至情至爱,自应毕恭毕敬,和颜悦色。"敬"是发自内心的情感流露,也是"孝"在主观精神方面的要求。在这里,孔子并不是要否定"能养",而是以为"能养"是最低的要求,真正的"孝"应该由此更上一层楼,达到"敬"。同篇又载:子夏问孝,子曰:"色难。有事,弟子服其劳;有酒食,先生馔,曾是以为孝乎?"所谓"有事,弟子服其劳;有酒食,先生馔",就是在物质生活上的"能养";而在态度上的和颜悦色并怀有敬意,就是在精神上的孝敬。这里,孔子也绝不是否定"有事,弟子服其劳;有酒食,先生馔",而是觉得这样做还不够,应该再加上和颜悦色之"敬",才可以言孝。

从物质生活上关怀、赡养父母,还是低层次的"孝";事奉父母能怀有崇敬的心情,愉悦的颜色,使父母能在精神上得到安慰,这是"孝"的升华,才是难能可贵的高层次的"孝"。但是,物质生活上的赡养乃是"孝"的基础,假如连这种低层次的要求都达不到,则精神上的高层次的"孝"就无从谈起。所以,两个层次能达到高度统一,才是真正的"孝"。

从孝亲应该包括物质上和精神上两方面的内容出发,孔子对"孝"提出了一些具体的要求。《论语·为政》载,孟懿子问孝,子曰:"父母唯其疾之忧。"因为父母关心着每一个子女的健康,所以子女要保重自己的身体,让父母少操心。这是从精神上给予安慰。《论语·里仁》记孔子曰:"父母在,不远游,游必有方。"因为远游既要耽搁赡养、侍奉之事,又会使父母对自己的安全担心。无论在物质上抑或在精神上都会受到影响。同篇又记孔子曰:"父母之年,不可不知也。一则以喜,一则以惧。"子女更要时刻关心父母的身体,一方面为父母的高寿而欣喜,另一方面又为父母的年高体弱而担忧。《礼记·坊记》引孔子曰:"小人皆能养其亲,君子不敬,何以辨?"除了在生活上能养而外,更重要的是对待父母要有敬爱之情。故《礼记·祭义》曰:"孝子之有深爱者,必有和气;有和气者,必有愉色;有愉色者,必有婉容。"与父母相处要和颜悦色。《孝经·庶人章》记孔子曰:"用天之道,分地之利,谨身节用,以养父母,此庶人之孝也。""谨身"是从体贴"父母唯其疾之忧"出发,能爱护自己的身体;"节用"是为了更好地赡养父母而尽量节省开支。这样能从物质上和精神上都给父母以满足,作为庶民而言,就不失为尽到孝道了。所以《孝经·纪孝行章》记孔子曰:"孝子之事亲也,居则致其敬,养则致其乐,病则致其忧,丧则致其哀,祭则致其严。五者备矣,然后能事亲。"这就是说,父母生前能尽到孝养和孝敬,死后能致以哀思和怀念,这就基本上符合孝亲之道了。

《论语·学而》载孔子的弟子子夏主张"事父母,能竭其力"。因为父母之恩浩荡无涯,"谁言寸草心,报得三春晖",父母之恩是报答不完的。正因为报答不完,所以才要竭其全力。平时应当努力劳作以赡养父母,竭尽全力使父母过上好的生活;侍奉父母,替父母做事，要尽心尽力，任劳任怨，并能做到和悦恭敬；当父母有病时，要为其寻医问药，奉汤伺候于床前毫无松懈。常言道："久病床前无孝子。"这并不是说，父母病久了就没有孝子了，而是说，对于久病在床的父母的态度，是考验是否孝子的一个标准所在。越是孝子，越能伺候好久病在床的父母。这才算得上"事父母，能竭其力"。

以孝著称的曾子，在继承孔子的孝道的基础上更作了进一步诠释。《礼记·内则》引曾子曰："孝子之养老也，乐其心，不违其志，乐其耳目，安其寝处。……是故父母之所爱亦爱之，父母之所敬亦敬之，至于犬马尽然，而况于人乎？"孝养父母的关键在于意志上加以体贴而给予满足，使他们在精神上感到愉悦，人格得到尊重，心情保持愉快。《礼记·祭义》引曾子曰："孝有三：大孝尊亲，其次弗辱，其下能养。"又曰："君子之所谓孝者，先意承志，谕父母于道。"这就是说，首先应体会父母的意志，秉承其思想去做，而不要让老人讲出来才去干。思想、意志、道德，正是人区别于动物的地方，因之孝不能停滞于"养"的阶段，而是还须体贴父母的意志。故又曰："养可能也，敬为难；敬可能也，安为难；安可能也，久为难；久可能也，卒为难。"孝不只赡养父母，而且还要敬事之；不仅要敬事之，而且还应长期持久地安之若素。同书《曾子立孝》记曾子曰："礼以将其力，敬以入其忠。饮食移味，居处温愉，著心于此，济其志也。"曾子不只是把孝道看成是一种社会的义务，而是当做不断自我反思的精神修炼过程。从曾子上述所论可以看出，他非常重视顺从父母的"志"，这显然开启了孟子的"养志"之说。《孟子·离娄上》记孟子曰：

> 曾子养曾皙，必有酒肉；将彻，必请所与；问有余，必曰"有"。曾皙死，曾元养曾子，必有酒肉；将彻，不请所与；问有余，曰"亡矣"，——将以复进也。此所谓养口体者也。若曾

子,则可谓养志也。事亲若曾子者,可也。

曾晳是曾子之父,曾元是曾子之子。曾子和曾元养父都"必有酒肉",若从养口体而言,两人并无区别。然而曾子能体贴父亲的爱孙之心,故在父亲食毕将彻时,必请问剩下的食物给哪个孩子吃,并说家中还有;而曾元则只知以酒肉养父之"口体",而不理解父亲的爱孙之心,故在父亲食毕将彻时,不请所与,虽然家中还有也说已经没有了,其意将以所剩食物下次再给父亲吃。孟子认为,曾子和曾元养父虽然同样都有酒肉,但曾元养父仅仅是做到了"养口体";而曾子则在养口休的基础之上还能做到"养志"。"养口体"只是物质生活上的低层次的孝;而"养志"才是精神生活上的高层次的孝。所以,"养口体"与"养志"的高度统一,才符合儒家所提倡的孝道。孟子还对孝道的行为规范进行了更为详细的论述。如在《孟子·离娄下》有云:"世俗所谓不孝者五:惰其四支,不顾父母之养,一不孝也;博弈好饮酒,不顾父母之养,二不孝也;好财货,私妻子,不顾父母之养,三不孝也;从耳目之欲,以为父母戮,四不孝也;好勇斗狠,以危父母,五不孝也。"这里,前三者是指不养口体而言;后两者是指在精神上给父母带来危害,属于不养志的范围。《孟子·离娄上》记孟子曰:"不孝有三,无后为大。"《孟子·万章上》记孟子曰:"孝子之至,莫大乎尊亲。"这两条显然是从"养志"的要求而言。

诚然,父母的养儿育女也不是没有功利目的的,一则为了"老有所养",二则为了延续香火。这两点正是"孝"的实际内容和现实根据。子女只要能够在这两点上满足父母的希望与要求,他就算是孝了。然而,养亲事亲,则决不能抱着图利的目的。因为事亲养亲完全是义务性质的,是回报父母养育的行为。孟子很反对"为人子者怀利以事其父",而主张"为人子者怀仁义以事其父"(《孟子·

告子下》)。有的人看到父母有遗产,便极力侍候;更有甚者,为了早日继承遗产而置父母于死地。有些父母没有遗产,子女便对其弃之不顾,当作累赘;有的父母在兄弟之间轮流居住,有病了兄弟之间互相推诿而不救之。这种行为,都是违背儒家孝道的恶德,也是有违中华民族传统美德的恶劣行为。

儒家的孝道具有广大的群众基础,故长期主导着历代的家庭伦理,并深入到社会的各阶层。尤其是民间社会乃儒家孝道沿传的最主要和最广阔的天地。民间的孝行是儒家重孝理论的具体化。我国劳动人民几千年来形成的"老有所养"的优良传统,以及在孝养、孝敬父母方面所流传的各种动人的事迹和故事,都是在儒家孝道的深刻影响下形成的。而民间的孝行榜样在中国孝文化的沿传中又起了很大的推动作用。

《盐铁论·孝养篇》云:"善养者不必刍豢也。以己之所有,尽事其亲,孝之至也。故匹夫勤劳,犹足以顺礼;歠菽饮水,足以致敬。……故上孝养志,其次养色,其次养体。贵其体,不贪其养,体顺心和,养虽不备可也。"子女即使生活贫困,但眷念父母生我、育我的恩情,发自内心的真情,尽心尽力奉养父母;从思想上敬爱父母,并兢兢业业为人,不给父母带来羞耻和恶名,使父母精神上得到慰藉、满足和快乐。生时心"安","体顺心和",死后无遗憾,这就可以说是"孝"了。

三、事亲以礼

儒家的孝道,为了能使"养"与"敬"统一、"养体"与"养志"统一的原则切实地贯彻到具体孝行中去,因而制定了很多具体的条文,以作为人们借以遵循的行为规范,这就是"礼"。人们只要依"礼"而行,就自然合乎儒家的孝道原则了。据《论语·为政》载:

　　孟懿子问孝,子曰:"无违。"樊迟御,子告之曰:"孟孙问孝
于我,我对曰,无违。"樊迟曰:"何谓也?"子曰:"生,事之以礼;
死,葬之以礼,祭之以礼。"

无违,就是不要违背"礼"。据考,是时孟懿子之父孟僖子去世已
久,而懿子之子孟武伯率多违礼之事。由此可知懿子之问孝,并非
请问自己如何事奉父母,而是询问子女对于自己应如何尽孝。实
则懿子自己亦多违礼之事,却只看到孟武伯之跋扈不逊,而看不到
自己违礼的行为正是孟武伯取法的榜样。故孔子"无违"之答,意
在使孟懿子有所警觉而加以反省,不能只责怪儿子跋扈无礼,而自
己的违礼僭礼,背弃了孟僖子临终时嘱其向孔子学礼的遗命,也是
不孝。而孟懿子未能理解此意,故孔子欲借樊迟以转达其意。然
而,孔子所说的"生,事之以礼;死,葬之以礼,祭之以礼",确实是孔
子及儒家所倡导的"孝"付诸实践时所借以遵循的根本标准。而
且,"礼"贯穿于整个"孝"的全过程,无论在生前事奉抑或死后葬、
祭这一过程的那个阶段上,都不能违背"礼"的要求。故《礼记·祭
义》云:"君子生则敬养,死则敬享,思终身弗辱也。"

　　《礼记·祭统》对孔子之意又作了具体的发挥:"孝者,畜也。
顺于道不逆于伦,是之谓畜。是故,孝子之事亲也,有三道焉:生则
养,没则丧,丧毕则祭。养则观其顺也,丧则观其哀也,祭则观其敬
而时也。尽此三道者,孝子之行也。"这里最值得注意的是,所谓
"顺于道不逆于伦",就是合于"道"而不违乎"伦理",具体而言,亦
即"无违"于"礼"之意。而且由此可知,所谓"养则观其顺",并非说
对父母应惟命是从,而是指"顺于道"、"无违"于"礼"而言。

　　关于事亲之"礼",儒家经典尤其是《礼记》中有很多论述,难以
细陈,这里只能试作简要的概括。

　　所谓"生事之以礼",就是要做到"事父母能竭其力"。从总体

上说,如前所述,应该在物质赡养的基础上还须对父母怀有深深的敬意,在"养体"的基础上更应重视"养志",使父母在精神上获得愉悦;若从具体而言,《礼记》还载有许多较细的条文可供遵循,今略举数条以明其义。

在日常生活上,据《礼记·曲礼上》所云:"凡为人子之礼:冬温而夏凊,昏定而晨省。"这是说,作为子女,冬天要使父母得到温暖,夏天要使父母得到凉爽;晚上要为父母整理好床铺,早晨要向父母请问身体是否舒适。总而言之,就是要随时关心父母的生活。

《礼记·曲礼上》又云:"夫为人子者,出必告,反必面,所游必有常,所习必有业。"这是说,凡子女外出时,应告诉父母知道;回来时,应与父母见面。出游时不要随便超出向父母所告的范围,以免有事找不到;所学应有固定的专业,以期学有所成。

又云:"为人子者,……不登高,不临深;不苟訾,不苟笑;孝子不服暗,不登危:惧辱亲也。"所谓"不登高、不临深、不登危",就是遇到危险之处应多加小心,以免发生事故而使父母担忧;而"苟訾"、"苟笑"则是一种轻浮无礼的失态行为,应尽力避免;所谓"不服暗",意谓年轻人一般不宜在晚上黑暗中去办事,既不安全而使父母担心,又容易使人产生怀疑而给父母带来侮辱。

又云:"父母有疾,冠者不栉,行不翔,言不惰,琴瑟不御,食肉不至变味,饮酒不至变貌,笑不至矧,怒不至詈。疾止复故。"这是说,子女在父母生病时,由于心存忧虑,故顾不上装饰打扮,无意于琴瑟音乐,吃喝不宜过度,不宜大笑大骂,而应该把精力集中在为父母治病方面。不过,《礼记·玉藻》则谓:"亲疼,色容不盛,此孝子之疏节也。"这是说,父母病时顾不上打扮之类,不过是常行疏略之礼而已,算不上是大节。

《礼记·玉藻》又云:"父命呼,唯而不诺,手执业则投之,食在口则吐之，走而不趋。"这是说，若父母有事相呼，就应该立即应命而赴，即使正在干别的事或者正在吃饭，也应该立即停下，先去为父母办事要紧，不宜迟延。

《礼记·坊记》载孔子云："善则称亲，过则称己，则民作孝。"又云："君子弛其亲之过，而敬其美。"这是说，若有善誉，尽量让给父母；若有失误，尽量由自己承担责任。对于父母，还应该尽量宽容其缺点而尊重其美德。其实，儒家原本就主张严以律己，宽以待人，对别人也强调"隐恶而扬善"；而对于父母，当然就更应如此。

《孝经·纪孝行章》记孔子曰："事亲者，居上不骄，为下不乱，在丑不争。居上而骄则亡，为下而乱则刑，在丑而争则兵。三者不除，虽日用三牲之养，犹为不孝也。"丑，同类也。这是说，居上而骄、为下而乱、同侪之间相争这三条，都将给自己和父母造成严重危害，故必须尽力加以戒除；否则，即使养得再好，也算不上孝。

此外，要做到"生事之以礼"，还应该体谅"父母唯其疾之忧"之心而保重身体；父母若有过错，则应该"事父母几谏"；而自己还应该有志于"立身行道，扬名于后世，以显父母"等等。对此，下文将作专题论述，此不赘。

由此可知，儒家所主张的"生事之以礼"，不但强调子女奉养父母的外部行为，尤其强调子女爱敬父母的内心态度和真情实感；不但强调子女对父母的顺从，而且强调孝子对父母进行一定程度上的净谏。这种"孝"，是基于爱心、敬意而又有一定原则的行为，是一种具有高度情感和理性精神的自觉行动。因此，孔子高声叹美"孝哉闵子骞！人不间于其父母昆弟之言"（《论语·先进》），孟子热情称颂"舜尽事亲之道"（《孟子·离娄上》），就在于树立"生事之以礼"的孝子榜样。

关于"死，葬之以礼，祭之以礼"，《孝经·丧亲章》记孔子曰：

"孝子之丧亲也,哭不偯(依),礼无容,言不文,服美不安,闻乐不乐,食旨不甘,此哀戚之情也。三日而食,教民无以死伤生,毁不灭性,此圣人之政也。丧不过三年,示民有终也。为之棺椁、衣衾而举之,陈其簠簋而哀戚之;擗踊哭泣,哀而送之;卜其宅兆,而安措之;为之宗庙,以鬼享之;春秋祭祀,以时思之。生事爱敬,死事哀戚,生民之本尽矣,死生之义备矣,孝子之事亲终矣。"这是说,孝子在丧亲之时,其哀伤悲痛之情是无穷无尽的,所以圣人以礼加以节制,使之不要因为过度哀伤死者而伤及生者的身体。以礼给以安葬,可使死者得到安息;适时以礼进行祭祀,以表示对于父母的永久怀念。这样,生前事亲能尽爱敬之心,死后丧葬、祭祀能尽哀悼、怀念之情,孝子事亲之礼就算周到了。所以儒家认为,丧礼的本质在于表达哀悼之情。《论语·子张》记子游曰:"丧致乎哀而止。"这是说,居丧时,能充分表现悲哀就可以了。又记曾子曰:"吾闻诸夫子:人未有自致者也,必也亲丧乎!"这是说,人只有在父母丧中才应该充分尽情地发挥悲哀之情。所以孟子认为:"养生者不足以当大事,惟送死可以当大事。"(《孟子·离娄下》)父母之丧,确实是人的一生中最大的变故,因而竭尽悲痛,乃人之常情。

这里值得注意的是,孔子还强调"无以死伤生,毁不灭性"。这是说,孝子之于丧亲,虽然以"戚"为本,但是,悲痛也不宜不加以节制而伤及身体。故《礼记·杂记下》记孔子曰:"身有疡则浴,首有疮则沐,病则饮酒食肉。毁瘠为病,君子弗为也。毁而死,君子谓之无子。"孔子认为,孝子在亲丧中虽然顾不上修饰打扮,调养身体,但若脏得皮肤都生疮了,那就应该进行沐浴;身体病了,就应该吃得好一些。假若悲痛得把身体搞垮,那就是不孝。

然而,世俗往往把"葬之以礼"看作丧事要讲究排场,其实这是不对的。《论语·八佾》载,林放问礼之本。子曰:"大哉问! 礼,与其奢也，宁俭；丧，与其易也，宁戚。"孔子认为，就丧礼而言，与其仪文周到而缺乏悲哀之情，还不如多点悲哀为好。可见丧礼的本质在于表达哀悼之情，而不在于讲究排场。《礼记·檀弓下》载，子路曰："伤哉贫也！生无以为养，死无以为礼也。"孔子曰："啜菽饮水尽其欢，斯之谓孝；敛首足形，还葬而无椁，称其财，斯之谓礼。"孔子认为，虽然因为家贫而使父母生前吃得不好，但只要能使父母心情愉快，这就是"孝"；死后能给以简单的安葬，这就是"礼"，其原则，乃在于"称其财"而已。故《论语·子罕》记孔子曰："丧事不敢不勉。"亦谓自勉于量财"尽礼"而已。

《礼记》还记有许多反对丧葬违礼的事例。如《礼记·檀弓下》记载有孔子弟子陈亢用巧妙的方法制止了一起违礼殉葬事件的故事：

> 陈子车死于卫，其妻与其家大夫谋以殉葬，定，而后陈子亢至。以告，曰："夫子疾，莫养于下，请以殉葬。"子亢曰："以殉葬，非礼也。虽然，则彼疾当养者，孰若妻与宰？得已，则吾欲已；不得已，则吾欲以二子者之为之也。"于是弗果用。

陈亢之兄陈子车死时，其妻与家大夫已选定了用以殉葬的人。适逢陈亢归，即以打算用人殉葬以奉养死者于地下之事相告。陈亢说，殉葬乃非礼之事。不过，如果可以不殉葬，那我愿意就此作罢；假若一定要殉葬，则奉养死者要算你们两位最合适了！于是，殉葬的惨剧才得以制止。陈澔《注》云："子亢若但言非礼，未必能止之；今以当养者为当殉，则不期其止而自止矣。"《礼记·檀弓下》又载：

> 陈乾昔寝疾，属其兄弟而命其子尊己曰："如我死，则必大为我棺，使吾二婢子夹我。"陈乾昔死，其子曰："以殉葬，非礼也，况又同棺乎？"弗果杀。

陈澔《注》云:"记者善尊己守正,而不从其父之乱命。"这在"父命"与"礼"发生矛盾时,体现了从"礼"不从"父命"的原则。可见儒家极力反对当时尚有遗存的人殉制度,在历史上起有巨大的进步作用。

关于"祭之以礼",《礼记·祭义》云:"君子反古复始,不忘其所由生也,是以致其敬,发其情,竭力从事,以报其亲,不敢弗尽也。"《礼记·祭统》云:"祭者,所以追养继孝也。"儒家认为,祭礼的本质,在于严肃恭敬地向父母乃至祖先表达追思怀念之情。《论语·八佾》谓孔子"祭如在",并记孔子曰:"吾不与祭,如不祭。"所谓"祭如在",何晏《集解》释谓"言事死如事生"。所以孔子对于祭祀的典礼,一定要亲自参加,才觉心安。又《论语·乡党》谓孔子"君赐腥,必熟而荐之"。孔子对于国君赏赐的生肉,也一定要煮熟了供祭先祖,表示敬意。

儒家认为,所谓"葬之以礼,祭之以礼",还应该与死者和生者的身份相称。《中庸》曰:"周公成文武之德,追王太王、王季,上祀先公以天子之礼。斯礼也,达乎诸侯、大夫,及士、庶人。父为大夫,子为士,葬以大夫,祭以士;父为士,子为大夫,葬以士,祭以大夫。期之丧,达乎大夫;三年之丧,达乎天子;父母之丧,无贵贱一也。"这是说,周公制礼规定:葬用死者之爵,祭用生者之禄。因为葬礼系就死者而言,故死者若是天子,则葬以天子之礼;死者若是庶人,则葬以庶人之礼。而祭礼则是就生者行礼而言,故生者若是天子,则不管其父母祖先是天子还是庶人,都可用天子之礼祭之;生者若是庶人,则不管其父母祖先是天子还是庶人,都只用庶人之礼祭之。诸侯、大夫、士的葬、祭之礼都可依此类推。按照这一原则葬、祭,就是合礼的;否则就是违礼之举。关于丧服之礼,凡属周年以下的丧服,只通行于大夫以下,天子、诸侯免行;只有对于父母的二年之丧,无论诸侯乃至天子都必须执行,所谓"三年之丧,达乎天子:父母之丧,无贵贱一也"。

值得注意的是,后世的祭祀典礼中,一般只由男的主持,女的无权参加,其实,这是违背先儒之礼的。《礼记·祭统》明确指出:"夫祭也者,必夫妇亲之,所以备内外之官也;官备则具备。……外则尽物,内则尽志,此祭之心也。"可见先儒认为,在祭祖的典礼中,必须夫妇一同亲自主持,才算礼仪完备。这分明体现了原始儒家的夫妇平等的伦理观。

由上述可知,儒家所主张的"死,葬之以礼,祭之以礼",不但强调孝子对已经去世的父母的安葬祭祀在形式上要合乎礼仪的规定,尤其强调居丧和祭祀期间的情感态度必须哀戚和恭敬。但是,这种哀戚又不是无节制的,而是以"毁不灭性"为限度的。这种哀戚和恭敬,同"生,事之以礼"一样,是来自对父母的爱心和敬意,是发自内心的诚挚的自觉行为。因此,孔子极力推赞"菲饮食,而致孝乎鬼神"的"禹",感叹"禹,吾无间然矣"(《论语·泰伯》),也就不难理解了。

儒家主张的"孝"或"事亲",包含上述"生"、"死"两个方面的内容。正如《孝经·纪孝行章》所云:"孝子之事亲也,居则致其敬,养则致其乐,病则致其忧,丧则致其哀,祭则致其严。五者备矣,然后能事亲。"而检验这"五者"的标准,全在于合"礼"而已。

然而有人认为,儒家之礼并不适用于现代,如"三年之丧"已不适合于现代生活,而古代土葬之礼与现代提倡火葬的政策明显冲突等等。其实,这是不必担心的。《礼记·礼运》明确指出:"故礼也者,义之实也。协诸义而协,则礼虽先王未之有,可以义起也。"可见制礼的原则,应以是否合乎"义"为标准。义者,宜也。是否合乎"义",亦即是否合乎事理之"宜";而是否合乎事理之"宜",则必须适应时代的变革而随时加以调整。故《礼记·礼器》从理论上着重提出了"礼,时为大"的观点。就是说,礼之为礼,首先在于能否适应时代的发展,这是礼的根本原则。宋儒张横渠亦曰:"时措之宜便是礼。"(《张子语录下》)故历代的通儒皆以能遵守其本代之"礼"为合理。所以,根据儒家之"礼"的精神,并非要求今人去遵守古代的"礼",而是要求今人能自觉地遵守当代之"礼"。即此而言,孔子所说的"生,事之以礼;死,葬之以礼,祭之以礼"的原则,永远不会过时。

四、父母唯其疾之忧

《论语·为政》载,孟武伯问孝,子曰:"父母唯其疾之忧。""唯其疾"之"其"是指父母还是指子女？历来看法不一。王充《论衡·问孔》云:"武伯善忧父母,故曰,唯其疾之忧。"《淮南子·说林训》:"忧父之疾者子,治之者医。"高诱注云:"父母唯其疾之忧,故曰忧之者子。"可见王充、高诱都以为"其"字是指代父母而言。马融则云:"言孝子不妄为非,唯疾病然后使父母忧。"朱注则云:"言父母爱子之心,无所不至,惟恐其有疾病,常以为忧也。人子体此,而以父母之心为心,则凡所以守其身者,自不容于不谨矣,岂不可以为孝乎？"这是说,父母为自己的疾病担心,子女应如何保护好身体,解除父母的担忧,这就是孝心。马、朱释义虽异,但都认为"其"字是指代孝子而言。若从本句的语境看,似以朱说为长;但从父慈子孝的相互关系来看,无论是父母忧子或子忧父母都符合孔子的孝亲之道。子女担忧父母的疾病,平时能对父母的身体多加关心,有病时能及时延医诊治,这属于"养体"的范围;子女若能随时保重自己的身体不生疾病,以免父母担心,这属于"养志"的范围。两者都属孝道应有之义。所以,鄙意窃谓,子女完全应该把"疾"作为关注的焦点。

《论语·述而》载："子之所慎：斋、战、疾。"《雍也》又载："伯牛有疾，子问之，自牖执其手，曰：'亡之，命矣夫！斯人也而有斯疾也！斯人也而有斯疾也！'"表现出孔子对疾病的深恶痛绝。因此，孔子对医道是十分留意的，对于人的生理、病理以及药理等各方面知识都有相当的了解。《季氏》记孔子曰："君子有三戒：少之时，血气未定，戒之在色；及其壮也，血气方刚，戒之在斗；及其老也，血气既衰，戒之在得。"在这三个不同的年龄阶段，分别因为好色、好斗、好贪三种恶习能戕害人的身体，故必须加以注意。这话至今看来仍是至理名言，它包含了预防医学的基本认识。《乡党》又载："康子馈药，拜而受之。曰：'丘未达，不敢尝。'"朱《注》引杨氏曰："未达不敢尝，谨疾也。"这里明显地体现了孔子对于药物所持的谨慎态度和科学理性精神。虽然是对康子所赠的某种药物的功效不甚明了，但从反面证明孔子具有一定的药物学素养。《论语》一书还记载了不少关于生病的内容。《雍也》篇记述了颜回之夭，伯牛之疾；《泰伯》篇中有"曾子有疾"；《卫灵公》篇则记有"在陈绝粮，从者病，莫能兴"；《述而》、《子罕》、《乡党》诸篇还较详细地记述了孔子本人患病的情况。因此说，无论是事亲、养身，都必须担心疾病的威胁而多加注意。

孟子和孔子一样关爱生命，重视孝道，自然也对疾病的危害深加重视。《孟子》书中所提到的，《公孙丑下》有风寒之疾，《万章上》有痈疽与瘠环之疾，《梁惠王下》有好货劳心、好色劳精之疾，《滕文公上》有精神疾患等等。孟子对疾病的治疗，对药物的性能都有较深入的了解。其《离娄上》云："犹七年之病求三年之艾也。"据说这是对艾灸治病的较早的文字记录。此外，在《滕文公上》还引用《尚书》"若药不瞑眩，厥病不瘳"之语。赵岐注云："瞑眩，药攻人疾，先使瞑眩愦乱,乃得瘳愈也。"这说明孟子对药物的毒副作用与治疗效果的关系颇有研究。孟子还指出,举凡医筮技艺诸科,都必须谨慎郑重从事,《公孙丑下》说:"故术不可不慎也。""术"是指包括医学在内的各种技艺。孟子又有"仁术"之说,语见《梁惠王上》,原意是指将恻隐之心付诸实施的具体方法,后来人们专门将医术称为"仁术",想必与医术确实能够体现孔孟的仁孝之道有关。

孔孟对精神的调养也很有心得。孔子除了提出"乐水"、"乐山"之外,《论语》中还有不少关于"乐"的论述。《季氏》:"孔子曰:益者三乐,……乐节礼乐,乐道人之善,乐多贤友";《学而》:"未若贫而乐";《述而》:"君子坦荡荡,小人常戚戚";《八佾》:"乐而不淫"等等。在孔子看来,"乐"显然是积极的、正面的情感因素,有益于人的身心健康和寿命的延长。孟子也强调精神快乐,在《孟子·离娄上》云:"乐则生矣,生则恶可已也。恶可已,则不知足之蹈之,手之舞之。"快乐竟至于手舞足蹈。《梁惠王下》还强调"乐"应该与他人一起分享:"独乐乐,与人乐乐,孰乐?曰:不若与人。""与少乐乐,与众乐乐,孰乐?曰:不若与众。"《尽心下》还载有孟子一套养心的方法:"养心莫善于寡欲。其为人也寡欲,虽有不存焉者寡矣;其为人也多欲,虽有存焉者寡矣。"即认为养心的枢要则在于减少欲望,在于内心的平静与安详,所以孟子有"我四十不动心"(《孟子·公孙丑上》)之语。但养心并不是绝对的心如止水,而是要正常地发挥其功能,他说:"耳目之官,不思则蔽于物,物交物,则引之而已矣。心之官则思,思则得之,不思则不得也。"(《孟子·告子上》)所以养心又需用心,"故苟得其养,无物不长;苟失其养,无物不消。孔子曰:'操则存,舍则亡;出入无时,莫知其乡。'惟心之谓与!"(同上)心要经常运用,经常调理,否则就会涣散迷乱,不知所向。在孔孟关于养生的论述中,对疾病及其防治方面的认识是深刻的。

孔孟的"唯其疾之忧"的仁孝观,对古代医学的发展产生了一定的影响,历代不少著名医家都提出了"知医为孝"的观点。如被后人尊为"医圣"的汉代张仲景《伤寒论·自序》云:"留神医药,精究方术,上以疗君亲之疾,下以救贫困之厄。"晋人皇甫谧云:"夫受先人之体,有八尺之躯,而不知医事,此所谓游魂。若不精于医道,虽有忠孝之心,仁慈之性,君父危困,赤子涂地,无以济之,此固圣贤所以精思极论,尽其理也。"(《晋书》本传)唐人孙思邈《备急千金要方序》云:"君亲有疾不能疗,非忠孝也。"这些言论都认为孝子忠臣要时刻保证君父的身体康健,就必须精究医术,可谓在历史上开了医孝合一论的先河。这说明孔孟奉亲养老并力求掌握医药知识的观点,容易在以救死扶伤为己任的医家中产生反响,这也体现了在社会生活中人们都有希望自己的亲人健康长寿的共同意愿。

宋代,医孝合一的观点更为发展。据宋人吴曾《能改斋漫录》卷十三记载,作为理学先驱之一的范仲淹年少时即有"不为良相,则为良医"的愿望。他针对有人认为良医之技失之于卑的观点答道:"且大丈夫之于学也,固欲遇神圣之君,得行其道,思天下匹夫匹妇有不被其泽者,若己推而内之沟中。能及大小生民者,固惟相为然。既不可得矣,夫能行救人利物之心者,莫如良医。果能为良医也,上以疗君亲之疾,下以救贫民之厄,中以保身长年。在下而能及小大生民者,舍夫良医,则未有也。"指出良医与贤相虽有地位上的差别,但从儒家以"仁孝"为旨的"利泽生民"的观点来看则是一致的。

《宋元学案·安定学案》载,"宋初三先生"之一的胡瑗有一弟子某就学京师,将所带钱财挥霍一空,且病于旅舍,"适其父至,闵而不责,携之谒安定(胡瑗),告其故。曰:'是宜先警其心,而后教谕之以道也。'乃取一帙书曰:'汝读是,可以知养生之术。知养生,而后可学矣。'视之，乃《素问》也。读未竟，惴惴然惧伐性之过，自痛悔责。安定知已悟，召而诲之曰：'知爱身，则可修身。自今以始，其洗心向道，取圣贤书次第读之。既通其义，然后为文章，则汝可以成名。圣人不贵无过，而贵改过。勤勉事业！'"胡瑗警策弟子的书籍，就是医典《黄帝内经素问》，可见其对医儒关系的重视。司马光《书仪》云："父母有疾，子色不满容，不戏笑，不晏游，舍置余事，专以迎医。"说明孝子重医之道。张载亦颇通医道，在《经学理窟·义理》中认为《黄帝内经》等医书是"圣人存此"，可见医道在其心目中的地位之高。还在其《西铭》中提出："凡天下之疲癃残疾、惸独鳏寡，皆吾兄弟之颠连而无告者。于时保之，子之翼也；乐且不忧，纯乎孝者也。违曰悖德，害仁曰贼；济恶者不才，其践形，唯肖者也。"他认为那些"疲癃残疾"与"惸独鳏寡"者是最需要人们予以关怀和帮助的兄弟；而作为人子，要保重天地父母所给予的身体，这便是恭敬之心的最好表现；还要乐天知命忘却忧愁，这样便可表示自己最纯洁的孝心。违背孝道，是戕害仁德之贼，若对这种行为视而不见，就是天地父母的不孝子孙。

程颢、程颐兄弟进一步发展了"知医为孝"的观点。程颢云："病卧于床，委之庸医，比于不慈不孝。事亲者，亦不可不知医。"《二程外书》卷十二）侍奉双亲自己必须要懂医道，否则交由庸医乱治，自然是"不孝"；即使是自己有病，也不可如此轻率，否则就会使父母背上"不慈"的恶名。程颐也认为人子事亲学医"最是大事"，他说："今人视父母疾，乃一任医者之手，岂不害事？必须识医药之道理，别病是如何，药当如何，故可任医者也。"（《二程遗书》卷十八）认为切不可将父母托付给医者，自己却一筹莫展。故二程都具有丰富的医学与养生学知识。关于切脉，二程说："人有寿考者，其气血脉息自深，便有一般深根固蒂底道理。人脉起于阳明，周旋而下,至于两气口,自然匀长,故于此视脉。又一道自头而下,至足大冲,亦如气口。"(《二程遗书》卷二下)切脉为望、闻、问、切四诊中之最难者,而二程居然能像医家可以悟出"弦紧浮芤,展转相类"的复杂脉象,分辨出人有无寿考,可见其在脉学方面造诣颇深。二程对于精神卫生知识更为熟谙,这显然与孔孟以来儒家注重道德修养的传统有关。如对于恐惧情感,《二程遗书》卷十八载:"或问:独处一室,或行暗中,多有惊惧,何也? 曰:只是烛理不明,若能烛理,则知所惧者妄,又何惧焉?"内心的恐惧只因不明了事物的性质和道理,所以他们提出"明理可以治惧"(《二程遗书》卷一)的一般性治疗方法。"怒"是人类情感中最易发作和最难控制者,过度之怒对人体危害甚大,二程提出以理制怒的方法:"人之情易发而难制者,惟怒为甚。 能以方怒之时,遽忘怒心,而观理之是非,亦可见外诱之不足恶,而道亦思过半矣。"(《二程遗书》卷十五)就是说将要发怒时,需要有一个调整,即以"理"来观察一下其中的是非曲直,即会消去怒的诱因,回到心平气和的中庸状态。这显然不失为一种具有可操作性的心理疗法。二程亦如孔孟一样最注重"乐"。如说:"仁者不忧,乐天也。"(《二程遗书》)"仁者在己,何忧之有? 凡不在己,逐物在外,皆忧也。乐天知命故不忧,此之谓也。"(《二程遗书》卷一)程颐还认为:"夫以一身推之,则身者资父母血气以生者也。尽其道则能敬其身,敬其身则能敬其父母矣;不尽其道则不敬其身,不敬其身则不敬父母。其斯之谓欤?"(《二程遗书》卷二十三)人之身来自于父母之"血气",所以爱惜自己的身体可视为孝敬父母,也便是履行了基本的道德义务。二程仁孝观的大致意思是仁孝二字虽有体用之别,但孝为仁之实,尽孝要全力以赴,包括爱惜自己的身体等等,这样便能充分体现仁。二程援医入儒的"知医为孝"说,对后世产生了巨大影响。

宋代以后,在二程等理学家的影响下,医家无不谈"孝",甚至以"孝"治医。"金元四大家"之一的张从正写有一部名为《儒门事亲》的医著,其取义乃"以为惟儒者能明辨之,而事亲者不可以不知医也"(《金史·张从正传》)。认为知医乃儒者分内事,作为孝子更应该懂医。清人程国彭《医学心悟自序》云:"古人有言,病卧于床,委之庸医,比于不慈不孝,是以为人子者,不可以不知医。"这说明知医为孝的观念已相当普及。应该说,医孝合一说曾起到过促进医者钻研医术的积极作用。明代名医王肯堂在其所著《证治准绳自序》中讲述习医经过:"嘉靖丙寅,母病阽危,常润名医,延至殆遍。言人人殊,罕得要领,心甚陋之,于是锐志学医。"其后,"二亲笃老善病,即医非素习,固将学之,而况乎轻车熟路也。于是闻见日益广,而艺日益精,乡曲有抱沉疴,医技告穷者,叩阍求方,亡弗立应,未尝敢萌厌人,所全活者稍稍众矣。"学医的动机是因母亲生病,而医术的提高又因父母年老多病,在这里尽孝道竟成为王肯堂技艺精益求精的动力;而且他又能悬壶济世,泽及四乡,更为值得称道。因父母有病而萌志习医者,尚大有人在。清人吴瑭《温病条辨自序》云:"瑭十九岁时,父病年余,至于不起,瑭愧恨难名,哀痛欲绝。以为父病不知医,尚复何颜立于天地间!遂购方书,伏读于苦块之余。"不能尽孝的遗憾使他愤然"弃举子业,专事方术"。父母子女的血缘关系是人类最基本也是最重要的关系之一,基于亲情而习医,进而济世,体现了儒家"父母唯其疾之忧"的仁孝思想。鲁迅亦曾说过自己习医的目的是"救治像我父亲似的被误的病人的疾苦",这种医孝合一论显然包含有古代人道主义的合理因素,有其积极进步的现实意义。

五、事父母几谏

关于"生,事之以礼",《礼记·祭统》有云:"生则养","养则观其顺也"。孟子亦曰:"不顺乎亲,不可以为子。"(《孟子·离娄上》)都强调了一个"顺"字。这个"顺"字,应该作何解释呢? 世人往往把"顺"理解为片面地、无条件地顺从父母之命。后世甚至演变为所谓"父令子亡,子不得不亡"之类的极端思想。其实,这种理解是绝对错误的。

对此,我们看看《礼记·祭统》对于"顺"的解释。其曰:"福者,备也;备者,百顺之名也。无所不顺者,谓之备,言内尽于己,而外顺于道也。忠臣以事其君,孝子以事其亲,其本一也。上则顺于鬼神,外则顺于君长,内则以孝于亲,如此之谓备。"这是说,能做到"百顺"或"无所不顺"才叫做"备";能做到"百顺"之"备",才能给人带来"福"。而所谓"百顺"之"备",其中包括"上则顺于鬼神,外则顺于君长,内则以孝于亲"等内容。然而,最关键的问题在于:什么叫做"顺"呢? 这里明确地指出:"无所不顺者,谓之备,言内尽于己,而外顺于道也。"可见,只有做到"内尽于己,外顺于道",才能达到"无所不顺"之"备"。显然,这个"顺",应以"内尽于己"为基础,而以"外顺于道"为原则。所谓"内尽于己",对心对性而言,就是《中庸》所提出的"诚";对人对事而言,就是曾子用以解释"一贯之道"的"忠恕"之"忠"。所谓"外顺于道",因为"道"是一个形而上的抽象的名词,只有将"顺于道"的理论具体落实到顺于"礼"的规范中时,才能从实践中体现出来。所以,从实质上说,"外顺于道"也就是外顺于"礼"之意。《礼记·祭统》又云:"孝者,畜也。顺于道不逆于伦,是之谓畜。"这里把"孝"解释为"畜",而最值得注意的是所谓"畜",就是"顺于道不逆于伦",就是合于"道"而不违乎"伦理",具体而言,亦即"无违"于"礼"之意。由是观之,《礼记·祭统》所谓"生则养","养则观其顺",并非说对父母应唯命是从,而是指"顺于道"、"无违"于"礼"而言。归根到底就是体现了"生,事之以礼"的孝道精神。

诚然,如果父母的言行作为都是合"道"或合"礼"的,那么子女的顺从父母之命与"顺于道"或"事之以理"是完全一致的。然而问题在于,如果父母的言行作为并不合"道"或并不合"礼",甚至是严重违"道"或非"礼"的,那怎么办呢?儒家认为,作为子女,若处于从父与从道产生矛盾时,就应该进行谏诤,挽回父母的过错,使之回到正道上来。对此,《孝经·谏诤章》记孔子回答曾子的话作了明确的论述:

> 曾子曰:"……敢问从父之令,可谓孝乎?"子曰:"是何言与!是何言与!昔者天子有争臣七人,虽无道,不失其天下;诸侯有争臣五人,虽无道,不失其国;大夫有争臣三人,虽无道,不失其家;士有争友,则身不离于令名;父有争子,则身不陷于不义。故当不义,则子不可以不争于父,臣不可以不争于君。故当不义,则争之;从父之令,又焉得为孝乎!"

孔子认为,子女无原则地"从父之令",并不是孝。而是应该做一个"争子",只有做到"当不义,则子不可以不争于父",才是真正的孝。而"争于父"的本意,就是要纠正父母的过错,使之合乎"义"和"道"。对此,《周易》中的《蛊》卦,就是专讲子女纠正父母过错的道理:

《蛊》之"初六"曰:"幹父之蛊,有子考,无咎,厉终吉。"这是说,匡正父亲的弊乱,儿子能够成就先业,必无咎害,即使危险但最终必获吉祥。故其《象》曰:"'幹父之蛊',意承考也。"这是说,爻辞所谓"匡正父亲的弊乱",说明"初六"的意愿在于继承前辈的成就。

《蛊》之"九二"曰："幹母之蛊，不可，贞。"这是说，匡正母亲的弊乱，情势难行时不可强行，而要守持正固以待时。故其《象》曰："'幹母之蛊'，得中道也。"这是说，爻辞所谓"匡正母亲的弊乱"，说明"九二"应当掌握刚柔适中的方法。

《蛊》之"九三"曰："幹父之蛊，小有悔，无大咎。"这是说，匡正父亲的弊乱，稍有悔恨，但没有重大咎害。故其《象》曰："'幹父之蛊'，终无咎也。"这是说，爻辞所谓"匡正父亲的弊乱"，说明"九三"最终不会有咎害。

《蛊》之"六四"曰："裕父之蛊，往见吝。"这是说，宽裕不急地缓治父亲的弊乱，这样往前发展必然出现憾惜。故其《象》曰："'裕父之蛊'，往未得也。"这是说，像"六四"这样往前发展难以获得治弊之道。也就是说，匡正父亲的弊乱必须及时，不宜迟缓。

《蛊》之"六五"曰："幹父之蛊，用誉。"这是说，匡正父亲的弊乱，备受称誉。故其《象》曰："'幹父用誉'，承以德也。"这说明"六五"能匡正父亲的弊乱，而用美德来继承先业，从而获得了人们的称誉。

根据《周易·蛊》卦的论述，可以得出这样几点道理：第一，纠正父母的过错，乃是子女义不容辞的责任；第二，纠正父母的过错，既要及时（或等待适宜之时），又要掌握适中的方法；第三，纠正父母过错的目的，是为了能以正道和美德来继承祖先的事业。在这里，最关键的问题，在于如何掌握适中的方法。对此，孔子提出了"几谏"的方法。《论语·里仁》载：

　　　　子曰："事父母几谏。见志不从，又敬不违，劳而不怨。"
朱注云："几，微也。"故所谓"几谏"，就是轻微婉转地劝止。对此，不妨参照《礼记·内则》所论，以便理解。《礼记·内则》云："父母有过，下气怡色，柔声以谏。谏若不入，起敬起孝，悦则复谏。不悦,与其得罪于乡党、州闾,宁熟谏。父母怒不悦,而挞之流血,不敢疾怨,起敬起孝。"这里,所谓"下气怡色,柔声以谏",就是"几谏"所应具备的婉转的态度;所谓"谏若不入,起敬起孝,悦则复谏",就是"见志不从,又敬不违"之意;所谓"父母怒不悦,而挞之流血,不敢疾怨,起敬起孝",就是"劳而不怨"之意。《礼记·曲礼下》云:"子之事亲也,三谏而不听,则号泣而随之。"也是"劳而不怨"之意。《礼记·坊记》亦记孔子云:"从命不忿,微谏不倦,劳而不怨,可谓孝矣。"为什么要如此"劳而不怨"地进行"几谏"呢?因为父母严重的过错,必将"得罪于乡党、州闾",而"与其得罪于乡党、州闾",毋宁对父母进行"熟谏"为妙。对此,孔颖达疏云:"宁熟谏者,犯颜而谏。使父母不悦,其罪轻;畏惧不谏,使父母得罪于乡党、州闾,其罪重。二者之间,宁可熟谏,不可使父母得罪。"而所谓"熟谏",疏云:"熟谏,谓纯熟殷勤而谏,若物之成熟然。"由是观之,子女对于父母的过错,首先应进行轻微婉转地"几谏";若反复"几谏"而父母仍然不从,则不得不继之以"纯熟殷勤"的"犯颜而谏";即使"父母怒不悦,而挞之流血",仍不要灰心,还得"起敬起孝"地进行谏诤,要之必须把真理坚持到底。

有人认为,若从现代的文明观点而言,父子之间是应该互相尊重的,如果父母"挞之流血"也"不敢疾怨",还算互相尊重吗?这话自然不错,不过鄙意窃谓,父子互相尊重的前提,在于全民文化素质的普遍提高,则父母把子女"挞之流血"的现象就自然不存在了。然而,万一不幸而出生于素质较差且又不讲道理的父母膝下将怎么办呢?难道父母不听谏诤就与之顶嘴吗?不对;被父母"挞之流血"时就与之相打吗?更不对!因为这样不但不能解决问题,反会把事情弄得更糟;而且自己也跟着父母犯错误了。那又怎么办呢?窃谓最好的办法,莫过于坚持孔子所说的"几谏"!就是要轻微婉转而又带有艺术性地进谏。用现在的话说,就是要不动气,不灰心,耐心细致地做父母的思想工作。

从人的心理而言,即使朋友之间,甚或上级对于下级之间,假若当面直指其过,必将使人难堪而不利于改正错误,何况作为长辈的父母? 所以,只有采取轻微婉转而又富有艺术性的方法反复进谏,使父母既不得不改正错误,又生不起气来,这才是成功的谏诤。因而可以说,孔子提出的"几谏"的进谏方法,乃是一种高水平的进谏方法,至今仍有其现实意义。诚然,这一境界说起来容易,实行起来是很难达到的。

至于碰上父母暴怒而将子女"挞之流血"之事,按照孔子的建议,最好是学习虞舜那种"小箠则待,大箠则走"的办法。据《说苑》所载,孔子的弟子曾参,有一次铲瓜而误伤其根,其父曾晳怒而用大棍打他。曾参昏倒在地。醒后,去见孔子。孔子责备他不孝。孔子说:"舜之事父也,索而使之,未尝不在侧;求而杀之,未尝可得。小箠则待,大箠则走,以逃暴怒也。"孔子认为,父母用小棒敲几下,子女是可以接受的;假如父母在盛怒之下用大棍打来,子女就应该避开以免受伤。最理想的办法是像虞舜那样"索而使之,未尝不在侧;求而杀之,未尝可得",才算是大孝。可见后世那种死也要服从父命的说法,和孔子的思想是背道而驰的。

《大戴礼记·曾子事父母》记曾子曰:"爱而敬父母之行,若中道则从,若不中道则谏,谏而不用,行之如由己。从而不谏非孝也,谏而不从亦非孝也。"《荀子·子道》亦云:"入孝出弟,人之小行也;上顺下笃,人之中行也;从道不从君,从义不从父,人之大行也。""孝子所以不从命有三:从命则亲危,不从命则亲安,孝子不从命乃衷;从命则亲辱,不从命则亲荣,孝子不从命乃义;从命则禽兽,不从命则修饰,孝子不从命乃敬。故可以从而不从,是不子也;未可以从而从,是不衷也;明于从不从之义,而能致恭敬、忠信、端悫以慎行之,则可谓大孝矣。传曰'从道不从君,从义不从父',此之谓也。"故又引孔子曰:"父有争子,不行无礼。……故子从父,奚子孝?……审其所以从之之谓孝也。"朱子亦曰:"阿意曲从,陷亲不义,是不孝也。"这些论述,都一致体现了"从义不从父"的事亲原则。

综上所述,荀子所谓"从义不从父",乃是儒家事亲的基本原则;而孔子所谓"事父母几谏",则是儒家劝告父母使之合乎"义"的最佳方法。由是观之,儒家所提倡的"孝",跟后世所提倡的那种片面要求子女的所谓"父令子亡,子不得不亡"的愚孝是绝对不同的。

六、立身行道,扬名显亲

儒家论孝,并非用孤立的、静止的、片面的眼光来看待孝,而是用联系的、发展的、整体的眼光来看待孝。儒家认为,孝不是一种孤立的品德,而是与各种德目都有联系的。任何一种品德的缺陷,都会有损于孝的品德的完美性。《大戴礼记·曾子大孝》记曾子曰:"居处不庄非孝也,事君不忠非孝也,莅官不敬非孝也,朋友不信非孝也,战阵无勇非孝也。"这说明孝与庄、忠、敬、信、勇各种德目都有密切的联系。举例说,假若一个人"事君不忠"而成为奸臣,或者"莅官不敬"而成为赃官,道德败坏,名声扫地,这就是给父母的脸上抹黑,使父母精神上受到损害。那么即使养得再好,也就不足以为孝了。其余德目亦可类推。所以,在儒家看来,笃行孝道,还必须有道德上、事业上的追求。因而儒家的孝道,不仅要求子女对父母要尽孝养和孝敬的义务,而且还进而要求子女自身要立德、立功、立言,修身行道,成就事业,以达到扬名显亲、光宗耀祖的目标,才算达到较高层次的孝。《孝经·开宗明义章》记孔子曰:

> 身体发肤,受之父母,不敢毁伤,孝之始也;立身、行道,扬名于后世,以显父母,孝之终也。夫孝,始于事亲,中于事君,终于立身。

这是说,子女的身体受之于父母,既是父母关爱担忧的对象,又是本身赖以成就事业的根本,所以从小保持健康的身体,不使无故受伤致残,这是立身的先务,也是实行孝道的基础;而所谓"扬名",绝非利欲熏心地去追逐名利,而是修养道德,探究学问,事君以道,为官以正,以期建立利国利民的事业,自然得到人民的爱戴,获得好的荣誉,从而也为父母争得了荣誉,甚至上及祖先、下及子孙都沾到了光。古代蒙书《三字经》亦云:"扬名声,显父母;光于前,裕于后。"古人以此来鼓励幼儿从小就树立起"立身、行道"的建功立业之大志。

在"立身、行道,扬名于后世,以显父母"这条孝行中,立足点显然是"立身"和"行道",而"扬名"与"显父母"则是由"立身、行道"而来的自然而得的效果。所以历代儒家在如何"立身"和"行道"方面都着重加以论述。

孟子把"守身"与"事亲"直接联系起来加以论证。他说:"事孰为大? 事亲为大;守孰为大? 守身为大。不失其身而能事其亲者,吾闻之矣;失其身而能事其亲者,吾未之闻也。孰不为事? 事亲,事之本也;孰不为守? 守身,守之本也。"(《孟子·离娄上》)朱注云:"守身,持守其身,使不陷于不义也。一失其身,则亏体辱亲,虽日用三牲之养,亦不足以为孝矣。""事亲孝,则忠可移于君,顺可移于长。身正,则家齐、国治而天下平。"由此可见,儒家的"孝",是"守身"、"立身"与"事亲"、"事君"的统一。行"孝"不单纯是对父母的态度问题,而且与道德修养和事业上的追求都有密切的联系。

儒家在"立身"方面的要求,主要包括两方面的内容:一是向内反省以提高道德境界，二是向外博学以求取文化知识。《中庸》将两方面概括为"尊德性而道问学"。两方面的结合，乃成为德才兼备的有用之才，才可以自立于世，并为进一步"行道"打下坚实的基础。

在"尊德性"方面，儒家主张修养成为具有大中至正的浩然之气的"中行"品德。孔子提出了"修己以敬"(《论语·宪问》)的修养纲领。所谓"敬"，就是专心认真之意。认真学习，认真办事，认真做人，乃是品德修养所必须具备的最基本的态度。只有时刻以"敬"存心，才能学有所成，业有所就；假若凡事视同儿戏而全不在意，必然学不到真正的知识，也无从造就一个能任重致远的大器。今人所谓"世界上怕就怕'认真'二字"，也是此意。所以孔子强调"敬事而信"(《论语·学而》)，"执事敬"(《论语·子路》)，"事思敬"(《论语·季氏》)，"行笃敬"(《论语·卫灵公》)；而极力反对"为礼不敬"(《论语·八佾》)。显然都突出了"敬"的重要性。所谓"敬事"，亦即现代所提倡的"敬业"精神，是一种认真而负责的职业道德。孔子提倡"修己以敬"，并非为了修己而修己，而是为了进一步"修己以安人"乃至"修己以安百姓"。"安人"、"安百姓"必须以"修己以敬"为基础，而"修己以敬"应以"安人"乃至"安百姓"为目标。这就是"修己以敬"在人生修养中的重要意义。孟子从性善论出发，在主张尽心、知性、知天、思诚的基础上，提出了养气之学："我善养吾浩然之气"，"其为气也，至大至刚，以直养而无害，则塞于天地之间。其为气也，配义与道；无是，馁也。是集义所生者，非义袭而取之也。行有不慊于心，则馁矣。"(《孟子·公孙丑上》)所谓"浩然之气"，是天地间的正大光明之气，是一种主观的精神状态，系由正义所养成，以求达到精神的自我完善。但这必须由正义的经常积累所产生，而非偶然的正义行为所能取得的。孟子正是通过积累事事合乎适得事理之宜的中正之道来培养浩然之气的。《易传·坤文言》曰："君子敬以直内，义以方外。"可谓综括了道德修养之要领。

儒家在主张"尊德性"的同时，又主张"道问学"，强调博学以致知。孔子提倡"博学于文"，《大学》提倡"致知在格物"，《中庸》提倡"博学之，审问之，慎思之，明辨之，笃行之"，孟子提倡"博学而详说之"，都是重视学问和知识的明证。

"尊德性"与"道问学"兼修并进，然后乃能德才兼备，这就是儒家的"修身"之道，亦即"立身"之道。然而，儒家哲学是一种主张身体力行以经世致用的实践哲学，其"立身"的目的还在于"行道"。故《大学》把"修身"作为齐家、治国、平天下之本；而齐家、治国、平天下则是在"修身"的基础上实行"行道"的具体实践。因而儒者应具有积极入世、治国安民、拯民于水火的以天下为己任的博大胸怀和崇高理想。

从社会理想上说，儒家的最高目标是由"小康"社会走向"大同"社会；从政治理想上说，儒家的最高目标是"修己以安百姓"，"博施于民而能济众"。然而，实现"大同"社会是一个历史的过程，并非某个圣贤所能力致；而"安百姓"与"博施济众"也不是每个人都具备这种能力和条件。所以，儒家并不主张好高骛远，而是主张每个人都根据自己的能力、身份以及所处的环境踏踏实实地"行道"。质言之，就是从自己力所能及的最切近的事物开始，然后循序渐进，逐步扩大和提高。试举例如下：

其一，在推行仁道方面，必须分别亲疏远近，有层次有步骤地扩充仁道。《中庸》曰："仁者，人也，亲亲为大。"即从"孝悌为仁之本"开始，然后"老吾老，以及人之老；幼吾幼，以及人之幼"。由此再推而广之，扩而充之，以至"四海之内皆兄弟也"，就可以最终达到"人不独亲其亲，不独子其子"的博爱境界了。孟子把这一逐步扩充的层次概括为"亲亲而仁民,仁民而爱物"(《孟子·尽心上》)。

其二,在处世方面,应以"义"作为处事之准则。孔子曰:"君子义以为质。"(《论语·卫灵公》)又曰:"君子义以为上。"(《论语·阳货》)若处于两种欲求不可兼得时,就应该从道义出发而权衡其轻重,在必要时不惜"杀身以成仁","舍生而取义"。孔子曰:"志士仁人,无求生以害仁,有杀身以成仁。"(《论语·卫灵公》)孟子亦曰:"生亦我所欲也,义亦我所欲也;二者不可得兼,舍生而取义者也。"(《孟子·告子上》)能做到"杀身成仁"、"舍生取义",才可谓之志士仁人。

其三,在工作岗位上,行为应该合乎自己的职分。本职工作没做好,是不及;越俎代庖的侵权行为,则是过。只有做到既能尽职,又不越职,才可谓之称职。孔子在担任委吏时能做到"会计当而已矣",在担任乘田时能做到"牛羊茁壮长而已矣",这是尽职(见《孟子·万章下》);但他主张"不在其位,不谋其政"(《论语·泰伯》),曾子亦谓"君子思不出其位"(《论语·宪问》),就是反对越职侵权行为。《书·伊训》曰:"居上克明,为下克忠。"这是说居上者能合光明之道,在下者能有尽责之心,上下皆能各尽其职也。

其四,在处去行藏方面,必须以合道为准则,做到"用之则行,舍之则藏"。孔子曰:"富与贵,是人之所欲也,不以其道得之,不处也;贫与贱,是人之所恶也,不以其道得之,不去也。""君子之于天下也,无适也,无莫也,义之与比。"(《论语·里仁》)这是说,君子之于天下之事,并无固守不变的规定,而应唯义是从,亦即以合理恰当为准。又曰:"不义而富且贵,于我如浮云。"(《论语·述而》)孔子弟子子路亦曰:"君子之仕也,行其义也。"(《论语·微子》)孟子则提出了"士穷不失义,达不离道"的观点。其曰:"得志,泽加于民;不得志,修身见于世。穷则独善其身,达则兼济天下。"(《孟子·尽心上》)必须说明的是,孟子之所谓"独善"与道家的遁世是有区别的。道家的遁世是完全逃避社会现实；而孟子的"独善"正是以"修身见于世"来对社会负责。故"穷则独善其身，达则兼济天下"，乃成为儒门的处世守则。

从"立身、行道"的层次和境界上说，儒家修身的目标是成贤成圣。孟子谓"人皆可以为尧舜"（《孟子·告子下》），荀子亦谓"途之人可以为禹"（《荀子·性恶》），这是说每个普通人的素质都具有成为圣人的可能性。然而在现实当中，每个人所具有的能力和所处的环境互有差异，人们只能在自己所能利用的条件上努力追求，因而所能达到的水平和境界也就各不相同。

作为普通的人，最起码也应该做到安守本分，勤俭持家，使父母衣食不缺，做一个守法的庶民。而对儒者的要求，首先必须本人具备有志于圣人之道的意向，修道之教才有所施，故孔子以"志于道"为修养之始。至于品德修养之次第，荀子曰："其义则始乎为士，终乎为圣人。"（《荀子·劝学》）又曰："好法而行，士也；笃志而体，君子也；齐明而竭，圣人也。"（《荀子·修身》）荀子所说的士、君子和圣人，实可视为儒门"立身、行道"过程中的三个大的层次，亦可视为由低到高的三种境界。

儒门的初级层次是"士"。所谓"士"，就是在众人之中具有相当的文化水平，而且有志于圣人之道的人。这是儒家行列中的基本队伍。孔子认为修德必先立志，故曰："士志于道，而耻恶衣恶食者，未足与议也。"（《论语·里仁》）这是勉励士首先必须树立起崇高的理想。孔子又曰："苟志于仁矣，无恶也。"（同上）"仁"也就是圣人之道。既然有志于"仁"，尽管还难保不犯错误，但故意为恶之事就不会有了。所以，作为"士"，也就自然进入善人或正人的行列了。曾子曰："士不可以不弘毅，任重而道远。仁以为己任，不亦重乎！死而后已，不亦远乎！"（《论语·泰伯》）士既然有志于仁，当然就应该肩负起行仁的责任，而且还应做到毕生为此而努力，可谓任重而道远，所以必须具有宏大而坚毅的品德。因为没有宏大的气魄，就不足以胜重任；没有坚强的毅力，就不足以致远道。因而"弘毅"也是"士"所必备的品德。而且于此可见，孔子提出"士志于道"之"道"，就是"仁以为己任"之道，亦即通过人伦教化而达到治国、平天下之道。

儒门的中级层次是"君子"。所谓"君子"，就是"士"通过道德修养而基本上合乎中行品德的人。孔子曰："君子中庸，小人反中庸。君子之中庸也，君子而时中。"（《中庸》）孔子又认为："圣人，吾不得而见之矣，得见君子者，斯可矣。"（《论语·述而》）由于"圣人"千载难逢，因而只能作为美好的理想加以钦仰；而在现实中，孔子就把希望寄托在"君子"身上。孔子给"君子"提出过许多界定和要求。如曰："君子不器。"（《论语·先进》）"器"者，各适其用而不能相通之谓。这是说，君子是一种道德修养，在各种行业上都能体现其品格，而不是指专业上的一才一艺而言。又曰："君子博学于文，约之以礼，亦可以弗畔矣夫！"（《论语·雍也》）"君子义以为质，礼以行之，孙以出之，信以成之。君子哉！"（《论语·卫灵公》）这是说，君子既要在文化上博学致知以掌握知识，又应在道德上以义为质，并以遵守礼、信等规则来要求自己。孔子还要求即使在遇到艰难曲折时也不能片刻放弃己志："君子无终食之间违仁，造次必于是，颠沛必于是。"（《论语·里仁》）而在存诸内之品德与形诸外之文采的关系上，孔子提出了"文质彬彬，然后君子"的观点。孔子还常常以"君子"与"小人"对举而言，以说明两者之区别。诸如："君子喻于义，小人喻于利。"（同上）"君子周而不比，小人比而不周。"（《论语·先进》）"君子和而不同，小人同而不和。"（《论语·子路》）"君子泰而不骄，小人骄而不泰。"（同上）"君子求诸己，小人求诸人。"（《论语·卫灵公》)"君子成人之美,不成人之恶;小人反是。"(《论语·颜渊》)这是说,君子见得思义,不像小人那样唯利是图,故曰"喻于义";君子待人出于公心,故曰"周而不比";君子尚义而不尚利,故能"和而不同";君子循理而不逞欲,故能"泰而不骄";君子责己严而待人宽,故凡事皆能"求诸己";君子能以善存心,故乐于"成人之美"而"不成人之恶"。而小人则往往与此相反。由此可见,孔子都是以"中行"的标准来要求君子之品德的。可以说,"君子"是现实中能够遵循"中行"准则修养到较高境界的道德层次,属于儒门的中坚人物。

儒门的最高境界是"圣人"。由于"圣人"在现实中千载难遇,故一般都以托古的方式寄托于既往的历史或寄希望于理想之中。然而,对于"圣人"所应达到的境界,儒家经典则多有论述。《书·尧典》曰:"曰若稽古帝尧,曰放勋,钦明文思安安,允恭克让。光被四表,格于上下。克明俊德,以亲九族;九族既睦,平章百姓;百姓昭明,协和万邦,黎民于变时雍。""克明俊德"是"内圣"的道德修养;"以亲九族"以下是将"内圣"的道德贯彻于"外王"的功业之中。帝尧能把"内圣"的道德与"外王"的功业高度统一起来而达到了"圣人"的最高境界,故成为儒家理想中的最高典范。继尧之后的舜和禹,同样能将"内圣"的道德贯彻于"外王"的功业之中,故也成为儒家所尊崇的圣人。而孔子则把"内圣"的道德修养贯彻于伟大的文化事业之中,影响更为巨大深远,故孟子称之为"至圣"。《大学》提出"三纲领"和"八条目",其中从"格物"到"修身"五项"明明德"的工夫,就是"内圣"的品德修养工夫;"齐家"、"治国"、"平天下"三项"亲(新)民"事业,则是将"内圣"品德贯彻于"外王"事业之中而达到了"止于至善"的最高境界。

若从政治地位上说,据《孝经》所载,又有所谓天子之孝、诸侯之孝、卿大夫之孝、士之孝、庶人之孝五种等级。由于各种等级所处的地位和条件差别悬殊,故其"立身、行道"以成就"孝"的标准也不相同。以致在同样力行之下所取得的成就及其在"扬名"和"显父母"方面所造成的影响自然会有大小、广狭之别。

如上所述,由于每个人的能力、身份和所处环境各不相同,因而在"立身"、"行道"的实践中所取得的成就及其对社会所作出的贡献亦有差距。这无疑在"扬名"和"显父母"方面所形成的影响也会有大小、广狭、远近之分。然而,一个人只要能在自己力所能及和条件容许的范围之内尽到了自己的努力,那么不管其"扬名"和"显父母"的影响有大有小,都是值得嘉许的孝行。

明宋濂《宋学士文集·赵氏时思庵记》云:"孝之为道,非一而足也。……持己以廉,清洁如冰雪,庸非孝乎!治民辩讼,使各得其平,又非孝乎!业精于躬而名昭于时,道足于己而文垂于后,又非孝乎!"可谓深得儒家孝道之精神。

七、继志述事之为"达孝"

在父母去世之后,最基本的孝行是"葬之以礼,祭之以礼"。而在此基础之上,还有更高层次的孝行,就是还要做到继承父母的遗志,弘扬父母的道德,光大父母的事业。对此,《中庸》引孔子的话特别称誉了几位古代圣王善于继承父母遗志的事迹:

> 子曰:"舜其大孝也与! 德为圣人,尊为天子,富有四海之内。宗庙飨之,子孙保之。故大德必得其位,必得其禄,必得其名,必得其寿。故天之生物,必因其材而笃焉。故栽者培之,倾者覆之。诗曰:'嘉乐君子,宪宪令德! 宜民宜人,受禄于天。保佑命之,自天申之!'故大德者必受命。"

虞舜本来出身于庶人,但由于他具有崇高的道德和卓越的才智,辅佐唐尧治理天下,全心全意为民办事,受到全民的爱戴。民心所向,天命攸归,故在唐尧逝世之后,被天下推戴为天子。于是,在受到天下之民的爱戴的同时,也使父母获得了最高的享受和荣誉。孟子认为,孝子最高的孝行,就是"尊亲"。他说:"孝子之至,莫大乎尊亲;尊亲之至,莫大乎以天下养。为天子父,尊之至也;以天下养,养之至也。"(《孟子·万章上》)可以说,虞舜是以"爱民"的实际行动来躬行"孝亲"的,因而是儒家心目中"爱民"与"孝亲"高度统一的最高典范。故孔子称之为"大孝",并给予尽情地赞颂。而周代的列祖列宗,则是以世代相继的形式来实现"孝亲"的品德的:

> 子曰:"无忧者其惟文王乎! 以王季为父,以武王为子,父作之,子述之。武王缵太王、王季、文王之绪。壹戎衣而有天下,身不失天下之显名。尊为天子,富有四海之内。宗庙飨之,子孙保之。武王末受命,周公成文武之德,追王太王、王季,上祀先公以天子之礼。"

这是说,文王之父王季继承了太王的遗志,文王继承了王季的遗志,而武王、周公又继承了文王的遗志,都对父母、祖先的事业作了开拓和发展。尤其是周武王,在继承太王、王季、文王历代所开创的事业的基础上,又能一举灭商而建立周朝,把祖宗的事业提高到无以复加的至尊、至显的地位。但是,周武王到老年时才受命为天子,未及制礼而已逝世,故王弟周公在辅佐成王的摄政期间,又能成就文王、武王之德而制作礼乐,并追尊太王、王季以王号,而以天子之礼祭祀历代祖宗。所以《中庸》又引孔子的话加以尽情地赞颂:

> 子曰:"武王、周公,其达孝矣乎! 夫孝者,善继人之志,善述人之事者也。春秋修其祖庙,陈其宗器,设其裳衣,荐其时食。……践其位,行其礼,奏其乐;敬其所尊,爱其所亲;事死如事生,事亡如事存——孝之至也!"

孔子认为，像武王和周公这样善于继承父母遗志，善于开拓祖宗事业的品德，使父母乃至祖先都能享受最高的祭祀和荣誉，可以算是普天之下所公认的"达孝"了。这是由于他们心中时刻怀着"事死如事生，事亡如事存"的真诚孝心，所以平时还能做到敬父母之所尊，爱父母之所亲，对父母的遗志体贴得无微不至。这确实已达到了孝道的最高境界。

诚然，像虞舜和文、武、周公这样的"大孝"或"达孝"，一般人是没有条件做到的。虞舜虽然出身庶民，但他刚好出生在禅让之世，而且又刚好碰上唐尧这位圣君，破格把他提拔到继承人的位置上，他的道德智能才得以施展。否则，也只能安分守己地处在庶民位置躬行其"庶民之孝"。周武王虽然继承有祖宗的基业，但如果不是碰上商纣王的暴虐无道，也只能局限在西伯的范围内躬行其"诸侯之孝"，否则就难逃"犯上作乱"的"弑君"之名，而招来遗臭万年的最大的"不孝"。然而正因为适逢商纣王的无道之世，他才得以吊民伐罪之师"恭行天罚"。正如《易·革象》所云："汤武革命，顺乎天而应乎人。"于是才得以建立周朝而恭行其"天子之孝"。由此可见，像虞舜和周武王这样的"大孝"或"达孝"，是需要一定的客观条件的。所以儒家认为，要实行孝道，一定要根据自己的能力、身份和所处的客观条件去继承父母的遗志和发展祖宗的事业，这才是符合"礼"的"孝"；而决不能超出"礼"所容许的范围去作非分之想，因为这样只会适得其反而带来"不孝"之名。因此，《孝经》就引述孔子的话，给不同的阶层如何继承遗志和开拓事业分别作了具体的论述。孔子曰：

> 爱亲者，不敢恶于人；敬亲者，不敢慢于人。爱敬尽于事亲，而德教加于百姓，刑于四海——盖天子之孝也。

作为以四海为家而负天下之重的天子，就应该体会先王"以天下之

心为心"的意愿,以身作则地施行爱民之仁政,即以"德教加于百姓,刑于四海"的行动来保持祖宗所创建的基业。又曰:

> 在上不骄,高而不危;制节谨度,满而不溢。高而不危,所以长守贵也;满而不溢,所以长守富也。富贵不离其身,然后能保其社稷,而和其民人——盖诸侯之孝也。

诸侯作为一国之君,就应该以谦虚的品德和守礼的行为来永久地保持先君所传的社稷,以及用仁政来安定一国之民心。又曰:

> 非先王之法服不敢服,非先王之法言不敢道,非先王之德行不敢行。是故非法不言,非道不行;口无择言,身无择行。言满天下无口过,行满天下无怨恶。三者备矣,然后能守其宗庙——盖卿、大夫之孝也。

卿是辅佐天子施政的官,大夫是辅佐诸侯施政的官,两者在官阶上尽管也有高低之别,但在政治上都处于辅佐的地位,其本身都没有制作礼乐的权力。正如《中庸》所谓:"虽有其位,苟无其德,不敢作礼乐焉;虽有其德,苟无其位,亦不敢作礼乐焉。"朱《注》引郑氏曰:"言作礼乐者,必圣人在天子之位。"这是说,制作礼乐必须具备两个条件,即"圣人之德"和"天子之位"。只有集两者于一身如尧、舜、禹、汤、文、武、周公这样的人,才有制作礼乐的资格;周公虽非天子,但他曾代成王摄政,所以也有这种资格。此外,虽德如孔子,由于他只在大夫之位,所以也没有制作礼乐的资格;他只能在学术上进行探讨,而不能把自己的思想转化为制度夫推行,他本人仍然应遵守当时的"礼"。因此,作为卿、大夫而言,不管你道德智能有多高,也只能严格遵守先王之道来辅佐天子或诸侯施行教化。也只有做到这样,才算是不负父母之遗志,才能保持父母所传的禄位,也从而达到了"孝"。孔子又曰:

> 资于事父以事母,而爱同;资于事父以事君,而敬同。故

> 母取其爱,而君取其敬,兼之者父也。故以孝事君则忠,以敬
> 事长则顺。忠顺不失,以事其上,然后能保其禄位而守其祭
> 祀——盖士之孝也。

作为士阶层,除了善事父母之外,也不乏事君参政的机会,因而必
须处理好事君与事父母之间的关系。但对于所事的不同对象,在
态度上是有所区别的:事母以亲爱为主,事君以恭敬为主,而事父
则应爱和敬并重。若以事父为起点,即以爱父之心去爱母,以敬父
之心去敬君,就能在父、母、君三者之间建立起一种比较合理、和谐
的关系。由家庭道德推广到社会上乃至政治上,则以孝父之心事
君则忠,以敬父之心事奉长辈或者上级则顺。这样才能"保其禄位
而守其祭祀",才算不负父母之遗志并能永久地保持父母所传的禄
位,从而达到了孝。孔子又曰:

> 用天之道,分地之利,谨身节用,以养父母——此庶人之
> 孝也。

在春秋以前,学在官府,庶民一般都是没有文化的;加之封建宗法
制等级森严,庶民几乎是没有出仕从政的机会的。因而作为广大
庶民来说,在事业上无所继承,也很难有所开拓,故其主要任务就
是治理家庭和善事父母。所以,能够尽量利用自然环境所给予的
有利条件,安分守己、克勤克俭地供养父母,乃是庶民应尽的责任。
质言之,就是根据自己的身份,能做到"生,事之以礼;死,葬之以
礼,祭之以礼",也就达到孝了。

于是,孔子总结道:"故自天子至于庶人,孝无终始。而患不及
者,未之有也。"孔子认为,从天子到庶人,虽然在地位上有高低之
分,在事业上善继、善述的规模也有大小之别,但对于父母的孝都
是无穷尽的。只要根据自己的条件加以努力,都是孝的表现。

当然,孔子以上所述,是就春秋以前的情况而言的。到了春秋

末期,商周以来的封建宗法制行将崩溃,加之孔子首创私学,文化逐渐下移,庶人出仕从政的机会也就逐渐多起来。汉唐以后,出身贫民,通过苦学努力而位至公侯将相的事例已较为常见。所以,庶民实现"善继人之志,善述人之事"的"达孝",也已成为可能。

然而,根据儒家的思想,获得政治地位,并非就算"达孝",而仅仅是为更好地善继、善述创造了条件。若要实现"达孝",其本质乃在于能在所处的地位上作出与之相应的利国利民的巨大贡献。假若利用所处的政治地位而作危国害民之事,则不仅不是"达孝",而且还将成为败坏父母名声的千秋罪人!

现在,社会制度虽已起了根本的变化,但儒家的这一精神仍然值得继承和弘扬。每个人只要能常念父母的遗志和胸怀为国为民之心,在所处的工作岗位上作出应有的贡献,为父母争光,以此来报答已故父母的养育之恩,就都可称之为"达孝"。而那些损公肥私、贪赃枉法,从而导致家风败坏、家学失传、家道衰落的人,就是典型的不孝之子。

《中庸》云:"舟车所至,人力所通,天之所覆,地之所载,日月所照,霜露所坠,凡有血气者,莫不尊亲,故曰配天。"孟子亦曰:"孝子之至,莫大乎尊亲。"(《孟子·万章上》)父母与子女之间的感情乃人之天性,因而不管出生在什么地方,这种感情都是天然具有的。而且,对于每个人来说,父母之恩确实如同天地,凡是怀有正义感的人,都必然怀有为父母争光的"尊亲"之心。因此,若能把继承父母的遗志与事业上的贡献高度统一起来,就是现代值得提倡的"达孝"!

第四节　关于孝的某些特殊含义的辨析

在儒家的孝道中,有的内容确系由于时代的局限而带有落后的成分,有的内容则由于今人的种种曲解而未能获得正确的评价。所以对于孝道中的某些含义,必须作进一步深入的分析和研究,才能去粗取精、去伪存真地加以继承和弘扬。今试举几条略加辨析,以就正于高明。

一、关于"身体发肤,不敢毁伤"

《孝经·开宗明义章》云:"身体发肤,受之父母,不敢毁伤,孝之始也。"这分明是教导年轻子弟应该珍惜自己的身体,随时多加小心,不宜无故使之毁伤致残,以免父母担忧。这原本就是很正确的道理,根本谈不上有什么错。可是,竟"有人把这一含义作绝对化理解,认为它有损于献身精神。认为尽孝,就是不要伤害身体,那么,连义务献血都不去了;面对邪恶,明哲保身,不敢斗争,参军参战更是不敢了,等等"①。显然,持这种观点的人,是把爱惜身体与献身精神完全对立起来看的。他们认为:凡是爱惜身体的人都是怕死鬼,不敢向邪恶作斗争,参军参战当然更不敢了;而只有那种不爱惜身体、敢于轻身的人,才敢见义勇为,才勇于参战立功。这其实是一种不值一驳的荒谬逻辑。他们竟然忘记了今人经常挂在嘴边的一句话:"身体是革命的资本!"试想,假若没有健康的身体,凭什么去见义勇为而与邪恶展开斗争?凭什么去战胜敌人以

---

①　见《孔子研究》总第 51 期,第 104 页。

建立军功？国家之所以要发展医药卫生事业，目的即在于希望全民都有一个正常健康的身体；凡是走入医院看病的人，目的也在于希望自己有一个正常健康的身体。他们的行为固然是在珍惜自己的身体，但绝非都是不敢向邪恶作斗争的怕死鬼。其实，只有平时能爱惜身体的人，到紧要关头才能为了维护正义而临危不惧，敢于斗争；而那些平时不惜胡乱糟蹋身体、不惜无故轻身的人，才是最没出息的人。他们不知正义为何物，岂能见义勇为而还敢向邪恶斗争？即以献血而言，也只有平时善于珍惜身体、保持健康的人，才献得出合格的血来；而那些平时不惜胡乱作践身体的人，即使愿意献出血来，也必将是不合格的。所以爱惜身体与献身精神，并不是非此即彼的对立关系，而是可以互相统一的相济相成的关系。

话再回到儒家学说上来。儒家认为，作为子女，应该体会父母的爱子之心，在平时必须保重身体，"身体发肤，受之父母，不敢毁伤"，尽量保持正常、健康的体魄，以期更好地探求学问，成就事业。但是，万一碰到正义与邪恶作斗争的时刻，就应该奋不顾身，见义勇为。孔子曰："见义不为，无勇也。"(《论语·为政》)又曰："志士仁人，无求生以害仁，有杀身以成仁。"(《论语·卫灵公》)孟子亦曰："生亦我所欲也，义亦我所欲也；二者不可得兼，舍生而取义者也。"这些论述，都是儒家提倡见义勇为的明证。至于战争，最强调爱惜身体的曾子就曾明确指出："战阵无勇，非孝也。"(《礼记·祭义》)《礼记·檀弓下》还载有一则孔子赞颂勇于参战的故事：鲁哀公十一年，齐军侵鲁，战于郎。鲁公子公叔禺人与其邻居的儿童汪踦一同赴敌，不幸皆阵亡。鲁人认为汪踦作为一个儿童而能毅然赴敌，打算不用葬儿童的"殇礼"，而改用成人之礼葬之。故来征求孔子的意见。孔子答曰："能执干戈以卫社稷，虽欲勿殇也，不亦可乎！"他认为，一个儿童，竟然能够拿起武器保卫祖国，就以成人之礼加以安葬,完全是合理的。可见儒家对于反侵略的正义战争,是鼓励人们勇于参战的。

然而,儒家又认为,死,毕竟是要到非死不可的时候再死才有意义;在可以不死的情况下,还是以不死为妙。孟子曰:"可以死,可以无死,死伤勇。"(《孟子·离娄下》)这是因为,即使在与敌人交锋之际,只要还能坚持下去,就不应该轻率而死,而是应该尽量保住生命;保住生命,才保住了继续斗争的资本。因此,在同样能够战胜邪恶的前提之下,不死要比死更好;在同样能够战胜敌人的前提之下,全师凯旋要比裹尸而还功劳更大。这是很明显的道理。

儒家为了珍惜父母所生的身体,所以反对无故与人打架。孔子曰:"一朝之忿,忘其身,以及其亲,非惑与?"孔子认为,为了泄忿而与人打架,危及身体,而使父母担忧,这是丧失理智的行为。荀子亦曰:"斗者,忘其身者也,忘其亲者也,忘其君者也。行其少顷之怒,而丧终身之躯,然且为之,是忘其身也。……人也,忧忘其身,内忘其亲,上忘其君,则是人也,而曾狗彘之不若也。"(《荀子·荣辱》)荀子认为,好斗忘身又忘其亲,就连猪狗都不如了。

颜之推《颜氏家训·养生》云:"夫生不可不惜,不可苟惜。陟险畏之途,干祸难之事,贪欲以伤生,谗慝而致死,此君子之所惜哉;行诚孝而见贼,履仁义而得罪,丧身以全家,泯躯而济国,君子不咎也。"这是说,由于招灾惹祸、多行不义而致伤生,是君子所深恶痛绝的;然而为了维护正义,保全家、国而丧身,则是君子所嘉许的。这就是儒家对于"身体发肤,不敢毁伤"与"见义勇为,敢于献身"的辩证统一的观点。

在孔子的学生中,以孝著称的曾子是最爱惜身体的。据《论语·泰伯》载,曾子有疾,召门弟子曰:"启予足!启予手!《诗》云:'战战兢兢,如临深渊,如履薄冰。'而今而后,吾知免夫!小子!"曾子一生谨慎小心地爱护身体,直到临终前,还叫学生们仔细看看他的手足有否伤痕,得知手足无损、能够全身而终时,才感到无所遗憾。可见他爱惜自己的身体已到了无以复加的程度。《礼记·祭义》亦记乐正子春转述曾子的话说:"父母全而生之,子全而归之,可谓孝矣。不亏其体,不辱其身,可谓全矣。"而同篇又记载了他的一段名言:"身也者,父母之遗体也。行父母之遗体,敢不敬乎?居处不庄,非孝也;事君不忠,非孝也;涖官不敬,非孝也;朋友不信,非孝也;战阵无勇,非孝也。五者不遂,灾及于亲,敢不敬乎?"由此可知,曾子之强调珍重身体,全在于遵循正道而行;尤其是他说"战阵无勇,非孝也",可见他绝非无原则的贪生怕死之辈。不过,光从表面看来,"战阵无勇,非孝也"与"子全而归之,可谓孝矣",岂不自相矛盾?其实,曾子的意思是:该保身时则应善于保身,该献身时就应勇于献身。而其标准,则归乎惟"义"是从而已。

其实,孝是极富献身精神的。儒家认为,之所以平时要注意爱护身体,是为了尽孝;而当大义需要献身时而献身,则是尽孝行善的最高道德的表现。中国人历来在奉行孝道时,是常常将道德价值看得高于生命价值的。否则,中国历史上就不会出现那么多为父母尽孝而不顾自己的身体,为国家尽忠而奋不顾身的仁人志士了。

二、关于"父母在,不远游"

《论语·里仁》记孔子曰:"父母在,不远游,游必有方。"有人据此认为,孔子反对远游,限制了年轻人在事业上的开拓和发展。其实,这是对孔子这句话的片面理解。

这句话包含两层意思:一是就一般原则而言,父母还在世的时候,不要出远门;二是就实际需要而言,如要出远门,必须有一定的去处。后者"游必有方"体现了原则的灵活性，即在"有方"的前提下，"父母在，不远游"的原则是可以变通的。既然有了后者，就不能把前者视为死的教条，而是应该把两者联系起来看，才能正确把握住完整的意思。

其实，对于尚未成年的人来说，即使单从"父母在，不远游"而言，也是有一定道理的。未成年人除了出门读书之外，一般是不宜独自出远门的。因为未成年人尚需社会家庭及成年人的监护。假若随意独自出远门，一则对自己的安全缺乏保证，二则导致父母的担忧。所以，对未成年人的管教与监护，是对孩子的爱护，是对国家前途的负责。

然而对于已成年人而言，父母在时负有奉养父母的责任，由于"远游"为时长久，一则不能事奉父母，以尽为子者的责任与义务；二则会使父母担忧，牵肠挂肚，所以也不宜随便远游。当然，这是仅就一般情况而言的。因为孔子并非说绝对不能远游，而是说如果于事需要远游，那么必须要有一定的去处，也要有个归期，并告诉父母知道，以使父母放心，以免父母有急事时寻找不到。《礼记·曲礼上》所谓"夫为人子者，出必告，反必面，所游必有常"，亦是此意。同书《玉藻》云："亲老，出不易方，复不过时。"这是说，在双亲年老时，出门不宜随便变更原来所定的地方，也不宜过时不归。因为随便变更地方将使父母有事时找不到，而过时不归将使父母忧思愈甚，期望更切。这些论述，与孔子"游必有方"的话正可互相印证。由此可见，孔子之意并非在强调"不远游"，而是在强调"游必有方"，重点明显放在后半句上。如果游而无方，有要事亦无处寻找，岂不坏事！

由于古代交通不便，消息不灵，一出远门，少则一年半载，多则十年八年，对父母来说，子女出远门，确实是一项最堪担忧的大事。

正如魏王修《诫子书》曰:"自汝行之后,恨恨不乐。何者?我实老矣,所恃汝等也,皆不在目前,意遑遑也。"说中了每个父母的心病。即使到了现代,千里之遥可以当日往返,异国天涯可以随时交谈,然而父母忧思之心,实难完全消解。否则,数年前一曲《常回家看看》为什么会唱得那么深入人心?即此可见孔子"父母在,不远游"的话,是在深深体会了天下父母之心的基础上提出的。然而,作为大思想家的孔子,并未囿于这一小节之内打转,而是把子女应以天下为己任的大志与体贴父母的孝心,在"游必有方"的前提下辩证地统一起来了。只要能做到"游必有方",那么无论是远游求学抑或远游从政,都是合"道"的孝行了。

因此,综合考察孔子的言行就会发现,孔子是很主张远游的。《论语·学而》记孔子曰:"有朋自远方来,不亦乐乎?"有朋友远游而来,"以文会友,以友辅仁"(《论语·颜渊》),正是学习交流、相互切磋的好机会,谁曰不乐!《论语·里仁》又记孔子曰:"君子怀德,小人怀土。"这是说,作为有志于行道的"君子",就不应该像普通老百姓那样依恋故乡、安土重迁,而是要投身到广阔天地中去施展抱负,实现理想。正如《礼记·射义》所谓:"男子生,桑弧蓬矢六,以射天地四方。天地四方者,男子之所有事也。"而且,孔子所提倡的远游的内涵极为丰富,具体说来,主要体现在以下几个方面:

其一是游于学。据载,孔子早年曾和南宫敬叔西游成周,问礼于老聃,考察周代的典章制度。又《礼记·礼运》载,孔子曾自述:"我欲观夏道,是故之杞,而不足征也,吾得夏时焉;我欲观殷道,是故之宋,而不足征也,吾得坤乾焉。"《论语·八佾》也有类似的记载。综合起来看,孔子为了能掌握夏、商、周三代之礼,曾分别到杞、宋、成周游历考察过。即以孔门弟子而论,家中一般都有父母,而如子贡、子夏、子张、子游诸贤,并非齐鲁人氏,他们离开家乡,远游求学于孔门,正是孔子"游必有方"的观念所认可的。

其二是游于政。孔子有伟大的政治抱负,曾经一再表示:"苟有用我者,期月而已可也,三年有成。"(《论语·子路》)"如有用我者,吾其为东周乎!"(《论语·阳货》)又要求弟子学以致用,"诵诗三百,授之以政,不达;使于四方,不能专对。虽多,亦奚以为?"(《论语·子路》)孔子在鲁国有过从政的经历,后遭排挤,出而周游列国,继续寻找从政的机会,干七十余君而无所遇。虽然孔子本人游政没有成功,但他的弟子们却不同,子路仕于卫,高柴任卫之士师,宰我从政于临淄,其他如子贡、子游、子夏、冉求、仲弓、子贱、闵子骞等等,先后在信阳、武城、莒父、单父、费等地任职,都取得了相当不错的政绩。他们都是远离家乡而从政的。

其三是游于山水。孔子爱好山水之游,他曾说:"知者乐水,仁者乐山。"(《论语·雍也》)认为山水之美是智仁之士普遍欣赏的对象。因此,他嘉赏曾点所说的"浴乎沂,风乎舞雩,咏而归"(《论语·先进》)的自然境界。《孟子·尽心上》曾记载了一次"孔子登东山而小鲁,登泰山而小天下"的旅游活动。《论语·子罕》又记"子在川上,曰:'逝者如斯夫! 不舍昼夜。'"《荀子·宥坐》还记载了孔子对弟子子贡讲述了一番"君子之所以见大水必观焉"的道理,从中可见,孔子的山水之游,不仅仅是为了怡性适情,更重要的是因为高山流水能够触发某种深沉的人生哲理思考。

诚然,孔子大多数的游历活动是在父母去世以后,然而他提倡远游的思想,则是贯穿于一生之终始的。综观孔子的远游观,不但内容丰富,而且表现出一种注重实践的特色,强调实地考察,重视文化交流。在远游中,投身于社会和大自然,充实自我,完善自我,认识自然,改造社会。这对后世产生了巨大影响。孟子是声称"乃所愿,则学孔子也"(《孟子·公孙丑上》)的大儒,可是,他在母亲在世时就远游齐鲁,并任齐之稷下大夫;母亲去世后,他自齐归葬,把丧事办得十分隆重。秦汉以后,诸如司马迁、李白、苏轼、徐霞客、顾炎武等名儒大家,也都受孔子远游观的影响,"读万卷书,行万里路",通过长期广泛的游历考察活动,来获取书本以外的知识。

"父母在,不远游,游必有方"含有丰富的辩证法思想。假若单取其前半句,"父母在,不远游",对成年人来说,固然是不现实的;但对未成年人来说,是极有意义的。而对后半句"游必有方",则对任何人任何时候都有着积极的意义,认何人也无从否定其为必须遵守的真理。所以,"父母在,不远游,游必有方"作为一个完整的意思,实在说得天衣无缝,面面俱到,无懈可击。假若一定要从中挑出毛病来,也不见得孔子的话有病,而只能说是今人不善读书之过而已。

三、关于"父为子隐,子为父隐"

《论语·子路》载:

> 叶公语孔子曰:"吾党有直躬者,其父攘羊,而子证之。"孔子曰:"吾党之直者异于是:父为子隐,子为父隐——直在其中矣。"

关于"父为子隐,子为父隐"的观点,昔人常从父子的亲情出发,故奉之为至理名言;而今人则都从法律的公正性出发,故又大加批评和否定。鄙意窃谓,昔人片面从亲情出发,确实有碍于公道;而今人以法律来判断亲情,又未免过于简单化。应该怎样进行评论呢?我想在评析之前,不妨先作一个比喻:

有某甲与某乙两个人,他们的父亲同样偷了人家的羊,他们得知后,都同样对父亲的不道德行为产生反感。然而,他们却采取了截然不同的处理方法。

当某甲得知其父偷羊之后,正义感油然而生,立即跑到法院去告发。其结果,某甲得到了表扬,其父则名誉扫地。父子关系之破裂自不必说,而问题还在于,其父经此曲折而心态起了明显的变化:第一,他本来也是爱面子的,虽然偶尔做了小偷,但心里还是认为偷窃是可耻的;但偷羊之事一经揭发,起先是无地自容,继则由于脸皮既经撕破,连仅有的一点羞耻心也逐渐消失了。第二,偷羊之事暴露之后,不但为全村人所不齿,更难堪的还被全家人所鄙夷,从此感觉到孤立无助,失去了人生的温暖。其三,对于儿子的做法固然非常气愤,但又无可奈何。就在种种心理压力之下,他竟然做了破罐子破摔的选择,铤而走险,走入了邪路……

当某乙得知其父偷羊之后,同样正义感油然而生。但经过一番深思熟虑之后,他决定暂且不去告发,而是静下心来,很有礼貌地请父亲作了个别谈话。他运用孔子"几谏"的方法,轻微婉转地向父亲进行劝告,晓之以理,动之以情。其父终于被儿子的一片苦心所感动,深自内愧,就把偷来的羊暗送还原主。某乙于是也不再去告发。自此之后,其父自然也就不再去偷羊了。

若将以上两种方式加以评论,则某甲自然是标准的"直躬"者,而某乙却做了"子为父隐"之事。但两种不同方式所产生的后果,无论从社会、家庭乃至对父对子而言,其优劣都是明摆着的。为什么会导致如此悬殊的后果呢? 这是因为某甲意气用事采取了过于简单的处理方法,激化了矛盾;而某乙则苦心孤诣而耐心细致地向父亲进行劝告,收到了较好的效果。可以说,某乙的方法,是一种带有艺术性的高水平的思想工作。

诚然,以上是我编造的比喻,但确实是从社会现实中深有体会而来。以上两种情况,在社会现实中确实具有典型性。不要说父子之间,即使在同志之间或者领导与被领导之间,也存在这两种情况。这在现实中经常可以看到：有一种领导，在得知某位同志犯错误后，马上将其公之于众，并当众进行批评以显示其严正，其实这对于犯错误的同志来说，除了给他制造难堪而外，并不利于他改正错误；而另外一种领导，则在得知同志犯错误后，暂且不作公开，而是找他个别谈话，动之以情，晓之以理，使之心悦诚服地改正了错误，同时也保全了同志的名誉。两种方法究竟哪种可取呢？当然应以所获得的效果为准。

从孔子的整个思想来看，他无论在君臣、父子、朋友之间都主张坚持正道，即此可见他的"父子相隐"的观点，决不是在提倡父子之间狼狈为奸，而是以"父子相隐"与"事父母几谏"相结合，以作为亲人之间纠正错误的一种思想工作方法而已。而且，孔子所谓的"父子相隐"，仅仅是就"其父攘羊"之类的一般性小过而言的，决不是指重大的君国大义。在君国大义上，孔子是主张"大义灭亲"的。鲁隐公四年，卫国大夫石碏以计诱杀弑君之贼州吁，同时又使人杀了与州吁同谋的亲生儿子石厚。对此，孔子在《春秋》中以"卫人杀州吁于濮"的书法赞同石碏的"大义灭亲"之举，即可窥见其意。古人云："人非圣贤，孰能无过？过而不改，是谓过矣。"鄙意窃谓，在亲人之间，如果是一般性的小错误，在未公之于众以前，如果能先采取孔子所提倡的"父子相隐"和"事父母几谏"相结合的方法，做一番轻微婉转、耐心细致的思想工作，未尝不是一种有利于治病救人的可取的办法。

当然，也不容否认，"父子相隐"的理论在历史上确实也起过消极的作用。其一，给某些父子狼狈为奸的邪恶之徒提供了口实，违背了孔子的本意；其二，导致后世法律中明确规定了亲亲相隐的容隐制度，这也是孔子所不及预料的。鄙意窃谓，"父子相隐"和"事父母几谏"相结合，作为亲人之间一种规过的方法，有其可取之处；

而后世法律中所规定的容隐制度则是不可取的。尽管在表象上有些类似，但作为日常生活中的规过方法与国定的法律之间毕竟是有其本质的区别的。

然而，在法律上，儒家对于父子关系是怎样处理的呢？这在《孟子·尽心上》记有这样一段对话：

> 桃应问曰："舜为天子，皋陶为士，瞽瞍杀人，则如之何？"孟子曰："执之而已矣。""然则舜不禁与？"曰："夫舜恶得而禁之！夫有所受之也。""然则舜如之何？"曰："舜视弃天下，犹弃敝蹝也。窃负而逃，遵海滨而处，终身欣然，乐而忘天下。"

桃应提出的问题当然只是一种假设。如果孟子只为了回答桃应的提问，其实很简单，因为桃应提出这一问题的前提是舜乃绝对正确、毫无失误的圣王；没有这一前提，桃应的提问就没有意义。所以孟子只要回答："舜为天子，必不使瞽瞍有杀人的机会；瞽瞍而有杀人的机会，则舜亦不成其为舜矣！"这样一说，桃应的提问就自然不能成立了。然而孟子竟没有这样说，这是孟子当时想不及此，还是有意要借桃应之问来发表其处于这种两难境地时的处理办法呢？大概后者的可能性较大。

在孟子的这一论述中，既有非常进步的成分，也有相对消极的成分。其一，孟子提出了法律的权威高于天子，即使是天子之父杀人，作为法官的皋陶也可以毫无顾忌地将其"执之"，这即使以现代最高的法律标准加以衡量，也是最进步的思想，较之法家那种始终操纵在皇帝之手的法，确实要进步得多。其二，从他对皋陶这位法官的要求而言，也树立了一个但知有法，而不知天子之父为何物的铁面无私的法官形象。这一形象，即使以现代最高的法律标准加以衡量，也是绝对合格的。问题在于，这样一来，给儒家所树立的"大孝"的形象——舜，确实出了一道难题：舜作为圣王的身份，当然不能动用天子的权力来干扰皋陶的执法,也不能借助私下行贿的手段来对皋陶进行利诱;而且,既然已被告发到最高法院例行法律程序,自然也不是仅用"子为父隐"的办法将父藏匿宫中就可了事;当然更不能要求作为"大孝"形象之舜主动地亲执其父送到最高法院去自首。剩下一条唯一可走的路就是以放弃天子之位的代价来保住父亲的一条性命,"窃负而逃,遵海滨而处,终身欣然,乐而忘天下"。通过这一设想,使舜的"大孝"形象更为凸显出来。而且,再从法律上说,尽管舜没有达到大义灭亲的最高标准,然而他宁愿自己承担"私匿罪犯"的罪名,并以放弃天子之位的行动来维护法律的尊严,这对舜来说,仍然无损于他的道德品质。若从儒家的立场而言,孟子的这一设计,确实已达到了儒家思想所能达到的最高境界。

然而,如果把思路从理论世界返回到现实世界中来进行思考时就会发现,尽管现代法学家已把法律理论推向了很高的水平,尽管现代学术界对于舜的"负父而逃"的行为提出了很多指责,然而考察古今中外的历史和现实,能像皋陶那样不避天子之父而执法如山的法官,能像大舜那样不惜放弃天子之尊来维护法律之尊严的执政者,又曾听到过几人? 于是,不由得又对儒家所塑造的远古的大舜和皋陶的形象产生了无比向往的仰慕之情。尽管这是孟子师生间的一种假设。

四、关于"父之仇,弗与共戴天"

在中国的传统思想中,有一种鼓励为父复仇的说法。在先秦时期,为亲属复仇是相对自由的,社会对此没有统一的认识,国家还没有严格的法律来处理这一社会现象。特别在战国豪士之间,此风尤为流行。考之六经,《周礼·地官》有"调人"之官,系专为调解仇杀之事而设。有云："凡和难，父之仇，辟诸海外；兄弟之仇，辟诸千里之外；从父兄弟之仇，不同国。"《周礼·秋官·朝士》曰："凡报仇雠者，书于士，杀之无罪。"说得最明确的是《礼记·曲礼上》："父之仇，弗与共戴天；兄弟之仇，不反兵；交游之仇，不同国。"《礼记·檀弓上》载，子夏问于孔子曰："居父母之仇，如之何？"夫子曰："寝苫枕干，不仕，弗与共天下也。遇诸市朝，不反兵而斗。"曰："请问居昆弟之仇，如之何？"曰："仕弗与共国，衔君命而使，虽遇之不斗。"曰："请问居从父昆弟之仇，如之何？"曰："不为魁，主人能，则执兵而陪其后。"这是儒经中明显鼓励为亲人复仇的记载，也是后世把杀父母的仇称为"不共戴天之仇"的来历。然而陈澔《注》引吕氏曰："杀人者死，古今之达刑也。杀之而义，则无罪，故令勿仇，调人之职是也；杀而不义，则杀者当死，宜告于有司而杀之，士师之职也。二者，皆无事乎复仇也。然复仇之文杂见于经传，考其所以，必其人势盛，缓则不能执，故遇则杀之，不暇告有司也。父者子之天，不能复父仇，仰无以视乎皇天矣。报之之意，誓不与仇俱生，此所以弗共戴天也。"这是说，如果杀人者的行为是合于义的，则是无罪之人，必须劝令被杀者的亲属不要复仇，这属于周礼所设的"调人"之官调解的职务；如果杀人者的行为是不义的，理应杀人抵命，可以上告司法部门加以执行，这属于"士师"（法官）的职务。这两种情况原本都是用不到私人复仇的。然则经传所记的复仇之说，大概是指诸如杀人者权大势盛，执法者未能给予申冤的某种特殊情况而言。在这种特殊情况之下，被杀者的子女出于义愤而进行复仇，这才是儒家所支持的。所以《公羊传·定公四年》亦云："父不受诛，子复仇可也；父受诛，子复仇，推刃之道也。复仇不除害。"所谓"父不受诛"，意谓父无可杀之罪而无辜被杀，在这种情况下，子女可以复仇；所谓"父受诛"，意谓父本有可杀之罪，在这种情况下子女进行复仇,必将导致互相仇杀不已的恶性循环之势,所以是不容许的。所谓"复仇不除害",意谓复仇不宜采取斩草除根的办法,就是仅限于杀其本人为止,不得连及子女家人等其他成员。据此,儒经所规定的关于复仇的原则有这么几条:一、死者是无罪被杀;二、司法部门不为申冤;三、复仇时只限于杀仇人本身,不得连及他人。凡是符合这三条原则的复仇行为,儒家舆论是给予支持的。应该说,在司法不完善的古代,儒家这一思想具有一定的锄强扶弱、为百姓申冤的性质,基本上是合乎情理的。所以《白虎通义》云:"子得为父复仇。"《后汉书·桓谭传》亦云:"(复仇)俗称豪健,故虽有怯弱,犹勉而行之。"

正是在这种思想的影响下,一些人能为家属复仇而名噪一时。三国时曹操下令禁止复仇,但他自己却为父复仇而东伐陶谦。同时的韩暨复仇杀人,"由是显名,举孝廉"。晋代桓温复仇杀人,"时人称焉"。因此,历史上一些能为父复仇的人物如伍员、夫差之俦,即为世所称;而如鲁庄公、宋高宗之流屈身事仇,则为世所讥。这其中确实也含有一定的崇尚奋发图强、伸张正义的积极因素。

然而,这种思想和时尚假若任其蔓延而发展到不受法律控制,其消极后果和对社会的危害是很严重的。正如汉代议郎给事中桓谭云:"(复仇者)私结怨仇,子孙相报,后忿深前,至于灭户殄业。"(《后汉书·桓谭传》)尚书张敏云:"死生之决,宜从上下……(复仇者)一人不死,天下受敝。"(《后汉书·张敏传》)唐玄宗云:"(复仇者)各伸为子之志,谁非徇孝之夫? 展转相继,相杀何限?"(《旧唐书·张琇传》)清乾隆云:"生杀悉由谳词,岂因一介不逞之徒私行报复……否则将何所废止?"(《刑案汇览》)这些论述,应该说都已说中了要害。为此,汉代以后的法律,除了元代以外,都禁止复仇。《三国志·文帝记》:"今海内初定,敢有复私仇者皆族之。"《魏书·世祖记》:"(复仇者)诛及宗族,邻伍相助,与同罪。"南朝宋律规定,杀人者的父母应徙于二千里之外。唐宋律都规定:如死家有期服内的亲属,杀人者获赦免罪后应徙于千里之外。这大概就是《周礼》"调人"之官所谓"凡和难,父之仇,辟诸海外"云云的调解方法之遗意。

唐柳宗元作《驳复仇议》,以儒家经典为依据,对为父复仇的行为作了颇为精当的论证。其案情是这样的:唐武则天时,同州下邽人徐元庆之父徐爽为县尉赵师韫所杀。后师韫官升御史,元庆乃变更姓名,相随至一个驿站中当佣工,后趁师韫出访经过驿站之机,突出杀之,然后自缚诣官自首。当时议案者认为元庆孝烈可嘉,不予治罪。而陈子昂建议:国法专杀者死,故元庆宜正国法;又鉴于元庆孝烈可嘉,可以旌其闾墓,以褒其孝义。议者以子昂所论为是,并将其例写进了法令,永为国典。及百年之后的柳宗元看到这个案例,不以子昂所议为然,故作议驳之。他认为,旌表属于礼的范围,诛罪属于刑的范围。礼与刑的本质都在于防乱,其用虽异,其本则合。所以两者之间应该保持一致,不能出现互相矛盾的地方,故"旌与诛莫得而并焉"。对于同一个对象,"旌"与"诛"是不能并用的。这是因为:"诛其可旌,兹谓滥,黩刑甚矣;旌其可诛,兹谓僭,坏礼甚矣。"如果以子昂"旌诛并用"之议定为法律,将使人不知所从。然而究竟宜旌还是宜诛,则应该根据案情而定。他认为,如果元庆之父原本无罪,被师韫私怨所杀,而司法部门又不为之申冤,在这种情况下,"元庆能以戴天为大耻,枕戈为得礼,处心积虑,以冲仇人之胸,介然自克,即死无憾,是守礼而行义也。执事者宜有惭色,将谢之不暇,而又何诛焉!"假若元庆之父本有死罪,师韫是执法行刑,这是死于法律,而法律是不可违抗的。在这种情况下,"仇天子之法,而戕奉法之吏,是悖而凌上也,执而诛之,所以正邦典,而又何旌焉?"于是,他在分析案情、引证经典之后认为,元庆的复仇行为完全是"合于礼"的正义行为;而且,元庆在"手刃父雠"之后即能"束身归罪"主动自首,乃是"服孝死义"之举。因而作出判断:"且夫不忘仇,孝也;不爱死,义也。元庆能不越于礼,服孝死义,是必达理而闻道者也。夫达理闻道之人,岂其以王法为敌仇者哉? 议者反以为戮,黩刑坏礼,其不可以为典明矣。"柳宗元的评断,是完全合乎儒家的为父复仇的思想的。

当然,若从现代法律而言,杀人之案都应诉诸法律,不管出于何种情况,私人仇杀都是不合法的。然而,对于司法部门而言,首先应该做到执法公正,及时为民申冤。这样,传统的复仇情结就自然化解了。

五、关于"三年之丧"与"三年无改于父之道"

中国古代有为死者服丧的丧服制度,这属于儒家的丧礼范围。直到今天,仍然有人以"五服"来判别亲属关系的亲疏远近。所谓"五服",是指斩衰、齐衰、大功、小功、缌麻五种服制,也是指人们在服丧期间依照亲属关系的亲疏远近所服的衣饰的粗疏程度。关系越亲近,丧服越粗疏;关系越疏远,丧服越精细。以丧服的规定来寄托对于死者应尽的哀思程度。"五服"体现在丧期上,则一般为:斩衰三年,齐衰一年,大功九月,小功五月,缌麻三月。丧期的长短也是随着亲属关系的亲疏程度而递减的。其中最重、最长的是斩衰三年之服,这种服通常包括这样几种关系:子与在室之女为父母(出嫁女降为一年),臣为君,妻为夫。其中又以子女为父母所服之丧最受重视。通常所称的"三年之丧",一般即系指子女为父母所服之丧而言。

"三年之丧"始于何时? 学术界颇有争议。《书·尧典》云:"二十有八载,帝乃殂落。百姓如丧考妣,三载,四海遏密八音。"这是臣民为君服三年之丧的最早记述。《书·尧典》虽系追述之文,但所记或有所据。《书·无逸》载,商代,"其在高宗时,旧劳于外,爰暨小人;作其即位,乃或亮阴,三年不言"。郑《注》云:"小乙崩,武丁立,忧丧三年之礼,居倚庐柱楣,不言政事。"故后儒一般认为这是记载商王高宗(武丁)为父守丧之事。而《左传》对于丧礼则有较多的记述。

儒家的孔子、曾子、孟子乃至荀子,都是提倡周礼所定的三年之丧的。故《仪礼·丧服》对于丧礼的仪节作了详细的记述;而《礼记》中的《丧服小记》、《丧大记》、《奔丧》、《问丧》、《服问》、《丧服四制》等则从理论上对丧礼加以论述。从汉代开始,法令明确规定,父母去世,子女必须守孝三年(出嫁之女为一年),一般都要在父母的坟墓旁边建庐守孝。在守孝期间,必须停止一切音乐、喜庆等活动,不得应试。如果是出仕做官的,应立即去职回家守孝。后来有个别大臣确系国政需要而必须留任的,则谓之"夺情"。这种守孝三年的丧礼,一直实行到清末才被废止。

关于"三年之丧",孔子的学生宰我就曾提出过质疑。稍后的墨家则大力反对厚葬久丧而提倡节葬短丧。墨子认为:"以厚葬久丧者为政,国家必贫,人民必寡,刑政必乱。"(《墨子·节葬下》)到了"五四"期间,"三年之丧"更受到了彻底的批判。

原夫"三年之丧"的礼制,实本乎子女对于去世父母的怀念,即以"子生三年,然后免于父母之怀"为依据,故相应地以"守孝三年"的行动来报答父母的养育之恩。即此而言,确实也有其感情上的基础。然而从其实效而言,确实是形式上的繁文缛节过多而缺乏有益的内容。所以,在整个儒学体系当中,其丧礼部分是存在消极因素最多的地方。现在,"三年之丧"的形式早已废除,然而,怀念父母的感情却不容一概否定。其实,对于父母的养育之恩,也远非"三年之丧"的形式所能报答的。正确的做法是,我们应该将无谓的"三年之丧"的形式转化为实际的行动。这就是孔子所说的"善继人之志,善述人之事"的宏伟事业。能够继承父母的遗志,开拓父母的事业,胸怀利国利民之大志,在自己所处的岗位上努力作出应有的贡献,以慰父母在天之灵,这才是真正的孝。每个父母之心,都是希望自己的子女有所出息,有所成就。假若果真死而有知,看到自己的子女有出息,有成就,一定要比看到子女在守无谓的"三年之丧"要快慰得多!

与"三年之丧"相应,孔子还有关于"三年无改于父之道"的论述。《论语·学而》载孔子曰:"父在,观其志;父没,观其行;三年无改于父之道,可谓孝矣。"朱注引尹氏曰:"如其道,虽终身无改可也;如其非道,何待三年? 然则三年无改者,孝子之心有所不忍故也。"又引游氏曰:"三年无改,亦谓在所当改而可以未改者耳。"

《论语·子张》亦记曾子曰:"吾闻诸夫子:孟庄子之孝也,其他可能也;其不改父之臣与父之政,是难能也。"朱注云:"孟庄子,鲁大夫,名速。其父献子,名蔑。献子有贤德,而庄子能用其臣,守其政。故其他孝行虽有可称,而皆不若此事之为难。"即此可见,孔子之所谓"无改于父之道",实指先父之合于正道者而言。

匡亚明先生说:"应以哀思之情,触发对事业的进取之心,这才是真正的有意义的孝心,决不应不管父亲立下的规矩是否对,在长达三年之久,一概墨守成规。"[①]此言可谓深合孔子之精神。

---

① 匡亚明:《中国孔子思想研究的新气象》,载《淮海论坛》1991年第4期。

六、关于"不孝有三,无后为大"

《孟子·离娄上》记孟子曰:"不孝有三,无后为大。舜不告而娶,为无后也,君子以为犹告也。"赵岐注云:"于礼有不孝者三事:谓阿意曲从,陷亲不义,一也;家贫亲老,不为禄仕,二也;不娶无子,绝先祖祀,三也。三者之中,无后为大。"关于赵注的第一条,是说子女对于父母的违道之举阿谀曲从,而不知谏诤以纠正之,以致陷亲于不义,这在前文"事父母几谏"一节中已有详论;第二条是说在家贫亲老的情况之下,尚不知就业挣钱以备赡养之资,必使父母难免冻饿之苦,这在前文亦有论及,故皆不赘。兹专就"不娶无子,绝先祖祀"的"无后为大"这条试予讨论。

孟子所说的"不孝有三,无后为大"的话,在民族心理中确实有其至深至巨的影响。由于这种影响对目前因人口暴涨而推行计划生育政策造成了很大的阻力,所以受到了猛烈的批判。从政治的角度上说,为了肃清这种阻力,而对导致这种阻力的源头"无后为大"的观点进行批判,确实是非常必要的。不过,若要对"无后为大"这一观点本身作学术上的评价的话,似乎还应该站在更高的理论高度并联系其当时的社会背景进行全面的考察,才能得出较为公允的结论。

首先,若从整个人类的发展而言,对于后代的繁殖和培养,乃是人类的分内之事,也是人类本身所应肩负的一项重大的历史使命。即此而言,"无后为大"的观点是符合人类发展的逻辑的。

其次,若从每个人的现实生活而言,年老时需要有子女的赡养,精神上需要有子女的安慰,所以,能生有子女,也是每个人所应有的正常愿望。正因为如此,即使在目前人口过多、控制人口已成为当务之急的情况之下,对于患有生育障碍的人,仍然要为之悉心医治,以期使之能有子女。这说明,控制人口与需要子女之间虽有矛盾,然而并非完全对立的,只要处理适得其宜,两者之间是可以达到统一的。

其三,孟子处于战乱频仍的战国时代。当时,"争城以战,杀人盈城;争地以战,杀人盈野"。这使得原本人口就不多的古代,进一步遭受到人口锐减之灾。当时的国君无不为国中人口不足而担忧,发展人口是当时统治者和百姓的一致愿望。例如春秋末期的越王勾践,就因为人口不足而推行了一种极端地鼓励生育的政策:"女子十七不嫁,其父母有罪;丈夫二十不娶,其父母有罪。……生丈夫,二壶酒,一犬;生女子,二壶酒,一豚。生三人,公与之母;生二人,公与之饩。"通过这样十年生聚、十年教化的苦心经营,才最终战胜了吴国。毫无疑问,在当时人口过少的情况之下,孟子的"无后为大"的观点是起有增长人口的积极作用的。

我们知道,人口应该有一个适当的比例,无论过多或过少,都不利于经济的发展。我国现在人口过多,确实已成为阻碍社会发展的一大负担,必须加以有效的控制。最正确的办法就是提倡"少生、优生",这才是可持续发展的有效措施。实行计划生育的目的是为了控制人口数量和提高人口素质。但假如为了批判"不孝有三,无后为大"而提倡"无后为荣",那无疑又会走向另一个极端。据报道,欧洲某些发达国家,人们为了满足个人的生活享受而不愿生育,以致人口出现下降的趋势,而且日益严重,故又不得不采取鼓励生育的政策。因此,作为政策而言,可以因时制宜地随时加以调整;而对于一种学术观点的评价而言,则应从它对于整体的、长远的意义上进行考察。对于孟子的"不孝有三,无后为大",也应作如是观。

第四章　儒家的父子、兄弟观(下)

第一节　兄爱而友,弟敬而顺

在家庭关系中,随着"父子"而来的,就是"兄弟"一伦。所谓"兄弟",其实也包括"姊妹"在内。所以,"兄弟"关系实际上概括了兄弟、姊妹、兄妹、姊弟诸种关系,此外,还涉及妯娌、姑嫂、郎舅、襟兄弟等关系。兄弟姊妹之间的关系,是家庭内部横向的平辈之间最亲密的血缘关系。在广大的一夫一妻制的庶民家庭,大都是同父同母所生,这属于最通常也最为亲近的情况;在一夫一妻多妾的贵族阶层,同父异母的情况也较常见;而在妇女再嫁的情况之下,也存在同母异父的情况。但总体上说,都属于"兄弟"一伦的关系。追求兄弟姊妹之间友好和睦,乃是儒家"兄弟"之伦的本旨。

一、友爱恭敬,长幼有序

在家庭中,横向的平辈之间最亲密的血缘关系是兄弟姊妹。《尔雅·释亲》曰:"男子:先生为兄,后生为弟;谓女子:先生为姊,后生为妹。"《说文》释"兄"曰:"兄,长也。从儿,从口。"释"姊"曰:

"姊,女兄也。从女,弟声。"释"妹"曰:"妹,女弟也。从女,未声。"这几个释义都很明确。唯有"弟"的释义比较复杂,必须略加探讨。

《说文》曰:"弟,韦束之次第也。从古文之象。"段注云:"以韦束物,如辂五束、衡三束之类。束之不一,则有次第也。引申之为凡次弟之弟,为兄弟之弟,为岂弟之弟。"可见"弟"的最初本义乃"次弟"之弟",亦即今之"第"字。由于兄弟出生必有先后次第之序,故引申为兄弟之"弟"。然后又引申为弟恭敬兄之"弟",亦作"悌"。后因另作"第"字以为次第之义,故"弟"就主要用为兄弟之义了。从"弟"字的本义,正体现了兄弟姊妹之间具有出生的次第之义,亦即孟子所谓"长幼有序"之意。

我国很早就注重兄弟之间的友好和睦关系。《书·康诰》曰:"元恶大憝,矧惟不孝不友……于弟弗念天显,乃弗克恭厥兄;兄亦不念鞠子哀,大不友于弟。"这是说,弟"弗克恭厥兄"和兄"大不友于弟"之"不友",与"不孝"同为"元恶大憝"。由此可见,其正面的含义当为弟对兄要"恭",兄对弟要"友"。《左传·文公十八年》载鲁大夫季孙行父的话,即谓之"兄友弟恭"。而《左传·隐公三年》载卫国大夫石碏的话,又将兄弟关系规定为"兄爱弟敬"。于是,"兄友弟恭"或"兄爱弟敬"乃成为兄弟关系所应遵循的道德准则。

关于"友",《说文》曰:"同志为友,从二又相交。""又",即古"右"字,指右手,亦泛指手而言。故段注云:"二又,二人也。善兄弟曰友,小取二人而如左右手也。"《辞源》、《汉语大词典》释"友"主要有两个义项:一是亲爱,友好,多用于兄弟之间;二是和顺,如《书·洪范》"强弗友刚克"注:"友,顺也。世强御不顺,以刚能治之。"所谓"亲爱,友好",体现为双向对等的关系;而释为"和顺",则显然又体现了一定的顺从关系。

关于"恭",《说文》曰:"恭,肃也。从心,共声。"《辞源》、《汉语大词典》释"恭"主要有如下几个义项：一、肃敬；二、尊重；三、恭顺；四、奉行。"肃敬"系指自身庄重而言；"尊重"虽系对人而言，但其间关系是互相对等的；而"恭顺"、"奉行"则颇有幼者顺从长者之意。

关于"爱"，《说文》作"㤅"。释云："㤅，惠也。从心，旡声。"又云："惠，仁也"；"仁者，亲也。"可见"爱"也可释为"亲"。《辞源》、《汉语大词典》释"爱"主要有如下几个义项：一、亲爱；二、爱护、关心；三、仁惠。所谓"亲爱"、"关心"，完全是互相对等的概念；而"爱护"、"仁惠"，则略带长者施爱于幼者之意。

关于"敬"，《说文》曰："敬，肃也。从攴苟。"《辞源》、《汉语大词典》释"敬"主要有如下几个义项：一、恭敬，端肃；二、尊敬，尊重；三、慎重。其中"端肃"、"慎重"皆系指自身态度而言；"恭敬"、"尊敬"、"尊重"则系对人而言，既可互相用于平辈关系，也可用于幼辈对于长辈的关系。

综合各书对于友、恭、爱、敬四个概念的解释可知，"兄友弟恭"与"兄爱弟敬"的含义基本相同。因为兄弟姊妹之间的关系，从辈分上说，是平辈；而从年龄上说，则是有长幼之分的。根据这一特点，古人将其关系确定为"兄爱弟敬"或"兄友弟恭"，确实是非常恰当的。也就是说，作为年长之兄或姊，对于年幼之弟或妹应该友爱；作为年幼之弟或妹，对于年长之兄或姊应该恭敬。质言之，兄弟姊妹之间，既是互相亲爱、友好和互相尊重的完全对等的关系，又略带有平辈之间长者爱护幼者和幼者敬顺长者的长幼关系。故《左传·昭公二十六年》载齐大夫晏子的话，则谓之"兄爱而友，弟敬而顺"，对上述两种规定又基本上作了综合性的概括。

在儒家经典中，又常常以"孝悌"并称来概括父子和兄弟两种关系。关于"孝"的含义已详前文。兹就"悌"的含义试加训释。

按：悌，古通"弟"。《辞源》、《汉语大词典》释"悌"主要有如下几个义项：一、敬爱兄长。如《荀子·王制》云："能以事兄谓之弟。"贾谊《新书·道术》云："弟敬爱兄谓之悌。"二、亦泛指敬重长上。如《孟子》"出则悌"，赵注云："悌，顺也。"三、和易。《左传·僖公十二年》："《诗》曰：'恺悌君子，神所劳矣。'"杜注云："恺，乐也；悌，易也。"可见就"悌"的本义而言，专指为弟敬爱兄，泛指为同辈之间的幼者敬重长者。而《新唐书·李元素传》载："元素少孤，奉长姊谨悌。"可见"悌"也用于敬姊之义。《辞源》释"悌友"条则云："谓兄弟姊妹间亲密和睦。"可见就兄弟姊妹之间而言，"悌"的专指是弟敬爱兄；而其泛指，也可理解为兄弟姊妹之间互相尊重、互相亲爱友好的通称。

如果综合各书对于"兄友弟恭"、"兄爱弟敬"以及"悌"的解释，其实不妨作更为具体的理解：当弟妹还在年幼时，长幼之间的能力差距较大，所以兄姊对弟妹应以爱护、关心为主，而弟妹对兄姊则应以恭敬、听话为主；而在弟妹都已成人之后，长幼之间的能力已无差距，于是兄弟姊妹之间就应以互相友爱、互相尊重为主。这就是既为平辈、又有长幼之分的兄弟姊妹之间最普遍、最正常的关系。

然而，在上层的贵族阶层中，却存在着另外一种颇为特殊的情况。在商、周以来的封建宗法制中，为了避免继承爵位时兄弟互相争夺的现象而制定了宗法嫡长继承制。即在嫡长子与众庶子之间，并非完全是家庭中互相平等的兄弟关系，而是掺入了浓重的政治因素，而成为等级分明的君臣关系或者主从关系。春秋后期，封建宗法制虽然逐渐解体，但其嫡长继承制度，却仍在历代的皇家贵族以及某些世家大族中被保存下来。清代皇室虽不采用嫡长子继承制，但在诸多满汉世卿和社会大家族中仍然流行着这一制度，直到清末专制帝制消亡后,这种变态的兄弟关系才失去其存在的基础了。所以,我们现在完全可以按照最正常的关系来讨论"兄弟"之伦了。

二、兄弟既翕,和乐且湛

远古时代的兄弟关系史阙有简,而在《尚书》中已有很多重视兄弟关系的论述。《书·蔡仲之命》鼓励"以和兄弟",《书·君陈》强调"友于兄弟",而《书·康诰》则把"于弟弗念天显,乃弗克恭厥兄;兄亦不念鞠子哀,大不友于弟"这种兄弟之间"不友"的行为斥为"元恶大憝"而加以论罪。《周易》的《家人》之卦也强调"兄兄弟弟"乃是实现"家道正"、"天下定"的重要人伦道德。在《诗经》中,收有许多歌咏兄弟之情的诗。如《唐风·杕杜》云:

> 有杕之杜,其叶湑湑。独行踽踽。岂无他人,不如我同父。嗟行之人,胡不比焉?人无兄弟,胡不佽焉?
> 有杕之杜,其叶菁菁。独行睘睘。岂无他人,不如我同姓。嗟行之人,胡不比焉?人无兄弟,胡不佽焉?

此诗以杜木之茂盛来反衬"人无兄弟"的孤独之情。"湑湑"、"菁菁"都是草木茂盛之貌;"踽踽"是无所亲之貌,"睘睘"是无所依之貌;"比"和"佽",都是辅助之意。一个没有兄弟之人,无依无靠,单独行动,无人相助,反不若草木之茂盛自得。虽然也有他人常在一起,但毕竟不如自己兄弟之亲爱可靠。而《小雅·常棣》则是专写兄弟之情的名篇:

> 常棣之华,鄂不韡韡。凡今之人,莫如兄弟。
> 死丧之威,兄弟孔怀。原隰裒矣,兄弟求矣。
> 脊令在原,兄弟急难。每有良朋,况也永叹。
> 兄弟阋于墙,外御其务。每有良朋,烝也无戎。

　　丧乱既平，既安且宁。虽有兄弟，不如友生。

　　傧尔笾豆，饮酒之饫。兄弟既具，和乐且孺。

　　妻子好合，如鼓瑟琴。兄弟既翕，和乐且湛。

　　宜尔室家，乐尔妻帑。是究是图，亶其然乎！

此诗首章总言世人虽众，然而终不若兄弟之间骨肉情深。次、三两章申言若逢死丧、急难等变故之时，虽有良朋也在为我关心感叹，却又爱莫能助；只有兄弟至亲，才足资互相扶持依赖。四章则言兄弟之间虽然也会有意气争闹之时，但若逢外人相侵时，仍会同仇敌忾地共御外侮，而朋友之间就很难做到这点。五章则谓有些人在患难时虽蒙兄弟相救，而到安宁之后却视兄弟不如朋友，这是有违情理的。这样说并非轻视朋友，而是亲疏不能倒置，只有由亲及疏，秩然有序，能先笃于兄弟之亲情，则朋友之义也就相应地敦厚了。六至末章更言只有兄弟之间和睦相处，整个家庭才能共享其乐，夫妻子女之间也才能和谐安乐，相安无事。此诗可谓反复委曲，揭示了兄弟之情的重要性。《小雅·何人斯》则以"伯氏吹埙，仲氏吹篪"来比喻兄弟之间的融洽之情。"伯氏"指兄，"仲氏"指弟；"埙"是一种土制的乐器，"篪"是一种竹制的乐器。兄弟分别将埙和篪同时吹奏起来，共同合成为一曲协调优美的乐曲，形象地描绘了兄弟之间一种友爱和谐的和乐之情。《小雅·颍弁》则是一首燕享兄弟的诗：

　　有颍者弁，实维伊何？尔酒既旨，尔肴既嘉。岂伊异人？兄弟匪他。茑与女萝，施于松柏。未见君子，忧心弈弈；既见君子，庶几说怿。

　　有颍者弁，实维何斯？尔酒既旨，尔肴既时。岂伊异人？兄弟俱来。茑与女萝，施于松上。未见君子，忧心怲怲；既见君子，庶几有臧。

　　有颀者弁，实维在首。尔酒既旨，尔肴既阜。岂伊异人？
兄弟甥舅。如彼雨雪，先集维霰；死丧无日，无几相见。乐酒
今夕，君子维宴！

此诗以尽情宴请兄弟的场景来表达对于兄弟的真挚感情。前两章
都以茑与女萝紧密地缠绕在松柏之上来比拟兄弟之间密不可分的
亲切感情；而在尚未见到兄弟之时，百般担忧和思念；一见兄弟到
来，马上欣喜万分。末章又从兄弟而旁及甥舅之类的亲戚关系。
并认为人生短暂，会少离多，因而今夕当此相聚之际，必须尽情欢
庆，以叙天伦之乐。

　　《小雅·角弓》也是一首强调兄弟必须相亲之诗。其首章云：
"骍骍角弓，翩其反矣。兄弟昏姻，无胥远矣。"朱子《诗集传》云：
"骍骍，弓调和貌。弓之为物，张之则内向而来；弛之则外反而去，
有似兄弟婚姻、亲疏远近之意。"这就是说，诗以弓之调和来比拟兄
弟、婚姻之间必须相亲而不宜相远之意。第三章云："此令兄弟，绰
绰有裕；不令兄弟，交相为瘉。"这是说，友好和睦的兄弟，必然绰绰
有裕而永不变心；而那种品德不善的兄弟，则往往互相猜忌而以争
夺为事。

　　《大雅·皇矣》之三章有云："维此王季，因心则友。则友其兄，
则笃其庆。载锡之光，受禄无丧，奄有四方。"据载，周之太王，生太
伯、仲雍、王季。后王季生文王姬昌，太王见文王生有圣德，颇有传
位至文王之意。太伯知父之意，乃避王季而适吴不返，仲雍亦继而
避之。及太王殁，国传于王季；王季殁，传于文王，周乃大兴。此诗
历叙太王、太伯、王季之德。而此章则专颂王季能敬爱其兄，又能
体会太伯的让国之义而益修其德，大兴周室，以显现其兄的让德之
光。故能受天禄而不失，至于文王、武王而奄有四方。而《大雅·
行苇》则云："戚戚兄弟，莫远具尔。或肆之筵，或授之几。"据说这

是一首祭祖既毕而燕享兄弟的诗,所以诗言兄弟之间的深切感情,不应相远而应相近。因而开宴设席而致其殷勤笃厚之意。

《左传》记述了大量有关兄弟关系的言行。诸如石碏强调"兄爱弟敬",季文子强调"兄友弟恭",晏子强调"兄爱而友,弟敬而顺"之外,又如《左传·文公十五年》记惠伯引史佚之言曰:"兄弟致美,救乏,贺善,弔灾,祭敬,丧哀,情虽不同,毋绝其爱,亲之道也。"这是说,兄弟之间应该各尽其美,方合于义。诸如互相救济贫乏,祝贺喜庆,慰问灾难,祭则致其敬,丧则致其哀等等,都是兄弟之间的应尽之谊。兄弟之间虽有龃龉,不相和同,但也不宜绝其天性之至爱,才是亲亲之道。而在《左传·文公十八年》里,则以季文子的话追叙了远古时代的一些关于兄弟同德的佳话:

> 昔高阳氏有才子八人:苍舒、隤敳、梼戭、大临、龙降、庭坚、仲容、叔达。齐圣广渊,明允笃诚,天下之民谓之"八恺"。高辛氏有才子八人:伯奋、仲堪、叔献、季仲、伯虎、仲熊、叔豹、季狸。忠肃共懿,宣慈惠和,天下之民谓之"八元"。此十六族也,世济其美,不陨其名,以至于尧,尧不能举。舜臣尧,举"八恺",使主后土,以揆百事,莫不时序,地平天成;举"八元",使布五教于四方,父义,母慈,兄友,弟共,子孝,内平外成。

这虽然是追述远古事迹,不一定实有所据,但后世一直把"八恺"、"八元"当作兄弟同德的榜样。

《榖梁传·隐公元年》则明确指出:"兄弟,天伦也。"所谓"天伦",就是说,兄弟乃先天自然赋予的血缘关系,非一般关系之所能及者。而《礼记·曲礼上》则还主张"兄弟之仇,不反兵",若有人杀害了兄弟,则应该尽力地为兄弟复仇。

孔子极力主张兄弟之间应该达到"悌",并提出了"兄弟怡怡"(《论语·里仁》)的观点。所谓"怡怡",和悦之貌。孔子认为在兄弟之间,应该经常保持一种温和愉悦的态度。于是,"怡怡如也"(同上)就成为兄弟之间融洽和睦的体现。孔子还主张用礼"以睦兄弟"(《礼记·礼运》)。他把"兄良"和"弟悌"列为十项"人义"中之二项;并把"兄弟睦"视为"家之肥"的重要条件之一(同上)。

孟子倡言仁义,主张"义之实,从兄是也"(《孟子·离娄上》)。所以极力反对"为人弟者怀利以事其兄",而主张"为人弟者怀仁义以事其兄",做到"兄弟去利,怀仁义以相接也"(《孟子·告子下》)。故极力推崇大舜的爱弟品德。据《孟子·万章上》记载:

> 万章曰:"父母使舜完廪,捐阶,瞽瞍焚廪。使浚井,出,从而揜之。象曰:'谟盖都君咸我绩,牛羊父母,仓廪父母;干戈朕,琴朕,弤朕,二嫂使治朕栖。'象往入舜宫,舜在床琴。象曰:'郁陶思君尔。'忸怩。舜曰:'惟兹臣庶,汝其于予治。'不识舜不知象之将杀己与?"曰:"奚而不知也?象忧亦忧,象喜亦喜。"曰:"然则舜伪喜者与?"曰:"否。……故君子可欺以其方,难罔以非其道。彼以爱兄之道来,故诚信而喜之,奚伪焉?"

据《史记·五帝本纪》载:"舜父瞽叟盲,而舜母死。瞽叟更娶妻而生象,象傲。瞽叟爱后妻子,常欲杀舜。舜逃避,及有小过,则受罪,顺事父及后母与弟,日以笃谨,匪有懈。……舜父瞽叟顽,母嚚,弟象傲,皆欲杀舜。舜顺适不失子道,兄弟孝慈,欲杀不可得,即求尝在侧。……瞽叟尚复欲杀之,使舜上涂廪,瞽叟从下纵火焚廪。舜乃以两笠自捍而下去,得不死。后瞽叟又使舜穿井。舜穿井为匿空旁出。舜既入深,瞽叟与象共下土实井,舜从匿空中出去。瞽叟、象喜,以舜为已死。象曰:'本谋者象,象与其父母分。'于是曰:'舜妻尧二女与琴,象取之;牛羊仓廪予父母。'象乃止舜宫居,鼓其琴。舜往见之,象愕不怿,曰:'我思舜,正郁陶。'舜曰:

'然,尔其庶矣。'舜复事瞽叟、爱弟弥谨。"所记与《孟子》略同。孟子认为,虽然象日以杀舜为事,而舜则看到象来时,则怡然"象忧亦忧,象喜亦喜",仍以诚心相待,最后终于同归于好。大舜虽遭人伦之变,然而不失天理之常,确实堪称友爱兄弟之楷模。同篇又记云:

> 万章问曰:"象日以杀舜为事,立为天子则放之,何也?"孟子曰:"封之也;或曰,放焉。"万章曰:"……象至不仁,封之有庳,有庳之人奚罪焉? 仁人固如是乎? ……"曰:"仁人之于弟也,不藏怒焉,不宿怨焉,亲爱之而已矣。亲之,欲其贵也;爱之,欲其富也。封之有庳,富贵之也。身为天子,弟为匹夫,可谓亲爱之乎?""敢问或曰放者,何谓也?"曰:"象不得有为于其国,天子使吏治其国而纳其贡税焉,故谓之放。岂得暴彼民哉? 虽然,欲常常而见之,故源源而来。'不及贡,以政接于有庳',此之谓也。"

朱《注》云:"孟子言象虽封为有庳之君,然不得治其国,天子使吏代之治,而纳其所收之贡税于象。有似于放,故或者以为放也。盖象至不仁,处之如此,则既不失吾亲爱之心,而彼亦不得虐有庳之民也。"又引吴氏曰:"言圣人不以公义废私恩,亦不以私恩害公义。舜之于象,仁之至,义之尽也。"

孟子还认为,对待自己的兄弟与对待他人应有所区别。他说:"有人于此,越人关弓而射之,则己谈笑而道之,无他,疏之也;其兄关弓而射之,则己垂涕泣而道之,无他,戚之也。"(《孟子·告子下》)这是说,看到越人以弓射人,可以谈笑自若地加以开导;而看到自己的兄长以弓射人,则必须哭泣尽情地加以劝告。这是因为亲人与他人之间实有亲疏的差别。

荀子也很重视兄弟之间的关系。他在《荀子·君道》篇中有云："请问为人兄？曰：慈爱而见友；请问为人弟？曰：敬诎而不苟。"这也是阐述了"兄爱弟敬"和"兄友弟恭"之义。

以上所述，就是儒家经典以及儒家大师论述兄弟关系的大致情况。

三、分形连气，手足情深

儒家重视兄弟之情，历代儒者对此多有论述并加以进一步发挥。其中影响较大者有北齐颜之推的《颜氏家训》，其《兄弟》之篇就是专论兄弟关系的名作。他说：

> 兄弟者，分形连气之人也。方其幼也，父母左提右挈，前襟后裾，食则同案，衣则传服，学则连业，游则共方，虽有悖乱之人，不能不相爱也。及其壮也，各妻其妻，各子其子，虽有笃厚之人，不能不少衰也。娣姒之比兄弟，则疏薄矣，今使疏薄之人，而节量亲厚之恩，犹方底而圆盖，必不合矣。惟友悌深至，不为旁人之所移者，免夫！

这段话极力描述兄弟幼时的相爱之情，并分析了壮大以后兄弟关系渐相疏薄的原因。于是警戒人们在长大之后不要因为转爱妻子而影响兄弟之间的感情。颜氏接着又说：

> 二亲既殁，兄弟相顾，当如形之与影，声之与响。爱先人之遗体，惜己身之分气，非兄弟何念哉？兄弟之际，异于他人，望深则易怨，地亲则易弭。譬犹居室，一穴则塞之，一隙则涂之，则无颓毁之虑；如雀鼠之不恤，风雨之不防，壁陷楹沦，无可救矣。仆妾之为雀鼠，妻子之为风雨，甚哉！

这是说，兄弟亲情，如影随形。良好的兄弟关系，会使人受用终生。然而，兄弟之间，矛盾极易产生。故兄弟之间应该互相多加宽容谅解，而不能向对方希望过奢；如果希望过奢而不能满足，

则易生怨。因此,若要使亲情永驻,贵在防微杜渐,时时加以维护。颜氏还说:

> 兄弟不睦,则子侄不爱;子侄不爱,则群从疏薄;群从疏薄,则僮仆为仇敌矣。如此,则行路皆踏其面而蹈其心,谁救之哉?人或交天下之士,皆有欢爱,而失敬于兄者,何其能多而不能少也!人或将数万之师,得其死力,而失恩于弟者,何其能疏而不能亲也!

在家庭中,首先必须兄弟和睦以作为子侄乃至家人的榜样,全家才能和睦;假若兄弟不睦,则子侄以及家人都会受其影响而产生矛盾,造成全家不和。所以,兄弟和睦,是家庭幸福的基础,是社会和谐的保证。试想,假若手足之情尚且不保,那么,整个社会的和平友爱安在?

宋代袁采《袁氏世范》对如何协调家庭兄弟间的关系亦作了较为深入的分析。他说:

> 人之至亲,莫过于父子兄弟。而父子兄弟有不和者:父子或因于责善,兄弟或因于争财;有不因责善、争财而不和者,世人见其不和,或就其中分别是非,而莫明其由。盖人之性或宽缓,或褊急;或刚暴,或柔懦;或严重,或轻薄;或持俭,或放纵;或喜闲静,或喜纷挐;或所见者小,或所见者大:所禀自是不同。父必欲子之性合于己,子之性未必然;兄必欲弟之性合于己,弟之性未必然。其性不可得而合,则其言行亦不可得而合,此父子、兄弟不合之根源也。况凡临事之际,一以为是,一以为非;一以为当先,一以为当后;一以为宜急,一以为宜缓。其不齐如此,若互欲同于己,必致于争论。争论不胜,至于再三,至于十数,则不和之情自兹而启,或至于终身失欢。若悉悟此理,为父兄者通情于子弟,而不责子弟之同于己;为子弟

者仰承于父兄,而不望父兄惟已之听。则处事之际,必相和协,无乖争之患。

这是说,在父子、兄弟之间,第一要互相宽容谅解,第二要互相沟通观念,而切忌把自己的意志强加到对方的头上,关系才能相处得协调和谐。此论深得儒家求同存异的"和而不同"之旨。袁氏又说:

> 自古人伦,贤否相杂。或父子不能皆贤,或兄弟不能皆令,或夫游荡,或妻悍暴。少有一家之中无此患者,虽圣贤亦无如之何。譬如身有疮痍疣赘,虽甚可恶,不可决去,惟当宽怀处之。能知此理则胸中泰然矣。古人所以谓父子、兄弟、夫妇之间,人所难言者如此。

家庭内部的事,确实是很难说清的,有时很难以理论说,只有运用互相"宽怀处之"的态度相处,自能"胸中泰然"。可谓处理家庭矛盾之名言。

清代曾国藩的《家书》中,亦经常谈及兄弟的关系。其《致诸弟》云:"兄弟姒娣,总不可有半点不和之气。凡一家之中,勤、敬二字能守得几分,未有不兴;若全无一分,无有不败。和字能守得几分,未有不兴;不和,未有不败者。诸弟试在乡间将此三字于族戚人家历历验之,必以吾言为不谬也。"这里提出了勤、敬、和三字的治家法则。"勤"是开拓发展的动力,而"敬"与"和"则是家庭和睦的保证。在兄弟、姒娣乃至全家和睦的基础上加以开拓和发展,家道自然就振兴了。又云:

> 第一贵兄弟和睦。去年兄弟不和,以致今冬三河之变,嗣后兄弟当以去年为戒。凡吾有过失,澄、沅、洪三弟各进箴规之言,余必力为惩改。三弟有过,亦当互相箴规而惩改之。

这是在深刻反省了兄弟不和所造成的危害之后,告诫诸弟必须吸取教训,以免重蹈覆辙。深自劝勉,词意恳切。其《致九弟》云:"闻姊娌及子侄辈和睦异常,有姜被同眠之风,爱敬兼至,此足卜家道之兴。"此则又从强调兄弟关系进而扩充到姊娌之间乃至子侄辈之间的关系。总之,家道应以和睦为要,而兄弟和睦乃是关键。只有兄弟和睦了,姊娌、子侄辈之间才能和睦相处。

历代文学家,则常常在诗文中以文学的笔调来表达兄弟之间的感情。兹略举数例,以见一斑。吴陆景《与兄书》曰:

> 自寻外役,出入三年,缘兄之笃眭,必吋存之。宝录兄书,积之盈笥。不得新命,无以自慰;时辄温故,以释其思。有信勿忘数字,每见手迹,如复暂会。

在与兄分别期间,唯以获得兄之手书为期盼。在未得新书之时,只得一遍又一遍地重温旧书,以聊慰思念之情。想望之切,溢于言表。晋潘岳《哭弟文》曰:

> 视不见兮听不闻,逝日远兮忧弥殷。终皓首兮何时忘,情楚恻兮常苦辛。

文中对于亡弟寄托了永无相见之期的悲思。南朝宋颜延之《祖祭弟文》曰:

> 阖棺穷野,启殡中荒。灵影凤灭,筵寝虚张。……尔之于役,爱适兹邑。上秋告来,方春伫立。如何不弔?吉违凶集。六亲憧心,姻朋浩泣。我虽载奔,伊云何及!求怀在昔,追亡悼存。惟兄及弟,瞻母望昆。生无荣嬿,没望归魂。令龟吉兆,祖楃东旋。灵辀次路,严舟在川。廓然何及?痛矣终天!

一种人亡物在,不堪回首的哀思,跃然纸上。唐王维《九月九日忆山东兄弟》诗云:

> 独在异乡为异客,每逢佳节倍思亲。遥知兄弟登高处,遍插茱萸少一人。

所谓"倍思亲",正见得平日思念之深;后两句从对面逆写兄弟们也在思念自己,益见思念之切。杜甫《月夜忆舍弟》云:

> 戍鼓断人行,秋边一雁声。露从今夜白,月是故乡明。
>
> 有弟皆分散,无家问死生。寄书长不达,况乃未休兵。

因忆弟而念家,因念家就连故乡的月色也比他处可爱了。无奈有弟而皆分散,分散又皆无家,以致死生不明,写信又老是寄不到,何况还是烽火连天之时! 把对兄弟的怀念与国家的命运联系在一起,更见杜诗的特色。白居易《自河南经乱,关内阻饥,兄弟离散,各在一处。因望月有感,聊书所怀,寄上浮梁大兄、於潜七兄、乌江十五兄兼示符离及下邽弟妹》云:

> 时难年荒世业空,弟兄羁旅各西东。田园寥落干戈后,骨肉流离道路中。吊影分为千里雁,辞根散作九秋蓬。共看明月应垂泪,一夜乡心五处同。

此诗忧伤战乱,思念兄长、弟妹,情意真切,却又自然平直,不假雕饰。联系他在《白氏六帖》的"兄弟"条下所录的"骨肉之恩,手足之爱"两语,都在此诗中得到了充分的表达。

四、世间最难得者兄弟

由于儒家思想的巨大影响,使中华民族成为一个非常重视兄弟感情的民族,故在历史上留下了各种各样的多不胜记的有关故事,体现了感人至深的兄弟之情。兹略述一二,以见古人在兄弟关系中所体现出来的高尚品德。

其一,表现了兄弟之间相亲相近、永不分离的亲爱之情。如《后汉书·姜肱传》载,后汉姜肱,字伯淮,出身世家名族,与异母弟仲海、季江俱以孝行著闻。三人友爱天至,虽然皆已娶妻成家,但兄弟之情依旧,不忍别居。乃作一大布被,兄弟共被而寝,常共卧起,以慰继母之心。时人称其友爱。后人常把"姜被"用为兄弟相亲的典故。后姜肱与弟季江赴郡,夜于路上遇贼,贼欲杀之,姜肱兄弟更相争死。贼感其义,遂两释之。又《北史》卷四一载,杨播,字延庆,家世纯厚,并敦义让;其弟杨椿字延寿,杨津字罗汉,亦皆恭谦。兄弟每天必在厅堂相聚,终日不厌。有一美味,不集不食。厅堂间往往帏幔隔障以为寝息之所,夜则共寝其中,相与笑谈为乐。又《唐纪》载,唐玄宗李隆基天性敦睦,笃于兄弟之谊。他有五个兄弟,皆封上爵,时号"五王"。玄宗于宫之西南建楼,题曰"花萼相辉之楼",时时召五王登楼欢宴。又制成大幔,名为"五王帐"。帐中设长枕大被,与五王时常同寝其中。虽谗说乱其间,而卒无所摇。为后世传为佳话。作为帝王之尊,较之"姜被"更为难得。

其二,表现了兄弟姊妹之间互相关心、尽情照顾的纯真感情。如《隋唐嘉话》载,唐李勣天性友爱。其姊病,李勣必亲自为姊熬粥,釜燃辄燎其须,仍然烧之不已。其姊劝其何必非亲自动手不可,李勣答道:"姊今有疾,而且年老,虽欲进粥,尚有几时?"又《小学》载,北宋名相司马光,与其兄伯康友爱尤笃。伯康年将八十,光奉之如慈父,保之如婴儿。每食少顷则问曰:"得毋饥乎?"天少冷,则拊其背曰:"衣得毋薄乎?"其行其言,纯属一片至性,悌友之情,溢于言表。

其三,兄弟之间互让财产,历史上这类事迹多不胜述。如《汉书》卷五八载,有卜式者,以畜牧为业,其幼弟成长,卜式惟取羊百余头,而将田宅、财物尽与其弟。自入山中牧羊十余年,多达千余头,重置田宅。而弟尽破其产,卜式又多次将财产分给其弟。又《后汉书》卷三九载,汉安帝时,汝南薛包,好学笃行,以至孝闻。其弟之子要求分财异居,薛包乃中分其财:奴婢引其老病者,曰:"与我共事已久,尔不能使也。"田庐取其荒颓者,曰:"吾少时所治,意所眷恋也。"器物取其朽败者,曰:"我素所服食,身口所安也。"尽将良田美器让与其弟之子。时人称之。

其四,兄弟之间不惜临危争死,以保全对方。如《汉书》卷三九载,赵孝与弟赵礼情好甚笃。适值王莽末年天下大乱,人相食。赵礼为饿贼所获,将杀而食之。赵孝闻知,即自缚赴贼,谓之曰:"吾弟体瘦,不如孝肥,请以代之。"贼感其义而并释之。《后汉书》卷六九载,汝南王琳,字巨尉,十余岁时,父母俱亡。时值兵乱,乡邻尽皆逃窜,惟王琳与弟仍在父母冢庐守孝,号泣不肯离去。其弟出门时,适遇赤眉兵,将杀之。王琳即自缚请代弟死,赤眉感其义,乃怜而俱释之。《颜氏家训·兄弟》载,江陵王玄绍,与弟孝英、子敏,兄弟三人,特相友爱,所得甘旨新异,非共聚食,必不先尝,虽天天相见,犹以为不足。及江陵为魏所陷,玄绍为兵所围,二弟争共抱持,各求代死,终不得解,遂相从共死。又《后秦录》载,姚襄战马中流矢,其弟姚苌下马,即将己马与襄。襄曰:"汝将何以为乘?"苌曰:"天下可无我,而不可无兄!"这种不惜一死以期保全兄弟的品质,确实感人至深。

其五,兄弟姊妹之间相知殊深,为了对方不惜以身相殉。如《史记·刺客列传》载,聂政刺死韩相侠累,恐连累其姊,先用刀割破面目以毁形,然后自屠出肠而死。韩人暴尸使人相认,无人认得。其姊聂荌闻之,心知是其弟所为,即往而哭之曰:"此乃吾弟聂政也。只恐连累我,才自毁其形使人难认。我岂能畏死而埋没贤弟之名!"于是自杀于弟尸之旁而死。姊弟二人的侠义行为及其互相之间相知之深,自足感人。

其六,善于培养弟妹,使之成人成名。据载,后汉名儒贾逵,年五岁,其姊闻邻家读书,每抱逵听之。逵年十岁,即能暗诵六经。姊曰:"我并未教汝读书,汝安得能诵六经?"逵曰:"回忆当年姊经常抱我听邻家读书。"又有宋若华姊妹五人,长若华,次若昭、若伦、若宪、若旬,若华海诸妹如同严师。后姊妹俱有才名,而若昭文辞尤高。

其七,为了能使兄弟成名,宁愿自己受人之讥以玉成之。《后汉书》卷七六载,汉许武举孝廉,以二弟许普、许晏尚未显达,欲使之成名,乃析家产为三份,自取肥田、广宅,而以劣田、陋宅分给二弟,二弟无异言。乡人皆以许武为贪,而称二弟能义让。于是二弟让产之名大振,皆得选举孝廉。许武乃会集宗族,泣言所以分财取讥之意,遂将全部财产山丁二弟,自己一无所留。后人将此事演为"三孝廉让产立高名"的话本小说,冯梦龙将其收入《醒世恒言》之中,广为流传。

其八,善于宽容兄弟的过错,以保持相爱之情。如《隋纪》所载,牛弘之弟牛弼好酗酒,有次于醉后射死牛弘驾车之牛。牛弘回家时,其妻告弘曰:"叔射杀牛。"弘答曰:"且用饭。"既坐定,妻又曰:"叔射杀牛,大是异事!"弘曰:"知道了。"颜色自若,读书不辍,而对于其弟射牛之事毫不在意,而且一字不提。

其九,善于劝诫他人兄弟重归于好。《北齐书·循吏传》载,苏琼迁任清河太守,有乙普明兄弟争田,积年不决。苏琼召而谕之曰:"世间最难得者兄弟,易求者田地。倘若得田地而失兄弟,心中将何以堪?"说时声泪俱下。普明兄弟深深为之感动,叩头谢过。兄弟本已分居十年,于是又重归于好,同住在一起。苏氏"世间最难得者兄弟"一语,乃成为千古名言。

其十,善于教导自己子女和睦团结。《北史·吐谷浑传》、《魏书·吐谷浑传》俱载,吐谷浑阿柴有子二十人。临终时,令众子各献一支箭。阿柴取其中一支授其弟慕利延,使折之,利延一折即断;又取十九支使其折之,利延虽尽其力,仍然折不断。于是阿柴对众子说道:"孤则易折,众则难摧。尔等一定要记住这个道理!"这是一个教育兄弟同心协力的生动故事。

以上所述,都生动地体现了兄弟姊妹之间非同寻常的骨肉之情。而《齐谐记》中还载有一个关于兄弟之情的传说:隋时京兆有田真、田广、田庆三兄弟同居,后欲分家,所有财产皆已平均分定,惟剩堂前一株紫荆树尚未分开,乃议定将其砍倒,斫成三份以作均分,不料荆树即枯萎而死。田真见而大惊,谓二弟曰:"树本同株之体,闻将分斫,所以枯死。我等兄弟同气分形,而欲分居,是人不如木也。"兄弟相感,悲不自胜,乃不复砍树,仍然合资和睦共处,于是荆花复茂。这虽然是一个传说故事,但后人经常引用为兄弟相和的典故。有一副常见的对联云:"荆树有花兄弟乐,砚田无税子孙耕。"其上联就是用了这个典故。

五、煮豆燃萁,同根相煎

儒家虽然极力倡导兄弟和睦,然而在社会现实之中,并非都能悉遵怡怡之训。不过,在广大的庶民阶层,虽然兄弟间也难免时有龃龉,但无非是一些家常的口舌之争;然而在贵族阶层,尤其是神圣的帝王之家,为了争夺权位,兄弟之间同室操戈、骨肉相残之事层出不穷,最终难免导致国乱家衰的危害。此种现象,历代史不绝书,足供反面之戒。

《左传·昭公元年》记子产追述远古之事云:"昔高辛氏有二子,伯曰阏伯,季曰实沈。居于旷林,不相能也。日寻干戈,以相征讨。后帝不臧,迁阏伯于商丘,主辰,商人是因,故辰为商星;迁实沈于大夏,主参,唐人是因,以服事夏商。"杜注谓"后帝,尧也"。这里的"辰"指商星,"参"即参星。参星在西,商星在东,此出彼没,永不相见。帝尧迁阏伯于商丘使主祀商星,迁实沈于大夏使主祀参星,即系使其兄弟分居两地而无从寻衅之意。这虽然是追述古事,未必有据,但后人即以"参商"作为比拟兄弟之间彼此对立不相和睦的典故。

在古代封建宗法制的时代,虽由周公制礼而立下嫡长子继承的制度,但仍然无法制止兄弟争国的悲剧。及至王室陵夷的春秋时代,兄弟之间争权夺位之事愈演愈烈,终于导致封建宗法制的全面崩溃。孔子作《春秋》,据说是旨在使"乱臣贼子惧"。他在开卷的鲁隐公元年,即大书"郑伯克段于鄢",就是一场兄弟之间争夺君位的战祸。由于郑伯早有准备,其弟叔段夺国未成而出逃。仅隔两年的隐公四年,又大书"卫州吁弑其君完"。作为嬖人之子的庶弟州吁,竟然弑其嫡兄桓公而自立为君,由于卫人不服,又被国人所杀。及隐公十一年,鲁隐公亦为其弟桓公所弑。号称"周礼尽在鲁矣"的鲁国,竟然也演出了以弟弑兄而夺其国的篡弑之祸。此后各国兄弟相争之事连续不断。可见这在贵族阶层中,乃是一种无法彻底解除的悲剧。

鲁庄公八年,齐襄公的从弟公孙无知弑襄公而自立。齐人杀无知,而襄公的两个庶弟公子纠与公子小白又互相争国。号称"五霸"之首的齐桓公小白,亦以杀其庶兄公子纠而得国,虽然一生功业卓著,但到他去世时,由于五公子争立,互相攻杀,以致桓公尸体搁在床上六十七日而无人过问,至于尸虫出于户外而不知。更为痛心的是,由于五公子争立,导致齐国大乱,把齐桓公一手创建的赫赫霸业消耗殆尽,一蹶不振。春秋战国时代,此类由兄弟相争所引起的祸国殃民之事实难胜述。兄弟相残之惨祸竟然一此于此!

汉代文、景二帝号称明君。然而文帝将其弟淮南王刘长废徙蜀郡,使之愤恨不食而死。时人为之歌曰:"一尺布,尚可缝;一斗粟,尚可舂;兄弟二人不相容!"实在是对皇家兄弟关系的一种有力的嘲笑。景帝时,七国之叛乱以及景帝之平定七国,都可视之为皇家骨肉相残之祸,无论给国家、给人民都带来了无穷灾难。

三国曹氏兄弟争国之事更为众所熟知。曹丕继位之初,即遣诸弟离都就国,即可见其薄于兄弟之情,而对同母之弟曹植尤为猜忌。据载,曹丕欲杀曹植,限其七步成诗,若不能成,必将治之以法。曹植应声而吟曰:

> 煮豆燃豆萁,豆在釜中泣。本是同根生,相煎何太急!

曹丕深有所感,不得不示以宽容而释之。曹植以其敏捷的天才,方得在亲兄的刀下免于一死,后人读之,感慨良深。黄初四年,曹植与同母兄任城王曹彰、异母弟白马王曹彪共朝京师,不料骁勇善战的曹彰突然暴死于洛阳,死因不明。曹植与曹彪还国时,欲同路东归,以叙久别之情,然而曹丕所遣之监国使者不许。曹植乃愤而作《赠白马王彪》之诗,以向其弟曹彪告别。诗中充满了对骨肉相迫的怨愤,而对纯真的兄弟感情寄予了无限珍惜和向往之情。其末段有云:

> 心悲动我神,弃置莫复陈。丈夫志四海,万里犹比邻。
> 恩爱苟不亏,在远分日亲。何必同衾帱,然后展殷勤。
> 忧思成疾疢,无乃儿女仁。仓卒骨肉情,能不怀苦辛?
> ……
> 变故在斯须,百年谁能持?离别永无会,执手将何时?
> 王其爱玉体,俱享黄发期。收泪即长路,援笔从此辞!

全诗从写兄弟被迫分别的怨愤,到对于变生不测的忧惧,最后无奈地出之以诀别之词。对兄弟之间的迫害行为,作了尽情的控诉。

更值得痛心的则是西晋时期的"八王之乱",由于众兄弟之间同室操戈争夺帝位,导致兵连祸结,战乱不息。不仅促使西晋迅速衰亡,而且还使华夏民族元气大伤,异族乘虚入侵,酿成了"五胡乱华"的纷争局面,以及造成了长期的南北分裂之局,使整个中华民族无论在经济上抑或在文化上都蒙受了无法估量的巨大损失。

唐太宗号称英明之主,成就了历史上著称的贞观之治。但在兄弟相争之中,也不得不杀兄戮弟而登上帝位。宋太祖兄弟之间素称友爱,但"烛光斧影"竟成为历史疑案。明成祖攻侄而夺帝位,其残狠之性实在使人寒心。清雍正为争帝位而残杀兄弟,其险毒之心更为令人发指。这些在政治上颇有作为的英主,而在兄弟伦理方面却难免长贻万古之讥。难道这种兄弟相残的惨祸是出于他们的本性使然吗?非也! 说到底,都是权位之尊充当了罪恶的根源。

历代儒者和史学家都继承孔子旨在使"乱臣贼子惧"的遗意,运用《春秋》的笔法进行褒贬,对皇室内部的弑兄杀弟之举都作了寓意深沉的诛心之论,以期收到以睦兄弟、以正人伦的效果。然而,由于家天下的专制帝制本身所无法克服的原因,不管儒家如何推行人伦教化,仍然无从彻底铲除其病根。只有到了帝制消亡,大力提倡民主、平等的文明社会,通过有效的人伦教化,儒家所提出的"兄友弟恭"、"兄爱弟敬"的怡怡之情,才能得到真正的实现。

第二节 令人神往的天伦之乐

古人在"人伦"之中又有所谓"天伦"之说。《穀梁传·隐公元年》云:"兄弟,天伦也。"范宁注:"兄先弟后,天之伦次。"《辞源》释"天伦"云:"兄先弟后,天然伦次,故称兄弟为天伦。后来也泛指父子、兄弟等为天伦。"据此,"天伦"的本义是天然伦次,最初专指兄先弟后的天然次序而言,后来才引申为泛指父子、兄弟等为天伦。故《辞海》将"天伦"直接释为"指父子、兄弟等天然的亲属关系"。所谓"天然的亲属关系",其实也就是先天形成的血缘关系,故除了父子、兄弟而外,也应包括母女、姊妹关系在内。把姊妹包括到"天伦"之内,也是有根据的。南朝宋鲍照《谢假启》之二云:"天伦同气,实惟一妹。"就是把姊妹视为"天伦同气"关系的。据此,"天伦"的内容,实际上包括了本书所述的"父子"、"兄弟"两伦,亦即包括了父母子女、兄弟姊妹之间的各种关系。所以,古人常把家庭中亲人团聚的欢乐称为"天伦之乐"。

然而,如果把家庭中亲人团聚之乐称为天伦之乐,那就必然又会牵涉到夫妇关系。夫妇关系不属于血缘关系,当然也不在"天伦"之内。但是,一则因为夫妇关系有与子女的血缘关系作为中介,也已成为间接的血缘关系;二则因为"天伦之乐"中既然包括了父母子女、兄弟姊妹等各种亲人关系之间的团聚之乐,那么如果只有父子、父女或母子、母女之间的亲爱之乐,而缺乏父与母之间协调和谐的夫妇关系,则其所谓"天伦之乐"也必然会打上很大的折扣。而实际上,父与母之间的夫妇关系往往会直接影响到全家亲人之间的苦乐;再推而言之,即使是子女们小夫妇之间的关系,对于全家亲人之间的欢乐,无疑也会带来一些影响。所以,在所谓"天伦之乐"之中,除了本来的"父子"、"兄弟"两伦之外,又必然要旁及"夫妇"之伦的内容。因此,本节所说的"天伦之乐",就是综合了属于家庭内部关系的"夫妇"、"父子"、"兄弟"三伦的内容。具体而言,包括有父母子女、兄弟姊妹之间的诸种关系,也推及祖孙、叔侄、姑侄乃至旁及叔嫂、姑嫂、妯娌等各种关系。质言之,就是家庭中亲人之间的团聚之乐。

儒家是非常向往"天伦之乐"的。然而,若要全家达到亲爱和睦之乐,其前提就在于首先要把家庭治理好。《周易·家人》是专门阐发治家之道的卦象。其《象》曰:"父父,子子,兄兄,弟弟,夫夫,妇妇,而家道正。"这就是说,只有每个家庭成员都能各尽其职责,并能互相正确地处理好关系,家庭才能管理好。其"初九"云:"闲有家,悔亡。"意谓家道初立之时,即应预先防闲邪辟,才能保有其家而无所悔恨。在夫妻关系方面,如"六四"爻辞曰:"富家,大吉。"九五《象》曰:"交相爱也。"此言六四阴爻上承九五阳爻,得刚柔相济、夫妇相爱之象。夫妇和而家道成,故能增富其家,大为吉祥。其"九三"云:"家人嗃嗃,悔厉,吉;妇子嘻嘻,终吝。"此言家长若能对家庭成员加以约束,居安思危,可获吉祥;假若放纵家人使之骄奢淫逸,终致憾惜。故《象》曰:"家人有严君焉,父母之谓也。"这固然是说父母教育子女应该严正,但也并非要求子女对父母必须绝对服从,而是说父母对子女应恩威并施,更应重视德化和身教的作用。其"九五"云:"王假有家。"("假"读如"格",感格也。)《象》曰:"王假有家,交相爱也。"意谓作为家长,宜用美德感格家庭成员,使之互相亲爱和睦,才能保有其家。其"上九"云:"有孚,威如,终吉。"《象》曰:"威如之吉,反身之谓也。"意谓作为一家之长,先要反身自省,严格要求自己,心存诚信,然后才能以威严治家,故可终获吉祥。这两条爻义,对于居于长辈之位的父母,很有指导意义。又据《说卦》"乾为父,坤为母"之意,关于父母的职责,也可结合乾坤二卦进行理解。《乾象》云:"天行健,君子以自强不息。"《坤象》云:"地势坤,君子以厚德载物。"为父者若能具有"自强不息"的奋发精神,为母者若能具备"厚德载物"的博大胸怀,这不仅有利于建设美好的家庭,而且也将使子女享受到良好的培养与教育。纵观《周易》的家庭理论,不难发现:作为一家之长辈的父母,必须以身作则,以道德教化子女,才能长久保持家庭素质的淳朴健全。

《左传·隐公元年》载，郑庄公因为其母武姜支持叔段与己争国，心怀怨恨，故与之誓曰："不及黄泉，无相见也！"既而悔之，乃听从颍考叔"阙地及泉，隧而相见"的建议，在隧道中与母相会。于是，"公入而赋：'大隧之中，其乐也融融！'姜出而赋：'大隧之外，其乐也泄泄！'遂为母子如初。"这是一个母子反目之后又重归于好，深深地感受到了天伦之乐的故事。

《左传·文公十八年》载季文子云："父义，母慈，兄友，弟恭，子孝，内平外成。"《左传·昭公二十五年》载，郑子产之子子大叔引子产的话答赵简子云："夫礼，天之经也，地之义也，民之行也。天地之经，而民实则之。则天之明，因地之性。生其六气，用其五行，气为五味，发为五色，章为五声。淫则昏乱，民失其性，是故为礼以奉之。……为夫妇外内，以经二物；为父子、兄弟、姑姊、甥舅、昏媾、姻亚，以象天明。……为温、慈、惠、和，以效天之生殖长育。……乃能协于天地之性，是以长久。"在这大段论述中，可以体会到这样一种道理："礼"是取法于天地之间各种事物因以协调和谐的自然法则而制订出来的、用以协调人际关系的伦理准则。诸如：由于"五行"之间达到协调和谐，才能生长万物；五味达到协调和谐，才能适口养体；五色达到协调和谐，才能悦目；五声达到协调和谐，才能悦耳。因此，人也应该效法天地的温、慈、惠、和等品德来调和人与人之间的关系。尤其在家庭之中的夫妇、父子、兄弟之间，乃至姑姊、甥舅、昏媾、姻亚之类的亲属之间，都应该取法万物而"协于天地之性"，达到充分协调和谐之境，才能长久地享受天伦之乐。

《左传·昭公二十六年》载，齐国晏子回答齐景公云："父慈子孝，兄爱弟敬，夫和妻柔，姑慈妇听，礼也。""父慈而教，子孝而箴；兄爱而友，弟敬而顺；夫和而义，妻柔而正；姑慈而从，妇听而婉：礼之善物也。"这是说，所谓"父慈子孝"、"兄爱弟敬"云云，仅仅是

"礼"所规定的准则,若要具体实践起来,还需要有更为丰富的内容。以父而言,在"慈"的基础上,还应包括更为重要的教育子女的内容;以子而言,在"孝"的基础上,还应包括能用正道去谏诤父母使之纠正过失的内容。以兄弟关系而言,"爱"和"敬"主要是就存于内心者而言,"友"与"顺"主要是就行为上施及对方者而言。"兄爱而友",就是要求兄应将内心之"爱"付诸行为上对弟的友好爱护;"弟敬而顺",就是要求弟应将内心之"敬"付诸行为上对兄的尊敬和顺。以夫而言,就是应该用温和的态度来实行其以"义"待妻的行为;以妻而言,就是应该用温柔的态度来实行其以"正道"事夫的行为。以婆媳关系而言,婆婆在以"慈"待媳的基础上,还应多多听从媳妇的正确建议;媳妇在对婆婆做到听话的基础上,还应保持委婉和顺的态度。无论父子、兄弟、夫妻乃至姑媳,双方都要用一片诚心并能付诸实际行动去对待对方,才能建立起真正的亲爱和睦的关系。一家之中,只有各种关系都协调和谐了,全家也就可以享受天伦之乐了。所以说,此乃"礼之善物也"。在这里,显然勾画了一幅理想的"天伦之乐"的蓝图。

孔子是非常看重天伦之乐的。他曾说:"出则事公卿,入则事父兄,丧事不敢不勉,不为酒困,何有于我哉?"(《论语·子罕》)孔子之父叔梁纥早逝,其兄孟皮生有残疾,大概也去世得较早,所以他深以无缘"入则事父兄"以享天伦之乐为遗憾。因而他主张"礼义以为纪,……以笃父子,以睦兄弟,以和夫妇"(《礼记·礼运》)。又云:"以笃父子,以睦兄弟,以齐上下,夫妇有所。是谓承天之佑。"(同上)这是说,只有在父子、兄弟、夫妇之间都达到亲爱和睦,才能享受上天所赐予的福佑。因此,《中庸》云:"《诗》曰:'妻子好合,如鼓瑟琴;兄弟既翕,和乐且湛;宜尔室家,乐尔妻帑。'子曰:'父母其顺矣乎!'"在夫妻、父子之间,能像琴瑟合奏那样协调和谐,兄弟之间能够保持和睦欢乐,这样,全家就会洋溢着一片和谐欢乐的气象。孔子认为,处在这种和睦欢乐的家庭之中,作为长辈的父母,也一定会感到舒适而顺心了。

孟子也很重视天伦之乐,他还把"父母俱存,兄弟无故"作为"君子三乐"中的第一乐。孟子曰:"君子有三乐,而王天下不与存焉。父母俱存,兄弟无故,一乐也;仰不愧于天,俯不怍于人,二乐也;得天下英才而教育之,三乐也。君子有三乐,而王天下不与存焉。"(《孟子·尽心上》)他再次声明,"王天下"并没有什么值得欢乐的,而把"父母俱存,兄弟无故"列为"三乐"之首,可见他向往"天伦之乐",已达到无以复加的程度了。正因为如此,他对大舜那样能把一个关系极其恶劣的家庭,通过感化而成为一个和睦欢乐的家庭的事迹推崇备至。据载,大舜早年丧母,其父瞽瞍继娶而生象。瞽瞍惑于后妻之谗言,与象日以杀舜为事。舜处于"父顽、母嚚、弟傲"这样恶劣的家庭环境之中,仍能事亲以道。"舜之事父也,索而使之,未尝不在侧;求而杀之,未尝可得。"(《说苑》)舜既能运用自己的智能巧妙地避开其父与异母弟的杀害之举,又能对父母尽其事奉之道,对弟尽其友爱之心,终于获得了父母与弟的理解而同归于好。对此,孟子多次赞颂曰:"不得乎亲,不可以为人;不顺乎亲,不可以为子。舜尽事亲之道而瞽瞍底豫,瞽瞍底豫而天下化,瞽瞍底豫而天下为父子者定,此之谓大孝。"(《孟子·离娄上》)《尔雅》云:"底,致也;豫,乐也。"所谓"瞽瞍底豫",意为终于使瞽瞍也高兴了。大舜能使顽父高兴,并能使天下之为父子者都受到感化,这才可谓之"大孝"。孟子又曰:"(舜)为不顺于父母,如穷人无所归。天下之士悦之,人之所欲也,而不足以解忧;好色,人之所欲,妻帝之二女,而不足以解忧;富,人之所欲,富有天下,而不足以解忧;贵,人之所欲,贵为天子,而不足以解忧。人悦之、好色、富贵,无足以解忧者,惟顺于父母,可以解忧。人少,则慕父母;知好色,则慕少艾;有妻子,则慕妻子;仕则慕君,不得于君则热中。大孝终身慕父母。五十而慕者,予于大舜见之矣。"(《孟子·万章上》)这是说,大舜以得不到父母之爱为最大的忧愁,无论人悦之、美色、富贵等都不足以消除大舜的忧愁,只有能获得父母之爱,才可以消除忧愁。大舜终身以能获得父母之爱为最大的幸福。显然,这与孟子把"父母俱存,兄弟无故"列为"三乐"之首,"而王天下不与存焉"的观点是完全一致的。孟子又曰:"象忧亦忧,象喜亦喜。……彼以爱兄之道来,故诚信而喜之,奚伪焉?"(同上)这是说,大舜对于异母弟象,能以象之忧喜为忧喜,而以诚心相待。又曰:"仁人之于弟也,不藏怒焉,不宿怨焉,亲爱之而已矣。"(同上)这是说,大舜对待其弟,根本没有在意以往的怨怒,只知道极力加以亲爱而已。孟子认为,大舜处于极其恶劣的家庭环境中,能通过实际行动加以感化,终于达到了全家和睦亲爱而能享受天伦之乐,因而加以最高的赞颂。

《颜氏家训·兄弟》云:"夫有人民而后有夫妇,有夫妇而后有父子,有父子而后有兄弟:一家之亲,尽此三者而已矣。自兹以往,至于九族,皆本于三亲焉,故于人伦为重者也,不可不笃。"正说明了家庭中的夫妇、父子、兄弟三伦之重要,而为其他人际关系之根本。同篇又云:"娣姒者,多争之地也。使骨肉居之,亦不若各归四海,感霜露而相思,伫日月之相望也。况以行路之人,处多争之地,能无间者,鲜矣。所以然者,以其当公务而执私情,处重责而怀薄义也;若能恕己而行,换子而抚,则此患不生矣。"这是说,在娣姒之间,贵能"恕己"相待,方能和睦相处。其《治家》篇云:"夫风化者,自上而行于下者也,自先而施于后者也。是以父不慈则子不孝,兄不友则弟不恭,夫不义则妇不顺矣。父慈而子逆,兄友而弟傲,夫义而妇陵,则天之凶民,乃刑戮之所摄,非训导之所移也。"这是说,在父子、兄弟、夫妇三伦之中,作为父、兄、夫三者分别负有主要的责任。当然,在家庭中,父母、兄姊责任尤其重大,往往奋挑重担,历经千辛万苦,也要把子女、弟妹拉扯长大,并培养其成才。所以,作为子女、弟妹,更应体谅父母、兄姊之苦心而自尽孝、敬之心。这样互承义务,关系自然融洽了。

隋王通曰:"为人子者,以其父之心为心;为人弟者,以其兄之心为心。推而达之于天下,斯可矣。"(《中说·天地》)这是说,在父子、兄弟之间,互相能以"恕"相待,就能长久保持亲爱和睦。

"天伦之乐"不仅体现在父母子女和兄弟姊妹之间,而且还特别体现在祖父母与孙儿孙女之间。古代在父子之间尚有所谓"君子远其子"的父子疏离之说,而在祖父与孙子间的关系却是十分亲近的。《礼记·曲礼上》云:"礼曰:君子抱孙不抱子。"《礼记·丧服小记》郑玄注亦云:"祖不厌孙,孙得伸也。"父亲代表威严,而祖父、祖母则代表慈祥。古人把"含饴弄孙"看作晚年的一大乐趣,是很有意义的。可以说,晚年的祖父、祖母与幼年的孙儿、孙女之间的"天伦之乐",是人生幸福生活的一个重要内容,既是老年人消除寂寞和求取欢乐的最好方法,也是少年儿童接受教育和获得快乐的最佳乐园。

在中国伦理道德观念中,家庭亲属关系是社会关系中最主要的关系。家庭应该是一个充满了爱的乐园。一个家庭也许是清贫的,只要充满了爱意与和谐,便是一个幸福的家庭。和谐就是幸福,而家庭和谐最为重要。父母与子女关系融洽,兄弟姊妹之间经常交往互相帮助,子女经常到父母身边问寒问暖,晚辈以自己的孝心和事业成绩给长辈以愉快,这就是最令人神往的"天伦之乐"。

总而言之,在以血缘为纽带的家庭关系中,儒家主张在血缘亲情的基础上着重强调家庭成员之间的义务和责任。夫妇、父母子女、兄弟姊妹等之间应尽的义务和责任,就是所谓"父慈子孝"、"兄友弟恭"、"夫义妇贞"。"父慈",即要尽其抚养、爱护、教育的责任;"子孝",即要尽其赡养和欢娱双亲的责任。"兄友弟恭",也表示兄姊要尽友爱之心,更多地帮助弟妹;弟妹也要尽敬爱之心,更多地向兄姊学习。"夫义妇贞"同样是强调夫妇双方各应履行其承担的责任和义务:"夫义"是强调立丁正道,不走邪路,这对一夫一妻制的庶民来说,也包括对妻的专一忠诚;"妇贞",贞洁所以对妇女特别强调,成为妻子最重要的义务,从根本上说,是为了适应宗法制的需要,确保所生子女是丈夫血统的缘故。如果从现代一夫一妻制的立场而言,夫妻双方互相忠贞仍然是应该提倡的。夫妻之间互相忠贞,既体现了一个人的道德品质,也保证了家庭的稳定和睦。

有人认为,儒家只讲义务,不讲权利。光从表面上看,也确实如此;然而从本质上说,每个人的权利就体现在对方的义务之中,不追求权利而自然获得了权利。因为儒学本身是一种为己之学,其立足点重在求己而不在责人。如果每个人都能自觉地尽到自己所应尽的义务,那么每个人也自然获得了相应的权利。鄙意窃谓,儒家这种主张每个人自觉地履行义务来获得权利的方式,要比用法律去责人的手段获取权利的方式文明进步得多。尤其在家庭内部的亲人之间,如果每个人都能自觉地履行自己的义务,更有利于化解矛盾而加深亲爱和谐的气氛,从而使每个人都轻松愉快地沐浴于春风化雨之中而享受家庭的天伦之乐。

"天伦之乐"自然是令人神往的幸福佳境,但得来却也并不容易。要之必须每个家庭成员的共同努力,才能达到。故朱子《家训》云:"父之所贵者,慈也;子之所贵者,孝也。兄之所贵者,友也;弟之所贵者,恭也。夫之所贵者,和也;妇之所贵者,柔也。"总而言之,儒家的治家之道,不外乎"父慈、子孝,兄友、弟恭,夫和、妇柔"的古训。若能做到这几点,自然全家和睦亲爱而长享天伦之乐矣。

第三节　孝悌慈的扩充与推广

儒家的"仁",是一个由亲及疏、由近及远逐步扩张的实践体系。因而体现父子关系的"慈"与"孝",以及体现兄弟关系的"悌",都是行仁的起点。《论语·学而》记有子曰:"君子务本,本立而道生。孝弟也者,其为仁之本与!"本者,根也。"孝悌"既然是"为仁之本",那么"为仁"必然还有生枝、发叶、开花的过程,而这个过程,也就是将"孝悌"的精神加以扩充和推广的过程。《孟子·梁惠王上》记孟子曰:"老吾老,以及人之老;幼吾幼,以及人之幼。天下可运于掌。"所谓"老吾老,以及人之老",就是"孝"的扩充和推广;"幼吾幼,以及人之幼",就是"慈"的扩充和推广。不爱其亲,何以爱他人? 不敬其亲,何以敬他人? 因为"爱有差等",所以爱他人、敬他人的起点是先敬爱自己的亲人。先从敬爱自己的亲人开始,然后推己及人,由亲及疏,由近到远地去敬爱别人的亲人,以期达到"天下归仁",这就是儒家实现"仁"的总体方案。

《书·尧典》曰:"曰若稽古帝尧,曰放勋,……克明俊德,以亲九族;九族既睦,平章百姓;百姓昭明,协和万邦,黎民于变时雍。"蔡沉注云:"此言尧推其德,自身而家,而国,而天下,所谓'放勋'者也。"《尚书》一开卷,就首先为儒家树立了一个以修身、齐家为起点,然后扩充推广到治国、平天下的圣帝形象。

儒家的"仁",是以爱亲之心为起点的。在远古时代,初民的爱亲之心,主要表现为血缘宗族祭祀中的祖先崇拜。《礼记·郊特牲》解释敬祖的意义云:"万物本乎天,人本乎祖。"祖先崇拜是为了使子孙后代永远不忘祖先的开拓之功。孔子在继承古时崇拜先祖的精神的基础之上,进而把这种精神引向孝顺在世父母的现实中来,从而创建了儒家的"孝"的理论。

从儒家所提倡的"孝"而言,首先是指对在世父母的孝,然后也包括对已故父母以及先祖的孝。对已故父母和先祖的孝又称为"追孝"。《礼记·坊记》云:"修宗庙,敬祀事,使民追孝也。"就是以祭祀的形式来寄托其永久思念之意。《礼记·祭统》曰:"祭者,所以追养继孝也。"曾子强调"慎终、追远","慎终"系就恭行丧礼而言,"追远"系就敬行祭礼而言。《诗·下武》云:"永言孝思,昭哉嗣服。昭兹来许,绳其祖武。于万斯年,受天之佑。"对祖先追孝的目的和作用在于表示子孙在怀念先祖的基础上继承祖先事业的决心,并遵照祖先的遗训为人行事,以达到"受天之佑",使本族后代和睦昌盛,永远绵延下去。这种"追孝",实际上就是从对在世父母之"孝"进而向已故父母乃至祖先的扩充。

从儒家所提倡的"悌"而言,由于殷周时代的封建宗法制度只有嫡长子才是宗子,谓之"大宗",才有当然的继承权,即继承父辈的爵号、主持祭祖仪式;其余诸子只是"小宗",是没有同样的权力的。这就不可避免地会在兄弟、嫡庶之间产生矛盾。"悌"作为一个伦理观念恰恰在这点上强调兄弟相和,兄弟相和则宗室安宁有序。推而广之,国家亦得以安定。《书·蔡仲之命》所谓"懋乃攸绩,睦乃四邻,以蕃王室,以和兄弟,康济小民",就表达了这一层意思。"悌"要求弟要维护兄长作为宗室继承人的地位,使宗室内部和谐,从而保持宗法制度的正常运转。春秋末期,传统的封建宗法制逐渐瓦解,秦汉以后形成新型的家族模式,尽管不同于先秦的封建宗法制,然而以血缘为纽带的传统一脉相承。《礼记·坊记》记孔子云："睦于父母之党,可谓孝矣。故君子因睦以合族。"从直系推及旁系,所谓"推祖父母之爱,以爱叔父;推父母之爱,以爱兄弟姊妹"。曾国藩《家书》有云:"至于宗族姻党,无论他与我有隙无隙,在弟辈只宜一概爱之敬之。……古来无与宗族、乡党为仇之圣贤,弟辈万不可专责他人也。"所以,"悌"仍然起有团结家族的作用,也就是把体现兄弟之爱的"悌"作了扩充。

《中庸》曰:"宗庙之礼,所以祀乎其先也。"这种宗庙之礼的特点还体现了封建的等级身份。天子在祭祀祖先时,就以始祖配天,行郊天之礼。按照礼制,天子七庙,诸侯五庙,大夫三庙,士一庙,庶人无庙祭于寝。等级虽有区别,礼仪的隆杀虽然各异,然而自天子至于庶人祭祀祖先的报本之意则是一致的。这种尊祖敬宗的观念,既是亲亲,又是尊尊的表现。对于中国人的道德思想和感情有着深远的影响。宋元以后的新型家族制度进而彻底打破了"庶人无庙"的传统,凡是宗族聚居的村落,一般都建有宗祠作为祭祀本族始祖的场所。在宗祠中祭祀本族始祖所起的实际效果,就在于把同族的人聚集在一起,增加了凝聚力,起有敦宗睦族的作用。就祭祀所体现的尊祖敬宗之旨而言,就是把"孝"从孝敬父母扩充为追孝远祖;而从祭祀所取得的敦宗睦族的作用而言,就是把"悌"从友爱兄弟扩充为团结全族了。而团结全族也正好体现了子孙遵守祖先遗志的孝意,于是,就把"孝"与"悌"融合为一,并从家庭道德进而扩充为团结全族的法则了。

然而,从儒家看来,"孝悌"并不应局限于家族而止。《书·伊训》曰:"立爱惟亲,立敬惟长。始于家邦,终于四海。"蔡沈注云:"孝悌者,人心之所同,非必人人教诏之。立爱敬于此,而形爱敬于彼。亲吾亲,以及人之亲;长吾长,以及人之长。始于家,达于国,终于措之天下矣。"这是说,儒者的目标,还应该把"孝悌"的品德从家庭、家族进而推广到全社会。而且,儒家更强调以自己的孝行去影响他人,使他人尽能躬行孝悌之德。《左传·隐公元年》载,郑国的颍考叔,当闻知郑庄公与其母关系破裂之后颇有悔意时,即以自己的孝行感动了庄公,使之母子重归于好。故《左传》作者以"君子曰"的方式赞扬道:"颍考叔,纯孝也。爱其母,施及庄公。《诗》曰:'孝子不匮,永锡尔类。'其是之谓乎!"这就是一个以自己的孝行去影响他人实行孝道的故事。

《论语·学而》记孔子曰:"弟子入则孝,出则弟,谨而信,泛爱众,而亲仁。"孝悌就是亲亲,而孝悌的推广就是"仁","仁者爱人"。故孔子教导人们从小就应该以"孝悌"为起点,逐步实现其"仁"的目标。同篇又载曾子曰:"慎终追远,民德归厚矣!"曾子进一步强调慎于丧礼、追孝祖先,可以使人心从善,民风淳朴,促进社会秩序稳定。

《论语·颜渊》载,司马牛忧曰:"人皆有兄弟,我独亡。"子夏曰:"商闻之矣:死生有命,富贵在天。君子敬而无失,与人恭而有礼。四海之内,皆兄弟也——君子何患乎无兄弟也!"据载,孔子弟子司马牛乃宋向魋之弟。向魋作乱,司马牛忧其将亡,以为虽有犹无,故子夏作此语以宽慰之也。然而子夏提出的"四海之内,皆兄弟也"的观点,竟把体现兄弟相爱之"悌",一举而将之扩充推广到了"四海之内",确实体现了儒者的"民胞物与"的宏大气象,在伦理史上起有极其巨大的积极进步的作用。

从儒家所提倡的"慈"而言,可以从慈于子女而扩充为慈及子孙后代,为子孙后代创建基业。《诗·文王有声》云:"诒厥孙谋,以燕翼子。"就是为子孙后代创建基业之意。然而,儒家并不主张积蓄财产留给后代,而是主张在德行、功业、学问方面有所成就。即所谓立德、立功、立言"三不朽"是也。在立德方面,强调行善积德,作出榜样,使子孙有所取法;在立功方面,要求在为国为民的事业上作出贡献,使子孙有所继承;在立言方面,不仅要勤于著书立说,垂训子孙,而且还应为子孙创造一个读书的环境,即所谓"遗子满籝金,何如教一经",使子孙读书明理,以保持书香门第的家范。

儒家所提倡的"慈",还应该从慈于自己的子女和后代进而推广为慈及他人的子女。孟子曰:"幼吾幼,以及人之幼。"就是推己及人之意。《礼记·礼运》谓"幼有所长",就是从政治上把"慈"推广到广大儿童之中,使之都能得到保护和培养。

在政治上,周人进一步发展了宗法制,使之与分封制紧相结合。为了适应这种社会、政治制度,周人继承了殷人崇拜祖先的观念,发展了孝、友的思想,来巩固并发展宗法和分封制度。孔子继承并发展了这一思想,认为孝友就是施行政治。《论语·为政》记孔子曰:"《书》云:'孝乎!惟孝,友于兄弟,施于有政。'是亦为政。"又载,季康子问:"使民敬、忠以劝,如之何?"子曰:"临之以庄,则敬;孝慈,则忠;举善而教不能,则劝。"朱注云:"孝于亲,慈于众,则民忠于己。"这是说明"孝于亲"和"慈于众"所能收到的政治效果。《礼记·祭义》记孔子曰:"立爱自亲始,教民睦也;立敬自长始,教民顺也。教以慈睦,而民贵有亲;教以敬长,而民贵用命。孝以事亲,顺以听命,错诸天下,无所不行。"这里综括了孝、悌、慈三者乃齐家、治国、平天下之本。《孝经·广要道章》记孔子曰:"教民亲爱,莫善于孝;教民礼顺,莫善于悌。……故敬其父,则子悦;敬其兄,则弟悦。……敬一人而千万人悦。所敬者寡,而悦者众,此之谓要道也。"又《广至德章》记孔子曰:"教以孝,所以敬天下之为人父者也;教以悌,所以敬天下之为人兄者也。"这里,提纲挈领地阐明了以"孝悌"为起点,并进而将其推而广之的重大意义。

《孝经·天子章》记孔子曰:"爱亲者,不敢恶于人;敬亲者,不

敢慢于人。爱敬尽于事亲,而德教加于百姓,刑于四海。盖天子之
孝也。"天子之孝在于能爱敬自己的父母,从而扩充此心而以道德
教化百姓。其《士章》记孔子曰:"以孝事君则忠,以敬事长则顺。
忠顺不失,以事其上,然后能保其禄位,而守其祭祀。盖士之孝
也。"士之孝在于能把"孝悌"之心推广到事君和敬长。故其《广扬
名章》记孔子曰:"君子之事亲孝,故忠可移于君;事兄悌,故顺可移
于长;居家理,故治可移于官。"主张由修身治家推于治国为政。又
《大戴礼记·曾子立事》记曾子曰:"事父可以事君,事兄可以事师
长;使子犹使臣也,使弟犹使承嗣也。"这些都是把孝、悌、慈从齐家
推广到治国乃至平天下的具体论述,也是儒家家庭伦理观念的扩
充。的确,如果人人都能做到儒家孝道中所讲的"广敬"、"博爱"、
"至德"、"至仁",那么,就确实可以做到《孝经·感应章》所谓"孝弟
之至,通于神明,光于四海,无所不通"的境界。

《大学》更进而将孝、悌、慈三者由齐家推向治国的意义作了逻
辑上的论证:"故君子不出家而成教于国:孝者,所以事君也;弟者,
所以事长也;慈者,所以使众也。"朱注云:"孝、弟、慈,所以修身而
教于家者;然而国之所以事君、事长、使众之道不外乎此。此所
以家齐于上,而教成于下也。"故《大学》又曰:"《诗》云:'桃之夭夭,
其叶蓁蓁。之子于归,宜其家人。'宜其家人,而后可以教国人。
《诗》云:'宜兄宜弟。'宜兄宜弟,而后可以教国人。《诗》云:'其仪
不忒,正是四国。'其为父子、兄弟足法,而后民法之也。此谓治国
在齐其家。"有家庭的亲爱和睦,才能实现国家的和平安定。

汉代以来,统治者接受这一思想,强调以"孝"治国,把"孝"作
为教化人民之本。家庭是社会的最基本的细胞,处理好家庭,特别
是父母子女关系,当然有助于社会的稳定和国家的治理。特别是
宋代理学进一步指出只顾个体小家庭"为我之私"的局限,主张"推

亲亲之厚以大无我之公"（《西铭解义》），要求人们爱"小家"，还要爱"大家"，爱整个社会，把"私"和"公"结合起来，这对人类家庭伦理思想的健康发展具有重要的启迪意义。

宋张载《西铭》云："尊高年，所以长其长；慈孤弱，所以幼吾幼。""凡天下之疲癃残疾、茕独鳏寡，皆吾兄弟之颠连而无告者也。于时保之，子之翼也；乐且不忧，纯乎孝者也。"则是从孝、悌、慈三者中充分体现了"民胞物与"的精神。

总而言之，假若人人能将孝顺父母之心加以扩充推广去尊敬全社会的长辈，将友爱兄弟之心加以扩充推广去友好全社会的平辈，将慈爱子女之心加以扩充推广去爱护全社会的幼辈，那么反过来自己也会相应地得到长辈的爱护、平辈的友好和幼辈的尊敬。这样把"孝"、"悌"、"慈"三者加以扩充推广，就可以达到"天下归仁"的境界。

第四节　孝悌观念之演变

先秦原儒所提出的"五伦"中，"父子"与"兄弟"并重，提倡"父慈子孝"和"兄友弟恭"，父与子、兄与弟之间基本上是各尽义务的对等关系，所以在子对父的"孝"和弟对兄的"悌"之中并无所谓绝对服从的含义。然而到了秦汉以后，随着吸取法家专制遗意而提出"三纲"之说，"孝悌"观念起了根本性变化：一方面明显突出了子对父的"孝"而较少论及兄弟关系之"悌"，另一方面则在"孝"之中加进了子对父绝对服从的含义。兹就理论和实践两方面加以论述。

一、孝悌理论之演变

在周代以前,血缘关系体现为封建宗法制及其在同宗同族之内的祖先崇拜,起到了维系宗族团结、协调人际关系的作用。孔子创建儒学,从人的本性寻找理由,对血缘亲情从理论上加以深入阐发,在继承传统的基础上概括为纵向的"父子"关系和横向的"兄弟"关系两类伦理,并分别以"孝"和"悌"为之准则。经孔门后学的积极倡导,亚圣孟子又从人性论上系统地论证了"孝悌"的哲学根据,使"孝悌"的内涵越来越丰富,得到了越来越多人的认同。于是,儒家以"孝悌"为核心的家庭伦理学说形成了。

春秋战国以降,殷周以来的封建宗法制度逐渐解体。秦并六国,建立中央集权的郡县制,小农经济成为社会主要经济力量,小家庭逐渐成为独立的生产实体。于是,孝的道德也就成为广大小家庭的道德规范。但由于秦代在统治思想上推行法家学说,强调"以法为教","以吏为师",企图以严刑酷法来建立新的社会秩序,结果却激化了社会矛盾,导致了秦王朝的覆灭。汉建国以后,承秦之弊,社会秩序极为混乱。这对汉初的统治者来说,为了免蹈亡秦的覆辙,建立新的社会秩序,以维护其统治基础已是当务之急。这时的一些政治家和思想家一般认为尚"暴政"、"酷刑",弃绝"仁政"、"德治"是秦王朝灭亡的根本原因。陆贾说:"夫法令者,所以诛恶,非所以劝善。故曾、闵之孝,夷、齐之廉,岂畏死而为之哉,教化所至也。"(《新语·无为》)陆贾的观点代表了这时思想家对新的社会伦理秩序理论设计的倾向。经过汉初一段时间的探索与反思,统治阶级逐渐认识到,只有儒家学说最有利于社会安定。他们扬弃了秦代以严刑酷法治国的策略,从儒家思想得到启发,把家庭作为"治国""平天下"的出发点。一方面强调血亲观念,以加强家庭内部团结,防止小农破产;另一方面把家庭伦理观念引申扩大,强调"忠孝一体"。因此,儒家"孝"的观念得到了空前的重视。史家言"汉以孝治天下","孝"作为一个社会道德观念较之"悌"对汉代社会的影响更为巨大。

如前所述,先秦孟子已从人性论上论证了"孝悌"的哲学根据。而汉儒董仲舒为了适应汉代大一统专制统治的需要,又认为伦理道德的最终根源不在于人性而在于"天"。他明确地指出:"人之为人,本于天,天亦人之曾祖父也,此人之所以上类天也"(《春秋繁露·为人者天》)。人是由天创生的,其伦理规范自然是由"天"发布的。他为了建立新的伦理体系,进一步对孝的观念进行理论上的改造,并吸取法家学说使之融合于儒学之中而创建了"三纲"学说,并认为"王道之三纲,可求于天"。董子把等级差别归结为天,此处的"天"已淡化了自然之天的含义,而有神灵之天的意思。董子又用阴阳关系中阳尊阴卑、阳起主导作用、阴只起配合作用的观点,并加以绝对化之后,对"三纲"学说进行解释,提出了"父为阳,子为阴"的观点(《春秋繁露·基义》)。既然"父为阳,子为阴",那么"子不奉父命,则有伯讨之罪"(《春秋繁露·玉杯》),要天地共诛之的。孝之所以成为绝对律令,是因为"上下之伦不别,其势不能相治,故苦乱也"(《春秋繁露·爵国》),必须强化等级秩序,将个体纳入相应的等级结构之中,社会才会由乱而治。于是,乃把法家韩非子所主张的子对父必须绝对服从的思想吸收到儒家孝道中来。及《白虎通义·三纲六纪》始把"父为子纲"正式定为"三纲"之一,与"君为臣纲"、"夫为妇纲"并列;却把"昆弟"降为"六纪"之一,而与"诸父"、"族人"、"诸舅"、"师长"、"朋友"并列。在"三纲"中,片面强调下对上的义务,上者对下者具有绝对权威,而无所谓责任。

董子之所以强化上下从属关系和无条件服从意识的动机和归

宿,显然是为了确立上下等级的秩序,以适应新时代的专制统治。这样,汉儒对原始儒家的家庭伦理从理论上进行了重大的改造,把本来具有合理性的内容改造成为服务于专制统治的工具。主要表现为如下几点:

其一,先秦儒家把"父子"、"兄弟"与"夫妇"、"君臣"、"朋友"并称为"五伦",所以在论述家庭伦理时往往"孝悌"并称;而从汉代开始则只把"父子"与"君臣"、"夫妇"并称为"三纲",而把"兄弟"降到所谓"六纪"之中与"族人"、"诸舅"之类并列。因而在论述家庭伦理时往往特别重视"父子"而较少论及"兄弟",多单言"孝"而少言"悌"。

其二,先秦儒家对于"五伦"中的父子关系,主张"父慈而子孝",双方都有义务,而且往往"孝慈"连称;但是从汉代开始的"三纲"中的父子关系,片面强调父对子具有绝对权威,子对父必须绝对服从,而且特别重视"孝",而很少谈到"慈"。于是,开始竭力提倡那种片面要求子女的所谓"父令子亡,子不得不亡"的愚孝。

其三,进行以上改造的哲学基础在于:先秦儒家的"五伦",是建立在人性论基础之上的,因而每"伦"的双方基本上是各尽义务的对等关系;而汉儒提出的"三纲",是以天命神学作为理论指导的,因而每"纲"的双方变成上下从属、下对上无条件服从的关系。

汉代统治阶级为了加强专制统治,把"孝悌"在理论上作了根本性改造,此后儒家的"孝悌"观念就起了很大的变化。我们如果将汉代以后提倡的"孝"与先秦儒家提倡的"孝"进行比较,是完全可以加以区别的,因为汉代以后的"孝"源于法家思想而非儒家思想。先秦儒家主张"事父母几谏",说明对父母的错误行为是不能盲从的。汉儒把原始儒家"父慈子孝"这一父子双方各尽义务的关系改造为子对父绝对服从的关系,这是为了适应大一统的专制统治而对儒家的合理精神的篡改,误导了整个专制时代,流毒非常深远。而且,《白虎通义》一书给予谶纬迷信以合法地位,自此以后,对孝的观念阐发往往十分神秘,加进了许多牵强附会、庸俗迷信的论述,对孝行的记载也多为怪诞之说,造成了消极的影响。

鉴于董子论证的神学色彩过于浓厚,宋明理学走了另一条路子,将"天"理性化,使之变成抽象本体,用天理作为孝的形而上根据:"天者理也","父子君臣,天下之定理,无所逃于天地之间。"(《二程遗书》卷五)张载除将人的来源及其本体归结为"天"以外,还赋予天以改造万物、生生不息的意义,实际上将天奉为信仰对象,作为伦理生活的精神寄托。反过来,他又以自然秩序来论证社会秩序,"生有先后,所以为天序;小大、高下相并而相形焉,是谓天秩。天之生物也有序,物之既形也有秩。"(《正蒙·动物篇》)这里以自然物的存在状况来比附伦理秩序的合理性和必然性。在张子看来,家庭关系是天人关系的延伸,由我与人、人与物所构成的宇宙大家庭,"大君者,吾父母宗子;其大臣,宗子之家相也"(《正蒙·乾称篇》)。既然天地万物和人类都有天然的等级秩序,既然宇宙就是一个大家庭,那么孝道不仅是合理的,而且是天赋予人的使命,故"天所以长久不已之道,乃所谓诚;仁人孝子所以事天成身,不过不已于仁者而已。"(《正蒙·诚明篇》)张子从天地为人父母的角度,把"孝"说成是天对子的最高道德要求,人须以孝的精神事天继志,泛孝的痕迹很明显。朱子以为"理"是存在于自然和社会之先的精神本体,万事万物由其派生出来,社会的等级秩序也是先于构成等级名分的事物而存在,是理的体现。他强调"未有父子,也先有父子之理"(《朱子语类》卷一),故父子之伦是永恒存在的,永远不可改变。这一论证可以概括为:天理为人立法。天理也有自然之理的含义,那么人为何须遵守这"实然"之则呢? 在古人看来,二者有一个共同的本体——诚。孟子曾说过:"诚者,天之道也;思诚者,人之道也。"(《孟子·离娄上》)朱子则进一步发挥:"诚者,至实而无妄之谓,天所赋、物所受之正理也。人皆有之,而圣人之所以圣者,无它焉,以其独能全此而已。"(《通书解·诚上章》)从本体论言,"诚"的基本含义是真实不妄;就伦理学言,则是真诚无伪。"天"是一种真实的存在,而作为"实性"的诚,同时又构成了作为当然的诚的根据。这种以"天人合一"为模式的思维方式自然地将二者统一了起来。既然天理与人共同含有"诚"这个本体,那么当然应该共同遵守同样的伦理规范,天理自然可以为人立法了。

陆王心学则另有论证。王阳明认为"心即理,此心无私欲之蔽,即是天理"(《传习录上》)。天理在王学中就等于良知,他认为至善至纯的道德原则不可能存在于外部事物中,道德法则是纯粹内在的,世间的道德秩序只能来自行为者赋予其道德法则。王阳明谓"心也者,心之条理也;是理者,发之于亲则为孝。"(《王阳明全集》卷八)良知的一念发动自然就是孝行,无须向外物中寻找天理。他没有探讨良知的来源,而是循着先儒的思想,直接称良知为天理:"夫礼也者,天理也。天命之性具有吾心,其浑然全体之中,而条理节目森然毕具,是故谓之天理。"(《王阳明全集》卷七)良知之说尽管来源于孟子,但王学中的良知却具有本体的意义,不同于孟子的自然情感。这里的良知就是心之本体,就是至善至纯的本心。它不是现象层面、意识层面的经验自我,而是先验的纯粹道德本体。

汉代以来,董子求助于天命及阴阳理论,宋明理学家求助于天理,程朱重外在,陆王重内在,但其为无条件服从之"孝"寻找形而上的本体根据的目的则完全一致。最足以体现宋明理学家之"孝"观念的一句话就是"天下无不是底父母"。先秦儒家不仅承认父母也有过错,而且主张子女对父母的过错负有谏净而使之归于正道的责任。宋儒所谓"天下无不是底父母",当然并非认为所有做父母的全无过错,而是认为父母的过错当非子女所得否定和谈论,因而也就只能遵命服从了。于是,汉代以后,特别是宋明以来的种种"愚孝"之举,也就在这种业经演变的理论指导之下层出不穷了。

二、孝悌实践之演变

汉代为了倡导孝道,自惠帝以下谥号多加一"孝"字,如孝惠、孝文、孝景、孝武、孝昭等。《汉书·霍光传》云:"汉之传谥,常为孝者,以常有天下,令宗庙血食也。"《汉书·惠帝纪》颜师古注云:"孝子善述父之志,故汉家之谥,自惠帝以下皆称孝也。"历代统治者为了利用"孝"的招牌来为专制统治服务,从汉代开始在这方面推行了许多具体措施。择要简述如下:

其一,在思想教育上,提高《孝经》的地位并将其定为人人必读之书。《孝经》在汉代开始受重视,被视为"三才之经纬,五行之纲纪"(郑玄注《孝经序》)。西汉自文帝设《孝经》博士,昭帝始元五年(前82年)下诏令举贤良文学以治《孝经》。而最早设置《孝经》课的是汉宣帝,他于地节三年(前67年)颁令:在乡聚的庠序置《孝经》师一人(《汉书·宣帝纪》)。以后,历代皇帝都在学校里设置《孝经》课。东汉光武帝不仅要求儒士读《孝经》,而且要求宫廷卫士也必须学《孝经》。明帝时,期门、羽林、介胄之士也要通读《孝经》(《后汉书·樊准传》)。汉代之所以重视《孝经》,显然是由"以孝治天下"的指导思想所决定的。孝的教育的社会化是汉代统治者贯彻其孝治方针以建立新的社会秩序的重要方面。依赖教育手段,使孝的观念渗透到人们的精神生活之中。魏晋南北朝,《孝经》的教育普及程度更是大幅度提高,从皇帝到平民百姓皆学《孝经》。东晋元帝著有《孝经传》,孝武帝不只亲讲《孝经》,而且召集群臣讨论《孝经》经义,并亲自著有《孝经讲义》。东晋皇帝在幽厄之中仍授《孝经》。北魏孝文帝则要求下属将《孝经》译成少数民族语言,以"教于国人,谓之《国语孝经》"(《隋书·经籍志》)。南朝的皇帝不只听经而且亲自讲经,梁武帝、简文帝并亲撰《孝经义疏》,后梁明帝萧岿有《孝经义记》。唐代,把《孝经》列为学校的基本科目,文武侍从皆须随之听课。唐高祖还要求给幼童讲习《孝经》;玄宗更是卜诏令要"天下家藏《孝经》,精勤教习,学校之中,倍加传授"(《唐会要》卷七十五),还亲自书写《孝经》,刻石立于太学,并为《孝经》作注。周边国家和少数民族在汉文化的影响下也学《孝经》,并有了多种少数民族文字的《孝经》译本。宋太宗曾御书《孝经》赐给李至,并说:"千文无足取,若有资于教化,莫《孝经》若也。"(《宋史·李至传》)元世祖在给国子学制定学制时,规定国子学要先授《孝经》、四书等,次授五经。明太祖提出《孝经》是"孔子明帝王治天下之大经大法",所以当时中央的宗学(贵胄的高等学校)在教学内容上以授《孝顺事实》、《皇明祖训》等为主。清代统治者入主中原之后便主张将《孝经》引入蒙学,所有学校皆重《孝经》的教育,并与习射(满人重视射击)的教育相提并论。顺治有《孝经注》,雍正有《孝经集注》。总之,孝的社会意义是明显的,所以历代统治者极力推行孝道教育,以为其专制统治服务,而《孝经》是标准的教科书。

然而,必须指出的是,历代统治者之所以推崇《孝经》的目的是讳背《孝经》之本义的。首先,《孝经》作为谈孝的专书,自然应以"孝"为主题而论证其重要性。正如《礼记》以"礼"为主题、《易经》以"易理"为主题并论证其重要性一样,都是著书立论的正常法则。因而"孝"在《孝经》中居于最高地位,并不等于在"治天下"中也居于最高地位。这本是很普通的常识,而统治者竟将其片面理解而抬高到"以孝治天下"的指导思想的地位,这不是《孝经》本身的责任,而是统治者故意利用的责任。其次,在整个儒家的仁学体系中,《论语》确定"孝悌"乃"为仁之本"。《孝经·开宗明义章》也记孔子曰:"夫孝,德之本也,教之所由生也。"就是说,"孝"是道德的基础,是实行道德教化的起点。对"孝"作这样的定位,原本是非常正确的。而且,《孝经》以联系的观点论证了"孝"与其他德目之间的关系,以及"孝"对其他德目所起的作用,这完全是合乎逻辑的理论。而统治者不适当地把"孝"提高到统摄诸德的最高地位,这本身就是违背《孝经》的本义和儒家之本旨的。再次,《孝经》明确地指出,作为子女应该做一个"争子",对父母的过错应该谏诤,而汉以后的统治者都极力提倡子女对父母要无条件地服从,甚至鼓吹"父令子亡,子不得不亡",显然已走到了《孝经》的反面。由此可见,统治者表面上推崇《孝经》之举,而在实质上完全是与儒家的本旨和《孝经》的本义背道而驰的。其用意,无非是借孔子、儒家以及《孝经》的招牌来行其专制统治之实而已。

其二,在选官制度上重在褒举孝廉。汉代实行举孝廉的选官政策,特设"孝廉"之职,由有孝行的人担任,因而孝子可以给官做或提拔做高官。统治者认为,举孝廉的官员在仕进前已具备孝的德行,仕进以后自然成为忠实的官吏和实行孝治的推行者。魏晋南北朝的选举一方面沿用汉代的举孝廉和举贤良方正,另一方面开始实施九品中正制。由于汉代举孝廉主要看德,不重考试,到魏晋时则一方面为了吸取汉末秀才"不知书"、孝廉"父别居"的教训,另一方面统治者也认识到专制需要儒经,于是开始重视考经。隋朝的科举还只是个雏形,故隋炀帝继续实施举孝廉的制度。唐高祖武德七年曾下诏奖掖并鼓励为幼童讲习《孝经》,所以后来就有设置童子科的制度。"凡童子科,十岁以下能通一经及《孝经》、《论语》,卷诵文十,通者予官;通七(经),予出身。"(《新唐书·选举志》)

宋代礼部贡举所设的"学究科"就要考《孝经》、《尔雅》共十条。明清两朝皆一准唐朝的考课方法,将《孝经》作为选拔人才的一种手段。

其三,在社会政治和经济政策上褒奖孝悌力田。提倡孝道、褒奖"孝悌力田"是汉代以孝治天下最明显的标志。两汉时期,汉代设"孝弟力田"之科。在《汉书》、《后汉书》的帝王本纪中,全国性的对孝梯的褒奖、赐爵多达 32 次,至于地方性的褒奖则更多。皇帝幸巡各地,常有褒奖孝悌的事。对于有名的孝子,皇帝更加重视,把其作为弘扬孝道的榜样和工具。而且,汉代许多"孝悌力田"的乡官就是由学校诵读《孝经》培养出来的。孝的教育与汉建立乡官系统相得益彰。西汉文翁守成都,修建官学,"招下县子弟以为学官弟子,为除更繇,高者以补郡县吏,次为孝弟力田……由是大化"(《汉书·文翁传》)。用孝的思想培养的孝悌力田等乡官自然是统治者实行孝治的得力执行者。

其四,在法律上维护孝道。汉代以后,历代都以孝悌伦理作为制定法律的依据。在家庭之内,父母是子女尽孝的对象,父母可以斥责子女,在某种特定情况下,甚至可以处死子女。但如果子女侵犯长辈,则为社会所不容。在法律上,第一,将"不孝"定为重罪。《书·康诰》以"不孝不友"为"元恶大憝"。《孝经·五刑章》谓"五刑之属三千,罪莫大于不孝"。汉代对不孝的惩罚十分严厉,规定对不孝要"斩首枭之"。北齐的"重罪十条",以及隋唐以后的"十恶",都有"不孝"一项。所谓"不孝",包括骂詈父母、祖父母;父母在,别籍异财;居父母丧,自行婚娶;闻父母、祖父母丧,匿不举等而言。而且它们还不在"八议"之列,即遇大赦也不予宽宥。第二,将"亲亲相隐"作为法律的原则。汉宣帝地节四年诏曰:"父子之亲,夫妇之道,天性也。虽有患祸,犹蒙死而存之。诚爱结于心,仁厚之至也,岂能违之哉！自今子匿父母,妻匿夫,孙匿大父母,皆勿坐。"(《汉书·宣帝纪》)相反,不为父母隐,反要受到惩罚。衡山王太子坐告父不孝,弃市(《汉书·衡山王传》)。这一原则自汉律始,直至清朝皆列于法典。如《唐律·名例》中规定:"诸同居,若大功以上亲,及外祖父母、外孙,若孙之妇,夫之兄弟及兄弟妻,有罪相为隐。"而且,罪人的子孙兄弟可以请求代刑,遇到这种情况,政府往往酌情减刑或赦免其罪。另外,犯死罪的人如果家中祖父母、父母已在七十岁以上,又没有其他较近的亲戚,则可以经过"上请",免死而留下来赡养父母,这叫"存留养亲"(《魏书·刑罚志》)。第三,魏晋南北朝的法律规定任官期间为父母服丧就应该回家(后世因特殊情况留任谓之"夺情");如果丧期还出来任官,则是"冒哀求仕",将被处刑。第四,对为父母复仇的案件,历代法律颇有异同:如汉、元加以鼓励,魏、唐、宋则加以禁止,明、清则有所变通,半禁半不禁。故汉代有著名的烈女赵娥为父复仇、七女为父复仇等故事。对于这种复仇,政府出于孝治的考虑,一般都予以减刑或免刑。

其五,在社会福利方面推行养老政策。汉代的养老措施,也是推行孝治的一个重要形式。社会养老也是家庭孝养的扩大。西汉时贾山说:"尊养三老,视孝也。"(《汉书·贾山传》)养老活动开始甚早。汉高祖西入关中时,就"存问父老,置酒"(《汉书·高帝纪》)。嗣后养老成为汉代统治者一项重要政策。《汉书·文帝纪》说:"老者非帛不暖,非肉不饱,今岁首,不时使人存问长老,又无布帛酒肉之赐,将何以佐天下子孙孝养其亲？今闻吏禀当受鬻者,或以陈粟,岂称养老之意哉！具为令。有司请令县道,年八十以上,赐米人月一石,肉二十斤,酒五斗,其九十以上,又赐帛人二匹,絮三斤。"《后汉书·光武帝纪》诏曰:"其命郡国有谷者,给禀高年鳏寡孤独及笃癃无家属贫不能自存者,如律。"这里的律就是对养老的专项规定。

汉代是孝的观念兴盛的时代，老人在家庭与社会上地位很高，是家庭宗族中举足轻重的人物。汉代老人又可以做"三老"，三老是选择高年"有修行，能帅众为善者"《汉书·高帝纪》担任，其任务是"掌教化，凡有孝子顺孙，贞女义妇，让财救患，及学士为民法式者，皆扁表其门，以兴善行"《后汉书·百官志》。三老是帮助汉代统治者实行教化、维护社会秩序的乡官系统中的重要人物。此后，列代多有养老之举，如清康熙之所谓"千叟宴"，亦系尊老之意。

以上所述，都是历代推行孝悌教化的具体措施。然而，从汉代开始，先秦儒家那种"父慈子孝"各尽其责的相对平等的精神业已丧失殆尽，而代之以子对父绝对服从的专制统治。这是儒家伦理思想的一次最大的演变。在汉代，父作为家长在家内有绝对的权威，对子女人身支配已达到非常严酷的地步，对于家庭成员不仅可以训诫，还有惩罚甚至处死的权力。正如《汉书·韦贤传》说："孝莫大于严父，故父之所尊，子不敢不承；父之所异，子不敢同。"汉代社会实际情况正是如此。武帝时，金日磾为重臣，又是出名的孝子，由于其子行为不轨，他把儿子杀了（见《汉书·金日磾传》）。《汉书·王莽传》亦载，哀帝时王莽罢官杜门自守，他的儿子杀害奴婢，王莽责令他自杀。这种观念使家庭生活尊卑分明，秩序俨然。如西汉时万石君石奋家子孙"胜冠在侧，虽燕必冠，申申如也；僮仆诉诉如也"《汉书·石奋传》。东汉樊重的家庭亦如此，"子孙朝夕礼敬，常若公家"《汉书·樊宏传》。颜之推《颜氏家训·治家》云："笞怒废于家，则竖子之过立见；刑罚不中，则民无所措手足；治家之宽猛，亦犹国焉。"此即所谓不打不成才。笞打的对象不仅是竖子婴儿，还包括成年的子女。甚至当了大官的，也会受到家法的惩治。《颜氏家训·教子》载，梁朝大将王僧辩之母治家极严，僧辩已年过四十，统领兵卒三千，其母"少不如意，犹捶挞之"。家庭生活如朝见君王一样。这不但对子女行为是种限制,而且对子女的思想和感情也是一种束缚和压抑。子女在为父母服丧其间,生活上更有种种限制,甚至到了不近人情的地步。有的孝子服丧时"焦毁过礼,草庐土席,衰杖在身,兴不枇沐,体生疮肿"(《后汉书·章帝八王传》)。有的守坟"野无烟火,而独在冢侧"(《后汉书·祭遵传》)。有的服丧三年后"赢瘠骨立异形,医疗数年乃起"(《后汉书·韦彪传》)。有的甚至"遭母丧过毁,伤父魂灵不返,因哀恸绝命"(《后汉书·文苑传》)。这种居丧伤身的现象是严重违背儒家丧礼之本旨的。

尤其到唐宋以后,"孝"已经被推向极端,变成为"愚孝"。随着理学的正统地位日趋巩固,愚孝之风愈煽愈烈,遍及社会生活的各个角落。许多怪诞、荒唐、愚昧甚至残忍之事都因而产生。其中最典型的是所谓"割股疗亲"。据宋张杲《医说·人肉治赢病》称:"(唐)开元间,明州人陈藏器撰《本草拾遗》云:人肉治赢疾。自此间阎相效割股。"所谓"赢疾"即肺结核一类疾病,过去为不治之症。当孝子们得知人肉可治此绝症,无不互相仿效着从大腿上割肉以疗亲疾。此事愈传愈邪,后来便以为人肉是天下最灵验的药物。而且,许多中了愚孝之毒的人,只要父母患有难治之病,即割股以进,以为这样既可尽孝道,又能受到社会的褒扬。《金史·创政传》载:"母疾,昼夜侍侧,衣不解带,割股肉啖之者再三。"《新元史·普兰溪传》亦载:"普兰溪八岁,裕宗养于宫中,母疾刲股和药疗之,不令人知。裕宗称其孝。"除了割股之外,还有"凿脑"。《元史·秦氏二女传》载:"秦氏二女,河南宜阳人,逸其名。父尝有危疾,医云不可攻,姊闭户默祷,凿己脑和药进饮遂愈。父后复病欲绝,妹刲股内置粥中,父小啜即苏。"其状甚为凄惨。明清两代,此风更盛,史料记载之多已无法统计。明何孟春《余冬序录》载:"江伯儿母病,割胁肉以进,不愈,祷于神,欲杀子以谢神。母愈,遂杀其三岁子。"

此人除了割己肉外，还要殃及无辜儿童，更是罪不容诛。清管同《孝史序》也称赞《孝史》的作者陈宝田"少时亦尝刲股以疗亲疾，世代相继，无愧古贤"，将割股疗疾作为世代相传的美德。这种"愚孝"行为，显然是汉代以来孝悌观念逐渐演变的结果，而与先秦儒家所主张的"身体发肤，受之父母，不敢毁伤"的观点完全是背道而驰的。

汉代以来，孝悌观念通过理论变化而与社会政治秩序结合在一起，建立了以孝悌为核心的新型的社会伦理秩序，使家庭血亲关系扩大到社会，为后来各代建立其社会秩序提供了一般模式。它对以后社会的经济结构、政治制度、意识形态等方面都产生了极为重大的影响。这对于协调社会各阶层之间的关系、缓和社会矛盾、促进社会安定，起到了一定的作用；但是不可否认的是，这种孝悌观念的影响，不但使个人人格独立丧失，而且使人在主观上偏向于保守和复古。这在很大程度上扭曲了儒家孝道本身的意义。例如在"天下无不是底父母"的前提下，竟得出"父要子亡，子不得不亡"的残酷结论，甚至还演出诸如"割股疗亲"之类的惨剧，其精神实质已经背离了传统儒家的孝道原则。

第五节　孝悌的历史作用和影响

考察中国传统孝悌之道，首先应该把握古代中国社会结构的两个最基本事实：一是血缘根基，二是农业文明。这二者又互为因果，互相纠结。而统治者又利用宗法血缘的纽带将家和国联结起来，形成了家国同构的血缘——政治结构。因而"孝悌"不仅是家庭伦理，而且还以家族为中介，与社会、国家发生了密切的联系。

长期以来流行着一种观点，认为传统的"孝悌"仅仅与专制主义和小农自然经济相联系，是一切保守、落后、愚昧的总根源，因此应予以全盘否定。这种观点片面抓住秦汉以后尤其是宋明以来所提倡的"孝悌"中的消极因素无限夸大，以偏概全，既无视"孝悌"在历史上和现实中的合理性，也根本不顾"孝悌"本身确实是一种优良的道德品质。因而这种全盘否定孝悌的观点是有待商榷的。

诚然，在传统的"孝悌"观念中，确实杂有被专制统治者所利用的消极成分。诸如古代过分看重孝道，选官任贤也以是否行孝著名为标准，因而也就出现了假冒孝名的现象。另外，汉代崇尚"天人感应"、谶纬迷信，也使孝的意义和作用被神秘化，孝能感应天和物的神话传说流布天下。而从魏晋开始，人们观念中的重孝成分明显增加，因而在历代正史中都设有"孝友"、"孝义"、"孝行"、"孝感"等专传以颂扬孝道。由于行孝就能垂名青史，于是就有人为了能"永垂不朽"而将孝行极端化，作出一些损身利亲、殉子养亲等非人道的行为，由此滋长出历史上影响很坏的专制性孝道糟粕。那些在历史上流传下来的孝子"楷模"，有些孝行已走向了孝本质的反面，其消极面显而易见。对这种消极成分加以剔除是必要的，然而对"孝悌"进行全盘否定则是不可取的。因为"孝悌"本身确实是中华民族的一种值得继承和弘扬的传统美德。

在儒家伦理思想中，"孝"和"悌"是分别用以规范父母子女和兄弟姊妹关系的最基本的原则。"孝悌"作为具有自然生理根源的道德规范，其天然性无可争辩。原始人类的母子关系是自然而然的，母亲哺育自己的子女是出自天性，子女对母亲的爱也是出自天性；而作为同胞骨肉并长期生活在一起的兄弟姊妹之间的感情也包含着天性。这种情感虽然还不能称为"孝悌"，但与"孝悌"的情感形式有关。个体家庭出现后，奉养父母由氏族行为转变成子女的责任,子女对父母的爱由权利与义务关系而固定化,孝悌就有了伦理规范的性质。

从发生学角度讲,"孝悌"是以自然情感为基础的社会行为,是人的自然禀赋与社会文化相交融的产物。"孝悌"是一种伦理心境。这种伦理心境是一种直觉,不可以用理性思辨去证明,而只能用心去体悟,因其是一种向善的本能,故不会有利害的考虑,是一种非功利的道德意识。这就是孝悌的人性论理由。

孝的本质是爱,是对父母之善的回报,自然也是对血缘家庭关系的维护。所以孝实际上可以被看成是人类种姓持续发展的自然性和社会性保障。孝是人类对生命传承的报偿,因而也是人类发展的一种天然性动因。从人类发展的意义上讲,儒家的孝道揭示了人的生命历程中的权利和义务。一个人在其生命历程的不同阶段上具有不同的权利和义务。未成年时,要父母抚养,这是权利;成年后,赡养老人和养育幼儿,这是义务;年老后,要子女赡养,这也是权利。儒家的孝道就是从老年人的角度出发来阐述这种权利和义务的。有人说,儒家的孝只讲义务,不讲权利,其实不然。儒家伦理中的权利是从对方自觉尽义务的过程中自然而然获得的,远比西方以法律的强制手段获取为优。

孔子创立仁学,即以"孝悌"为其根本,也是达到博施济众之"仁"的起点。《论语·学而》记有子曰:"君子务本,本立而道生,孝弟也者,其为仁之本与。"这是说,进行道德修养的根本是"孝悌",没有"孝悌",仁就无从谈起,成为空中楼阁。而没有仁,礼便成为空壳,乐也毫无意义,"人而不仁,如礼何;人而不仁,如乐何?"(《论语·八佾》)可见,实行仁义礼乐必须以"孝悌"为基础。孟子也说:"仁之实,事亲是也;义之实,从兄是也。"(《孟子·离娄上》)又说:"孩提之童,无不知爱其亲者;及其长也,无不知敬其兄也。"(《孟子·尽心上》)孟子认为,爱父母兄弟是人类的自然感情。孝悌之所以如此重要,在于其本于人的天性,是以人的自然联系——血缘纽带为基础的道德规范,是不教而能、不学就会的道德行为。孟子还设想子葬其亲的起源加以说明:"盖上世尝有不葬其亲者,其亲死,则举而委之于壑。他日过之,狐狸食之,蝇蚋姑嘬之。其颡有泚,睨而不视。夫泚也,非为人泚,中心达于面目,盖归反虆梩而掩之。"(《孟子·滕文公上》)上古的人不埋葬父母,后来看到父尸被虫兽所损于心不忍,良心有愧,便掩其亲。由此推论,孝道乃奠基于人人本具的良心本心,这一至精无杂而纯善的本心驱使人们自自然然地行孝。这就是孟子为孝道找到的人性根据。并进而认为:"尧舜之道,孝弟而已矣。"(《孟子·告子上》)他把孝悌进一步提升为尊老爱幼、团结他人的一种社会公德,当成"治国"、"平天下"的方略。故儒家认为,在人们的社会生活中,"孝悌"的作用是极其巨大的。《孝经·开宗明义章》记孔子曰:"先王有至德要道,以顺天下,民用和睦,上下无怨。"这几句话一语破的道出《孝经》宣扬孝道的目的是为了治理天下和建立社会秩序,以期达到万民和睦、天下太平的和谐境界。

所以,"孝悌"的作用是多方面的。首先,作为家庭伦理,是协调父母子女和兄弟姊妹各种关系的伦理准则。古代家庭的典型模式是三世同堂,即包括祖孙三代的男性子嗣及其配偶和未出嫁的女性后代,它可能每代只有一对夫妇,也可能子代或孙代有两对或两对以上的夫妇。这种形式遵循以下原则:以家庭中最年长的人为起点,他(她)的所有男性后代及其配偶、未出嫁的女性后代必须生活于一个家庭中。父祖在,子孙不许别籍异财,这是三世同堂家庭的法律和伦理的保证。活着的最高尊长是家庭的轴心,对全体家庭成员具有凝聚力和统摄力。在这种人口较多的家庭中,"孝悌"起着加深感情、协调关系的有效作用。

其次,"孝悌"在人的品德修养上,是每个人、尤其是"士"的行为准则。孔子强调,作为"士",就应该具有"宗族称孝焉,乡党称悌焉"(《论语·子路》)的实际品德。可见"孝悌"是每一个士人必须身体力行的最基本的德行。的确,假若一个人连与父母、兄弟之间的关系都处理不好,能说是一个道德高尚的人,显然是不可想象的。

其三,"孝悌"对于敦厚民风、劝民亲爱,具有巨大的教化作用。《孝经·广要道章》记孔子曰:"教民亲爱,莫善于孝;教民礼顺,莫善于弟。"曾子更认为"孝"是调整人伦社会关系的大经大法:"夫孝者,天下之大经也。夫孝,置之而塞于天地,衡之而衡于四海,施诸后世而无朝夕,推而放诸东海而准,推而放诸西海而准,推而放诸南海而准,推而放诸北海而准。"(《大戴礼记·曾子大孝》)从空间上说,孝道树立起来可以充塞天地,横被四海;从时间上说,孝道可以行于万世,人们早晚都不能离开它。所以孝是贯通天地的常道,是行之百世,放之四海而皆准的真理。曾子的论述诚然有夸大之嫌,但是把"孝悌"视为古今每个人所应遵循的普遍性道德则是合乎情理的。

其四,"孝悌"对于维护社会秩序、防止颠覆动乱,具有巨大的政治作用。孝悌的社会学实质在于,社会秩序的稳定很大程度上依赖于家庭的稳定。这就是孝道之所以具有涵盖性和普遍性的根据。正因为儒家思想具有维持社会秩序的功能,故孝道自然而然地与政治相结合,熔政治、法律、文化、道德伦理、风俗习惯于一炉,形成一种社会秩序的既内在而又外在的调节范式。《孝经·广扬名章》记孔子曰:"君子之事亲孝,故忠可移于君;事兄悌,故顺可移于长;居家理,故治可移于官。"儒家把君视为国的代表,故忠君即体现为爱国(儒家反对片面服从君的"愚忠",下章对此将有专论)。《论语·学而》记有子曰："其为人也孝弟,而好犯上者,鲜矣;不好犯上,而好作乱者,未之有也。"以孝悌治天下就能使上下相和,避免社会动乱,弭患于未萌,从而使社会秩序安定和谐。

唯其如此,儒家十分重视教民以孝悌。《孝经·广至德章》记孔子曰:"君子之教以孝也,非家至而日见之也。教以孝,所以敬天下之为人父者也;教以悌,所以敬天下之为人兄者也。"因而在"以孝治天下"的号召下,历代都出现过以孝德化民的官吏。如《后汉书·循吏传》载,仇览为蒲亭长,适逢陈元的母亲告元不孝,按当时的律例,陈元应处死刑。仇览以为教化未至,于是"亲到元家,与其母子饮,因为陈人伦孝行"。并"与一卷《孝经》,使诵读之。元深改悔,到母床下谢罪",遂成孝子。《旧唐书·良吏传》载,韦景骏"开元中,为贵乡令。县人有母子相讼者,景骏谓之曰:'吾少孤,每见人养亲,自恨终天无分。汝幸在温清之地,何得如此? 锡类不行,令之罪也。'因垂泣呜咽,乃取《孝经》付,令习读之,于是母子感悟,各请改悔,遂称慈孝。"这些都是孝治的典型。

孔子及儒家所倡导的"孝悌",十分强调子女弟妹对于父母兄姊的真诚的爱敬之情,强调子女对父母的奉养责任,强调兄弟姊妹之间的和睦亲爱,并主张把这种品德进而推己及人,以至于推广到全社会。这是一种十分美好、十分高尚的情操。这些主张,对于人们不断提高自身的素质修养,获得家庭的和美幸福,保障社会的和平安定,在历史上已经起了极其巨大的促进作用,并将继续起着巨大的促进作用。这些主张,符合正常的人情,符合人类社会向着"真、善、美"发展的总趋势,因而具有一种普遍的适用性。几千年来,正是这一思想深深地扎根于中华大地,哺育了一代又一代孝悌之人和仁智之士。使中华民族形成了父慈子孝、兄爱弟敬、尊老爱幼的美好风尚和优良传统,成为推动中国社会文明进步的巨大精神力量之一。这是儒家"孝悌"思想的精华所在，即便在今天，仍然值得我们努力继承并发扬光大。

事实上，我国劳动人民对于"孝悌"历来是取其精华的。他们在行为上把"孝悌"奉作道德原则，在内心里则转化为道德要求，由此内外一致而萌发的"孝悌"的道德规范和道德意识，又进一步形成了"孝悌"的道德习惯和道德舆论，维持着"孝悌"在劳动人民中间长盛不衰。俗语"家贫出孝子"，即系此意。元代陈栎曾说："庶人未尝学问，人性之美自能行之。士尝学问，必能考圣贤之成法，而或有愧于庶人之孝行，且不可以名人，矧可以名士乎？"（《经义考》）"孝悌"不在书本口耳之闻，要之必待躬行践履。劳动人民的"天性之美"，一方面保证了"孝悌"的实践特性的充分实现，另一方面还赋予"孝悌"以纯洁、高尚的品格。这都是贵族阶层形式上之"孝悌"所不可企及的。而且，劳动人民还能对"孝悌"的消极因素给予有效的抵制。例如："厚葬久丧"，他们必定要有所"损益"，按照他们的实际条件和"死者已去，生者要紧"的原则去对待。

儒家将"孝悌"二字推崇备至，把它作为中国人最基本的道德准绳和行为规范。它那神奇的力量，不但凝聚着以血缘为纽带的家庭关系、宗族关系，而且也起到凝聚中华民族向心力的作用，哺育着中国自古以来千千万万的爱国志士，至今仍然深深地影响着我们民族的生活习惯、心理素质和民族精神。

由于家庭是古代社会生活、经济生活的核心，家庭的保护、延续、和谐就显得十分重要，因而形成了中国人凡事以家为重的思想和行为。个体的幸福与否，首先就是要看家庭生活是否充实美满。一个人赢得了事业的辉煌，却失去了家庭的亲情温馨，对中国人而言未必是幸福的人生。在这样的社会中，人生最光荣的事情是光宗耀祖、兴家立业、衣锦还乡。人的价值表现于政治方面是对国家的"忠";表现于家族方面就是"孝"。万一败坏门庭，成为败家之子，就会为人所不齿。

不可否认，中国文化的延续和发展，家庭的凝聚力和稳定性确实起了重大的作用。所以，我们并不能因为专制社会后期愚孝的泛滥而全盘否定孝悌在中国古代社会前期所起的积极作用。孝悌的某些负面作用，在今日看来，并非完全是孝悌思想本身的缺陷所致，而是整个社会结构使然。

"五四"以来，孝悌传统受到了猛烈的冲击。然而，孝悌传统受到冲击的原因并不只由于社会变革和时代转型，而关于其存在价值的争论也是造成冲击的一个非常重要的方面。长期以来，一些思想家偏执一词，既倒掉了洗澡水又倒掉了水中的婴儿。他们在态度上表现为一边倒，只批判不继承，只弃不扬；在方法上，简单粗暴地打倒、毁弃；加上马克思主义的历史观被片面地误解，于是社会要发展，传统文化就必须要被彻底破除的观念风行一时，因而导致了彻底批判的矫枉过正之举。当然，对背离了儒家本义的专制时代的"孝悌"加以批判是完全必要的。但是如果混淆了符合人性需要的骨肉之情与被专制主义所利用的设教，那必然是错误的。

当然，另外也有一批思想家，则在为传统文化的继续发展而呼吁，也在为传统文化向现代转换进行着理论研究。现代新儒家就对孝悌做了文化学和历史学的阐扬。梁漱溟先生说："说中国文化是'孝'的文化，自是没错。"因为"一，中国文化自家族生活衍来"；"二，……伦理处处是一种尚情无我的精神，而此精神自然必以孝弟为核心而辐射以出"；"三，中国社会秩序靠礼俗"①。马一浮先生则用经学的方法诠释孝道。他说："一言而可该性德之全者曰

---

① 梁漱溟：《中国文化要义》，学林出版社 1987 年版，第 307 页。

仁,一言而可该行仁之道者曰孝。"(《孝经大义一·略辨今古文疑义》)"《孝经》以德摄行,故言人之行莫大于孝,而又言圣人之德无以加于孝,是孝行即是孝德,孝德即是至德明矣。"(《孝经大义二·释至德要道》)他们对"孝悌"在历史上的价值和作用作了较为客观的评价。

在理论家对孝悌文化进行争论之时,政治家却认识到它有可资利用之处。孙中山先生就曾对传统之孝大加赞许:"讲到孝字,我们中国尤为特长,尤其比各国进步得多。"他认为"要能够把忠孝二字讲到极点,国家便自然可以强盛"[①]。所谓"讲到极点",当然不是指被专制统治者所歪曲的"忠孝",而是指正确理解原始儒家所提倡的"忠孝"之本义而言。这种以冷静思考来对中国文化传统进行反思的态度,是值得肯定的。

孝悌在历史上虽有其阶级性,但它的存在也有其社会性和全民性。这是一种基于人性而产生的普适性和共通性,故而孝悌具有超越阶级和跨越时代的特性。因此,孝悌道德尽管经受了近百年以来的强烈冲击,但是它并没有湮灭,当代中国人依然沿传着孝悌的传统。再怎么现代的家庭也仍然认为,孝和悌是道德的,不孝不悌是不道德的。因为这是最起码的家庭伦理的道德要求。

第六节 孝悌传统的现代价值

中国文化历来有注重"孝悌"的传统。近代以来,中国文化受

---

① 孙中山:《三民主义·民族主义》,《孙中山选集》,人民出版社 1981 年版,第 681 页。

到西方文化的强烈冲击,发生了很大变化,但"孝悌"仍然得到全世界华人的认同,被视为中华民族区别于其他民族的最大特质。如果以历史的眼光来看待"孝悌"的演进就不难发现,"孝悌"与人类其他道德一样,也有一个从产生而发展、变化的适应时代发展的过程。正因为儒家"孝悌"观是一种反映人类自身发展规律的不断流转变化的学说,所以它也一定能适应现代社会发展的需要,发挥积极的社会作用。

人类以父母子女和兄弟姊妹所构成的血缘家庭作为社会生活的基本单位,乃是一自然形成的生活组成形式,与其他非自然的组成形式,诸如自愿型的社团或者契约型的民主制国家,有着本质性的不同。因此,只要自然的血缘家庭仍旧是人类日常社会生活的基本组成形式,则作为人父人母、人子人女、人兄人弟、人姊人妹的道德本分就会继续存在。

"孝"的产生和存在,不仅与个体家庭和私有制相联系,而且是人的以血缘为纽带的父母子女关系的自然表现,是人们"各亲其亲、各子其子"的纯真心理情感的流露;"悌"是人的以血缘为纽带的兄弟姊妹关系的自然表现,是人们同胞骨肉之间的纯真心理情感的流露。古人如是,今人亦然。所以,除非人为地割断父母与子女乃至兄弟姊妹的关系,是不能推卸"孝悌"的责任和义务的。只要产生"孝悌"的这种血缘关系不改变不消灭,"孝悌"也就不能被改变被消灭。所以,孝悌在现代社会仍然有其存在的社会环境和实现的条件。

今天,我国正处在社会主义初级阶段,个体家庭仍是男女婚姻的普遍形式,在此情况下,要彻底地否定"孝悌"的道德,不是极"左",就是无知。在现代公民社会里,家庭仍然发挥着"抚幼养老"的社会职能,不仅父母与子女之间分别承担着培养和赡养的责任和义务,而且兄弟姊妹之间也还存在着互相帮助的责任和义务。因而,儒家的孝悌观念复归其本来意义,仍然是一种宝贵的文化资源。

有人认为,目前推行独生子女政策,"兄弟"一伦已经不存在了。这种说法,乍一听,似乎也有些道理;但若细加分析,却不能成立。诚然,像古代那样兄弟姊妹满堂的现象,业已成为历史了。一则因为古代的贵族阶层实行一夫一妻多妾制,尤其是帝王之家,后宫千百,以全兄弟姊妹动辄数十人,而一般官绅之家,也妻妾成群,因而兄弟姊妹众多,乃是势所必然;二则即使是一夫一妻的庶民家庭,由于普遍怀有多子多福的传统观念,子女众多也是常有的事。而现代统一实行一夫一妻制;前一种情况自然不复存在;加之现代人生活观念的改变,不再以"多子"为"多福",而是把多子女视为影响生活质量的负担,一般年轻人都不愿意再为多子女而操劳以降低自己的生活质量了。所以,兄弟姊妹不能再像古代那么众多,业已成为定势,因而"兄弟"一伦的重要性将比古代有所减弱,乃是历史的必然。但是,若谓"兄弟"一伦将因目前推行独生子女政策而不复存在,也是不符合逻辑的。当然,以中国来说,控制人口的任务还很艰巨,独生子女政策还必须继续坚持下去;但是,独生子女政策与计划生育政策并非同等的概念。为了使人口控制在一个最适当的范围之内,计划生育无疑是人类必须永久执行的策略;而独生子女政策则是在一定时期内针对人口暴涨的情况而采取的权宜政策,到了人口下降到一定比例时,仍应以维持人口平衡为度。尽管这是一个较长的时期,可能在一定的时间段内导致"兄弟"一伦近乎断层,但是从理论上的长远可持续发展而言,"兄弟"一伦将依然存在。何况即使在目前,独生子女政策也并非完全一刀切,诸如少数民族和某些地区也还有特殊情况存在,所以"兄弟"一伦在一定时间段内也不过是接近断层而并非完全断层。既然如此，从理论上讲，"兄弟"一伦仍然有其探讨之必要，因之本节仍以"孝悌"并列行文，而立足点则侧重在"孝"上。

"孝悌"是一种融入我国人民血液中的传统道德。它在历史上虽然也因为曾受专制主义制度所利用而起过消极作用，但是它更收到过使家庭老少相安、兄弟和睦相处的积极效果。然而在以往一段时间内，对"孝悌"竟大加批判起来。"五四"时期批判传统道德，虽为革命之举，却也不免有矫枉过正、玉石俱焚之失。及至"文革"期间，更是变本加厉，凡属传统道德，概被"全面专政"的"铁扫帚"扫进"历史垃圾堆"，"孝悌"自然不能逃脱其厄运。结果使不少青年人不知"孝悌"为何物。"孝悌"的道德竟渐有沦丧之势，这不仅为老年人所痛心疾首，也引起许多有识之士的忧虑。"老有所养"和"幼有所长"是中华民族的优良传统，理应发扬光大。所以，今天为"孝悌"正名，既是道德实践的呼吁，也是学术界不可推卸的责任。而在目前"孝悌"观念极度淡漠之际，探索一下"孝悌"的价值意义，尤显必要。

今天，我国社会正处于一个历史大变动的新时期。商品经济的大潮，正冲击着社会生活的每一个领域。传统的意识形态、思想观念、道德规范，正面临着新的挑战。建设中国特色的精神文明，是时代赋予我们的神圣使命。妥善处理两代人的关系问题，既保持和发扬中华民族尊老爱幼的优良传统，使两代人牢牢保持人伦亲情，充分享受家庭幸福，使社会团结安定，使老有所归、老有所养，又让两代人的关系符合互相尊重、人格平等、民主和谐的历史发展潮流，从而为中华民族创造一种崭新的道德观念，这是摆在我们面前的一个严肃的课题。在这样的形势下，重温儒家关于"孝悌"的思想学说，并给以恰当的评论，无疑将给我们以有益的启示。

首先,人类社会不仅需要日益扩大物质生产,获取生活资料和生产资料,而且需要进行人类自身的繁衍。儒家孝道是人类繁衍过程中养老抚幼的自然功能的体现。一个人生于父母,长在家庭,成年后又结婚生育,养育幼儿的同时赡养父母,成为老年人后又需子女供养。赡养老人是一种义务,是一种职责。儒家的孝道高度重视赡养父母和老人,孔子强调"老有所养"的理想社会,孟子也主张"老吾老,以及人之老",体现了人类发展中的一种不可推卸的责任。从这一点上看,孝亲是人的一种本性,儒家的孝道就具有永恒的意义。现在,包括中国在内的整个世界已经或正在进入老龄化社会。中国由于经济发展水平还比较低,不可能像西方发达国家那样建立高福利化社会,所以,我们要在大力发展经济和社会福利的同时,还要号召每个人、每个家庭充分发扬孝敬老人的优良传统。这样,不仅可以正确处理亲子关系,而且也有助于正确处理老龄化社会带来的一系列复杂的社会保障问题。

其次,儒家孝道不仅具有高度重视赡养父母和老人的内容,而且还具有高度重视尊重老人和关怀老人的内容。儒家孝道的最大积极意义就在于从道德亲情层面给老年人以尊重和关怀。现代社会福利的养老制度强调的是制度和规则,儒家孝道强调的是伦理和亲情,这就说明了二者之间具有很大的互补性。社会福利的养老制度即使保证了老年人生活的物质条件,也并没有完全实现老年人生活的幸福。在现代西方社会中,人与人的关系越来越隔膜,人越来越孤独,这是高度现代化后西方社会的普遍心理现实。这种情况不论是在日本还是在欧美国家都越来越普遍,越来越严重。这种寂寞、孤独、凄凉感在老龄群体中表现得尤为明显。目前,生活在市场经济高度发达、物质资料充分丰裕背后的老人们越来越感到寂寞、孤独,越来越感到生活缺少亲情和天伦之乐。有关资料表明,在日本,老年人自杀现象越来越多;在欧美发达国家中,老年人的这种寂寞感、孤独感更加强烈。看来,这种高度规则化的社会对亲情、天伦和友谊构成威胁,显然,对老年人来说,他们在这样的社会中生活,仍旧需要一种道德情感方面的关怀来补充。这样,以天伦道德为要求的儒家孝道可以成为构建现代养老制度的有益成分。儒家孝道提倡子女应关心父母的精神需求,还主张让父母享受天伦之乐。孔子、孟子已指明儒家的孝道不仅仅是要求给老年人提供物质生活保障,还要关心老人的精神需求。这是现代生活在寂寞、孤独中的老年人最大的希望。这种以亲情为基础的道德标准,正是构建现代社会福利的养老制度的最有益补充。

其三,儒家主张"事父母几谏",父母若有过错,子女应该进谏加以纠正,但必须掌握进谏的适当时机,运用委婉的言辞,以期父母乐于接受意见。《孝经·谏诤章》云:"父有争子,则身不陷于不义。故当不义,则子不可以不争于父。"孝子对父母要劝谏而不是无条件的顺从,这应该是儒家孝观念中的积极性内涵,在现代仍有其发扬的价值。在现实中,如果父母违法干坏事,子女难道就没有责任吗? 子女如何去劝谏父母,怎样才能使父母乐于接受意见改正错误? 实在是一种值得探索的学问。而儒家所倡导的"几谏"作为一种婉言进谏的艺术,不失为行之有效的办法。

其四,儒家孝道认为,在品德上,子女应当行为端正,积极进取,立身处世都必须合乎正道,并以优异的业绩为父母树立荣誉,让父母感到精神愉悦。所以,举凡一切爱国忧民、廉洁奉公,乃至关键时刻不惜杀身成仁等正义行为,都是孝的表现;而绝不应该有不良行为,使父母担忧,一切足以败坏父母名誉的不义行为都是不孝。显然,这种观念无论与现代的公民道德抑或从政道德都是完全一致的。对此,"孝"作为一种培养道德人格的内在动力,从中起到巨大的积极作用。因而可以说,孝悌是修养具有正义感的道德人格的切实基础。

其五,人类除要进行自身的繁衍外,还要进行社会文化的继承,使之代代相传和不断发展。每一个家庭,父母子女以及兄弟姊妹之间不仅有着血缘联系,而且有着民族文化的传承关系。家庭是幼儿最早的学校,父母、兄姊是子女、弟妹最初的教师。尤其是父母亲,在日常生活的潜移默化之中,把富有民族特色的一些文化传统和社会习俗传授给下一代。在子女步入人生的最初阶段,父母亲不但对他们担负了抚养的责任,而且给他们以最大的思想影响。一个人的性格特点、思维方式、行为特征、审美情趣乃至好恶情感,往往都是在父母亲的熏陶之下逐渐养成的。正因为如此,作为子女也自然负有继承父母的遗志、弘扬祖先所创造的文化的责任。儒家把继承父母遗志、开拓父母事业的行为称之为"达孝",这对弘扬中华民族的优良传统起有积极的促进作用。

其六,孝悌的价值并不限于爱亲。爱亲表现是低层次的,但其内涵的推广和境界的提升却是至高的。儒家推崇"亲亲而仁民,仁民而爱物"的理想,所以孝悌的含义不仅仅表现在简单的爱亲人上,而是要推而广之去爱社会,爱天下,爱世界万物,进而达成天人合一的境界。因此,由孝父母到爱国、爱民乃至爱世界万物,不只是影响界域的变化,而是由齐家至治国、平天下之境界的提升,人格的升华,故而是"大孝"。这虽然不是孝悌本身的价值,却是从孝悌演绎出来的至高的价值境界。历史上虽有忠孝两难之说,但在光宗耀祖的驱使下,个人的奉养可以忽略不计,父母也情愿作出"牺牲",让子女"精忠报国",因为这不只是实现"望子成龙"的切实途径,也是家门得以光被四表的机会。

这种以"利己"为出发点从而达到"利他"和"利国",或者说达到博爱天下的结果,既是个人价值的实现,也是社会价值的实现。儒家主张孝悌之终极意义和价值在于"仁",也就是"博爱",而在现代社会更需要博爱精神。

总之,家庭中两代人的关系问题,尤其是下一代人如何正确地对待上一代人的问题,对任何时代、任何国家、任何社会的任何家庭来说,都是一个不容忽视的重要问题。儒家所倡导的"孝",是为了妥善解决家庭中两代人的关系而向每一个作为子女的人所提出来的行为准则。由是观之,儒家所提出的"孝悌"观念和思想,是一个具有巨大的社会价值和历史影响的命题,是一个对全人类各个民族和全世界各个国家都具有普遍意义的命题。

即以"孝"的最基本最直接的含义而言,在家要听父母的话,敬爱父母,赡养父母,在精神和物质两方面尽量让父母感到满意,最后还要妥善地为父母料理好后事;扩展到社会上,就是"老吾老以及人之老",就是晚辈要礼让、尊敬长辈。以"悌"的基本含义而言,在家中,兄弟姐妹要相互尊敬、友爱、团结,推广到社会上,就是以"友于兄弟"的精神对待朋友、他人。这些最基本的"孝悌"品德,仍然是现代人所应遵守的基本道德;作为公民,谁也不能违背这些基本道德。

中国文化一向重视家庭,对于中国人来说,家庭是个体成就、声誉、事业、生命的归宿,离开了家庭就没有个体的自我,无家可归的孤儿、游子是最让人同情的。这种家庭对个人的控制、调节方式,使得个体可以避免非理性的个人行为,对于社会稳定仍会起到很大作用。儒家伦理所体现的家庭对个体的控制、激励、抚慰功能是任何社会所需要的。所以,"孝悌"在当今仍然有其合法存在的理由,关键在于其约束力、依赖感的适当。

儒家的仁学把"亲亲"视为"仁"的本原,"爱人"首先要从爱自己的亲人开始,这既符合人的天性,又比较容易做到。然后才能推广开来,达到最终爱一切人。很显然,一个人在家能孝顺父母,敬爱兄长,在学校才能尊敬老师,团结同学,在社会才能与人友善,爱护集体。很难设想一个连自己的父母、兄弟、姐妹、亲戚都不爱的人,能够对社会上其他人充满爱心。所以儒家主张"孝悌为仁之本"。儒家之"仁",始于"人人亲其亲,长其长",并通过"老吾老以及人之老,幼吾幼以及人之幼"的"恕"的原则,推孝顺自己父母、尊敬自己兄长之心去尊重别人的父母兄长,推爱护自己子弟儿女之心去爱护别人的子弟儿女,由此再扩而充之,推而广之,就可以最终达到"不独亲其亲,不独子其子"的博爱境界。假若人人能做到这样,那么全社会也就会达到"老有所终,壮有所用,幼有所长,矜寡孤独废疾者皆有所养"的理想社会了。可以说,这确实是一个合乎人情的切实可行的方案。

"孝悌"依然有其存在的价值,但时代不同了,人们原始的奉养方式应该要有新的变化,在身体发肤的维护、晨省昏问等问题上也需要有新的关切和体贴的方式。所以,这就要求人们在现代孝道问题上作出新的回应,以实现新儒家所说的"创造的转化"。

"孝悌"是"仁"的根本,是道德的基本要求。一个家庭有了"孝悌",才有家庭的和睦、稳定、温暖与温馨,从而才有社会的安定与团结。如果认真、冷静地看一下我们今天所面对的现实社会,就应当承认,"孝"的情况不容乐观,"友于兄弟"的情况更令人担忧,时代正呼唤着孔子当年倡导的"孝悌"之德。我们每个人、每个家庭都需要"孝悌"之德,我们的国家和社会也需要"孝悌"之德。

附录一："二十四孝"评析

一、"二十四孝"源流概略

中国古代早已产生了劝导人们仿效的孝子的典范,其中流传最广、影响最大最深的是所谓"二十四孝"。"二十四孝"的名称系由元代编辑的《二十四孝》一书而来,然而辑录孝子事迹的起源却很早。最早在《书·尧典》就有关于虞舜"父顽、母嚚、象傲,克谐以孝"的记载。后经孔孟儒家极力地推崇称誉,《史记·五帝本纪》进而详细记述了虞舜的大孝事迹,乃成为儒家思想中最著名、最理想的"大孝"形象。继有《礼记》、《论语》、《孟子》乃至《孔子家语》、刘向《说苑》等书,又记述了孔子的弟子如子路、闵子骞、曾子等的孝行。西汉更是出现了一大批著名孝子,以后历代不断。《后汉书》载有江革、黄香、姜诗妻等的孝行,《三国志》记载了陆绩怀橘之事,《晋书》详细记述了王祥、王览兄弟的孝友事迹以及王裒、吴猛等的孝行,这些人物的孝行后来都被收入《二十四孝》之内。正史自《晋书》开始专列"孝友传",其中记载了二十余名以孝悌著称的人物。此后,历代正史皆承其例,都列有诸如"孝友"或"孝义"之类的专传记述孝悌事迹。许多孝行都感人至深,可歌可泣,对铸造中华民族的家庭伦理有其巨大的影响。

专辑孝行的书也出现得较早。汉刘向撰有《孝子传》,所集虞舜、郭巨、董永三人的孝行,皆为《二十四孝》所录。晋萧广济和师觉授亦分别撰有《孝子传》,收集历代孝子三十七人,其中曾参、闵损、王祥、老莱子为《二十四孝》收录。晋徐广《孝子传》辑老莱子等十六人行事,其中除老莱子、闵损之外,又有吴猛为《二十四孝》所收录。就"二十四孝"来说,有人认为在唐代,甚至可能更早时期就产生了"二十四孝"的系统,但并无确切的证据。又清代《三余堂丛书》中收有题为宋朱熹所撰的《二十四孝原编》一书,但此书不见于《朱子大全集》等朱子著作中,疑为后人伪托。现在世间所流传的《二十四孝》,实际上都是元代人编辑的书。因而可以说,正是在前人所辑《孝子传》的基础上,至元代有人再加以选辑和增补,始成《二十四孝》一书。

　　《二十四孝》的最早撰辑者为何人,其说不一。大略有如下三说:其一,据狩谷掖斋藏《孝行录》古抄本《二十四孝》、清无事为福斋《随笔》卷上称:"旧传元郭守敬弟守正辑古今二十四孝子行事,成《二十四孝》一书。"新《辞源》、《汉语大词典》及台湾版《文史辞源》等,均采此说,但冠以"旧传"、"有人说"等含混用语,颇有存疑之意。其二,据清家秘本《二十四孝诗注》之二十四章孝行录及晚凫山人《重刊女二十四孝》称:"元郭居业辑古今孝子二十四人事迹。"旧《辞源》、台湾版《增修辞源》等采此说。其三,据范泓《典籍便览》和《大田县志》称为郭居敬辑,"郭居敬,大田人,字义祖。性至孝,亲没,哀毁过礼。尝集虞舜以下二十四人孝行之概;序而诗之,用训童蒙"。清光绪年间清苑郭立志(字子心)有《新辑二十四孝》,自序中亦称元郭义祖集撰旧本《二十四孝》。臧励和《中国人名大辞典》、旧《辞海》、台湾版《中文大字典》均采此说。由此可见,《二十四孝》的编撰者主要有郭守正、郭居业、郭居敬三说。鉴于三人姓既相同,名又如此相似(守正为守敬之弟),很可能是同一人名之讹传。但孰者为是,今已难以考定,姑俟世之博雅者。

　　《二十四孝》辑成后,在流传过程中,又不断有新的发展。元代就有王克孝作《二十四图》,张宪为之作《题王克孝二十四孝图》

诗。后又有人刊行《二十四孝图诗》、《二十四孝图说》。坊间继出《后二十四孝》及《女二十四孝》,皆不知何人所作(现存有清晚凫山人重刊《女二十四孝并诗》)。清道光中高月波作《二十四孝别录》,吕默庵合刻题为《孝行录》,同、光之际俞诫甫广为《百孝图》,胡虎臣又广为《二百四十孝》。郭立志又"以原书浩繁,不便浏览,爰择三书中之耐人寻绎者二十四则",成《新辑二十四孝》。咸丰年间还有人将《二十四孝》改编成说唱材料《二十四孝鼓词》,在民间演唱。于是,"二十四孝"事迹流传于世间,入人甚深,几乎家喻户晓,妇孺皆知。

世间所见的《二十四孝》有多种版本,所选辑的孝子及其排列顺序不尽相同。今以流行最广的范泓编《典籍便览》所收题为"郭居敬辑"的《二十四孝》为底本,参校诸本,将其排列顺序按照时代先后略作调整,并试加评析,意在精粗有所取舍而已。

二、"二十四孝"分评

(一)虞舜"孝感动天"

虞舜,瞽瞍之子,性至孝。父顽,母嚚,弟象傲。舜耕于历山,有象为之耕,鸟为之耘,其孝感如此。帝尧闻之,事以九男,妻以二女,遂以天下让焉。

虞舜是儒家树立的"大孝"形象。但文中不言虞舜行孝之实,仅言孝感之神,殊觉不类。据《史记》载,舜早年丧母,其父瞽瞍后娶生弟名象。瞽瞍因听信后妻的谗言,与象日以杀舜为事,而舜每次都能预先提防而以巧妙的方法得免于死,使父、弟计无所施。例如有一次父使舜到仓库顶上去检修,舜上去后,即抽去梯子,从下放火烧之,舜即双手分持预先准备好的两笠飞降而下。又一次,父使舜下井挖泥,又从上以土掩之,舜即从井的旁洞中潜身而出。舜处在所谓"父顽、母嚚、弟傲"这样恶劣的家庭环境之中，仍能尽其事奉父母和友爱兄弟之诚心，最后终于使父母和弟得以感化，保持了全家和睦的天伦之乐。所以孔子评论道："舜之事父也，索而使之，未尝不在侧；求而杀之，未尝可得。小箠则待，大箠则走，以逃暴怒也。"意思是说，舜既能尽到事奉父母的孝心，又能躲开父母的伤害。父母若以小棒打来，他可以承受一卜，以适父母之心；但若以大棍打来，他就立即逃跑以免身体受到伤害。孟子也评论道："舜尽事亲之道而瞽瞍底豫，瞽瞍底豫而天卜化，瞽瞍底豫而天下之为父子者定，此之谓大孝。"意思是说，舜能尽事亲之道，使得顽固不化的父亲也喜欢起来；而且，舜的品德为人们树立了榜样，使人们都受到感化，于是，天下的"父子"的伦理也由此而确定了。

　　从以上的事迹和评论看来，舜作为"大孝"的形象，其中未免掺有神化的成分。于是也就成为凡人虽心向往之而实难企及的神像了。不过，我们姑置神化成分不论，光从儒家所论述的精神而言，舜确实称得上是一个尽善尽美的合乎儒家理想的"大孝"楷模。格外值得注意的是，孔孟都特别强调舜能避开父母的伤害以保护自己身体这一行为是"大孝"的重要内容，即此而言，后世那种"父令子亡，子不得不亡"的子对父绝对服从的观念之违背孔孟的孝道，就不辩自明了。

　　(二)老莱子"戏彩娱亲"

　　　　周老莱子，至孝。奉二亲，极其甘脆。行年七十，言不称老，常着五色斑斓之衣，为婴儿戏于亲侧。又尝提水上堂，诈跌卧地，作婴儿啼，以娱亲意。

　　老莱子之以孝著称，自然在于其平时能事亲以道，行年七十而不懈，而不在于其能"为婴儿戏"或"作婴儿啼"。"为婴儿戏"或"作婴儿啼"，不过是举其较有特色的事例以加深人们之印象而已。假若能"为婴儿戏"和"作婴儿啼"即为孝子,那做孝子也未免过于容易了。今人对老莱子的"为婴儿戏"之类行为颇多非议。其实,这类举动并无害于"义",虽不值得提倡,但也无可非议。这则故事的本旨在于说明:在父母面前,自己永远是一个富有童趣的孩子,能使父母心情愉快,就是孩子应有的孝心。而老莱子行年七十而孝心不懈的精神,确实值得取法。孔子谓为"不失孺子之心者",就是赞许其在父母面前能长保天真之童心也。

(三)郯子"鹿乳奉亲"

> 周郯子,性至孝。父母年老,俱患双眼,思食鹿乳。郯子乃衣鹿皮,去深山,入鹿群之中,取鹿乳供养。猎者见而欲射之,郯子具以情告,乃免。

郯子是春秋末期的小国之君。因为年老并患有眼疾的父母思食鹿乳,竟能亲自伪装成鹿到深山的鹿群中去求取鹿乳,以满足父母的愿望,这种精神确实值得嘉许。不过,安全还是应该注意的。郯子此举,万一不幸而被猎者误射致死,岂不成了"不孝"之子?诚然,郯子之"性至孝",主要也在于平时之能尽孝,而入山取乳不过是颇为生动的一例,借此足以说明其平时尽孝的程度而已。然而有此一例,实为郯子的孝行增色不少。

(四)仲由"为亲负米"

> 周仲由,字子路,家贫,常食藜藿之食,为亲负米百里之外。亲殁,南游于楚,从车百乘,积粟万钟,累茵而坐,列鼎而食。乃叹曰:"虽欲食藜藿,为亲负米,不可得也。"

子路贫时能"为亲负米百里之外"的孝行,当然是可信的,而且也是作为子女的应尽义务。子路能不辞劳苦而做到这点,确实值得每个做子女者勉而为之。富贵之后而有"虽欲食藜藿,为亲负米,不可得也"之叹,确实道出了每个先贫后富,"子欲养而亲不在"

的子女无可奈何的哀叹。孔子称赞子路："由也,事亲可谓生事尽力,死事尽思也。"可谓确评。笔者也出生贫家,在极尽饥寒辛苦的环境中与先父母共同度过了前半生。今日虽未获"富贵",但总算已达温饱之境,因而"假若父母今日还在的话如何如何",也就成了家庭成员之间经常追思慨叹的话题了。

(五)闵损"单衣顺母"

> 周闵损,字子骞,早丧母。父娶后母,生二子,衣以棉絮;妒损,衣以芦花。父令损御车,体寒,失鞭。父察知故,欲出后母。损曰:"母在,一子单;母去,三子寒。"母闻,悔改。

这是一个善于处理后母关系的典型故事。在家庭关系中,后母与前子的矛盾颇具普遍性。闵子的一句话,既包含了对于后母的孝心,也表现了对于异母弟的友爱之情,更化解了父亲与后母之间的矛盾。说得合情合理,终于使后母闻而感动,从而保全了家庭的天伦之乐。闵子的孝行确实值得作为前子者所取法,也值得作为后母者所反省。难怪孔子称赞道:"孝哉闵子骞! 人不间于其父母昆弟之言。"又称其"夫人不言,言必有中",即此足以证之。时人称其"一言其母还,再言三子温",亦此意也。善言之有益于人若此其甚,能不令人钦敬乎!

(六)曾参"啮指心痛"

> 周曾参,字子舆,事母至孝。参尝采薪山中,家有客至,母无措,望参不还,乃啮其指。参忽心痛,负薪以归,跪问其故。母曰:"有急客至,吾啮指以悟汝尔。"

据载,曾子早年也曾误认为听凭父母责打为孝,竟至因铲瓜误伤其根而被父大棍打昏在地。孔子批评他"委身以待暴怒",以致伤身为大不孝。于是备加保重身体,临终时以能免于毁伤、全身而归为无憾。儒家著述中记有许多曾子的孝行,真切动人。孟子称誉曾子是一个既能"养口腹"又善于"养志"的竭尽事亲之道的大孝子。这则故事的本质在于曾子的孝行确实值得每个为人子女者所取法。至于其"啮指心痛"之是否可信,是不必追究的。曾子一生不仅在实践中尽力行孝,而且还在孝的理论上进行深入的探索,留下了丰富的论述孝道的著作,值得我们认真研究。

(七)汉文帝"亲尝汤药"

> 前汉文帝,名恒,高祖第三子,初封代王。生母薄太后,帝奉养无怠。母常病,三年,帝目不交睫,衣不解带,汤药非口亲尝弗进。仁孝闻天下。

这是一则侍奉久病之母的典型故事。汉文帝位居九五之尊,而对于久病在床的生母,竟能为之亲尝汤药,三年不懈,尤为难得。父母长卧病榻者之子女,其致意焉。

(八)蔡顺"拾葚供亲"

> 汉蔡顺,少孤,事母至孝。遭王莽乱,岁荒,不给。拾桑葚,以异器盛之。赤眉贼见而问之,顺曰:"黑者奉母,赤者自食。"贼悯其亲,以白米二斗、牛蹄一只与之。

这是一则从平常小事中体现孝心的故事。桑葚黑者已熟味甘,红者未熟味酸。甘者奉母,酸者自食,虽是小事,但其中包含着一片纯真的爱母之心。据《合璧事类》所载,蔡顺"频举孝廉,皆不就。母死,搭棚守孝,每日以所种菜果祭母,自食其力终身"。虽然搭棚守孝,但仍不废种植之业而自食其力,并每日用自己所种的菜果祭母,体现了淳朴务实的庶民之孝,较之士大夫阶层那种哀毁伤身、荒废事业的守孝虚文,何啻远胜百倍!

(九)郭巨"为母埋儿"

> 汉郭巨,家贫。有子三岁,母尝减食与之。巨谓妻曰:"贫乏不能供母,子又分母之食,盍埋此子,儿可再有,母不可复

得。"妻子不敢违巨。遂掘坑三尺余,忽见黄金一釜,上云:"天
赐孝子郭巨,官不得取,民不得夺。"

这是"二十四孝"中最不可取的一例。从"母尝减食与之"看
来,其母爱孙之心甚切。假若郭巨真的把儿埋掉,其母必将伤心欲
死,即使没有孙子"分食"而可以增加一点口腹之养,不知其母还能
吃得下否? 诚然,作为愚民的郭巨是不会懂得"养口腹"与"养志"
并重的圣贤之道的,出于孝心而作出埋儿的蠢事亦不足深责,实堪
深怜。应该责问的是,编辑孝行者竟欲将埋儿之举作为榜样使人
效法,既有违人性,亦复有违圣贤之教;何况更以"埋儿得金"作为
诱饵,尤为可鄙之甚!

(十)江革"行佣供母"

> 后汉江革,少失父,独与母居。遭乱,负母逃难。数遇贼,
> 或欲劫将去,革辄泣告有老母在,贼不忍杀。转客下邳,贫穷
> 裸跣,行佣供母。母便身之物,莫不毕给。

看来也属子女平常应尽之事,但在患难困苦环境中仍能长期
不懈尽力而为,实在是可敬的孝行。《后汉书·江革传》载其"明帝
时举为孝廉,一月而去",可见绝非借孝名以求官者可比,而是货真
价实的真孝子。时人称之为"江巨孝",可谓名实相副。致使"章帝
甚敬其为人",亦非偶然。

(十一)董永"卖身葬父"

> 汉董永,家贫。父死,卖身贷钱而葬。及去偿工,途遇一
> 妇,求为永妻。俱至主家,令织缣三百匹乃回,一月完成。归
> 至槐荫会所,遂辞永而去。

古代重视葬礼,父死不葬,且不说将被他人目为不孝,即使自
己也确实于心不忍。穷人无可奈何而至于"卖身葬父",当然是一
种孝行。后世穷人常有靠卖身以葬父母之事,大概是深受董永的

影响。这是时代使然，今人不必以火葬的观念讥之（其实火葬的费用也不菲）。至于"途遇一妇"来帮助"织缣"，事毕"遂辞永而去"，说得离奇恍惚，莫明其故。据说湖北孝感县即其遇妇之地，俗传因孝所感而途中遇仙，因而演为《天仙配》的神话故事。然而突出了爱情的内容，却把劝孝的主题弱化了。

（十二）丁兰"刻木事亲"

> 汉丁兰，幼丧父母，未得奉养，而思念劬劳之恩，刻木为像，事之如生。其妻久而不敬，以针戏刺其指，血出。木像见兰，眼中垂泪。兰问得其情。遂将妻弃之。

丁兰由于幼丧父母，故而采取"刻木为像，事之如生"的方式来表达其对已故父母的思念之情，并借以补偿父母生前未得奉养的遗憾。虽于死者无补，但也完全属于正常的感情，并足见其情意之切，思念之深。既然是自表其怀念之情，无损于大义，今人又何必过于苛责？然而，后半段加上离奇的情节，不仅毫无意义，而且冲淡了丁兰足以感人的孝心。

（十三）姜诗"涌泉跃鲤"

> 汉姜诗，事母至孝。妻庞氏，奉姑尤谨。母性好饮江水，去舍六七里，妻出汲以奉之。又嗜鱼脍，夫妇常作；又不能独食，召邻母共食。舍侧忽有涌泉，味如江水，日跃双鲤，取以供母。

夫妇双双事母至孝，不仅能尽力满足其母的口腹之养，而且还考虑其母独食无味而"召邻母共食"，可谓深谙"养志"之道。其事本来就很感人，足为世人所取法。但是一加上"涌泉跃鲤"的怪事，不仅无助于宣传孝行，而且将使人认为姜诗夫妇的真实孝行亦不足信矣。这种"蛇足"，添之何益？

（十四）黄香"扇枕温衾"

> 后汉黄香，年九岁，失母，思慕惟切，乡人称其孝。躬执勤

苦,事父尽孝。夏天热,扇凉其枕簟;冬天寒冷,以身暖其被席。太守刘护,表而异之。

夏天扇枕,冬天以身温席,做了九岁幼儿力所能及之事,却体现了常人所不可企及的孝心。既亲切,又真实。远比那些涌泉、跃鲤、得金、出笋之类的离奇怪事感人得多!"香九龄,能温席。孝于亲,所当执。"训蒙经典《三字经》于"二十四孝"故事独取此则,足见大儒卓识,所著蒙书,亦与俗儒不同。

(十五)陆绩"怀橘遗亲"

> 后汉陆绩,年六岁,于九江见袁术。术出橘待之,绩怀橘二枚。及归,拜辞堕地。术曰:"陆郎作宾客而怀橘乎?"绩跪答曰:"吾母性之所爱,欲归以遗母。"术大奇之。

这个故事体现六岁幼儿的孝母深情,天真可爱。但怀橘之举实不可取法,若以此为榜样教育幼儿,恐有误导之虞。

(十六)王裒"闻雷泣墓"

> 魏王裒,事亲至孝。母存日,性怕雷。既卒,殡葬于山林,每遇风雨,闻阿香响震之声,即奔至墓所,拜跪泣告曰:"裒在此,母亲勿惧。"

光从"闻雷泣墓"一事看来,王裒好像有点迂腐。但王裒确实是一个具有志节的人。史载,其父王仪为司马昭所杀,王裒因家居山东,故终生不向西坐,以示誓不为晋臣,屡聘被拒。母亡后,读《诗》至"哀哀父母,生我劬劳",未尝不三复流涕,门人为废《蓼莪》之篇。这就是著名的"诗废蓼莪"的典故。后逢战乱,王裒恋亲之墓不忍离去,终致被杀。由是观之,王裒为人确实不够通达,但他的一片至性,又确实足以感人。"闻雷泣墓"是一种完全出于真情至性的举动。人们不难透过这一典型事例,以体会其在母亲生前的无微不至的关爱之情,乃为得之。后人有诗赞云:"荒冢结庐土一抔，泉台岂复怕闻雷？事亲原不分生死，诗废《蓼莪》大可哀！"可谓得其微旨。

（十七）孟宗"哭竹生笋"

> 晋孟宗，少丧父。母老，病笃，冬日思笋煮羹食。宗无计可得，乃往竹林中，抱竹而泣。孝感天地，须臾，地裂，出笋数茎。持归作羹奉母，食毕，病愈。

求笋而无计可得，只能抱竹而泣。这种出于孝亲的至情，颇足感人。然而编造"孝感出笋"的奇谈诱人效法，实属无谓。

（十八）王祥"卧冰求鲤"

> 晋王祥，字休征，早丧母。继母朱氏，不慈，数谮之，由是失爱于父。母尝欲食生鱼，时天寒冰冻，祥解衣卧冰求之。冰忽自解，双鲤跃出，持归供母。

"卧冰"较之"哭笋"为难，为害亦更甚。教人效法"哭笋"，虽无益，亦无大害；假若教人效法"卧冰"，岂非置人于死地？窃谓"卧冰"之说颇违常理。《晋书》本传谓"祥解衣，将剖冰求之"，初未言"卧冰"也。以王祥之孝，当时曾忍寒解衣，剖冰以捕鱼，似为可信；而谓"卧冰求之，冰忽自解，双鲤跃出"，不过加以神化而已。据史所载，孟宗和王祥平时的孝行，确实有其足以感人之处；但若拈出"哭笋"、"卧冰"二事使人效法，不仅无助于鼓励孝行，而且可能导入歧途，有违圣贤仁孝之旨。鼓励孝行而务在出奇，实所不取。

（十九）杨香"扼虎救父"

> 晋杨丰之女杨香，年十四岁，尝随父往田获粟，父为虎衔去。时香手无寸铁，惟知有父而不知有身，踊跃向前，扼持虎颈，虎亦靡然而逝，父才得免于害。

十四岁的幼女，竟能临危不惧，勇往直前地去扼虎救父。只有出于真情至性，才能以柔弱之躯奋不顾身地与虎相争，其事确实可歌可泣,值得钦佩和赞颂。但若以此作为教育儿童的资料,则应另作考虑。因为十四岁的儿童毕竟还属于应受保护的范围,教以搏虎,实不足为训。后人有诗赞云:"虎衔父去真危急,女与虎争不顾身。顷刻之间能解脱,奇闻奇事最惊人!"果然是奇事惊人! 若谓世间真有所谓"孝感动天"之事,吾谓杨氏女有焉。

(二十)吴猛"恣蚊饱血"

晋吴猛,年八岁,事亲至孝。家贫,榻无帷帐,每夏夜,蚊多攒肤,恣渠膏血之饱,虽多,不驱之,恐去己而噬其亲也。爱亲之心至矣。

八岁幼儿出于爱亲之至性而干蠢事,确实天真可爱。今人责八岁幼儿为"愚孝",未免苛求。其事虽不足为训,但取其爱亲之心可也。

(二十一)庾黔娄"尝粪忧心"

南齐庾黔娄,为孱陵令。到县未旬日,忽心惊汗流,即弃官归。时父疾始二日,医曰:"欲知瘥剧。但尝粪苦则佳。"黔娄尝之甜,心甚忧之。至夕,稽颡北辰,求以身代父死。

尝粪之事虽不足取,而其爱亲之心实为可嘉,遗其事而取其意可也。《梁书》载,黔娄人梁后任蜀郡太守,为政清廉。清廉乃爱民之实,爱亲爱民同为"爱人"之仁心,爱民之心实由爱亲之心扩充推广而来。孝悌之有关于为政,观此,信然。

(二十二)唐夫人"乳姑不怠"

唐崔山南曾祖母长孙夫人,年高无齿,祖母唐夫人每日栉洗,升堂乳其姑。姑不粒食,数年而康。一日病,长幼咸集,乃宣言曰:"无以报新妇恩,愿子孙妇如新妇孝敬足矣。"

这家婆媳关系确实足以感人。唐夫人的孝行足为做媳妇者的楷模自不必说,即使是长孙夫人临终之语,也是出于肺腑的至理名言。据载,后来唐夫人的媳妇以及孙媳妇皆为孝妇,贤名流芳百世。这并非迷信的因果报应,而是唐夫人以身作则的影响所致。为人媳妇者值得深思。

(二十三)朱寿昌"弃官寻母"

> 宋朱寿昌,年七岁,生母刘氏为嫡母所妒,出嫁。母子不相见者五十年。神宗朝弃官入秦,与家人诀,誓不见母不复还。后行次同州,得之。时母年七十余矣。

朱寿昌弃官寻母一事,确实足以感动天地鬼神。试想:七岁时生母出走,不知去向,五十年后再去寻母,即使当面碰上,也已经互不相识,何况天下之大,岂异大海捞针?历尽艰难辛苦自不必说,其寻觅之勤之细亦可想而知。终于皇天不负孝行,如愿以偿。史载寿昌"为官有德政"。如此孝行,为官岂能无德政?难怪当时的朝臣王安石、苏颂、苏轼等名家争相写诗著文赞其孝行。这是"二十四孝"中难度最大、感人至深而又很真实的一则故事。

(二十四)黄庭坚"亲涤溺器"

> 宋黄庭坚,元祐中为太史,性至孝。身虽贵显,奉母尽诚。每夕,亲自为母涤溺器,未尝一刻不供子职。

亲涤溺器虽然是平常小事,但作为贵显的太史身份而能"未尝一刻不供子职",实属难能可贵。太史之家固然不乏奴仆供母使唤,但作为人子,必要亲自供职才觉心安,这就是孝子之心!

三、"二十四孝"总评

自元代以来,《二十四孝》流传甚广,其原因是多方面的。除了适合专制社会的需要,因而历代统治者尽力加以提倡、宣扬之外,在广大的民众中也有较深厚的社会基础。更重要的是,《二十四孝》的编纂,在内容和形式上具有许多显明的特点。

第一,《二十四孝》所选孝子具有广泛的代表性。从时间上说,包括了虞、周、汉、魏、晋、唐、宋等各个朝代的孝子;从社会地位说,上自帝王,中有公卿大夫,下及读书士人、平民百姓,尤其是平民百姓竟占大多数;从性别年龄上说,有男有女,有老年、成人和幼童;从事迹上说,有显贵事亲者,有至贫孝亲者,有善于处理家庭关系者,也有危难之际救亲者。总之,《二十四孝》为各式各样人物都树立了孝行榜样。

第二,《二十四孝》所选孝行,在日常生活中都具有典型的代表性,容易为世人所接受,并尽力仿效。而且,每个孝子都能摄取其一生当中最有特色的事例加以渲染,使得形象十分鲜明、突出,故事情节生动感人,使人阅读或听讲容易留下深刻的印象,产生强烈的教育效果。

第三,编写形式上颇具特色,便于在民间流传。故事情节短小精悍,语言文字通俗易懂,每则只用三五十字,最长者不过百字。有的本子配以诗画,更增强了形象性和直观效果。配诗采用五言绝句,力避深奥典故,宁用俗言俚语,便于吟诵,利于记忆。如黄香"扇枕温衾"诗云:"冬月温衾暖,炎天扇枕凉。儿童知子职,千古一黄香。"词意洗练,音调铿锵。

然而,《二十四孝》作为尊崇理学之世的产物,难免含有专制时代的"愚孝"成分,对此有必要加以甄别,去粗取精,以资今用。鄙意窃谓,《二十四孝》可以分为如下几种类型加以分别对待。

第一类,可以虞舜和曾参为代表。虞舜本是一介布衣,由于他的孝行不仅感化了顽劣的父母兄弟,而且感化了社会,因而为尧所破格提拔,并让以帝位,泽被四海,达到了尽善尽美的"大孝"之境。他作为儒家理想的化身,其中难免有神化的成分,因而使人感到无法企及。这里,有两点值得说明:其一,据儒家经典所载,"舜耕于历山,历山之人皆让畔";"慎徽五典,五典克从;纳于百揆,百揆时叙;宾于四门,四门穆穆;纳于大麓,烈风雷雨弗迷"。所有这些,都是从现实生活中的品德、智慧和政绩方面加以称誉,虽有夸张之嫌,但并无迷信的内容。而所谓"象耕"、"鸟耘"之类的迷信内容,完全是后人的附会,不是儒家的思想。其二,虞舜感化父母兄弟的事迹虽难免含有夸张的成分,但其精神确实值得学习,尤其是从他既能尽到事亲之道、又能躲开父母的伤害的孝道原则,足以说明后世那种"父令子亡,子不得不亡"的"愚孝"行为,是完全违背儒家的孝道原则的。因此,对于虞舜的孝行,只要剔除其后人所加的迷信成分而还其儒家所树立的本来形象,完全可以作为"大孝"的榜样加以称誉和效法。曾参既重视"养口腹",更重视"养志",一生在实践上躬行孝道,在理论上弘扬孝道,可谓是仅次于虞舜的孝子榜样。可是编者也与记述虞舜一样,没有记述其具体孝行而仅附会其迷信神化之说,实所不取。我们必须剔除其迷信成分而还其本来面目,方足为千古孝子楷模。

第二类,如郯子鹿乳奉亲、仲由为亲负米、汉文帝亲尝汤药、蔡顺拾葚供亲、黄香扇枕温衾、江革行佣供母、唐夫人乳姑不怠、黄庭坚涤亲溺器等,都是在正常的日常生活中子女所应尽的实实在在的孝行;又如闵损单衣顺母,能以异常宽厚的品德处理好与继母之间的关系,从而保持了完整和睦的家庭。这些,既非"愚孝"行为,也无迷信成分,都可视为孝道中之精华而加以继承和发扬。

第三类,是处于特殊情况下的孝行,如杨香扼虎救父,是在千钧一发的危急之际,能奋不顾身地从虎口中救回父亲;又如朱寿昌弃官寻母,则是以长期不懈的坚韧意志,在历尽千辛万苦中寻回母亲。他们的事迹可歌可泣,他们的精神值得歌颂。杨香的事迹虽不宜儿童取法,但她的精神流芳千古。

　　第四类,如董永卖身葬父、姜诗涌泉跃鲤、孟宗哭竹生笋、王祥卧冰求鲤等,根据他们一生的实际孝行,其实与第二类相同,都是值得学习的楷模,但是编者并不重视他们平时的实际孝行,而仅着眼于因果报应的迷信诱导,以致精华被糟粕所湮没。因而只要剔除其迷信成分而还其孝行的本来面目,仍然是值得继承和弘扬的精华。

　　第五类,如老莱子戏彩娱亲、丁兰刻木事亲、陆绩怀橘遗亲、王褒闻雷泣墓、庾黔娄尝粪忧心等,他们平时实际的孝行木有可取之处,但编者为了醒人耳目所摄取的典型镜头却并无多大意义,故不足取法。今人遗其事而取其意可也。

　　第六类,如郭巨为母埋儿、吴猛恣蚊饱血二例,他们的爱亲之心无可厚非,但他们的行为确实属于"愚孝"。对于八岁的吴猛,我们不应苛求;而郭巨埋儿之举,确实有违儒家孝道甚远。但郭巨作为一介愚民,实亦不足深责;所应责者,乃《二十四孝》之编者,不仅加以正面宣传,而且还不加辨别地误取俗传"埋儿得金"之说,诱人取法,流毒深远,实在有违圣贤之道。对此,古时已为通儒所诟病,今日尤须彻底肃清。

　　总而言之,《二十四孝》中的大部分孝行,都是值得继承和弘扬的精华。但其中某些迷信的设教,以及"愚孝"的流毒,却背离了儒家元典中孝的本质内涵,成为专制社会统治人民思想的工具。我们今天应该将儒家元典的孝道与专制、迷信的孝道区分开来加以研究,涤除其中专制和迷信的污垢,继承儒家元典所提倡的合乎情理的孝道,发扬中华民族淳朴美好的敬老养亲的思想感情和传统美德,才能正确把握中国传统之孝的本质及现代意义。

附录二：一个以孝悌治家的典型实例分析

——关于浦江郑义门的孝义家风

中国古代社会是以家族为基础的，而组成这种社会的每个家族，主要是以儒家学说为其治家的理论指导，于是，长期以来创造了极其丰富而又独具特色的儒学家族文化。为了建设中国特色的现代化精神文明，必须认真地研究这一传统文化而加以取舍。号称"江南第一家"的浦江郑义门，是中国家族史上以儒治家而实行世代同居、共财、聚食的著名典型。若对其所实行的家规制度以及由此而产生的文化现象进行考察，自可窥一斑而知全豹，从而有助于建设具有中国特色的现代新文化。

一、义居共财的家族典型

浦江民俗醇厚，素有"小邹鲁"之美称，故兄弟世代同居之风甚盛。早在梁代，就有何氏的四世同居，载于史册。宋元明以来，又有深溪王氏、吴溪吴氏、东隅张氏均五世同居，合溪黄氏七世同居，皆为世所称。而最具典型性的则是麟溪郑氏，全族同居共炊长达十五世之久，合家食指达二千余口之多，自南宋建炎初（1128 年前后）至明天顺三年（1459 年），历三百三十余年。其规模之大，历时之久，制度之严，更为世所罕见，故号称"义门"。

郑义门同居之风的创始者郑绮，一生信奉儒家礼教，主张以孝义立身，肃睦治家。他号召族人同居共食，并垂训子孙世代不得分家。据说他一日早起，唤全族子侄依次立于宗祠之下，他刺指出血，滴于酒中，令子侄们依次饮毕，乃仰天发誓道："吾子孙有不孝、不悌、不共财聚食者,天其即殛之!"言毕,叉手植立而卒(见《宋史·孝义传》)。自此,子孙遵命世世同居。

郑绮以儒学治家,建立了一整套治家制度,组织极为严密。他规定全族必须世代同居、共财、聚食,一切事务都由家族公堂统一安排。至六世孙郑大和,把这些制度之重要者总结而成《家规》五十八则,勒之于石,以便全族遵行。八世孙郑涛再行增补而成一百六十八则付梓。所载家族组织的规范极为细致严密,今将其大要加以总括,以资讨论。

首先,规定合族必须世代同居,所有财产皆属全族公堂所有,任何人不得私置田业,私积货财;无论男女,一切劳动所得尽归公堂,一切日常衣食费用皆由公堂统一供给,一切事务都由公堂统一安排。

其次,为了实行家族统治,设立一整套管理机构,大略如下:

1. 根据家族制度的需要,世代以宗子(嫡子)一人,上奉祖考,下壹宗族,主持祠堂各项祭祀。宗子以血缘关系中的特殊地位代表整个家族,是整个家族的象征。

2. 根据家族管理的实际需要,设家长一人,由辈高、年长、望重者担任,以总理家政。家长必须以至公为本,以至诚待下,凡事不得徇偏,一言不可妄发,一行不可妄为,而应以身作则;如有过失,家众可以婉言进谏。家长下设典事二人,协助家长行事。典事必选刚正公明、才堪治家、能为众人之表率者为之。而各项具体事务,则令若干子弟分掌。

3. 为了保证家族制度的长期正常运转,又建有一套监督制度。即设监视一人,职在纠正一家之是非,故必须公选端严公明可以服众者任之,任期二年。监视见有善或不善,都必须当众公开进行表扬或批评,不可顾忌不言。对长辈必须犯颜直谏,对幼辈则谕以人伦大义。立《劝惩簿》一册，按月记录功过；另造"劝惩牌"二面，"劝牌"书功，"惩牌"书过，挂于要地示众，以为善善恶恶之戒。监视见人功过，若知而不言或言而失实，众人可以鸣鼓告于祠堂而易置之。

4. 在财物管理方面，设主记一人，总管货财谷物出纳之数。又选老成有知虑者以通掌门户之事，专管输纳赋租、防范山林坡地、增拓田业、会计财息等务，凡事皆须禀明家长而行。每年之中，有二人掌管新事，负责收放钱粟之类；二人掌管旧事，负责合族冠昏丧祭之类。又设掌膳二人，专管家众膳食之事，以供食堂所需；设差服长一人，专管男女衣着之事，按时分发到每位家众。择廉谨子弟二人，保管钱货；择廉干子弟二人，掌管营运之事。岁终会算通计其数呈报家长；监视对以上诸项严加关防，察其私滥。

5. 根据往来应酬的需要，设知宾二人，专管接待宾客，奉陪谈论，提督茶汤，点视宾馆床帐被褥。凡有亲宾往来（包括每个家众的私人亲朋），皆由知宾统一接待，务合其宜。虽系私人至亲亦皆宿于宾馆，不得私自留宿。

所有这些宗子、家长、监视以至大小各执事，都是这个大家族的权贵，掌握着各种实权，对全族实行家族统治。其中宗子为家族总代表，其位最尊；家长总理家政，其权最重；监视对整个管理机构实行监督，但其本身又受全体家众的监督，他既由家众公举产生，家众也有权罢免其职务。这样，家众、家长、监视三者之间互相制约，其结构可谓缜密之至。

其三，在日常起居方面，每天凌晨敲钟二十四声，合族家众同时起床；继敲四声，同时漱洗；再敲八声，全族皆人有序堂集合。家长中坐，男女分坐左右，令子弟朗诵男女训戒之辞。诵毕，男女同时起立，向家长一揖，再分左右两行会揖而退，然后共进早餐。男子会膳于同心堂,女子会膳于安贞堂,三餐并同。

其四,对于男女家众的学业、事业等也有具体规定。大要为:男子八岁入小学;十二岁出就外傅;十六岁入大学,聘致明师训饬。十六岁以上许行冠礼,但必须能背诵《四书》一经正文,讲说大义,方可加冠,否则直至二十一岁方可;弟若先能,则先冠以愧之。行冠礼时,由羞服长发给礼服一套。若至二十一岁学业无成,就令学习治家理财;学业有成者不拘。器识可以出仕者,公堂给资加以勉励。既仕,必须时刻以报国为务,奉公勤政,抚恤百处,不可一毫安取于民。若在任时衣食不能自给,由公堂补给费用;若有余,亦当上交公堂,不得留作私用。为官若有贪赃枉法之事,生则于图谱上削去其名,死则神位不许进入祠堂。

女子十五岁,由羞服长发给银首饰一副,举行笄礼。诸妇主馈,十日一轮,年至六十者免之;新娶之妇,给假三月,期满后即当主馈。诸妇工作,当聚一处,机杼纺织,各尽所能,不但便于别其勤惰,而且可以革其私心。诸妇必须安详恭敬,奉公婆以孝,事丈夫以礼,待妯娌以和。不得溺死女婴,违者重罚。

其五,由公堂营建"义方"一区,以教育宗族子弟,不收学费;立"嘉礼庄"一所,拨田一千五百亩(世远逐增),别储其租,以充全族子女婚嫁之费,男女到婚娶时,各给谷一百五十石为则。

以上仅是《家规》的大略,至于各项具体事务,也都有详细规定,未能备述。

郑义门实施各种礼法相当严格。作为家长,为了有效地主持家政,既应奉公守正,以身作则,又必须树立起自己的绝对权威。例如郑绮的六世孙郑大和主持家政,尤为严厉。郑大和笃信儒家道德,不信佛道,专以礼法立身治家。每逢冠、婚、丧、祭等事,必要查考朱子《家礼》而行。全族子侄受他影响,即使已出仕的,也不敢丝毫违背家法,故家庭中凛如公府。每逢新年节日,他一人端坐堂上,全族子侄都整饬衣冠排立于左序之下,依次进谒,拜跪奉觞上寿,然后一齐肃容拱手,自右趋出,步履相衔,莫敢参差。当时士林对此大加赞赏,誉之为"有三代之遗风"。部使者余阙特书"东浙第一家"匾额相赠,以示表彰(见《元史·孝义传》)。郑义门家法之严,即此可见一斑。这在整个中国家族史上,亦为首屈一指的典型。故后来明太祖更誉之为"江南第一家"。

二、孝义家风实录

郑义门的家规尽管十分严密,然而能使这样一个食指数千的大家族同居聚食历数百年而不衰,决非单凭这些家规所能办到的。对此,我们不妨回顾一下 1958 年大刮"共产风"年代的情景。当时政府曾以雷厉风行的行政命令在全国农村大办公共食堂,集合数百人在一起吃饭,一起出工干活。其声势不可谓不大,宣传不可谓不力,执行不可谓不严。但是仅仅办了几个月就弊端百出,衣食交困,遍野饿莩,终致整个国民经济濒临崩溃的边缘,大食堂也就办不下去了。然而早在八百多年前的宋代,郑绮以一介布衣,不仅生前能令全族同居聚食,而且死后还能使其后代以数千余口之众共同遵其遗志,垂十五世、历三百余年之久,这决非单凭几则家规、一番遗嘱所能奏效的。个中学问,实在很值得深思和研究。

笔者认为,郑义门之所以能够长期同居聚食,主要在于它有深厚的文化传统作为基础,全族成员都具有一种内在的、根深蒂固的共同文化心理作为精神上的凝聚剂,从而自觉地维护了整个家族的正常运行。这种共同的文化心理是什么呢? 综其要领,不外乎儒家道德中的"孝义"二字。

何谓"孝义"? 从《家规》的内容看来,所谓"孝",乃是一种尊祖

敬宗、孝顺父母的纵向感情;广而言之,凡能恪守正道、勤于事业以
奉行先祖遗训等行为,都属于孝的范围。所谓"义",则有两方面的
含义。其一是奉公守法、办事合理、坚持正义为"义";其二是指一
种用以维系平辈之间友好关系的横向感情,也就是所谓"情义"、
"义气"之"义"。郑义门的孝义之"义",两者兼指,但重点在于后
者。情义之"义",其实乃是孝悌之"悌"的扩大。因为"悌"只是特
指弟对兄的敬爱之情,而"义"则不仅兼指兄弟之间互相友爱之情,
而且还推广为泛指诸如夫妻之间、姊娌之间、家众之间,乃至与族
外一切人之间的友好之情。正因为如此,郑义门还把"孝义"的实
质归结为"积善"行为。《家规》云:"吾家既以孝义表门,所习所行,
无非积善之事。子孙皆当体此,不得妄肆威福,图胁人财,侵凌人
产,以为祖宗植德之累。违者以不孝论。"因为"积善"是对他人作
出贡献,当然是"义";而且"积善"又继承了祖宗"植德"之心,所以
又是"孝";然而不积善则为"祖宗植德之累",故"以不孝论"。观
此,"积善"体现了"孝"和"义"两重意义。这种"孝义"思想,贯穿于
全部郑氏家规之中。

郑义门对于年轻子弟,从小就进行"孝义"教育。《家规》云:
"子孙为学,须以孝义切切为务;若一向偏滞辞章,深所不取。此实
守家第一事,不可不慎。"可见郑义门教育子孙,要求从小就树立起
以孝义为本、辞章为末的观念。这不仅是"守家第一事",而且也是
治学修道、立身处世的首要之务。所以又云:"子孙须恂恂孝友,实
有义家气象。""十六岁入大学,聘致明师训饬,必以孝悌为主,期底
于道。"谆谆教诲,可谓深且切矣!

郑义门对于成年男女,每月每日都要进行"孝义"教育。据《家
规》所载,每月朔望,必由家长率众参谒祠堂,令一子弟唱云:"听!
听!听!凡为子者,必孝其亲;为妻者,必敬其夫;为兄者,必爱其

弟;为弟者,必恭其兄!"这里,子孝其亲是"孝",夫妻、兄弟之间互相敬爱是"义"。又载,每日早晨起床后,家众都要到有序堂集合,听诵男女训戒之辞。其男训云:"人家盛衰,皆系乎积善与积恶而已。何谓积善? 居家则孝悌,处事则仁恕,凡所以济人者皆是也。"据前所言,"积善"乃是孝义的实质;而此言"孝悌"、"仁恕",乃是孝义之存于心者;"济人"则为积善之实效也。其女戒云:"家之和不和,皆系妇人之贤否。何谓贤? 事舅姑以孝顺,奉丈夫以恭敬,待娣姒以温和,接子孙以慈爱,如此之类是已。"前一项为"孝",二、三项为"义"。这样每日一次在有序堂进行小教育,每月二次在祠堂进行大教育,而且遍及男女老少,其平时教勉"孝义",可谓精且勤矣!

郑义门对于"孝义"二字,并非只写在《家规》中或挂在口头上的装点门面之辞,而是能切切实实地付诸实践,因而形成了一种名副其实的孝义家风。相传郑义门有很多感人的孝义事迹,兹举有史籍可考者数例以见一斑。

郑义门的孝义家风首先表现在"孝"上。其首倡同居者郑绮,就是一位著名的孝子。据《宋史·孝义传》记载,郑绮之父郑照,被屈系狱当治死罪。郑绮上疏郡守请以身代,郡守感而察之,其冤得以大白。又其母张氏患风挛长期卧床,郑绮守护如抚婴儿,上厕所时必抱就之,长达三十年不懈。郑绮的七世孙郑钦,其父患病,医生说人血可治,钦即刺血和药以进。郑钦的族弟郑铉,其妻卒,适值父病在床,故不敢哭泣,并隐而不使父知。八日后,其父亦卒,才恸哭三日,须发为之尽白。既终丧,有人劝他再娶,竟不从。

郑绮的八世孙郑渊,母疾,侍汤药逾年不离其侧。母病时想吃西瓜,吃毕而卒。从此郑渊一看到西瓜就哭泣,终生不忍吃西瓜,终因思母过度而失明。父丧中,哀毁骨立三年。到除服后,仍癯然不省人事,凡遇父母忌日,哭奠如初丧,终身不渝。

郑义门的孝义家风更体现在"义"上。"义"的精神首先表现为兄弟之间的友爱关系。郑义门有许多兄弟争死的事迹很使人感动。郑绮的五世孙郑德珪,与弟德璋孝友甚笃。德璋被人陷以死罪,当逮于扬州。德珪知后,拟代弟死,即治装而行。德璋追及诸暨,中途相持哭泣,争欲就死。德珪佯作应允以缓弟之行,却于深夜潜往扬州。及德璋追至,德珪已死于狱中。德璋恸哭欲绝,负枢归葬,守墓二年。明初,有人上告郑氏与因罪伏诛的奸相胡惟庸相通,官吏捕之,郑氏兄弟六人争欲入京任罪。郑湜毅然而行。当时在京做官的郑濂迎着说道:"我居长,当任罪。"二人争欲就狱。明太祖闻之,说道:"有人如此,岂肯从人为逆!"不仅不治罪,反而举郑湜为福建布政司参议。洪武十九年,郑濂又被人牵连。当时郑濂已年老在家,将入京任罪。从弟郑洧道:"兄以八十之年,行数千里而死于狱中,郑氏为无人矣!"遂代兄往,竟自诬服而死。士林哀之,私谥为"贞义处士"(见《明史·孝义传》)。

郑义门的"义"的精神,还从族内推广到族外,这就是把"积善"付诸实践的种种义举。早在北宋靖康年间,因灾致饥,郑绮之祖郑淮卖田千余亩以救济贫民,从此人称其所居之地为"仁义里"。其后子孙世代继承其志,广行善事。元代至元年间,民多饥乏。郑德璋开仓与乡里共食,全活甚众。大德末年,因灾导致饥民相食。郑文嗣与弟文泰铸大锅煮粥分人,全活者数百人。元末郑钦主家政时,创立各种慈善设施,有所谓"续食之粟、御冻之衣、推仁之财、免利之谷、庇穷之屋、广孝之阡"等各种项目以济贫乏。所谓"免利之谷",就是每年在秋收谷价便宜时预购五百石另储,到谷价上升的缺食季节,仍按原价出售给贫困之家。所谓"广孝之阡",就是特设义冢一所;凡乡邻死亡而无子孙者,赈以棺木等物,代为埋葬于义家之中。余皆类此。郑钦常说:"民吾同胞,忧乐共之,可不尽心乎?"他所创建的各项慈善设施,后来都作为常设项目世代继承下来。又增设药市一区,收贮药材,邻族疾病,则施药与之。

综上所述,足可表明郑义门的那种尊祖敬宗、孝顺父母、兄弟同心、妯娌协力、乡邻亲睦,以及热衷于乐善好施的孝义家风。故明代建文帝曾御书"孝义家"三字以旌其门。

诚然,上述内容中也难免杂有不少糟粕。即以子代父罪、兄弟争死等事而言,若从法律的角度看,实不足为训;然而其中确实表现了一种真挚深厚的感情。而如破产济贫等义行,则尤为难得。也正因为这种出于真诚的孝义精神在每个家族成员的心理上长期积淀而成一种共识,使之都能自觉地去遵守家规祖训,这才是郑义门大家族得以长期同居、共财、聚食而能历久不衰的根本原因所在。

三、"孝义"内蕴探索

"孝"和"义"都是儒家学说的重要德目。两者都有其自身的发展和演变过程。近代以来,"孝义"思想曾受到多次严厉的批判。直到今天,很多人还认为全是专制时代的糟粕而不屑一顾。这种偏见必须加以分析辨正。

"孝"的本义是"善事父母",是一种以血缘关系为基础的自然感情。儒家之"孝",不仅要求在物质上赡养父母的生活,更重要的还要求从精神上体贴父母的心志,因而含义极其丰富。主要可概括为如下几方面:

第一,物质上给予赡养,生活上给予照顾,行动上替父母任劳分忧。

第二,对待父母,态度必须和颜悦色而怀有敬意。如果只养不敬,就无异于饲养犬马。

第三,因为"父母唯其疾之忧",所以对于自己"受之父母"的身体,必须随时保重,不敢轻易毁伤,更不敢无故轻生;即使在父母责打时,也应"小箠则待,大箠则走",以免身受重伤而使父母伤心。

第四,在品德上,立身处世都必须合乎正道,以期为父母树立荣誉。所以,举凡一切忠君爱国、廉洁奉公,乃至关键时刻不惜杀身成仁等正义行为,都是孝的表现;反之,一切足以败坏父母名誉的不义行为都是不孝。(必须指出的是:平时对身体"不敢毁伤"与必要时刻勇于"杀身成仁"两者之间并无矛盾,而是辩证的统一。)

第五,父母若有过错,子女应该进谏加以纠正,但必须掌握进谏的适当时机,运用委婉的言辞,以期父母乐于接受意见。这就是孔子所谓"事父母几谏"。

第六,父母去世时,必须极尽悲痛哀思之情;而且还应把思念父母之情进而扩充为对所有祖先的崇敬和怀念,这就是"慎终追远"。儒家非常重视丧礼、葬礼和祭礼,意义即在于此。

第七,为了父母和祖先后继有人,长奉祭祀,故强调"不孝有三,无后为大"。

第八,应善于继承父母和祖先的遗志,故应该好学上进,勤于事业,以期荣宗耀祖来报答父母祖先对自己的恩养和期望。这就是《中庸》所说的"善继人之志,善述人之事"。能如此,乃称为"达孝"。

郑义门所提倡的"孝",基本上包含了上述的全部内容。其中除了繁多的丧礼、葬礼,祭礼,以及"不孝有三,无后为大"之类属于糟粕而外,其余可以说都是值得继承和弘扬的精华。

先秦儒家对于父子关系,主张"父慈而子孝",双方都有义务。但是到了汉代,统治阶级为了加强专制统治,乃把法家韩非子所主张的子对父必须绝对服从的思想吸收到儒家孝道中来,从而把"父为子纲"定为"三纲"之一,并开始竭力提倡那种片面要求子女的所谓"父令子亡,子不得不亡"的愚孝。这无疑属于必须严加批判的糟粕。不过,我们还应将其与先秦儒家的孝道加以区别,因为这本来并非儒家思想而是法家思想。先秦儒家主张"事父母几谏",说明对父母的错误行为是不能盲从的。郑义门所提倡的"孝",完全取法于宋代理学,因而其中也必然杂有这种"愚孝"的糟粕。对此,我们应该发扬孔子思想中的精华而抛弃这种"愚孝"的糟粕。

"义"的本义是"义者,宜也"。乃是一种合宜、适中、正确、合理的处事标准。先秦儒家常常把"义"与"仁"对举而言。"仁"是爱人之心,其中含有浓重的感情色彩;而"义"则是正确合理的行为,必须排除一切感情偏向。爱人之心只有受到"义"的制约,才成为符合正道之"仁"。否则,好像宋襄公那样"不重伤,不擒二毛"的对敌慈悲行为,虽然也是一种"爱人"之心,但由于其走向极端而违背了常理,所以不是真正的"仁"。在这种意义上的所谓"义",就是正确和合理。诸如"舍生取义"、"大义灭亲"、"大义凛然"之"义",都是这个意思。这种"义",与现代"坚持正义"之义完全一致,所以毫无疑问是宝贵的精华,值得继承和发扬。

但是到了后来,"义"的含义有所演变,把维系人与人之间的某种感情也称之为"义",这就是人们常说的"情义"、"义气"之"义"。这种意义上的"义",其中既含有精华,也杂有糟粕。也就是说,与正义一致的义气才是精华,违背正义的义气则是糟粕,必须加以分析和区别。对此,不妨试举一例以资说明。

《三国演义》所塑造的关公形象,是一个成功的"义"的典型化身。他在约三事中"归汉不降曹"一条,完全出于传统伦理中的君臣大义,其中不含任何私人情义在内,故纯属正义之"义",因而是正确的。而如挂印封金、千里走单骑去追寻刘备一事,既符合正义之"义",也符合结义兄弟之间的情义之"义";而且,情义之"义"更加使他加强了追求正义之"义"的勇气,两者融合为一,相得益彰,既无可非议,更足以感人。但后来华容道义释曹操一事,则正义之"义"与情义之"义"两者之间发生了矛盾。若讲正义,当然应该擒住曹操;若讲私人情义,就该放过曹操。两者必居其一。而关公出于不忍之心,为了曲全情义而放弃了正义,结果犯了错误。当然,关公并没有为自己的错误辩护,而是知错认错,束身归罪,所以仍无损于光明磊落值得崇敬的关公形象。而张飞的形象则不同,他在古城相会时,听到关公降曹之事,就连桃园结义的情义也不顾,奋然挺矛去杀关公。虽然过于鲁莽,差点铸成大错,但他这种不徇私情以坚持正义的精神是非常可贵的。

此例足可说明这样一种道理:当情义之"义"与正义之"义"一致的时候,情义之"义"具有增强人们坚持正义之勇气的积极意义,因而应该鼓励其尽情发扬;但若两者之间发生矛盾的时候,情义之"义"就有动摇坚持正义之决心的消极倾向,当处于这种情况时,就应该毫不犹豫地放弃情义而坚持正义,才是正确的。

郑义门所提倡的"义",其中既含有正义之"义",然而更多的则是情义之"义"。但若细加考察,他们所鼓励的情义之"义",基本上与正义之"义"是一致的,因而也是精华居多而糟粕甚少。即如子代父罪、兄弟争死等事,尽管从法律上讲不足为训,但是他们毕竟没有对父兄之罪曲为回护,而是不惜一死去代父兄受罪。这与目前某些出于私情而不择手段地去庇护罪犯的行为,是不可相提并论的。

总而言之,郑义门的孝义家风,其中精华部分是主要的,但也有某些糟粕的成分,我们必须细加分析而扬弃之。

四、"孝义"的现代意义

我们今天继承"孝义"的优良传统，并非毫无取舍地照搬，而是应站在现代的高度，运用现代的眼光和现代的理论进行考察研究。即使对于纯粹的精华部分，也不应局限于按部就班地继承，而是应该将其扩而充之，推而广之，发扬而光大之。使之发挥其更大的作用而造福于人类。

郑绮作为一介布衣，早在八百余年前的宋代，竟能以"孝义"二字作为凝聚剂，使其后代二千余口之众同居、共财、聚食了长达十五世，历三百余年之久。这一成功的实验，足以说明"孝义"二字有其无限巨大的凝聚力，而且在中华民族的群众心理中有其根深蒂固的丰厚基础。在具有高度文明的今天，如果我们接过这份宝贵的文化遗产而加以研究，将其中诸如上下等级森严、子对父绝对服从等宗法意识，以及丧葬、祭祀等虚文之类糟粕剔而除之——当然也不必仿效其世代同居聚食等形式；而是将其中诸如父慈子孝、兄爱弟敬、夫妇同心、妯娌协力、乡邻亲睦，以及乐善好施等真正的精华，进行改革、提高、完善，使之既符合中华民族的文化心理，又适应现代化的精神文明，然后将其扩大范围而施之于社会，行之于国家；若此，岂不在建设中国特色的现代新文化的伟大事业中能发挥其更大的作用吗？再若将这种精神进而推广到全世界，岂不有利于保卫世界和平而造福于全人类吗？

以"孝"而论，其中主要是值得继承的精华。首先，子女对父母不仅负有赡养、任劳的义务，而且还须怀有敬意，这是孝的基本内容，也是对每个子女最起码的要求，今人也应尽力做到。其次，古人把坚持正义、廉洁奉公等优良品德视为孝的重要内容，这在理论上与当前强调精神文明建设的目的是完全一致的；而且，这一理论的发扬,还有利于从根本上杜绝目前社会上和官场上的某些不正之风,其有益于社会厥功甚大。其三,古人把平时对自己的身体"不敢毁伤"和必要时刻勇于"杀身成仁"两者都视为"孝"的重要内容,道理是非常深刻的,也值得我们深思和继承。其四,对于父母的过错应该"几谏",这一点非常重要。今人往往把"孝"误解为子女对父母的绝对服从而加以批判,这是不对的。孔子认为,父母有过错时,子女既不宜盲从不谏,也不宜用粗暴的方式进谏。因为盲从不谏必将助长父母的过错;而用粗暴的方式进谏又会使父母难以接受,甚至还可能影响与父母之间的关系。故最好的办法是应该选择适当的时机和运用委婉的语言,和颜悦色地进谏,才能使父母乐于接受,从而收到良好的进谏效果。这是一种很值得研究的进谏艺术。今天的子女,更应该学会这种进谏的艺术。上述"孝"的内容都是与社会主义的道德品质一致的,都有利于当前现代化的精神文明建设,我们必须很好地加以继承和弘扬。

至于对父母和祖先的怀念之情,我们应该遗弃其诸如丧礼、祭礼之类于死者无补的种种虚文,而致力于"善继其志,善述其事"等有益于世的所谓"达孝"的事业。孔子曾把武王、周公善继文王之志称为"达孝"。我们如果再把这种"达孝"扩而充之,那么也不妨把每个公民致力于振兴中华的现代化建设事业看作是善于继承中华民族的共同祖先——炎、黄二帝之志的最大的"达孝"。这样的"达孝",岂不有助于当前的爱国主义教育吗?

以"义"而论,正义之"义"必须大力发扬,自不必说;而对于情义之"义",则应该杜绝其有违于正义的消极因素而大力调动其合乎正义的积极因素。即如兄弟之间的情义,就可以进一步推广其意义。正如孔子的弟子子夏所谓:"四海之内皆兄弟也。"古人尚有如此开阔的襟怀,我们现代人又何妨再套用一句"环球之上皆兄弟也"呢？而且，现在不是有人经常在说"兄弟单位"、"兄弟国家"等词语吗？这正好说明兄弟之间的情义完全可以将其推广为单位与单位之间乃至国家与国家之间的更大的情义。这种"大义"，岂非有助于促进国际主义吗？

再进而论之，正如宋张载所谓"乾称父，坤称母"；"民吾同胞，物吾与也"。郑义门的郑钦也说过："民吾同胞，忧乐共之，可不尽心乎？"推此心以往，如果我们假设全人类有一个共同的祖先的话，我们也不妨把美化全球环境、保卫世界和平、促进科学发展等有益于全人类的事业，看作是对这个"人类共同祖先"的最大的"达孝"。于是，这种由"达孝"扩而充之的爱国主义乃至"爱球主义"，就与由"大义"推而广之的国际主义完全融合为一了。这样的"达孝"和"大义"，岂非有功于造福全人类吗？

当然，"孝"并不等于爱国主义，"义"也不等于国际主义。然而，"孝"和"义"确实可以看作爱国主义和国际主义的起点，这其间还有一个"扩而充之，推而广之"的非常艰巨而遥远的过程。但是，无论任何人，如果对父母不孝而希望其具有爱国之心，对兄弟无义而希望其具备国际主义，则不仅绝无其事，而且也决无此理！

伟大的思想家孔子曾经指出过一条由"小康"走向"大同"的社会发展道路。这一发展过程，实际上也可以视之为"孝义"精神从家庭逐步扩充推广到社会和整个国家乃至全人类的过程。完成这一过程的方法是"推己及人"，所要通过的途径则是孟子所说的"老吾老，以及人之老；幼吾幼，以及人之幼"。运用这种方法和遵循这一途径，经过长期正确而有效的宣传教化，引导全社会逐渐地潜移默化，使之人人都负有"民吾同胞，物吾与也"的襟怀，人人都具有"不独亲其亲，不独子其子"的情怀。然后全人类乃可以达到"老有所终，壮有所用，幼有所长，矜寡孤独废疾者皆有所养"；"货恶其弃于地也,不必藏于己;力恶其不出于身也,不必为己";"谋闭而不兴,盗窃乱贼而不作"的全人类都能"讲信修睦",而以"天下为公"的大同社会。

由是观之,儒家学说中的"孝义"精神确实是中华民族传统文化中含有巨大潜力并能发挥巨大积极作用的瑰宝。不仅全体炎黄子孙应该珍惜和弘扬这份宝贵的文化遗产,而且我们还应该发动全世界朋友都来重视这份宝贵的文化遗产,使之为造福全人类而作出贡献!

第五章　儒家的君民、君臣观

人伦从家庭扩大到政治上,就体现为上下级之间的关系。这种关系的典型性,突出地表现在"君臣"关系上;在君臣关系上,则为君之道又居于主导地位;而为君之道的本质,实以利民、安民为最终目标。因此,从儒家以民为本的思想出发,论述政治内容必须从"民"开始。

从政治上的人际关系而言,包括有:君民关系、君臣关系、官民关系,以及官僚阶层的上下级关系和同僚关系等,而协调这些关系的最终目的,则是以有利于民为宗旨。这些关系处得其宜,政治上就能达到国泰民安的和谐之境。

第一节　民本思想与民主意识

儒家学说在政治上体现为民本思想,而其中也蕴涵着丰富的民主观念,只不过没有创建成一套可供实施的民主制度而已。诚然,并非说儒家的民主观念已和现代民主思想的内容相同,但至少已具有民主思想的某些因素。而且,儒家其实也非常希望能通过当时的政治实践,尽可能地把这种民主精神表现出来,但由于专制时代的限制，无从获得发挥。我国近现代所提出的民主思想，与先秦儒家的民本思想和其中所蕴涵的民主意识有一定的渊源关系。民本与民主都立足于"以人为本"的价值观念，因而并非截然对立，而是可以互相接轨和融合的。民主是民本的升华，因而对儒家传统的民本思想以及其中所蕴涵的民主因素加以探讨，对于建设我国现代化的民主制度可以提供丰富的资源。

一、民惟邦本，本固邦宁

儒家民本思想的渊源产生得很早。在《尚书》中，已把"民"摆在最重要的位置，把"民"视为"天"所生养保护的对象，而"天"所代表的则是人民的意志。其《皋陶谟》曰："天聪明自我民聪明，天明畏自我民明畏。"《泰誓上》曰："天矜于民，民之所欲，天必从之。"而作为政治上最高权威的"王"，则是"天"所选择的能够秉承天的道德意志而"敬德"、"保民"的统治者。《洪范》曰："天子作民父母，以为天下王。"天所选择的王称为"天子"，因天子能够像父母般地爱护、保护人民，所以他才能成为王。如果王违背了天的道德意志，肆虐于人民，那么天"惟德是辅"，"改厥元子"，选择他人以讨伐暴君，代而为王。这实际上已初步体现了"天下为主，君为客"的民主观念。

《左传·桓公六年》载季梁曰："所谓道，忠于民而信于神也。""夫民，神之主也，是以圣王先成民而后致力于神。"在当时人的心目中，"神"是代表"天"的，"民"既然是"神之主"，毋宁也可理解为"民"乃天下之主。

《左传·文公十三年》载，邾文公卜迁于绎。史曰："利于民而不利于君。"邾子曰："苟利于民，孤之利也。天生民而树之君，以利之也。民既利矣，孤必与焉。"左右曰："命可长也，君何弗为？"邾子曰:"命在养民。死之短长,时也。民苟利矣,迁也,吉莫如之!"邾文公认识到自己作为国君,则本身之"命"的责任就是为了"养民",既然对民有利,则自己的"命"之长短就不值得计较了。这不仅充分体现了民本思想,而且也包含有一定的民主意识。

《左传·襄公十四年》载,晋侯闻卫侯为国人所逐,谓师旷曰:"卫人出其君,不亦甚乎?"师旷对曰:"或者其君实甚。"卫君无道而为国人所逐,晋侯认为国人做得太过分,而师旷却认为是其君太过分。从师旷接着的解说中可以看到:第一,明确地将君主划分为"良君"与"困民之主"两类。良君"赏善而刑淫,养民如子,盖之如天,容之如地",故"民奉其君,爱之如父母,仰之如日月,敬之如神明,畏之如雷霆"。而困民之主则"匮神乏祀,百姓绝望,社稷无主",所以被人驱逐是必然的。第二,"民"被抬高到政治的中心和出发点的地位。"天之爱民甚矣,岂其使一人肆于民上,以从其淫,而弃天地之性?必不然矣。"故"天生民而立之君,使司牧之,勿使失性"。所以君主对民负责就是对天负责。《左传·襄公九年》晋知武子谓献子云:"我之不德,民将弃我。"《左传·僖公十四年》也有"背施,幸灾,民所弃也"之语。故"亲民"、"恤民"、"安民"、"养民"、"惠民"、"以德和民"成为当时的普遍观念和原则。

如果说季梁、师旷辈还没有舍神言事的话,那么在更多的人那里则舍开神道而言人道了。如《左传·庄公三十二年》载史嚚曰:"国将兴,听于民;将亡,听于神。"这里明显地把"民"与"神"对立起来,而把"听于民"与"听于神"作为国之兴亡的分水岭。《左传·僖公十五年》载秦穆公曰:"吾怨其君而矜其民。"《左传·哀公元年》载逢滑曰:"臣闻国之兴也,视民如伤,是其福也;其亡也,以民为土芥,是其祸也。"又《穀梁传·桓公十四年》云:"民者,君之本也。"由是观之,得民者昌,失民者亡;爱民者昌,祸民者亡。这一思想在春秋时代颇为流行并为儒家所继承。

儒家创始人孔子，从以"人"为本出发而提出了"仁"的学说。《中庸》引孔子曰："仁者，人也。"就是这个意思。《论语·颜渊》载，樊迟问仁，子曰："爱人。"所谓"爱人"之"人"，当指人类所有的人而言。然而"民"是"人"的主体，故孔子之所谓"爱人"，也主要是指爱"民"而言。于是，乃形成了蕴涵有一定民主意识的儒家的民本思想。

在儒籍中，对了儒家"民本"思想表达得最为准确而完整的，莫过于古文《书·五子之歌》所提出的"民惟邦本，本固邦宁"的观点。这一观点同时表达了儒家民本思想的两方面的意义：所谓"民惟邦本"，就是说人民的利益是国家和社会的价值主体；所谓"本固邦宁"，就是说君主的权力只有得到人民的拥护才能巩固。就两方面意义的统一而言，前者是价值判断，后者则是一种事实判断。若从统治者的立场而言，他们从自身利益出发，所看重的乃是后一方面的意义。所以，历代儒者在开导君主照顾人民的利益时，为了使君主乐于听从，也往往更强调了后一方面。然而，若从儒家思想的立场而言，他们从以人为本出发，则"民惟邦本"显然是其仁学的价值本体；而"本固邦宁"，则既是实行仁政的效果，也是开导君主乐于施行仁政的立言宗旨。由于儒家的仁政必须通过统治者的采纳才得以实施，所以在哲学思想中所体现的价值本体的民主意识，每当作为政治理论向统治者进言时，不得不转化为民本思想进行表述。因此，作为政治理论中的立言宗旨的"民本"之与哲学思想中所体现的价值本体的"民主"，在儒家思想中其实并非对立，而是统一的。

二、倡导人格平等和人格独立

提倡人格平等和人格独立是现代民主思想的理论基础。然而在先秦儒家的民本思想中已含有许多关于倡导人格平等和人格独立的论述,很值得我们加以认真地探索。

首先,在人性论上,孔子提出了"性相近也,习相远也"的观点,认为无论贵贱尊卑,在天赋的人性上是接近的。尽管还有所谓"上智下愚"之说,也是就普遍的人立言,并无君智、民愚或富贵者智、贫贱者愚之意。孟子与荀子虽有性善与性恶之分,但他们都设定了人的本性是生而平等的,故孟子谓"人皆可以为尧舜",荀子谓"涂之人可以为禹",皆谓人人都能成为圣人。从道德理念上说,孔子认为"天地之性人为贵"(《孝经》),即人是天地间最有价值的;孟子认为"人人有贵于己者"(《孟子·告子上》),即每个人都有其自身固有的价值,孟子称之为"良贵";荀子认为"人有气有生有知亦且有义,故最为天下贵也"(《荀子·王制》)。这些论述都体现了人性平等之意。

其次,每个人的生存权利不容侵犯。孟子曰:"庖有肥肉,厩有肥马,民有饥色,野有饿莩,此率兽而食人也。兽相食,且人恶之;为民父母行政,不免于率兽而食人,恶在其为民父母也? 仲尼曰:'始作俑者,其无后乎!'为其象人而用之也。如之何其使斯民饥而死也?"(《孟子·梁惠王上》)孔子和孟子都认为用像人形的"俑"来殉葬尚且不可,"兽相食"也觉得可恶,可见他们对于生命的珍惜程度,而对于"率兽而食人"乃至人与人之间互相残杀的行为是多么深恶痛绝的了。故孟子提出了"不嗜杀人者能一之"(同上)的口号。并认为伯夷、伊尹和孔子"得百里之地而君之,皆能以朝诸侯,有天下;行一不义,杀一不辜,而得天下,皆不为也"(《孟子·公孙丑上》)。

又谓"杀一无罪,非仁也"(《孟子·尽心上》)。荀子亦谓"行一不义,杀一无辜,而得天下,仁者不为也"(《荀子·王霸》)。这就是说,"天下"是以人民为本,儒家要求统治者不可滥杀无辜、刑虐人民,即使"杀一无辜"而可以"得天下"也在所不为。这是对每一个人的生命价值的肯定。每个人的生存权利不容许任何人侵犯,即使是"朝诸侯,有天下"的天子也得遵守这一原则。

其三,在教育上,孔子主张"有教无类",不分贫富贵贱,只要有心向学,便一律给予教育,大开平民教育之风,打破教育为贵族垄断的局面。在孔门中,许多出身贫贱的子弟都成为德才兼备的人才。如颜渊身居陋巷,而成为孔门最优秀的学生;仲弓生于不肖之父,而以德行著名。可见儒门看待施教的对象是完全平等的。

其四,在政治上,儒家积极鼓励学而有成的人才从政,也鼓励已从政的人继续进修。在孔门中,许多出身贫贱的人通过孔子的培养而进入仕途,建立功业。即使到后世科举时代,"朝为田舍郎,暮登天子堂"的事例也不在少数。这显然是在儒家思想指导下所取得的成就。

其五,提倡法律面前人人平等,即使君与民也是完全平等的,必须一视同仁。《孟子·尽心上》载,桃应问曰:"舜为天子,皋陶为士,瞽瞍杀人,则如之何?"孟子曰:"执之而已矣!""然则舜不禁与?"曰:"夫舜恶得而禁之? 夫有所受之也!"这说明,即使贵为天子之父犯法,也必须与庶民同罪。虞舜虽贵为天子,但其父瞽瞍如果杀了人,舜也不能以他的权势地位和他对国家社会有巨大贡献的关系,去干预皋陶的公正执法;而皋陶也不能因为天子之父而给予宽容。孟子认为,虞舜若要救父之命,除非是放弃天子之位"窃负而逃"。诚然,从法律上说,这也是违法行为,但孟子主张法律上君民平等的观点则是昭然分明的。而且,孟子还声明,究治罪犯,必须是拥有执法权力的合法人员。他说:"今有杀人者,或问之曰:'人可杀与?'则将应之曰:'可。'彼如曰:'孰可以杀之?'则将应之曰:'为士师,则可以杀之。'"(《孟子·公孙丑下》)可见儒家标榜的是德化法治的政体。而德化法治的运作,是极力讲求合理公平的,不论何种身份地位的人,为人治事,都必须一律践德守法,在"德"、"法"面前人人平等。

儒家在倡导人格平等的基础上,又进而强调互相尊重独立的人格。《论语·子罕》记孔子曰:"三军可夺帅也,匹夫不可夺志也。"这说明任何人的独立人格都不容侵犯。《说苑·立节》载,"曾子衣弊衣以耕",却不受赐邑。《孔丛子·抗志》载,孔子之孙子思,认为"与其屈己以富贵,不若抗志以贫贱",因为"屈己则制于人,抗志则不愧于道"。所以他不诱于利,不惑于位,而能具备自主的意识,以刚毅的精神保持独立特行的人格,反映了子思道尊于势,德贵于位的君子风范。《孟子·公孙丑下》记孟子曰:"彼以其富,我以吾仁;彼以其爵,我以吾义。"仁与富相抗,义与爵相对,道德的尊贵并不次于权位。所以他善于养其"浩然之气"来体现他的"大丈夫"精神。他说:"居天下之广居,立天下之正位,行天下之大道;得志,与民由之;不得志,独行其道。富贵不能淫,贫贱不能移,威武不能屈,此之谓大丈夫。"(《孟子·滕文公下》)所以他强调"见大人则藐之,忽视其巍巍然"(《孟子·尽心下》)。与之同时的颜斶则当面向齐宣王表示:"士贵耳,王者不贵。"(《战国策·齐四》)荀子亦曰:"诸侯之骄我者,吾不为臣;大夫之骄我者,吾不复见。"(《荀子·大略》)诸侯公卿的骄横表现于待贤的无礼,所以"古之贤人,贱为布衣,贫为匹夫,食则饘粥,然而非礼不进,非义不受"(同上)。因而君子"志意修则骄富贵,道义重则轻王公,内省而外物轻矣"(《荀子·修身》)。由是观之,先秦时代的儒者精神可以归纳为:独立的人格,自由的意志,自主的意识,非凡的自信。这种独立的人格,在大一统形成、君权高度集中之后逐渐削弱淡化。秦汉以后的士人已由战国时代的君师臣友沦为弄臣家奴,失去了人格的平等和自尊,而自由、独立、自主意识的士人精神,亦嬗变为仰禄之士的恭顺之习,人格独立逐渐式微。

由此可见,先秦儒家主张人性平等,生存权利平等,教育权利平等,参政权利平等,法律权利平等,并进而强调互相尊重独立的人格,以使整个社会的结构能日益趋于公平合理地发展,这就为趋向民主政治铺下了理论上的基础,使民主政治的理想有了实现的起步。然而,秦汉以后由于大一统的专制主义皇权日益强化,儒家思想中的许多民主性的精华皆被歪曲殆尽,社会上不平等的现象层出不穷。这不能归过于儒家思想,而只能归过于统治者出于专制统治的目的而篡改了先儒的思想。

三、民贵君轻与立君为民

亚圣孟子在继承孔子民本思想的基础上明确提出了"民贵君轻"的进步思想。《孟子·尽心下》记孟子曰:

> 民为贵,社稷次之,君为轻。是故得乎丘民而为天子,得乎天子为诸侯,得乎诸侯为大夫。诸侯危社稷,则变置;牺牲既成,粢盛既絜,祭祀以时,然而旱干水溢,则变置社稷。

社,土神;稷,谷神。古时把"社稷"作为国家的象征,亦指一家一姓的政权,后世亦作为朝代的代称。这里,孟子对"民"、"社稷"和"君"三者的轻重关系作了明确的规定:"社稷"比"君"重要,而"民"比"社稷"更重要。当"君"不利于"社稷"时,应该更立贤"君";当"社稷"不利于"民"时,应该将其推翻而另建新的"社稷"。可见"君"和"社稷"都是为"民"服务的,所以是可以变更的客体;而"民"

则是永久不变的主体。这一思想，无疑已经突破了传统的民本思想，而与现代的民主思想基本上一致。

荀子在人性论上虽与孟子有分歧，但在"民"与"君"的关系上则与孟子基本相同。《荀子·大略》云："天之生民，非为君也；天之立君，以为民也。"其中明显地含有以"民"为主的思想。可见在君民关系上，孟子和荀子都认为"君"是应该为"民"服务的。"民"是被服务的主体，是永久不变的；而"君"若不利于"民"时是可以更换的，是客体。这显然已充分体现了"天下为主，君为客"的民主思想。"民贵君轻"和"立君为民"之论尽管在古代是一种无从付诸实施的空头理论，但为历史上汤、武"吊民伐罪"的功业和后世农民起义推翻暴君的运动创建了理论根据，厥功不可谓不伟。

汉儒董仲舒《春秋繁露·尧舜不擅移》亦云："天之生民，非为王也；而天立王，以为民也。故其德足以安乐民者，天予之；其恶足以贼害民者，天夺之。"然而在汉代大一统的专制制度日趋巩固的形势下，董子不得不一方面采用"屈民以伸君"的理论来适应当时的形势；而另一方面则采用"屈君以伸天"和所谓"天人相与之际甚可畏也"的理论来儆戒人君，节制君权。

宋元之际有邓牧的《伯牙琴·君道》云："天生民而立之君，非为君也；奈何以四海之广，足一夫之用邪？"明清之交的黄宗羲在《明夷待访录·原君》篇中重申了一个古老的、儒家一直坚持的命题："天下为主，君为客。"但他指出，秦以后的现实情况是："以君为主，天下为客，凡天下之无地而得安宁者，为君也！"这些观点显然是直接继承了先秦儒家中的民主意识并开启了近现代的民主风气。与黄宗羲同时代的顾炎武、王夫之、傅山、唐甄、吕留良等人也有与黄宗羲相同的思想倾向。顾炎武从黄宗羲的门人处得见《明夷待访录》后，"读之再三，于是知天下之未尝无人，百王之蔽可以复起,而三代之治可以徐还也"。

清季康有为的《大同书》发挥儒家经典《礼记·礼运》的思想,提出人类最终要进化到一个"无帝王"、"均产"、"至平、至公、至仁"的"大同"之世。《礼运》篇中"天下为公"的思想,在中国近现代受到了包括孙中山在内的许多政治家和思想家的高度重视。梁启超认为,当今的世界,民为政是世界历史的潮流:"地球既入文明之道,则蒸蒸相通,不得不变,不特中国民权之说当大行,即各地上蕃野猺亦当丕变,其不变者即渐火以至于尽,此又不易之理也。"(《饮冰室合集·与严幼陵先生书》)梁启超在《中国近三百年学术史》中称黄宗羲的《明夷待访录》为"人类文化之一高贵产品",并说这部书包含的"民主主义的精神",在戊戌变法时"实为刺激青年最有力之兴奋剂。我自己的政治运动,可以说是受这部书的影响最早而最深"。

孙中山在继承儒家思想的基础上,又吸收了西方文化的民主思想而提出了"三民主义"的主张。他在《五权宪法》中说:"我们革命之始,主张三民主义,三民主义就是民族、民权、民生。美国总统林肯他说的'The government of the people, by the people, for the people',兄弟将他这主张译作'民有、民治、民享'。他这民有、民治、民享主义,就是兄弟的民族、民权、民生主义。"[1]孙中山较为系统地创建了现代意义上的民主思想体系。

总之,儒家的政治思想基本上是民本思想,但其中也确实包含有一定的民主意识。从政体上说,民主与民本是对立的;而从价值观上说,民本与民主的趋向又有其一致性,民主是为了民本的真正实现,是把民本提升到一个新的历史高度。因此,民本与民主本来

---

[1]　《孙中山选集》,人民出版社 1981 年版,第 493—494 页。

就是可以沟通的,何况儒家思想本身所具有的民主意识更有利于促进达到这一新的境界。

四、君权的合法性取决于民心

儒家论及君权的授受问题,主张君权的合法性取决于民心。首先,儒家竭力推崇尧、舜的荐举、禅让制度,并进而作出其合法性取决于民心的解释。《孟子·万章上》载:

> 万章问:"尧以天下与舜,有诸?"孟子曰:"否,天子不能以天下与人。"

> "天子能荐人于天,不能使天与之天下。……昔者,尧荐舜于天,而天受之;暴之于民,而民受之。故曰,天不言,以行与事示之而已矣。"

> "使之主祭,而百神享之,是天受之;使之主事,而事治,百姓安之,是民受之也。天与之,人与之。故曰,天子不能以天下与人。舜相尧二十有八载,非人之所能为也,天也。尧崩,三年之丧毕,舜避尧之子于南河之南,天下诸侯朝觐者,不之尧之子而之舜;讼狱者,不之尧之子而之舜;讴歌者,不讴歌尧之子而讴歌舜,故曰,天也。夫然后之中国,践天子位焉。……太誓曰,'天视自我民视,天听自我民听',此之谓也。"

孟子认为,天子个人无权把天下让给某个人,天子只有推荐权,而实际上统治权的获得,是"天与之,人与之",即一个人成为君主,只有经过天同意,人民同意,才是合法的。所谓天同意,即"使之主祭,而百神享之,是天受之";所谓人民同意,即"使之主事,而事治,百姓安之,是民受之也"。从"天受"方面看,孟子继承了殷周以来的"君权神授"论;从"民受"方面看,又是民主思想的萌芽。但从孟子本人的思想倾向来看,是从神权论走向民主论。其所谓"天与之"是虚的,而实质在于"人与之"。他认为,天自己不能表达自己的意见,必须借助"行与事示之",即通过百姓的意向归属表现出来,"天视自我民视,天听自我民听",最终仍是以民意来决定君主权力正当与否。这段论述,表明了儒家要求君主荐举接班的贤才,加以培养,使接受治事考验,以便在国君逊位时,能得到人民的认同和推选。

实际上,就人君本身来说,儒家本也期望其自身应该具有尧、舜的禅让精神,能够主动实行尧、舜的荐举民选制度。这种主张,如果能由要求君主之有公天下之德而得到实现,进一步转为制订一套强制君主定时民选或适时让贤的文明合理的法制加以提倡,促使国君必须遵行,使之成为一种永恒的法治制度,则儒家这种民主政治理想,便不至于停留在理想上,而可以付诸实践了。而问题在于,儒家未能由理想发展出一种强制实行的法制,所以,儒家虽然怀有荐举、禅让的美好愿望,却无法在现实中彻底杜绝政权世袭现象的继续出现,因而也无法使这种进步理想在实践中得以实现。不过,其中所蕴涵的民主精神是值得肯定的。

其次,对于家天下的世袭制度,孟子也以托古的方式进行合乎民心的论述,以寄托其进步的理想。他在与万章讨论禹"不传于贤,而传于子"是否合法时提出自己的解释:禹原来是推荐益,而不是推荐自己的儿子启,但在禹死后,"朝觐讼狱者不之益而之启,曰,'吾君之子也';讴歌者不讴歌益而讴歌启,曰,'吾君之子也'。"(《孟子·万章上》)因此,启继禹践位,是人民选择的结果,这里也体现了"公选举"的思想萌芽。由此看来,民心所向才是君主权力的基础,所谓"得乎丘民为天子"。如果不是众望所归,不论是上任君主所荐举培养的,如伯益,或者是君主的后裔,如尧之子或舜之子,都不能成功地继位为君。所以,无论"传贤"或"传子",最终取决于民意之选择。诚然,实际情况未必全如孟子所述,但是孟子以托古的方式来发表自己的思想则是很明显的。孟子对君主权力来源的合法性的探讨,在儒家哲学思想史上有其重大的意义。这种极具民主精神的观点,才是真正属于先秦儒家的政治思想。

儒家虽然没有明确反对君位世袭制,但是实际上所不反对的,也只限于继位者仍是有才德,有为君的足够条件者而已。儒家认为,凡是国君,不论是否其为世袭,只要不能胜任君之职责,以致天下大乱,民不聊生者,便都应该更换,人民绝对有权撤销其君位而另立贤君。儒家尽情称颂汤、武"吊民伐罪"的革命之举,就表现了儒家主张君权的合法性取决于民心的民主思想。然而,由于儒家未能提出和平任免国君职位的合理制度以供运用,才使得历代虽有许多昏君暴君,但只要尚未深陷民生于绝境,就仍能保持其统治地位。儒家的民主思想也无法在现实社会中获得实现。当然,创建制度是需要凭借最高权位的,所谓"圣人在天子之位"才能实现,所以我们没有理由要求无权位的孔、孟来完成这一任务。他们作为思想家,能在二千余年前提出如此进步的思想已经很可贵了。

其三,面对现实中的君位世袭的制度,孟子提出了"行仁政而王"、"保民而王"和"得民心者得天下"的观点。其在《梁惠王上》曰:"保民而王,莫之能御也。"在《公孙丑上》曰:"行仁政而王,莫之能御也。"可见"行仁政"也就是"保民"。而如何"行仁政"呢?孟子认为,其基础乃是统治者怀持"不忍人之心"。他说:"人皆有不忍人之心。先王有不忍人之心,斯有不忍人之政矣。以不忍人之心,行不忍人之政,治天下可运之掌上。"(《孟子·公孙丑上》)而所谓"以不忍人之心,行不忍人之政",就是将推己及人之"恕"进而发展为平天下之大道。孟子从推行其仁政的目的出发,提出国君无论在对于台池鸟兽的享受上,或者在"好乐"、"好货"、"好色"等爱好上,都应该"与百姓同之"，才能有效地保持君民之间的和谐关系。故孟子又主张为政者必须以天下万民之忧乐为忧乐："乐民之乐者，民亦乐其乐；忧民之忧者，民亦忧其忧。乐以天下，忧以天下，然而不王者，未之有也。"只有人君能以万民之心为心，与天下同忧乐，好恶与民同之，才能获得天下的拥戴。

孟子又论述商汤的征伐目的乃是："非富有天下也，为匹夫匹妇复仇也"，故而"民之望之，若大旱之望雨也"。由于汤的征伐乃是"诛其君，吊其民，如时雨降，民人悦"，所以他才能"无敌于天下"（《孟子·滕文公下》）。孟子又谓："暴其民甚，则身弑国亡；不甚，则身危国削。"（《孟子·离娄上》）故又曰："桀、纣之失天下也，失其民也；失其民者，失其心也。得天下有道：得其民，斯得天下矣；得其民有道：得其心，斯得民矣；得其心有道：所欲与之聚之，所恶勿施尔也。"所谓"所欲与之聚之"，就是"己所欲，施于人"也；所谓"所恶勿施尔也"，就是"己所不欲，勿施于人"也。只有做到这样，才能使天下归心。孟子关于"保民而王"、"得民心者得天下"的论述，其中显然蕴涵着君权的合法性取决于民心的思想。

《荀子·王霸》亦曰："天下归之之谓王，天下去之之谓亡。汤、武者，修其道，行其义，兴天下同利，除天下同害，天下归之。故厚德音以先之，明礼义以道之，致忠信以爱之，赏贤使能以次之，爵服赏庆以申重之，时其事、轻其任以调齐之，潢然兼覆之，养长之，如保赤子。生民则致宽，使民则綦理。辩政令制度，所以接天下之人。百姓有非理者如豪末，则虽孤独鳏寡必不加焉。是故百姓贵之如帝，亲之如父母，为之出死断亡而不愉者，无他故焉，道德诚明，利泽诚厚也。"这与孟子"保民而王"的思想基本一致。所谓"天下归之之谓王，天下去之之谓亡"，显然也含有君权的合法性取决于民心之意。

正是从"民贵君轻"的理论出发,孟子还建议国君在进退官吏时应该尊重民意。《孟子·梁惠王下》记孟子曰:

> 国君进贤,……左右皆曰贤,未可也;诸大夫皆曰贤,未可也;国人皆曰贤,然后察之,见贤焉,然后用之。左右皆曰不可,勿听;诸大夫皆曰不可,勿听;国人皆曰不可,然后察之,见不可焉,然后去之。左右皆曰可杀,勿听;诸大夫皆曰可杀,勿听;国人皆曰可杀,然后察之,见可杀焉,然后杀之,故曰,国人杀之也。如此,然后可以为民父母。

孟子认为,统治者的一切决策,无论选拔贤能或诛杀有罪,都应取决于民意。统治者实行这样的决策,实即在执行正确的民意,这分明是一种雏形的民主政治。

儒家这种任用官吏只问有无贤德才能,而不问家世出身的富贵贫贱,而又主张必须尊重民意的倡议,显然已包含有民主选举的思想了,只不过还没有建构起如何选举的制度而已。

五、平等与尊卑统一的君民关系

关于君与民的关系,在独立人格上,儒家主张君民平等;在价值取向上,儒家强调民贵君轻;而在政治地位上,儒家承认君尊民卑。三者看似矛盾,而在儒家思想中却是统一在一起的。

在专制时代,政治地位上有尊卑之分,乃是客观存在的事实。其实,古代之所谓"尊卑",在语义上与"高低"或"上下"同义,系就客观位置的高下而言,并不含有道德或价值上的褒贬之意。古代在政治地位上的所谓"尊卑",也就是现代所说的上下级之意。即使在现代,政治上的下级服从上级也是正常之理,任何参与政治的人不得用维护独立人格为借口以违抗上级的命令,否则就无法执行政令。尤其是军界,绝对服从军令乃是军人的天职,否则就无法执行军令以进行战争。这是最起码的常识。政治上和军事上的下级必须服从上级，与民主思想中的人格平等，并非对立的而是辩证统一的。只要还有国家和战争存在，这一现象不容改变。儒学作为以天下为己任的入世思想，当然必须参与政治，也必须在理论上承认和适应政治地位上有尊卑之分的现实。所以，如果要求儒学应该在政治地位上追求平等，这是无知的苛求；如果指责儒家在政治地位上提倡尊卑是落后的专制主义，这是无理的曲解。

儒学的可贵之处，在于从政治的价值取向上提出了"民贵君轻"的理论；在独立人格上提出了君民平等的理论。

《孟子·万章下》记孟子曰："缪公亟见于子思，曰：'古千乘之国以友士，何如？'子思不悦，曰：'古之人有言曰，事之云乎，岂曰友之云乎？'子思之不悦也，岂不曰，'以位，则子，君也；我，臣也；何敢与君友也？以德，则子事我者也，奚可以与我友？'千乘之君求与之友而不可得也，而况可召与？"这里说得非常明白：以政治地位而言，缪公尊，子思卑，子思不敢与君友；若以德而言，则子思高于缪公，当为之师，岂屑与之友！在二者的矛盾之中，正显示出了人格上的平等来。《孟子·滕文公下》记孟子曰："古者不为臣不见。段干木逾垣而辟之，泄柳闭门而不纳，是皆已甚；迫，斯可以见矣。"孟子认为，作为与"君"尚未建立政治上的"君臣"关系的"民"来说，可以拒绝君的召见。不过他又认为，像段干木和泄柳那样"逾垣而避"和"闭门不纳"的做法也未免太过分了些；既然是国君亲自登门拜访，于理是应该接见的。即此可见，民是有独立人格的，而且与君在人格上是平等的，并非由君随意使唤的奴仆。只有到了进入政治生活，由"君民"关系转化为"君臣"关系时，才应该像孔子所说那样"君命召，不俟驾而行"。

其实，即使是"君臣"关系，也必须是君以礼相召，才能应命；若以非礼相召,也应加以拒绝。《左传·昭公二十年》载:"齐侯田于沛,招虞人以弓,不进,公使执之。辞曰:'昔我先君之田也,旃以招大夫,弓以召士,皮冠以招虞人。臣不见皮冠,故不敢进。'乃舍之。仲尼曰:'守道不如守官,君子韪之。'"注云"君招当往,道之常也;非物不进,官之制也。"这是说,君召当往虽是常道,但招非其物,仍可以坚守本岗位的原则。孟子对此评论道:"昔齐景公田,招虞人以旌,不至,将杀之。志士不忘在沟壑,勇士不忘丧其元。孔子奚取焉?取非其招不往也。"(《孟子·滕文公下》)

即此可见,儒家认为,如果是"君臣"关系,只要君是以礼相召,即当应命;假若只是"君民"关系,那就不管君是否以礼相召,应命与否都有自己的自由。而且,是否由"君民"关系转化为"君臣"关系,也并非听由君的安排。孟子曰:"古之贤王好善而忘势,古之贤士何独不然?乐其道而忘人之势。故王公不致敬尽礼,则不得亟见之。见且由不得亟,而况得而臣之乎?"这说明在儒家思想中,君与民在人格上是完全平等的。

正因为儒家在独立人格上主张君民平等,在价值取向上强调民贵君轻,在政治地位上承认君尊民卑,三者的辩证统一,才形成了儒家思想所特有的"君民"关系。

儒家的"君民"关系的观念很早就形成了。古文《书·大禹谟》曰:"可爱非君,可畏非民。众非元后何戴?后非众罔与守邦。"《汤诰》曰:"其尔万方有罪,在予一人;予一人有罪,无以尔万方。"这是说,民之有罪,实君所为;君之有罪,非民所致。君主应为民服务的思想表现得很明显。

孔子继承夏、商、周三代以来的传统而加以弘扬,他把君民关系比做父母与子女的关系。《说苑·政理》载孔子在回答鲁哀公问政时说:"薄赋敛则民富。"哀公说:"若是则寡人贫矣。"孔子说:

《诗》云：'恺悌君子，民之父母'，未见其子富，而父母贫者也。"《礼记·缁衣》载，孔子又曾把君民关系喻为心与体的关系："民以君为心，君以民为体。心庄则体舒，心肃则容敬。心好之，身必安之；君好之，民必欲之。心以体全，亦以体伤；君以民存，亦以民亡。"《孔子家语·王言解》亦记孔子曰："上之亲下也，如手足之于腹心；下之亲上也，如幼子之于慈母矣。上下相亲如此，故令则从，施则行，民怀其德，近者悦服，远者来附，政之致也。"

《孟子·梁惠王上》记孟子曰："义王以民力为台为沼，而民欢乐之，谓其台曰灵台，谓其沼曰灵沼，乐其有麋鹿鱼鳖。古之人与民偕乐，故能乐也。《汤誓》曰：'时日害丧？予及女偕亡。'民欲与之偕亡，虽有台池鸟兽，岂能独乐哉？"这是以周文王与商纣王正反两个例子来说明两种不同的君民关系所导致的不同后果。孟子也经常像孔子那样把君民关系比作父母与子女的关系："为民父母行政，不免于率兽而食人，恶在其为民父母也？"（《孟子·梁惠王上》）

荀子也曾把君民关系喻为父母与子女的关系："上之于下，如保赤子"，"故下之亲上欢如父母，可杀而不可使不顺。"（《荀子·王霸》）荀子还分别在《王制》和《哀公》篇中两次引用孔子把君民关系比作舟与水的关系："且丘闻之：君者，舟也；庶人者，水也。水则载舟，水则覆舟。"荀子以此来论证自己的观点，并进一步发挥说："故有社稷者而不能爱民，不能利民，而求民之亲爱己，不可得也。民之不亲不爱而求其为己用、为己死，不可得也。……故人主欲强国安乐，则莫若反之民。"（《荀子·君道》）所以他判断道："爱民者强，不爱民者弱。"（《荀子·议兵》）

这里，孔、孟、荀所论君民关系的观点基本相同。但是，在所以要爱民的动机上说，荀子较之孔、孟加重了欲使民"为己用、为己死"的成分。而这也正好道出了后世一些开明君主之所以能比较

"爱民"的真正底蕴。

综上所论,儒家民本思想的基本精神,在于对人民权利的尊重和对统治阶级权利的限制,因而在建设现代化民主体制方面必将显示其积极进步的作用。

第二节　为君之道

"君道"是儒家政治思想的中心内容。孟子曰:"君仁,莫不仁;君义,莫不义;君正,莫不正。一正君而国定矣。"(《孟子·离娄上》)所以历代儒家论政,都要抓住"君道"这个纲,纲举则目张,只要为君者合乎道,政治自然清明,从而国治而天下平。

一、君道的起源与确立

何为君?《谥法》曰:"从人成群曰君。"《韩诗外传》曰:"君者何也? 曰:群也。为天下万物而除其害者谓之君。"《荀子·君道》曰:"君者何也? 曰:能群也。能群也者,何也? 曰:善生养人者也,善班治人者也,善显设人者也,善藩饰人者也。善生养人者人亲之,善班治人者人安之,善显设人者人乐之,善藩饰人者人荣之。四统者俱而天下归之,夫是之谓能群。"《春秋繁露·灭国》曰:"君者,不失其群者也。君者,群也。"《汉书·刑法志》曰:"从之成群,斯为君矣。"根据以上典籍的解释,儒家之所谓"君",就是能够团结和领导群众,给群众谋取福利的人。如果达不到这一标准,就够不上"君"的资格。所以,儒家之所谓"君道",就是在这一前提下展开的。

在儒家经典中,对"君"的起源并无系统的论述。古代传说有所谓盘古氏首出御世,然后三皇、五帝相继之说。而《史记·五帝本纪》曰:"学者多称五帝,尚矣!然《尚书》独载尧以来。而百家言黄帝,其文不雅驯,荐绅先生难言之。孔子所传宰予问《五帝德》及《帝系姓》,儒者或不传。"既然"百家言黄帝"已是"其文不雅驯",则所传早于黄帝者自然更不足信。而《五帝德》、《帝系姓》二篇,虽称孔子传于宰我,而儒者多疑非圣人之言,故太史公亦所不取。惟认为儒家最早的经典"《尚书》独载尧以来",方可据以为信。其实,《尚书》所载《尧典》诸篇,亦非当时实录,而是后人所追记,故亦难免掺入后人的观点。不过,《尚书》可以作为儒家学说的渊源,则是无可疑义的。

《尚书·泰誓上》记周武王伐纣时誓师之辞曰:"惟天地万物父母,惟人万物之灵。亶聪明作元后,元后作民父母。"又曰:"天佑下民,作之君,作之师,惟其克相上帝,宠绥四方。"这是说,作为万物之灵的人,也与万物一样同为天地所生,由于上天关爱下民,所以挑选其中最诚实聪明的人立为"元后",也就是"君"或"王",使之协助上天治理百姓,安定天下。周武王自认为这就是天之所以要立君的本意。《泰誓》虽出于伪古文《尚书》,但为孟子所引,当为《尚书》逸文无疑。而且也足以说明这一立"君"的观点为孟子所认可。既然有了"君"或"王",于是"君道"或"王道"亦随之而产生了。

从殷代的卜辞看,殷人虽认为上帝是人间和大自然的真正主宰,但并不认为吉凶祸福具有道德上的意义,因而殷人没有形成上天谴告的意识。周人取殷而工天下,殷人的一些观念虽为周人接受,但殷、周在意识形态上的重大差别却是很明显的。周人之"天"虽继殷人之"上帝"而来,但"天道"观念却是周人的发明,"天道无亲,常与善人","天"已成为遵循至善之道的尊神。王国维《殷周制度论》谓"周人制度大异于殷者,在于纳上下于道德,而合天子、诸侯、卿大夫、士以成一道德之团体",实为确论。

周初周公、召公等伟大政治家以殷朝灭亡的历史教训为基点，对君权进行了反思，君主观念才成为系统化。首先，强调君主权力来自天命，周王自称"天子"。这样，君主的权力有了一个得以成立的根源。《大盂鼎》铭文云："丕显文王，受天有大命，……故天监翼子，法待先王。"正是这种观念的鲜明体现。其次，周人认为，天命归周，但可能因失德而为天所弃，因而君主必须"聿修厥德"，以保天命之不坠，所以"敬德保民"成为西周君道论的核心。综观《尚书》可以发现"敬德"与"保民"紧密相关，如《康诰》中讲"用保乂民"、"用康保民"。而"明德慎罚"成为"保民"说的重要内容。由此可知，西周"以德配天"，建构了天道、伦理、政治三位一体的统治学说。这种学说强调君主行为的得失与天命存亡的密切关系。"天"根据人王之德决定天命之予夺，天命丧失，并非天之不仁，而在君主之失德。君主可以通过修德来匡正自己的行为。因而要求君主有道，行为必须遵循一定的法则。这种法则实际上依靠人类自身来确定行为规范。行为的善恶成为判断吉凶的重要标准，因而更具有伦理的意义。由此可见，西周的君道论强调"天"的至善特性，以及它对君权的制约功能。"敬德保民"是君道论的根本法则。

春秋时代，西周建构的以"天"为中心、以周王为共主、以亲亲为纽带、以敬德保民为实际内容的社会秩序已经动摇，与之相应的一整套文化秩序也正在失落。于是，儒家举着恢复西周文化传统的旗号，在继承西周的思想遗产的同时，也实现了对传统的突破与超越。

其一，君主行为的独立价值更受重视，有脱离"天"而言治乱的趋势。《左传·庄公八年》载鲍叔牙曰："君使民慢，乱将作矣。"君主行为成为导致祸乱的直接原因。《国语·周语下》载单穆公曰："上失其民，作则不济，求则不获，其何以能乐？"执政者自身行为决定了政治的进程。

其二，"天道"观念的发展，形成了一种新的政治学意义上的"天道"理论。它被作为人类社会规范，特别是君主行为规范的最后和至善的根据。《国语·越语下》载范蠡曰："天道盈而不溢，盛而不骄，劳而不矜其功。"《左传》有"天法"、"天常"、"天地之性"、"天之经"、"天之制"等等用语。可知春秋时代，"天道"更加抽象化、原则化，并已失去了神秘的色彩，而是人道的折射，是对现实政治的合理性的追求。

其三，建构了一套更为系统的社会政治原则。人道法天，春秋以来已成为共识。人们理想的君主必须"法天"，必须"以礼承天之休"(《左传·襄公二十八年》)，担负一定的道德义务，以维持社会的稳定和谐。这里的"天"作为君权的形而上之根源，其哲学意味已很浓厚。"利民"成为君主的义务，已是较普遍的认识。"社稷无常奉，君臣无常位"(《左传·昭公三十二年》)，这是历史的规律，也是天道之必然。"天道"与"人道"在更高的基础上合一。

孔子继承并发展了君道法天的思想，作了更为明确的论述。《论语·泰伯》记孔子曰："大哉尧之为君也！巍巍乎！唯天为大，唯尧则之。荡荡乎，民无能名焉。巍巍乎其有成功也，焕乎其有文章！"帝尧之所以能获得如此大的成功，就是效法天道的结果。在《卫灵公》篇又曰："无为而治者其舜也与？夫何为哉？恭己正南面而已矣。"正因为舜之为君，既善于法天，又善于任人，故能达到"无为而治"的效果。孔子更多的则是从人道上论君道，他把"修己以安百姓"和"博施于民而能济众"作为君道的最高要求，而这里的立足点显然都是"民"或"百姓"。基于此，孔子赞叹道："巍巍乎，舜、禹之有天下也，而不与焉！"(《论语·泰伯》)这是说，舜和禹虽然贵为天子，富有四海，却毕生竭尽心力地为百姓而勤劳，一点也不为自己。所以，他对禹的"卑宫室而尽力乎沟洫"的精神，作了由衷的赞颂。这样，孔子以论述尧、舜、禹的为君之道的托古方式，建立了儒家的君道观。孟子即引用孔子的话来进一步论证尧舜的治天下之道（《孟子·滕文公上》）。荀子也继承了这一思想传统。

为了加强现实政治原则的神圣性，春秋以来又形成了一套"先王论"。先王是观念化、理想化的圣王，是"王道"的化身。在他们身上，"天道"与"君道"达到了完美的合一。"先王"范围的不确定性与事功的模糊性，决定了作为一种观念干预政治生活的广泛性。一则先王生活于遥远的过去，指称模糊而非具体的某位君；二则"先王"是垂法创制的圣人或奠基立业者，现实生活中的一切制度设施、政治原则、伦理规范都是先王所创，《左传》中有"先王之命"（僖公二十六年）、"先王之制"（襄公九年、隐公元年）、"先王之乐"（昭公元年）、"先王之礼"（成公二年）等等；三则"先王"的制度行事，都符合道德理性原则，因而先王的时代是一个理想化的时代。其实，"先王论"作为批评的武器，仅仅反映了人们对理想君主的追求。

儒家学派继承了这种先王理论。孔子"祖述尧舜，宪章文武"，言必称先王。孟子更盛赞"古之贤王，好善而忘势"（《孟子·万章下》）。认为"五霸者，三王之罪人也"（《孟子·尽心上》）。理想的君主应该像先王那样崇德尚贤，爱民省刑，重义轻利。荀子力主"法后王"。他批评孟子"略法先王而不知其统"（《荀子·非十二子》），"略法先王而足乱世，术谬学杂，而不知法后王而一制度"（《荀子·儒效》）。但是，荀子谈论"先王之道"与"先王之制"并不异于孟子。《荀子·荣辱》云："先王案为之制礼义以分之。"《君道》云："古者先王审礼以方皇周浃于天下。"他也提到"法先王"，如《儒效》云："儒者法先王，隆礼义。"实际上，百王之道一以贯之，无论"法先王"还是"法后王"，皆法其"道"。故其《性恶》云："善言古者必有节于今"。说"古"的目的在于为"今"提供一套理想君主政治的参照系。故在《王制》中从"王者之人"、"王者之制"、"王者之论"、"王者之法"四个方面规划了理想君主人格及其制度的模型,对儒家君道论进行了全面的总结与发展,对后世有深远的影响。

二、君的职责

从民本思想出发,儒家创建了一整套"内圣外王"的政治学说。早在《尚书》中就塑造了几位能够天生地或自觉地与天和民的意志保持一致的"圣王"形象,这就是尧、舜、禹、汤、文、武、周公等。所谓"圣王",就是集道德与权力于一身的人物,后来的儒家称此为"内圣外王",这是儒家所理想的君主。征诸古代圣王贤臣的事业,莫不以解除天下之忧患为己任。诸如:"禹思天下有溺者,犹己溺之也;稷思天下有饥者,犹己饥之也。是以如是其急也。"(《孟子·离娄下》)以及汤、武之弔民伐罪,周公之制礼作乐等等,莫不怀着与天下同忧患的伟大精神以造福天下人民,为中华民族的发展立下了丰功伟绩。

儒家弘扬唐虞三代的圣王思想,从以"人"为本出发,认为作为一国之君,不应把权势和享受当作目的,而是应该把治理国家,使万民安居乐业作为自己首要的职责。而"治国"的本质,归根到底应归结于"安民"。对于治国安民,孔子提出了具体的步骤。据《论语·子路》所载:

> 子适卫,冉有仆。子曰:"庶矣哉!"冉有曰:"既庶矣,又何加焉?"曰:"富之。"曰:"既富矣,又何加焉?"曰:"教之。"

这里,孔子从"以人为本"的原则出发,认为治国的方略可分为三个步骤:第一步是"庶之",第二步是"富之",第三步是"教之"。此外,儒家认为人君还有为民除害和协调人际关系等责任。所以鄙意窃谓,从古代人口稀少的实际情况出发,儒家学说中的"君"的职责大致可以概括为三个层次:第一层次是发展人口并提高人口的素质,有了一定数量的优质人口,才有国的基础和施治的对象,这也是最根本的问题;第二层次是兴利除害,发展经济,要在物质生活方面使广大的人民富起来,这才具备了施治的经济基础;第三层次是实行道德教化,协调各阶层、各行业之间的关系,从而在和谐的环境中进行精神文明建设,以期发展。这样,才能达到治国安民的目的。兹试予依次简述之。

第一,发展人口并提高人口的素质。

从经济学的角度上说,土地和人口要有适当的比例,才有利于经济的发展;人口无论过少或过多,都不利于经济的发展。在古代人口严重不足的情况下提倡发展人口与现代人多为患的情况下提倡控制人口,表面现象虽然相反,而其实质都在于追求人口的适当比例以利于经济的发展。据史籍所载,在西周时,人口还很稀少,春秋时期还不到二千万,战国时,秦、楚、齐、燕、赵、魏、韩七国人口的总数约达二千万左右。当时各诸侯国都面临着人口不足的问题,因为只有有了充足的人口,平时才不会缺少劳动力,生产才能正常进行与发展;战时才不会缺少兵员,国家才能得到保卫。因而发展人口乃成为时君所追求的重要目标。例如梁惠王想用"移民移粟"的政策来增加人口,但仍然因为"邻国之民不加少,寡人之民不加多"而感到忧虑(《孟子·梁惠王上》)。可见古时人口严重过少,所以儒家认为,君主应把发展人口作为治国的首要任务。故孔子看到卫国那么多的人口,就大加赞叹。

关于如何发展人口,儒家主张应从两方面着手。一方面,主张男女及时婚娶,创造合理的生育条件,从根本上解决人口问题。《孔子家语·本命解》载,鲁哀公问于孔子曰:"男子十六通精,女子十四而化,是则可以生人矣。而礼,男子三十而有室,女子二十而有夫也,岂不晚哉?"孔子曰:"夫礼言其极不是过也。男子二十而冠,有为人父之端;女子十五而嫁,有适人之道。于此而往,则自婚矣。群生闭藏乎阴,而为化育之始,故圣人因时以合偶男女。"孔子主张男女应在不提倡早婚的前提下及时婚娶,以利于生育,发展人口。孟子称颂周太王时"内无怨女,外无旷夫"(《孟子·梁惠王下》)。而《毛诗序》亦云:"摽有梅,男女及时也。"所谓"内无怨女,外无旷夫"和"男女及时",其中当然都包含有可使及时生育以有利于发展人口的考虑。

　　另一方面,则主张施行仁政以招徕邻国的人口。《论语·季氏》记孔子曰:"故远人不服,则修文德以来之。既来之,则安之。"《子路》记孔子曰:"近者悦,远者来。"《孟子·公孙丑上》记孟子曰:"尊贤使能,俊杰在位,则天下之士皆悦而愿立于其朝矣;市,廛而不征,法而不廛,则天下之商皆悦而愿藏于其市矣;关,讥而不征,则天下之旅皆悦而愿出于其路矣;耕者,助而不税,则天下之农皆悦而愿耕于其野矣;廛,无夫里之布,则天下之民皆悦而愿为之氓矣。信能行此五者,则邻国之民仰之若父母矣。"故《梁惠王上》记孟子谓梁惠王曰:"王无罪岁,斯天下之民至焉。"

　　儒家虽然没有明确提出"提高人口素质"的口号,但这种意识则是早就存在的。《左传·僖公二十三年》云:"男女同姓,其生不蕃。"《国语·晋语》亦云:"同姓不婚,惧不殖也。"说明古代之所以同姓不婚,主要是从优生上考虑的。孔子还首先提出了"母党不婚"以禁止表兄弟与表姊妹之间通婚的主张。《公羊义疏》云:"律禁舅之子、姑之子相为婚姻,实《春秋》之义也。"这一主张后世虽徒具法律虚文而未能有效地执行,但孔子从优生出发而主张"母党不婚"的历史意义却不容埋没。而在他的"富之"和"教之"的内容中,实际上更包含了提高人口素质的进步思想。

第二，兴利除害，发展经济，使人民富裕起来。

远古时代，人类的危害众多，故为民除害乃成为人君的重要责任。尧时洪水为患，故《书·尧典》载帝尧曰："咨四岳，汤汤洪水方割，荡荡怀山襄陵，浩浩滔天，下民其咨，有能俾乂?"尧咨询四岳推荐治水之人，四岳荐鲧，"九载绩用弗成"。及舜使禹治之，才得以成功。舜时"四凶"为患，故《舜典》载舜"流共工于幽洲，放驩兜于崇山，窜三苗于三危，殛鲧于羽山，四罪而天下咸服"。孟子极力推崇尧、舜、禹为民兴利除害的为君之道："当尧之时，天下犹未平，洪水横流，泛滥于天下，草木畅茂，禽兽繁殖，五谷不登，禽兽偪人，兽蹄鸟迹之道交于中国。尧独忧之，举舜而敷治焉。舜使益掌火，益烈山泽而焚之，禽兽逃匿。禹疏九河，瀹济漯而注诸海，决汝汉、排淮泗而注之江，然后中国可得而食也。当是时也，禹八年于外，三过其门而不入。"（《孟子·滕文公上》）这里尽情地描绘了尧、舜、禹等古代帝王在太古洪荒世界里领导人民为战胜自然灾害而艰苦奋斗的生动景象。

在为民除害的同时，人君更应为民兴利以发展经济。对此，儒家认为在于为政者施行与现实相适应的经济措施，在积极方面主张开源兴利，在消极方面强调崇俭节用。

在开源兴利方面，儒家经典有很多具体的论述。《书·大禹谟》载禹曰："德惟善政，政在养民。水、火、金、木、土、谷，惟修；正德、利用、厚生，惟和。"这是说，人君应以为人民谋福利为首务，利用种种资源及自然能力以发展经济，使国家成为幸福之邦。《尚书》还记载了自尧、舜、禹、汤乃至文、武、周公的许多兴利除害、发展经济的事迹和政策，多不胜述。《易·颐象》曰："天地养万物，圣人养贤以及万民。"《易·系辞》明确指出："富有之谓大业！"这是说,能够使天下富有,就是圣人所推明的易理。故又曰:"变而通之以尽利","推而行之谓之通,举而措之天下之民谓之事业。"这是说,能够把发展经济、开发利益的易理推广到全民而使之实行,这就是"事业"。而且,《易·系辞》列举了不少兴利的具体事例。如在交通方面:"舟楫之利以济不通,致远以利天下","服牛乘马,引重致远以利天下";在工业制造方面,则"备物致用,立成器以为天下利";在狩猎方面,则"公用射隼于高墉之上,获之,无不利";在市场交流方面,则"日中为市,致天下之民,聚天下之货,交易而退,各得其所"。《易传》的这一描述,即使用来概括现代的市场交易,似乎也未为不妥。《诗经》虽是文学作品,但其中也有不少描写农业生产、发展经济、建设福利以及歌咏丰收等方面的作品,如《豳风》的《七月》,《大雅》的《绵》、《皇矣》、《生民》、《公刘》,《周颂》的《载芟》、《良耜》等都是这方面的诗篇。三《礼》虽是专言"礼"的典籍,但其中也记载了许多有利于发展经济的政策制度以及措施方法。例如《礼记·月令》就是一篇便于农业生产掌握时令季节的文献。

孔子进而从理论的高度提出了"因民之所利而利之"(《论语·尧曰》)的方针。认为执政者的职责主要在于能推行有利于发展经济的政策而加以引导,人民就可以发挥其有利的条件去发展经济了。这是一项极其高明的见解。这说明经济措施必须适应生产规律,例如对于发展农业生产而言,就是应该"使民以时"(《论语·学而》)。这是孔子针对当时统治者频繁地劳民动众,以致严重地妨碍了农业生产的现实而发的。孔子又在回答鲁哀公问政时说:"政有使民富且寿。"(《说苑·政理》)这是说,国君为政应把提高人民的物质生活和健康水平作为主要的任务。故《大学》明确提出了生财和用财之道:"生财有大道,生之者众,食之者寡,为之者疾,用之者舒,则财恒足矣。"这确实是善于生财和用财之道,寥寥数语,竟把财经政策的基本原则说得如此切当中肯。孟子更进一步提出了一整套发展经济的政策方案。《孟子·梁惠王上》记孟子曰:"不违农时,谷不可胜食也;数罟不入洿池,鱼鳖不可胜食也;斧斤以时入山林,材木不可胜用也。""五亩之宅,树之以桑,五十者可以衣帛矣;鸡豚狗彘之畜,无失其时,七十者可以食肉矣;百亩之田,勿夺其时,数口之家可以无饥矣。"只要不违背各种行业的生产规律,农民自然就会家给人足了。《孟子·滕文公上》载,滕文公问为国,孟子曰:"民事不可缓也。"并提出"夫仁政,必自经界始","明君制民之产,必使仰足以事父母,俯足以畜妻子,乐岁终身饱,凶年免于死亡;然后驱而之善,故民之从之也轻"等观点。并制定了一整套发展经济的具体方案,以作为推行仁政的基础。《孟子·尽心上》记孟子曰:"易其田畴,薄其税敛,民可使富也。食之以时,用之以礼,财不可胜用也。……圣人治天下,使有菽粟如水火。菽粟如水火,而民焉有不仁者乎!"

在崇俭节用方面,儒家经典也多有论述。《易·节象》曰:"当位以节,中正以通。天地节而四时成;节以制度,不伤财,不害民。"孔子劝告统治者应该"节用而爱人"、"敛从其薄"。因为孔子看到,当时的统治者为了过奢侈的生活而横征暴敛,乃是人民之所以不富的重要原因。只有统治者能节约开支,减轻对人民的剥削,才能真正保证人民富起来。孔子的高足有若深得孔子的为政之道。《论语·颜渊》载,鲁哀公问于有若曰:"年饥,用不足,如之何?"有若对曰:"盍彻乎!"哀公曰:"二,吾犹不足,如之何其彻也?"对曰:"百姓足,君孰与不足?百姓不足,君孰与足?"当时,鲁国实行十分取二的税率,哀公犹虑国用不足,故而问计于有若。有若却劝他恢复周制十分取一的彻法。从表面上看,有若所答与哀公所问是背道而驰的;而从实质上说,有若主张"节用而爱人"的惠民政策,要使百姓先富起来,然后国家才能富足。这是从根本上解决国用不足之策,深合孔子的为政之道。孟子也强调"贤君必恭俭礼下,取于民有制"(《孟子·滕文公上》)。荀子亦曰:"足国之道,节用裕民,而善臧其余。节用以礼,裕民以政。彼裕民故多余,裕民则民富,民富则田肥以易,田肥以易则出实百倍。上以法取焉,而下以礼节用之。"(《荀子·富国》)宋儒杨时亦云:"盖侈用则伤财,伤财必至害民,故爱民必先于节用。"(朱子《论语集注·学而》引)

儒家认为,作为一国之君,既应该开源兴利,又应该崇俭节用,这样才能保证经济的正常发展。而其最终目的,则在于"富民",提高广大人民的物质生活。

第三,实行道德教化,协调各阶层、各行业之间的关系,进行精神文明建设。

儒家认为,在发展经济的基础上,还必须进一步实行道德教化。《书·舜典》载,帝舜诏谕其大臣契曰:"契!百姓不亲,五品不逊。汝作司徒,敬敷五教,在宽。"所谓"五教",据蔡沈的解释,就是"父子有亲,君臣有义,夫妇有别,长幼有序,朋友有信:以五者当然之理而为教令也"。可见"五教"就是以"五伦"为教之意。这就是说,帝舜鉴于百姓尚未亲睦,五伦尚未理顺,故诏谕作为司徒掌教之官的契,必须敬以"五伦"施教,而宽裕以待之,使百姓得以和谐亲睦。《易传·临象》曰:"泽上有地,临,君子以教思无穷,容保民无疆。"这是说,人君观《临》卦之象,悟知临民之时,应当花费无穷之思虑教导百姓,并以无疆之德容民保民。孔子尤其重视对人民必须推行道德教化,明确提出了在"富之"之后还必须继以"教之"的观点。他主张"道之以德,齐之以礼";"举善而教不能"(《论语·为政》)。《论语·子路》记孔子曰:"善人教民七年,亦可以即戎矣。"又曰:"以不教民战,是谓弃之。"郭店楚简《唐虞之道》曰:"夫圣人上事天，教民有尊也；下事地，教民有亲也；时事山川，教民有敬也；亲事祖庙，教民孝也；大教（学）之中，天子亲齿，教民弟也。"孟子也很重视教化作用。《孟子·梁惠王上》记孟子谓梁惠王曰："谨庠序之教，申之以孝悌之义，颁白者不负戴于道路矣。"《孟子·滕文公上》记孟子谓滕文公曰："设为庠序学校以教之。……皆所以明人伦也。人伦明于上，小民亲于下。有王者起，必来取法，是为王者师也。"

在实行道德教化的同时，儒家也很重视知识教育。孔子主张"行有余力，则以学文"，"博学于文"，并以"文、行、忠、信"四者作为施教的内容。《大学》把"格物"、"致知"列为"八条目"之首务。《中庸》主张"尊德性而道问学"，并强调"博学之，审问之，慎思之，明辨之，笃行之"，而前四者都是"道问学"以探求知识的方法。孟子则把"得天下英才而教育之"视为君子之一乐。荀子在其《劝学》篇中特别强调了为学之重要。

除了实行教化而外，人君还须发挥其合群的作用，以协调各阶层、各行业之间的关系。《礼记·礼运》曰："故圣人耐以天下为一家，以中国为一人者，非意之也，必知其情，辟于其义，明于其利，达于其患，然后能为之。何谓人情？喜、怒、哀、惧、爱、恶、欲，七者弗学而能。何谓人义？父慈，子孝，兄良，弟弟，夫义，妇听，长惠，幼顺，君仁，臣忠，十者谓之人义。讲信修睦，谓之人利；争夺相杀，谓之人患。故圣人之所以治人七情，修十义，讲信修睦，尚辞让，去争夺，舍礼何以治之？"这是说，人君应把天下当作自己的家，把天下之人看作自己一样，并能了解人情，洞晓义理，明白利害之所在，从而以礼来协调各种关系，使天下达到和谐之境。《礼记·经解》曰："天子者，与天地参。故德配天地，兼利万物；与日月并明，明照四海而不遗微小。其在朝廷则道仁圣礼义之序，燕处则听雅颂之音；……居处有礼，进退有度；百官得其宜，万事得其序。……发号出令而民悦，谓之和；上下相亲，谓之仁；民不求其所欲而得之，谓之信；除去天地之害，谓之义。义与信，和与仁，霸王之器也。"对此，荀子更作了较为系统的论述。《荀子·富国》有云："人之生，不能无群；群而无分则争，争则乱，乱则穷矣。故无分者，人之大害也；有分者，天下之本利也；而人君者，所以管分之枢要也。……固以为王天下，治万变，材万物，养万民，兼制天下者，为莫若仁人之善也夫！""百姓之力，待之而后功；百姓之群，待之而后和；百姓之财，待之而后聚；百姓之势，待之而后安；百姓之寿，待之而后长。父子不得不亲，兄弟不得不顺，男女不得不欢。少者以长，老者以养。故曰：'天地生之，圣人成之。'此之谓也。"君主的作用就是制礼作乐，使社会君臣、父子、夫妇、兄弟有序，士、农、工、商有别。在此前提下，行王者之政。这系统地阐明了人君在协调各种关系以促进社会正常发展过程中所起的主导作用。

由是观之，人君在政治上确实具有核心的地位。《孟子·尽心上》记孟子曰："霸者之民，驩虞如也；王者之民，皞皞如也。杀之而不怨，利之而不庸，民日迁善而不知为之者。夫君子所过者化，所存者神，上下与天地同流，岂曰小补之哉！"明儒吕坤《呻吟语·治道》有云："夫为君之道无他，因天地自然之利而为民开导撙节之，因人生固有之性而为民倡率裁制之，足其同欲，去其同恶，凡以安定之使无失所，而后天立君之意终矣，岂其使一人肆于民上而剥天下以自奉哉！"清儒梁启超《饮冰室合集·论君政民政相嬗之理》云："若夫吾中土奉一君之制，而使二千年来杀机寡于西国者，则小康之功德无算也。"人君的责任如此重大，故儒家特别重视为君之道。

三、君主施政的指导思想

儒家希望建立以"人"为中心的社会政治秩序,故要求君主应该以"仁"为宗旨,提高内心自觉。故在君主治国的指导思想方面,孔子主张在以"仁"为指导思想的基础上,提出了以"德"为内在主导,以"礼"为外在形式,并辅之以"法"的施政思想。孟子和荀子则由于人性论观点的不同,而在论政的着重点上有所偏重。孟子从性善论出发,标榜"仁义",以"仁政"学说发展了孔子的德治思想;而荀子则从性恶论出发,标榜"礼义",主要从制度上发展了孔子礼、法方面的思想。

《论语·为政》记孔子曰:"为政以德,譬如北辰,居其所而众星共之。"朱注云:"政之为言正也,所以正人之不正也。得之为言得也,得于心而不失也。""为政以德,则无为而天下归之。"故实行德治,首先要求人君必须以身作则,其次在于任用贤能。

要求人君以身作则,就是强调人君必须修养"内圣"之德。《书·尧典》曰:"克明俊德。"圣帝唐尧的内在本质即在于修德。《君牙》曰:"弘敷五典,式和民则。尔身克正,罔敢弗正。民心之中,惟尔之中。"这是要求天子应以中正之德以身作则而为万民之表率。孔子继承并发展了这一思想,在季康子问政时回答说:"政者,正也。子帅以正,孰敢不正?"(《论语·颜渊》)又说:"其身正,不令而行;其身不正,虽令不从。"(《论语·子路》)"苟正其身矣,于从政乎何有? 不能正其身,如正人何?"(同上)在回答鲁哀公问政时说:"政者,正也。君为正,则百姓从政矣。君之所为,百姓之所从也;君所不为,百姓何从?"(《礼记·哀公问》)孔子还主张"君君,臣臣,父父,子子"(《论语·颜渊》)。这就是要求作为君和父的,就应该尽到君和父的职责;作为臣和子的,就应该尽到臣和子的职责。孔子这种以身作则的思想,一直成为后世儒者从政的准则,并在理论上多有发挥。如《大学》曰:"尧舜帅天下以仁,而民从之;桀纣帅天下以暴,而民从之;其所令反其所好,而民不从。是故君子有诸己而后求诸人,无诸己而后非诸人。所藏乎身不恕,而能喻诸人者,未之有也。"这是以正反两方面的历史事例来论证执政者以身作则的重要性。孟子曰:"行有不得者,皆反求诸己。其身正而天下归之。"(《孟子·离娄上》)荀子亦曰:"主者,民之唱也;上者,下之仪也。彼将听唱而应,视仪而动。……上宣明则下治辨矣,上端诚则下愿悫矣,上公正则下易直矣。"(《荀子·正论》)又曰:"君者仪也,民者景也,仪正而景正;君者槃也,民者水也,槃圆而水圆;君者盂也,盂方而水方。""君者,民之原也,源清则流清,源浊则流浊。"(《荀子·君道》)朱子亦云:"治道别无说,若使人主恭俭好善,有言逆于心,必求诸道;有言孙于志,必求诸非道。这如何会不治!"(《朱子语类·论治道》)至于在位者以身作则所带来的影响与效果,孔子认为:"君子之德,风;小人之德,草。草上之风,必偃。"(《论语·颜渊》)所以:"临之以庄,则敬;孝慈,则忠;举善而教不能,则劝。""上好礼,则民莫敢不敬;上好义,则民莫敢不服;上好信,则民莫敢不用情。"(《论语·子路》)对此,历代真正崇儒的统治者不仅在理论上教育人们以身作则,而且也都能身体力行地做到万民的表率。

任用贤能,则体现为人君的"外王"之道。如果要求各级在位者都能够做到以身作则,首先在于在位者必须是一个才德与职位相称的贤人。这就涉及如何正确任用贤人的问题。据文献所载,古代帝王尧、舜、禹、汤都能以"中正"的原则选拔人才并根据其专长合理地任用人才。《书·皋陶谟》记载,禹以"能官人"为"安民"之前提。《孟子·离娄下》亦称誉"汤执中,立贤无方"。这是说汤能坚持中正之道,在选拔贤人时能不拘一格。这里以"执中"与"无方"对举而言,更强调了在执中的原则上,又体现了不固执一端、不固守己见的公正不偏的意义。古文《书·咸有一德》曰:"任官惟贤才,左右惟其人。"《说命中》曰:"惟治乱,在庶官。官不及私昵,惟其能;爵罔及恶德,惟其贤。"《武成》曰:"建官惟贤,位事惟能。"孔子更以"举贤才"和"选贤与能"为施政行道之要务。他把"尊贤"列为治天下的"九经"之一,认为"尊贤则不惑"(《礼记·中庸》),并提出了不少选拔人才的卓见。例如他说:"举直错诸枉,则民服;举枉错诸直,则民不服。"(《论语·为政》)又说:"举直错诸枉,能使枉者直。"对此,子贡解释道:"舜有天下,选于众,举皋陶,不仁者远矣;汤有天下,选于众,举伊尹,不仁者远矣。"(《论语·颜渊》)这是说,只有把正直有德之士选拔在适当的职位上,才能使之以身作则而成为民之表率。孔子还认为当时卫国因为有贤人,"仲叔圉治宾客,祝鮀治宗庙,王孙贾治军旅",所以,尽管卫灵公无道,也得以免于亡国。(《论语·宪问》)足见贤人对治国之重要。故《大学》曰:"见贤而不能举,举而不能先,命(慢)也;见不善而不能退,退而不能远,过也。"孟子也强调"贤者在位,能者在职";"尊贤使能,俊杰在位"(《孟子·公孙丑上》)。故"尧以不得舜为己忧,舜以不得禹、皋陶为己忧",并认为"为天下得人者谓之仁"。于是慨叹:"以天下与人易,为天下得人难!"(《孟子·滕文公上》)又曰:"仁者无不爱也,急亲贤之为务。……尧舜之仁,不遍爱人,急亲贤也。"(《孟子·尽心上》)这是说,尧舜如果没有贤人辅佐,也不可能把仁心遍爱及天下之人。孟子认为能否做到"尊贤使能"关系一国的兴亡,"虞不用百里奚而亡,秦缪公用之而霸"(《孟子·告子下》)。即使像商纣那样无道,但因为当时"有微子、微仲、王子比干、箕子、胶鬲,皆贤人也,相与辅相之,故久而后失之也"(《孟子·公孙丑上》)。国有贤才,至少可以延缓亡国。这些都着重说明了任用贤能之重要。荀子也强调"尚贤使能，则民知方"（《荀子·君道》）；"尊圣者王，贵贤者霸，敬贤者存，慢贤者亡，古今一也。……故尚贤使能，则主尊下安"（《荀子·君子》）。荀子还对孔子的"无为而治"的思想作了进一步发挥："大有天下，小有一国，必自为之然后可，则劳苦耗顇莫甚焉。""若夫论一相以兼率之，使臣下百吏莫不宿道乡方而务，是夫人主之职也。若是，则一大下，名配尧、禹。人主者，守至约而详，事至佚而功，垂衣裳不下簟席之上，而海内之人莫不愿得以为帝王。夫是之谓至约，乐臭大焉。"（《荀子·王霸》）这就是说，君主只要用得其人，就能执简驭繁，无为而治了。荀子也同孔、孟一样，认为君主即使讲求享乐，但若能任用贤人，也还是可以把国治好的。他举例证明说：齐桓公尽管讲求声色犬马，却能"九合诸侯，一匡天下，为五伯长，是亦无他故焉，知一政于管仲也"（同上）。因此，只有为君者能够做到正确任用贤才，政治上才能达到职位与政绩名实相副之境。

"为政以德"的外在体现则是"为国以礼"，并辅之以"法"。《论语·为政》记孔子曰："道之以政，齐之以刑，民免而无耻；道之以德，齐之以礼，有耻且格。"朱注云："愚谓政者，为治之具；刑者，辅治之法；德、礼则所以出治之本，而德又礼之本也。此其相为终始，虽不可以偏废，然政、刑能使民远罪而已，德、礼之效，则有以使民日迁善而不自知。故治民者不可徒恃其末，又当深探其本也。"这里的"刑"即系指"法"而言。朱子的解释阐明了德、礼与法之间的关系。说明孔子并非反对法治，而只是认为必须以德、礼为本，以法为辅而已。故《论语·子路》记孔子曰："礼乐不兴，则刑罚不中；刑罚不中，则民无所措手足。"《孟子·公孙丑上》记孟子曰："明其政刑。"又《孟子·离娄上》曰："徒善不足以为政，徒法不能以自行。"所谓"善"，即属于"德"的范围。这是论证"德"与"法"不可偏废。这些话即表示儒家虽重德治，但也提倡法治作为辅助。他们认为必须一方面有德化的感格教导,另一方面又有法纪的强制规范,才能收到良好的治国效果。

在德与礼的关系上,德是推行礼治的原则,礼是实行德治的保证,二者相需而行。德治的社会政策就是要求建立和谐有序的社会秩序。德治能使社会和谐;礼治能使社会有序。为了维护礼的尊严,孔子对一切违礼同时背德的行为作了严厉斥责。孟子把孔子的德治发展为仁政,他认为:"尧舜之道,不以仁政,不能平治天下。"(《孟子·离娄上》)他回答梁惠王说:"王如施仁政于民,省刑罚,薄税敛,深耕易耨;壮者以暇日修其孝悌忠信,入以事其父兄,出以事其长上,可使制梃以挞秦楚之坚甲利兵矣。"他对齐宣王也说:"今王发政施仁,使天下仕者皆欲立于王之朝,耕者皆欲耕于王之野,商贾皆欲藏于王之市,行旅皆欲出于王之途,天下之欲疾其君者皆欲赴愬于王。其若是,孰能御之?"(《孟子·梁惠王上》)所以他说:"以德行仁者王。"(《孟子·公孙丑上》)反之,则"天子不仁,不保四海;诸侯不仁,不保社稷"(《孟子·离娄上》)。孟子也很重视"礼",甚至把"礼"看得比"食"和"色"还重要,只是所论不多。

荀子也很重视"仁"。例如他说:"人主仁心设焉,知其役也,礼其尽也。故王者先仁而后礼,天施然也。"(《荀子·大略》)然而他在政治上主要是从国家的制度出发,着重于对孔子的礼治思想作更多的发挥。他提出"隆礼义、一制度、明分职、审贵贱"的主张。他说:"至道大形,隆礼至法则国有常,……然后明分职,序事业,材技官能,莫不治理,则公道达而私门塞矣,公义明而私事息矣。"(《荀子·君道》)又说:"朝廷必将隆礼义而审贵贱,若是,则士大夫莫不敬节死制者矣。"(《荀子·王霸》)并认为:"取人之道,参之以礼;用人之法,禁之以等;行义动静,度之以礼。"(《荀子·君道》)又认为:"等贵贱,分亲疏,序长幼,此先王之道也。……贵贱有等,则令行而不流；亲疏有分，则施行而不悖；长幼有序，则事业捷成而有所休。"
（《荀子·君子》)这些都充分表现了荀子的礼治思想。

荀子的礼治思想虽然是从孔子的礼治思想发展而来，但其中较之孔子加重了刑法和权势的成分。他说："君人者，隆礼尊贤而王，重法爱民而霸。"(《荀子·大略》)"夫民易一以道而不可与共故，故明君临之以势，导之以道，申之以命，章之以论，禁之以刑。"(《荀子·正名》)"天子也者，势至重，形至佚，心至愉，志无所诎，形无所劳，尊无上矣。"(《荀子·君子》)这样，荀子的礼治思想更能满足专制帝王的需要。因此，汉代以来的统治者虽然在名义上提高了孔子和孟子的"德治"和"仁政"的地位，但是在实际上却更多地采用了经过荀子改造的礼治思想。

四、君主施政的方法

儒家关于君主施政的方法，首先体现为治国上的"执其两端，用其中于民"的法则。这种"执两用中"的法则，是以仁政德治为宗旨，而具体落实在"礼"的规范上。

我国自古以来就提倡以大中至正之道治理国家。据《论语·尧曰》所载，尧、舜、禹等上古帝王都把"允执其中"作为传位的授命辞。《书·大禹谟》亦载舜谓禹曰："人心惟危，道心惟微，惟精惟一，允执厥中。"而禹所谓"善政"的"正德，利用，厚生"三事，又以"正德"为始。可见尧、舜、禹都主张以中正之道为治国之大法。

《书·仲虺之诰》载，商汤的左相仲虺向汤进言治国之道曰："王懋昭大德，建中于民，以义制事，以礼制心。"蔡沈《集传》释云："王其勉明大德，立中道于天下。中者，天下之所同有也，然非君建之，则民不能自中，而礼义者，所以建中者也。义者，心之裁判；礼者，理之节文。以义制事，则事得其宜；以礼制心，则心得其正。内外合德而中道立矣。"仲虺把"中"与"礼"、"义"联系起来,使之能通过礼、义以付诸实施,乃成为比较系统的政治理论。

《书·洪范》载,箕子提出"洪范九畴",更将大中至正的治国之道作了进一步发挥。"九畴"之五曰:"五皇极,皇建其有极。敛时五福,用敷锡厥庶民,惟时厥庶民于汝极,锡汝保极。"孔颖达《正义》释云:"皇,大也;极,中也。""大中者,人君为民之主,当大自立其有中之道以施教于民。"蔡沈《集传》释云:"皇,君;建,立也。极,至极之义,标准之名。中立而四方之所取正焉者也。言人君当尽人伦之至……以至一事一物之接,一言一动之发,无不极其义理之当然,而无一毫过不及之差,则极建矣。极者,福之本;福者,极之效。极之所建,福之所集也。"这是说,为君必须以身作则,建立大中至正之道,又以五福诱导庶民,庶民必然顺意从志而安于教化。孔、蔡二说虽然所训不同,但无论"皇"字训"大"或训"君","皇极"之为以中道治民之义则为历代学者的共识。《洪范》还把"皇极"所蕴涵的中正之义作了具体的描述:"无偏无陂,遵王之义;无有作好,遵王之道;无有作恶,遵王之路。无偏无党,王道荡荡;无党无偏,王道平平;无反无侧,王道正直。会其有极,归其有极。""偏"是不中,"陂"是不平;"作好"、"作恶"谓好恶之出于私意;"党"是不公,"反"是反常,"侧"是不正。这是说,为君的施政处事,不可丝毫怀有私意,而应出于公平正直,遵循王道之正义、正道和正路,以会归乎大中至正之道。而"荡荡"、"平平",正所以形容王道之既广远而又平易,亦即"极高明而道中庸"之意也。

孔子在全面继承先王中正之道的基础上,进而借赞颂大舜的托古方式将其概括总结为"执其两端,用其中于民"的治国方法。所谓"两端",即指"过"与"不及"而言;这里的"中",其实也包括了"正"的含义。孔子把"执两"与"用中"对立统一起来,只有做到"执两"，才能准确地"用中"。于是，"执两用中"乃成为儒家实施中正之道的基本法则。在治国上，孔子根据"中正"的标准并运用"执两用中"的方法提出了许多重要的思想。

"中"的本质乃在于主观认识与客观事物适相符合。体现在政治上，首先就是作为职位之"名"应与施政之"实"相符合。孔子即从名实必须相符的观点出发而提出了"正名"的思想。他说："名不正则言不顺，言不顺则事不成，事不成则礼乐不兴，礼乐不兴则刑罚不中，刑罚不中则民无所措手足。故君子名之必可言也，言之必可行也。君子于其言，无所苟而已矣。"（《论语·子路》）他认为君主之位必须名实相副才能名正言顺地发号施令，百姓才会心悦诚服地服从。这一思想对后世的影响很大，历代的开国之君在即位时总要首先为自己正名一番，甚至很多篡弒得国者，也要装模作样地假借唐虞揖让的名义，搞一些"受禅"之类的形式来掩盖自己的罪恶。当然，孔子的"正名"思想确有其卓识和远见，不能因为后世的虚伪事例来否定其理论上的正确性。

"正名"的另一层次则在于一定的名位必须赋予与之相应的实权。而权力的"过"与"不及"都将引起政治混乱。对此，孔子曰："天下有道，则礼乐征伐自天子出；天下无道，则礼乐征伐自诸侯出。自诸侯出，盖十世希不失矣；自大夫出，五世希不失矣；陪臣执国命，三世希不失矣。天下有道，则政不在大夫；天下有道，则庶人不议。"（《论语·季氏》）所谓"礼乐征伐自天子出"，就是天子之名位与权力之实际适相符合。而所谓"礼乐征伐自诸侯出"，这对于天子而言，是空有其"名"而失去了其权力之"实"，是谓"不及"；而对于诸侯而言，则是权力之"实"超过了诸侯之"名"，是谓"过"。"过"与"不及"都偏离了中正之道。若再进而流为"自大夫出"乃至"陪臣执国命"，则背离中正之道愈远，而相距乱世也就愈近了。所谓

"天下有道,则庶人不议",并非庶人不敢议政,而是有道之极致,政治清明,达到了庶民无可非议之境。因此,《中庸》亦曰:"非天子,不议礼,不制度,不考文。"又曰:"虽有其位,苟无其德,不敢作礼乐焉;虽有其德,苟无其位,亦不敢作礼乐焉。"必须"德"、"位"兼备,才具有制作礼乐的资格,亦即名实相副之意也。

在刑法方面,《书·吕刑》提出"明于刑之中,率乂于民棐彝。"孔子又将"刑之中"的准则发展为宽猛相济而治的法则。春秋后期,郑国大夫子产首先对治国之宽与猛作了较为明确的分析。《左传·昭公二十年》记载子产论宽猛以及孔子的评论:

> 郑子产有疾,谓子大叔曰:"我死,子必为政。唯有德者能以宽服民,其次莫如猛。夫火烈,民望而畏之,故鲜死焉;水懦弱,民狎而玩之,则多死焉,故宽难。"疾数月而卒。

> 大叔为政,不忍猛而宽。郑国多盗,取人于萑苻之泽。大叔悔之,曰:"吾早从夫子,不及此。"兴徒兵以攻萑苻之盗,尽杀之,盗少止。

> 仲尼曰:"善哉! 政宽则民慢,慢则纠之以猛;猛则民残,残则施之以宽。宽以济猛,猛以济宽,政是以和。《诗》曰:'民亦劳止,汔可小康,惠此中国,以绥四方',施之以宽也;'毋从诡随,以谨无良,式遏寇虐,惨不畏明',纠之以猛也;'柔远能迩,以定我王',平之以和也;又曰:'不竞不絿,不刚不柔,布政优优,百禄是遒',和之至也。"

刑法上的"宽"和"猛",是同一事物之两端。在子产看来,"宽"与"猛"是有高下难易之分的。因为"宽"难而"猛"易,所以只有盛德之人才能以宽服民;若德犹未盛,则莫如治之以猛,使民畏而避之,也可以免于死罪。可见子产之所谓"猛",并非指虐民之暴政,而是出于爱民之仁政。其子大叔同样出于爱民之心,不忍猛

而宽,却导致了郑国多盗的后果,才不得不大开杀戒。然而尽管
用出了将盗"尽杀之"的残酷手段,也仅仅收到了"盗少止"的成
效。可见不恰当地用"宽",虽出于爱民的动机,也反会收到害民
的后果。这说明在"宽"与"猛"之间还有如何正确运用的问题,
孔子就此作了深刻的评论。孔子较之子产更为高明之处在于:
对于"宽"与"猛"并不作难易高下之分,也不从执政者是否有德
着眼,而是从客观实际出发,当宽则宽,当猛则猛,两者互为其
用,皆以适得事理之宜为度。若以易理而言,偏猛而适得事理之
宜者可谓之"刚中",偏宽而适得事理之宜者可谓之"柔中"。可
见宽、猛之间的"中"并非固定的,而是根据具体情况而随时变动
着的。这种"宽猛相济"的理论,正高度体现了"执其两端,用其
中于民"的法则。对此,孔子还引《诗》作证,形象地描述了这种
通过"宽猛相济"而达到"和之至"的境界。

　　蜀汉时,诸葛孔明治蜀,就以"宽猛相济"的理论作为指导而收
到了成效。据《三国志·诸葛亮传注》记载,亮刑法峻急,法正谏
曰:"昔高祖入关,约法三章,秦民知德。今君假借威力,跨据一州,
初有其国,未垂惠抚;且客主之义,宜相降下,愿缓刑弛禁,以慰其
望。"孔明答曰:"君知其一,未知其二。秦以无道,政苛民怨,匹夫
大呼,天下土崩,高祖因之,可以弘济。刘璋暗弱,自焉已来有累世
之恩,文法羁縻,互相承奉,德政不举,威刑不肃。蜀土人士,专权
自恣,君臣之道,渐以陵替。宠之以位,位极则贱;顺之以恩,恩竭
则慢。所以致弊,实由于此。吾今威之以法,法行则知恩;限之以
爵,爵加则知荣。恩荣并济,上下有节,为治之要,于斯而著。"孔明
认为,汉初继秦苛政之后,治之宜宽;而蜀汉继刘璋暗弱而"威刑不
举"之后,则不得不"威之以法"。这与孔子所论"宽猛相济"之道完
全一致。故清人赵藩所撰成都武侯祠对联云:"能攻心则反侧自

消,从古知兵非好战;不审势即宽严皆误,后来治蜀要深思。"下联正说明无论偏宽或偏严,只有经过审时度势而达到适得事理之宜才是正确的,否则就难免犯错误。后世帝王都深明此道。如宋太宗谓宰相曰:"治国之道,在乎宽猛得中,宽则政令不成,猛则民无所措手足,有天下者,可不慎之哉!"明太祖则主张"为天下者,文武相资,庶无偏颇。"清世宗雍正亦曰:"自古为政者,皆当宽严相济。所谓相济者,非方欲宽而杂之以严,方欲严而杂之以宽也。惟观乎其时,审乎其事,当宽则宽,当严则严而已。"这都是对于"宽猛相济"理论的阐发。

汉末徐干作《中论》,在其《赏罚》篇中对于赏罚方面的中道作了论述。徐干强调"先王务赏罚之必行",其曰:"圣人不敢以亲戚之恩而废刑罚,不敢以怨仇之忿而废庆赏。……赏罚不可以疏,亦不可以数,数则所及者多,疏则所漏者多。赏罚不可以重,亦不可以轻,赏轻则民不劝,罚轻则民亡惧;赏重则民徼幸,罚重则民无聊。故先王明庶以德之,思中以平之,而不失其节。故《书》曰:'罔非在中,察辞于差。'"不因亲戚之恩或怨仇之忿而废赏罚,这是出于公正;无论赏或罚,不主张密,也不主张疏;不主张重,也不主张轻,而贵在得中。这是在赏罚上主张实行中正之道的明确论述。

在经济方面,孔子主张"节用而爱人",反对苛政,还提出了"苛政猛于虎"的名言。《易传·节彖》曰:"当位以节,中正以通。天地节而四时成,节以制度,不伤财,不害民。"而《易》之《损》、《益》二卦,则以损下益上为"损",损上益下为"益"。故《易传·益彖》曰:"益,损上益下,民说无疆。自上下下,其道大光。利有攸往,中正有庆。"这是说,在政府与百姓的关系之间,只有重于益下而使百姓欢悦,才是中正吉祥之道。故孔子极力称誉大禹躬自节俭而以天下百姓为重的品德:"禹,吾无间然矣。菲饮食而致孝乎鬼神,恶衣服而致美乎黻冕，卑宫室而尽力乎沟洫。禹，吾无间然矣。"(《论语·泰伯》)大禹在饮食、衣服和宫室等方面，并非一律采用中间的档次，而是在自身享受方面则极其"菲"、"恶"、"卑"，而关于国家和百姓之事，则极其"致孝"、"致美"和"尽力"。这从形式上看，似乎有些失中；然而他以国家和百姓为重，当菲则菲，当致孝则致孝；当恶则恶，当美则美；当卑则卑，当尽力则尽力。两端虽有偏重，然而处得其宜，才是真正的中正之道。

孟子也主张"贤君必恭俭礼下，取于民有制"。白圭对孟子说："吾欲二十而取一，何如？"孟子批评说："子之道，貉道也。"并说："欲轻之于尧舜之道者，大貉小貉也；欲重之于尧舜之道者，大桀小桀也。"(《孟子·告子下》)孟子认为，税率太轻，则不足国家的必要开支；而税率太重，又会使百姓负担不起，二者都是背离中道的。

在国防方面，孔子主张"有文事必具武备"，这亦可谓刚柔相济之道。唐太宗谓群臣曰："朕虽以武功定天下，终当以文德绥海内。文武之道，各随其时。"而叶水心则常用刚柔内外之道来分析当时的国势，例如他对宋初撤销藩镇之举做过这样的论述："为天下之纪纲，则固有常道。譬如一家，藩篱垣墉，所以为固也；堂奥寝处，所以为安也。固外者宜坚，安内者宜柔；使外亦如内之柔，不可为也。唐失其道，化内地为藩镇，内外皆坚，而人至不能自安；本朝反其弊，使内外皆柔，虽能自安，而有大不可安者。"(《水心文集·纪纲二》)水心认为，唐代内地与边境都有藩镇掌握兵权而成"内外皆坚"之势，虽宜于抵御外寇，却易导致藩镇割据的内乱；宋代有鉴唐代之弊而撤销藩镇，收天下之兵权归于中央而成"内外皆柔"之势以求自安，但因边防兵弱而无力抵御外寇入侵，虽欲求安而终不可得。所以，只有使之当坚者坚(刚中)、当柔者柔(柔中)以成"外坚内柔"(中正)之势，方为良策。

君主施政的另一关键在于守信。孔子说："道千乘之国，敬事而信。"（《论语·学而》）孔子还把君主施政时的守"信"，看得比"足食"、"足兵"都重要。即使不得已而"去兵"、"去食"，也不能"去信"，因为"自古皆有死，民无信不立"（《论语·颜渊》）《左传·僖公二十五年》载，晋侯围原，命三日之粮，原不降，命去之。谍出，曰："原将降矣。"军吏曰："请待之。"公曰："信，国之宝也，民之所庇也。得原失信，何以庇之？所亡滋多。"退一舍而原降。这就是晋文公"伐原示信"的著名典故，深合儒家重信之道。孟子进而把"信"列为"五常"之一。荀子更重视"信赏必罚"。故"信"乃是执行政令的决定性因素。

总之，在儒家的治国理论之中，君主以"信"来执行"执其两端，用其中于民"的中正之道，乃其施政方法之精髓。

第三节　君臣关系

"君臣"一伦，乃是政治关系中的核心关系。而其本质，则在于匡正君道以有利于民生。故列于"民本"和"君道"之后探讨之。儒家对于君臣关系有很精要的论述，认为君臣关系处得其宜，才能振敕纲纪，整肃法令，而使政治清明，上下相孚，社会安定，万民乐业，以收国泰民安之效。

一、君臣关系溯源

君臣关系问题是儒家学说中的核心问题之一。早在《尚书》中，已有很多君臣对举以及其间关系的论述。古文《书·大禹谟》曰："后克艰厥后，臣克艰厥臣，政乃义，黎民敏德。"大禹认为，如果君和臣都能把自己的职务看得责任重大，很难做好，于是尽力而为，这样，政事就能修治，百姓自然迅速感化从善。后来孔子也曾说"为君难，为臣不易"，也是这个意思。同篇又载，帝曰："皋陶！惟兹臣庶，罔或干予正。汝作士，明于五刑，以弼五教，期予于治。"帝舜认为，在众臣中，缺少能够干预自己政治的人。所以希望现任士师的皋陶能够明于五刑，来辅佐五品之教，补自己之不足，以期于治。这其实就是希望臣下能敢于干犯君主的过失，以期共同治好国家。

《书·益稷》载，帝曰："臣作朕股肱耳目。予欲左右有民，汝翼；予欲宣力四方，汝为；……予违汝弼，汝无面从，退有后言，钦四邻。"这是把君与臣的关系视同头与四肢五官的关系。帝舜认为，君主若欲有所作为，必须有赖群臣辅助。假若君主有违于道，臣当弼正君之过失。臣对于君，不可面谀以为是，背毁以为非；而是应该敬守臣职，敢于直言。同篇又载有帝舜和皋陶的三首歌。帝舜歌曰："股肱喜哉，元首起哉，百工熙哉！"皋陶歌曰："元首明哉，股肱良哉，庶事康哉！"又歌曰："元首丛脞哉，股肱惰哉，万事堕哉！"这三首诗也把君与臣的关系比作头与手足的关系。诗的意思是，帝舜希望众大臣能乐于趋事赴功，以兴起人君之治，则百官之功亦能广有成就。皋陶则言人君当总率群臣以开拓事功，君明则臣良，而众事皆安。又进而认为，假若君行臣职，烦琐细碎，必将导致群臣懈怠，不肯任事，而万事废坏。对此，蔡沈注云："舜作歌而责难于臣，皋陶赓歌而责难于君，君臣之相责难者如此，有虞之治，兹所以为不可及也。"这是说，君臣之间能够互相勉励、互相儆诫，同心协力，才能把国家治理好。

古文《书·胤征》曰："先王克谨天戒，臣人克有常宪，百官修辅，厥后惟明明。"这是说，君能谨于天戒，臣能遵守常法，百官各修其职以辅其君,则能使君内无失德,外无失政,可以成为圣明之主。故《伊训》亦曰:"居上克明,为下克忠。"上有明君,下有忠臣,一直是儒家所追求的政治理想。不过古时之所谓"忠",是说待人应该诚实尽心,是"己"对"人"而言,并非专为"臣"事"君"而言;是人与人之间的一种普遍性道德,而并非专指"臣"事"君"的道德。故所谓"为下克忠",也不过是说"臣"对"君"应该尽到为臣之责任而已,并不含有后世之所谓忠君之意。

古文《书·说命上》载傅说曰:"惟木从绳则正,后从谏则圣。后克圣,臣不命其承,畴敢不祗若王之休命。"傅说认为,君只有能做到从谏如流,才能成为圣君。如若人君果能从谏,则虽无求谏之命,臣也就会尽心进谏了。这说明臣之能否进谏,关键在于君是否能从谏。只有君能从谏,臣才敢于进谏;否则臣就不敢勇于进谏,责任主要在于君的方面。

古文《书·冏命》曰:"惟予一人无良,实赖左右前后有位之士,匡其不及。绳愆纠谬,格其非心,俾克绍先烈。"这是周穆王自谓全靠群臣匡正过失,纠正愆谬,格其非心,才能继承先王的功烈。所谓"格其非心",显系孟子"惟大臣为能格君心之非"之所自出。又曰:"仆臣正,厥后克正;仆臣谀,厥后自圣。后德惟臣,不德惟臣。"这是说,只有臣能以正道匡君,君才能归于正道;如果臣专以谄谀奉承事君,就会使君自以为圣,从而陷入昏聩之境。周穆王从君的立场出发,认为君之能否成为具有道德之君,全在于臣之是否导君以正道,责任主要在于臣的方面,与上述傅说从臣的立场出发而向君提出的要求正好成为鲜明的对比:臣要求君能从谏,而君则要求臣能进谏。双方的要求若能达到统一,君臣的关系就能达到协调和谐;否则,就无法通力合作。

如上所述,在《尚书》中,已从多方面论及君臣各自的责任以及互相之间的各种关系。这为儒家君臣观的创建打下了理论上的基础。《尚书》中关于唐、虞、夏、商时代的事迹虽系追述之文,但其为儒家思想之渊源,殆无疑义。

春秋之世,诸侯违道非礼之事逐渐多起来,一些正直之臣也就把谏君之道进而付诸实施。《左传·桓公二年》载,桓公取郜大鼎于宋,臧孙达进谏。周内史闻之曰:"臧孙达其有后于鲁乎! 君违,不忘谏之以德。"桓公做了违礼之事,臧孙达能以德为谏,受到了时人的称赞。《左传·庄公十九年》载,鬻拳强谏楚子,楚子弗从。临之以兵,惧而从之。鬻拳曰:"吾惧君以兵,罪莫大焉。"遂自刖也。君子曰:"鬻拳可谓爱君矣! 谏以自纳于刑。刑犹不忘纳君于善。"鬻拳进谏而不见从,竟至于以武器胁君,事后又以自刖的方式来惩罚自己,其心全在于"爱君"而已。

《左传·宣公十五年》载,晋解扬对楚子曰:"臣闻之:君能制命为义,臣能承命为信,信载义而行之为利。谋不失利,以卫社稷,民之主也。"这是说,无论君之义或臣之信,其目的都是为了保卫社稷以维护民的利益。可见君臣之间的关系并非出于私情,而是共同为了公利。

《左传·成公二年》载,宋文公卒,始厚葬,……君子谓华元、乐举"于是乎不臣。臣,治烦去惑者也,是以伏死而争。今二子者,君生则纵其惑,死又益其侈,是弃君于恶也,何臣之为?"这是说,为臣之道,在于以礼事君。而华元、乐举二人,君生时则导以淫乐而纵君之惑,君死后又葬以非礼而益君之侈,这表面上似乎是爱君,其实是陷君于恶,有失为臣之道。

《左传·襄公二十五年》载,齐崔杼弑庄公,晏子立于崔氏门外,有人问他是否准备以死殉君,晏子曰:"君民者,岂以陵民? 社稷是主;臣君者,岂为其口实? 社稷是养。故君为社稷死,则死之;

为社稷亡,则亡之。若为己死,而为己亡,非其私昵,谁敢任之!"晏子认为,作为社稷之臣,应以国家和人民为重。如果君是为社稷而死,则臣也应当从君殉节;如果君是为私事而死,则只有他的私昵之人才有殉死的义务,而作为社稷之臣,是没有这种义务的。晏子已经把国家利益与君主的个人利益明确区分开来。这一点以后为儒家所继承。

《左传·昭公三十二年》载,赵简子问于史墨曰:"季氏出其君,而民服焉,诸侯与之;君死于外,而莫之或罪也?"对曰:"鲁君世从其失,季氏世修其勤,民忘君矣,虽死于外,其谁矜之?社稷无常奉,君臣无常位,自古以然。"史墨认为,君臣关系并非固定不变的,臣若勤于修德,民就会服从他;君若失德,民就会把他淡忘掉。这是自古以来的必然规律。

由是观之,春秋时期,关于君臣之间的权利和义务以及互相之间的关系,在理论界基本上已经形成一种共识。儒家在继承传统的基础上加以总结发挥,乃形成系统的君臣观。

二、君使臣以礼,臣事君以忠

从性质上说,君臣关系不同于家庭中的父子、兄弟关系。父子、兄弟关系是以先天赋予的血缘为纽带的自然关系;而君臣关系完全是在政治上结合起来的上下级关系,并非固定不变的。法家把这种关系看作是权位利禄上的买卖关系;而儒家则完全跳出权位利禄的藩篱,而以"义"来规定君臣关系。《国语·晋语》载丕郑曰:"吾闻事君从其义,不阿其惑。"《论语·微子》称"君臣之义",《孟子·滕文公上》称"君臣有义",故"君臣以义合"乃成为儒家的基本观点。而所谓"义",则是在利国利民的共同目标上立论的。

在"君臣以义合"的前提下,孔子对君臣双方都提出了要求。

《论语·八佾》载,鲁定公问:"君使臣,臣事君,如之何?"孔子对曰:"君使臣以礼,臣事君以忠。"这里,孔子提出了君臣关系的基本原则。"臣事君以忠",是孔子继承传统忠君思想并总结了春秋以来礼崩乐坏的混乱局面而提出来的政治伦理规范,但为了避免"忠君"成为臣子单方面的义务,故又提出"君使臣以礼"的规范对君加以限制,乃成为君臣双方互有条件的义务。国君只有依礼来使用臣子,臣子才能忠心地服事君主。如果国君不依礼使用臣子,那么臣子也没有必要去忠心服事君上。这里颇含有各尽其分、对等相待的意思。而值得进一步探讨的是,孔子之所谓"礼",不仅指君对臣在礼貌仪节上的尊重,而主要是指礼所以"经国家、定社稷、序民人"的基本原则。孔子之所谓"忠",也并非指臣对君本身的服从,而是把君看作国家的代表,只有君的政令真正代表国家和人民的利益时,臣才有"忠"的义务。

关于"忠"的本义,《说文》曰:"忠,敬也。尽心曰忠。从心,中声。"《辞源》释"忠"为"忠诚"。《汉语大词典》云:"忠诚无私,尽心竭力。"又云:"特指事上忠诚。"可见"忠"的本义就是以诚待人。而事上之"忠",不过是"待人"中之特指而已。从政治上说,"忠"主要指在上者利民、利公而言。《左传·桓公六年》载季梁曰:"上思利民,忠也。"《僖公九年》载荀息曰:"公家之利,知无不为,忠也。"《文公六年》载臾骈曰:"以私害公,非忠也。"若从事君而言,主要精神还是重在公正无私、利民尽职即是忠臣。"忠"在《论语》中共出现十八次,除了"臣事君以忠"是特指君臣关系而外,其余都是作为普通人之间的道德规范使用的。臣对君之"忠",与普通人之间的"忠",在本质意义上并无差别;其所以不同之处,则在于"君"是国家和人民的代表,这就把待"人"之"忠"这一道德规范升华为臣对国家和人民之间所应遵守的伦理规范了。

　　孔子认为儒者从政应与君主保持和谐关系，主张君臣互相尊重。在要求"君使臣以礼"的同时，也要求大臣"事君尽礼"（《论语·八佾》），"事上也敬"（《论语·公冶长》）。礼的实质就是敬，可见君臣之间应以礼相待，互相敬重。在以"君使臣以礼，臣事君以忠"作为基本原则的基础上，孔子对君臣双方都提出了很多要求。"君君，臣臣"，君要有君的样子，臣要有臣的样子。国君要知道"为君难，为臣不易"，如果知道了"为君难"的道理，就近乎一言兴邦。对于臣，孔子还要求"事君，敬其事而后其食"（《论语·卫灵公》），要认真做好工作，然后再考虑待遇；然而君主做坏事，绝不能顺从。这些要求，是孔子对"忠"的利国、利公思想的继承和发展。孔子自己事君要做到"君命召，不俟驾行矣"，当然其前提必须是以礼相召；若召以非礼，则是可以拒绝的。

　　在君臣关系上，孔子对国君的要求更多，标准更高，因为国家政治好坏最关键的还在于国君。而且，孔子向来是对上严，对下宽，这一点在下面的官民关系中也可以看出来。

　　春秋战国之际的社会政治变动，就其总体趋势而言，是以诸侯为代表的"公家"逐渐走向衰微没落，以卿大夫为代表的"私室"逐渐扩张，不断瓜分、吞并"公家"，并最终取代"公家"而完成"私室"的国家化的过程。这一过程至孟子时代已接近完成和稳固。此一时代的特点是，由于私家转变、扩张为国家，各国普遍确立了只有君主是世袭的君主专制主义政体，君主权力的绝对性比前世有过之而无不及。同时，处于列国纷争时期，各国君主纷纷引进人才，招贤纳士，士阶层的独立人格精神也比以往更为昂扬。在各国内部，由于中间贵族不断减少，人们对国家的性质也有了新的认识。因而对君臣关系的认识也进入到一个新阶段。这一新阶段以儒家而论，可以孟子为代表。

在君臣关系的基本方面,孟子发挥了孔子的观点,认为君臣之间人格平等,君臣相互尊重:"君臣主敬"(《孟子·公孙丑下》),"君臣有义"(《孟子·滕文公上》)。臣不是君主个人的仆从,而是为国家社稷尽职,君臣都是以行仁政为共同目标。而在表明君臣的对等关系方面孟子又作了进一步发挥。《孟子·离娄下》记孟子曰:"君之视臣如手足,则臣视君如腹心;君之视臣如犬马,则臣视君如国人;君之视臣如土芥,则臣视君如寇雠。"这说明,在春秋战国时期,新兴的知识分子阶层重视自己的人格,也要求国君尊重自己的人格。不过,即使在这种关系中,仍是以君为主动,臣为被动,但臣在君的面前不是唯命是从的木偶,而是能对君主作出适当反应的人,臣对君的态度随君对臣的态度而定、而变,其中包括对立情绪,当君将臣视为泥土草芥时,臣可以把君视作仇敌。这里更明确地否定了片面要求臣向君尽忠的观点。

战国后期的荀子则认为,人君应该做到"以礼分施,均遍而不偏";人臣应该做到"以礼待君,忠顺而不懈"(《荀子·君道》)。这和孔子的观点基本相同。然而荀子进一步指出:"人主不公,人臣不忠也。"(《荀子·王霸》)臣的不忠来自君的不公,这并非为臣的不忠找借口,而是客观地指出了君对臣的影响、臣对君的反馈。由此,他又提出了上行下效的思想:"上好权谋,则臣下百吏诞诈之人乘是而后欺";"上好曲私,则臣下百吏乘是而后偏";"上好倾覆,则臣下百吏乘是而后险";"上好贪利,则臣下百吏乘是而后丰取刻与以无度取于民"。"故上好礼义,尚贤使能,无贪利之心,则下亦将綦辞让,致忠信,而谨于臣子矣"(《荀子·君道》)。这些言论,对君奴役臣的特权,起有一定的限制作用。

孔、孟、荀所论述的君臣关系虽然都接近于各尽其分而对等相待,但是他们本人事君的态度却有较大的差异。孔子主张"事君尽礼",所以他"君命召,不俟驾行矣"。在君的面前也处处表现出毕恭毕敬、小心谨慎的样子(见《论语·乡党》)。荀子也说:"诸侯召其臣,臣不俟驾,颠倒衣裳而走,礼也。"(《荀子·大略》)而孟子待君的态度,则与孔、荀大异其趣。孟子说:"故将大有为之君,必有所不召之臣;欲有谋焉,则就之。其尊德乐道,不如是,不足与有为也。"(《孟子·公孙丑下》)"为其多闻也,则天子不召师,而况诸侯乎?为其贤也,则吾未闻欲见贤而召之也。""欲见贤人而不以其道,犹欲其入而闭之门也。"(《孟子·万章下》)因此,有次齐宣王使人召见他的时候,他却故意托病不赴,以表示不愿受召之意。即使在与国君相见的时候,他也往往以"德"和"齿"自居,像师长对待学生一样来回答国王的提问。在《孟子》书中,随处可体味到孟子那种特有的傲视王侯的气概。

三、以道事君,不可则止

君臣关系是一种被注入政治伦理的特殊的人际关系。在时代局限下,儒家无从否定君主制,但不主张臣对君单方面的道德义务和绝对服从。面对现实中的君主的非道德,在"君臣以义合"的前提下,孔子又进而提出了"以道事君,不可则止"的事君原则。

《论语·先进》记孔子曰:"所谓大臣者,以道事君,不可则止。"孔子心目中的"道"是崇高的个人志向与社会理想,在政治上的含义主要是在"仁"的指导下"为政以德",质言之即利国利民。如果君主不遵循儒家所提倡的"道",那么臣可以离君而去。孔子是这样说的,也是这样做的。当鲁君不依礼向臣子分送祭祀的腊肉时,孔子毫不恋栈,毅然挂冠而去。

孔子事鲁定公及季桓子,君、卿不听其言,即离鲁而适于宋、卫、陈、蔡。合则留,不合则去。然在合与不合之间,却存在一条君臣际遇的基本准则。孔子认为，合则留，并不是由于君主给予了臣子优厚的俸禄报酬，也不是由于某位君主容易事奉，而是谋求在治国理念上君臣达成共识，共同为国家社稷和广大人民谋福利。郭店楚墓竹简《语丛三》亦曰："不悦，可去也；不义而加诸己，弗受也。"这分明是继承了孔子的思想。

既然大臣是以道事君，孔子就要求臣在行政层面限制君主个人私欲，引导君主个人意志服从国家人民利益，反对君主个人独断专行，损害人民普遍利益。根据一般政治学原理，在君主专制政体条件下，如果君主个人私益与国家人民利益一致，君主个人利益服从国家人民利益，就称为开明君主专制；如果君主个人利益与国家人民利益不一致，甚至损害国家人民利益来满足君主个人膨胀的私欲，此时就称为独裁政体。孔子儒家虽然对君主绝对权力的合法性没有提出质疑，但在君主政体的框架内坚决反对君主独裁，极力把君主引向开明一途，在历史上仍有其积极进步的作用。

"以道事君"的具体实施，就在于对君主的过错要进行谏诤。"谏诤"作为政治上对君权进行舆论监督的一种形式，商、周以来早已形成一个传统。商末，纣王昏淫残暴，箕子因进谏不听而装疯，比干力谏而惨遭纣王残杀。《左传》载有师旷关于谏诤的一番议论："有君而为之贰，使师保之，勿使过度"，故天子有三公，诸侯有卿，以相辅佐，"善则赏之，过则匡之，患则救之，失则革之"。此外，"史为书，瞽为诗，工诵箴谏，大夫规诲，士传言，庶人谤，商旅于市，工执艺事以谏。"如此，形成一个严密的舆论网络，可以减少君主行为的失误。孔子继承这一思想传统而加以理论上的概括。《论语·子路》载孔子与鲁定公论"一言兴邦"和"一言丧邦"时明确表示反对君主一人说了算，对于君主"不善"之言要坚决加以抵制。《宪问》载，子路问事君。子曰："勿欺也，而犯之。"这就是说，臣不能欺骗君主，为其文过饰非；如果君主有错误，臣应不怕冒犯，敢于直谏。但是对国君的劝谏要掌握一个度，不能烦琐，"事君数，斯辱矣"（《论语·里仁》）。过于烦琐，不仅不会达到目的，反而会招致羞辱，有辱自己的人格。

其实，"以道事君，不可则止"与"臣事君以忠"并非对立，而是辩证地统一的。真正的"忠君"，不是唯唯诺诺、阿谀奉承；那种揭露时弊，抨击丑恶而勇于犯颜直谏，才是"事君以忠"的表现。虽然儒者为臣是希望能为君主所用，但孔子提出"以道事君，不可则止"的原则，为儒家的君臣关系确立了基本框架。孔子把君主个人私欲与国家利益区分开来，主张通过事君而为社稷人民谋福利，限制君主个人意志，使僵硬的专制结构向开放的政权结构转化，对后世也有积极影响。

孟子和荀子都进一步发挥了"以道事君"这一观点。《孟子·告子下》记孟子曰："君子之事君也，务引其君以当道，志于仁而已。"《孟子·离娄上》曰："欲为君，尽君道；欲为臣，尽臣道。二者皆法尧舜而已矣。不以舜之所以事尧事君，不敬其君者也；不以尧之所以治民治民，贼其民者也。"故孟子认为，臣不应助长、讨好君主的错误，"长君之恶"和"逢君之恶"都有"罪"，而且后者比前者更严重（《孟子·告子下》）。孟子从而区分出"贵戚之卿"与"异姓之卿"的不同职责，认为贵戚之卿应该"君有大过则谏，反复之而不听，则易位"；异姓之卿则应该"君有过则谏，反复之而不听，则去"（《孟子·万章下》）。这是两种不同的谏诤方式。显然，这是企图从功能上对君主权力进行适当的调节，以减少其滥用，使之不至于离"道"太远，从而维持权力的相对稳固。

孟子认为臣对君的尊敬，并不是顺从君主的个人意志，设法满足君主的个人私欲，"以顺为正者，妾妇之道也"（《孟子·滕文公下》）；臣也不把优厚的俸禄待遇看成是对自己的尊重，食禄万钟而不听其言，不可谓尊敬，"非其义也，非其道也，禄之以天下，弗顾也"（《孟子·万章上》）。相反，"责难于君谓之恭，陈善闭邪谓之敬"（《孟子·离娄上》），要求君主行仁政，向君主陈述善道，杜绝邪恶才是对君主真正的恭敬。故孟子主张"为人臣者，怀仁义以事其君"，君臣之间"怀仁义以相接"（《孟子·告子下》），即孔子所谓"以道事君"。如不能行道，则是儒臣之耻，"立乎人之本朝，而道不行，耻也"（《孟子·万章下》）。

荀子也主张"社稷之臣"对君主要实行"谏、争、辅、拂"（《荀子·臣道》）。但就一般的"臣道"而言，只能是"事圣君者，有听从无谏争；事中君者，有谏争无谄谀；事暴君者，有补削无挢拂。迫胁于乱时，穷居于暴国，而无所避之，则崇其美，扬其善，隐其败，言其所长，不称其所短，以为成俗"（同上）。荀子也提出了"从道不从君"（《荀子·子道》）的观点。但他认为："从命而利君谓之顺，从命而不利君谓之谄；逆命而利君谓之忠，逆命而不利君谓之篡；不恤君之荣辱，不恤国之臧否，偷合苟容以持禄养交而已耳，谓之国贼。"（《荀子·臣道》）这些论述无疑都从理论上启发了君主应有以接受正直言论和宽容谏净之臣为美德的度量。然而，荀子把"道"的标准仅仅局限在"利君"的范围之内，则器局似乎比孔、孟要狭窄。

先秦儒家对君主的过失要进行谏净的传统，一直为历代正直的儒臣所继承。

四、格君心之非

在君主专制时代，君主具有至高无上的权力，同时又是人民道德上的楷模，君主一个随意的念头，可以左右国家的兴衰，社会的治乱。儒家对此有很深切的认识。如孔子就有"一言兴邦"和"一言丧邦"之说。孟子则曰:"生于其心,害于其政;发于其政,害于其事"(《孟子·公孙丑上》);"不仁而在高位,是播其恶于众也"(《孟子·离娄上》)。正是基于这种认识,所以当儒家带着济世悯人、平治天下的宏愿去审视和参与现实的政治及其运作的时候,他们清醒地意识到,摆在他们面前的一个首要的、最根本的课题就是:如何避免君主无道,如何避免君主滥用权力。

儒家主张"为政以德",而"德治"的实质和实现主要在于君主之德性仁善,那么,在君主心术上下工夫,以保证君主之心纯正不邪,便成为政治运作过程中首要的和最为关键的一环。所以,孔子以降,培养君主的德性,以道德提升政治,便成为儒者一贯坚持的信念。因此,若要避免君主无道、滥用权力,使国家、百姓免遭不幸,根本的办法就是要在君主心术上下工夫,从端正君心入手,即孟子所谓"格君心之非"。所谓"格君心之非",其实就是"以道事君"的进一步深化,亦即通过道德说教、谏议规诫等方式,辅养上德,警觉人君,以唤醒其良心与良知,增进其道德上的自觉自律意识,从而或防私欲于未萌,或克私欲于既发。

古文《书·冏命》即有要求臣"格其非心"之说。孟子将其发展为"格君心之非"的事君之道。而孟子之学传自子思,故有必要对子思的事君之道略作探讨。

孔子之孙子思在《中庸》中把君臣关系进而列为五伦之首,可见他特别重视君臣关系。子思确实是恪守臣道的,据《孟子·离娄下》载,子思居于卫,有齐寇,或曰:"寇至,盍去诸?"子思曰:"如伋去,君谁与守?"而据郭店楚简《鲁穆公问子思》释文所载:

> 鲁穆公问子思曰:"何如而可谓忠臣?"子思曰:"恒称其君之恶者,可谓忠臣矣。"公不悦,揖而退之。成孙弋见,公曰:"向者吾问忠臣于子思,子思曰'恒称其君之恶者可谓忠臣

矣'，寡人惑焉，而未之得也。"成孙弋曰："噫，善哉言乎！夫为
其君之故杀其身者，尝有之矣；恒称其君之恶者，未之有也。
夫为其君之故杀其身者，效禄爵者也；恒称其君之恶者，远禄
爵者也。为义而远禄爵，非子思，吾恶闻之者也。"

子思所谓"恒称其君之恶"与成孙弋称其"为义而远禄爵"，其实皆
是"以道事君"之意。然而"恒称其君之恶"，似乎更接近于"格君心
之非"。子思的"恒称其君之恶"即"犯君之颜面，言君之过失"（《说
苑·臣术》），而其目的显然是使君改恶从善，显示子思欲辅君以善、
弼君之恶的愿望。子思的臣道是孔子臣道思想的发扬。

孟子得子思之正传，欲行之道就是弘扬尧舜之道的"仁政"，就
是要为国家人民谋利益，而不是为君主个人服务。如果君主个人
的好恶将给人民带来损害痛苦，就要加以限制。于是，孟子提出：
"惟大人为能格君心之非。君仁，莫不仁；君义，莫不义；君正，莫不
正。一正君而国定矣。"（《孟子·离娄上》）焦循《孟子正义》释云："君
之定国，必先正其心之非；而臣之辅君，必先自居于正。""独得大人
为辅臣，乃能正君之非法度也。"所谓"君心之非"，就是"好色"、"好
货"之类属于个人的奢侈贪欲。而所谓"惟大人为能格君心之非"，
实际上是说杰出的儒者可以担任君主的道德的老师。此道理亦如
荀子在《臣道》中所论："故因其惧也，而改其过；因其忧也，而辨
其故。"

宋明时期的儒家并没有完全放弃以"天"或"阴阳灾异"来儆戒
人君，但他们更主要是以道德说教劝说皇帝"正心诚意"。他们比
以往的儒家更加强调治理天下的"根本"是君主之心，"天下之治乱
系乎人君仁不仁耳"。认为儒者在政治上的第一要事是"格君心之
非"。如程伊川曰："今日至大至急，为宗社生灵久长之计，惟是辅
养上德而已。"（《二程文集》卷六）又曰："治道亦有从本而言，亦有从

事而言。从本而言，惟从格君心之非，正心以正朝廷，正朝廷以正百官。""格其非心，使无不正，非大人其孰能之！"(《程氏外书》卷六)因此，当程子被任命为"崇政殿说书"之职时，一种"天降大任于斯人"的使命感在心中油然而生。他这样述说当时的心情："得以讲学侍人主，苟能致人主得尧、舜、禹、文、武之道，则天下享唐、虞、夏、商、周之治，儒者逢时，孰过于此！"(《二程文集·再辞免表》)于是他对俸禄多少、待遇如何，则从不过问；惟殚精竭虑，一心一意于辅养上德，"格君心之非"，对于君主的心性修养，丝毫不敢懈怠，大到治国平天下之道，小至出入起居之理，无不体察入微，关照备至。据记载，有一次，哲宗漱水"避蚁"，为程颐所知，于是便借此进言道："愿陛下推此心以及天下。"为了使君主乐意纳谏，程子还总结了一套进谏的策略和方法，如"人君有过，以理开谕之，既不肯听，虽当救止，于此终不能回，却须求人君开纳处进说"(《二程遗书》卷二上)。再如进谏应"达其所蔽，而因其所明"(《二程粹言·君臣篇》)等等。纵观历史，不只程子如此，历代大儒亦皆如此。

朱子也曾一度有幸成为王者之师(侍讲)，其所作所为依然是围绕着"正君心"而展开，谆谆告诫于君主的依然是儒家一脉相传的治国之道："治天下，当以正心、诚意为本。"(《近思录》卷八)朱子说："天下事有大根本，有小根本，正君心是大根本。"(《朱子语类》卷一零八)"天下之事，其本在于一人；而一人之身，其本在于一心。故人主之心一正，则天下之事无有不正；人主之心一邪，则天下之事无有不邪。"(《朱文公文集·己酉拟上封事》)"今日之事，第一且劝人主收拾身心，保惜精神，常以天下事为念，然后可以讲磨治道。"(《朱文公文集·与赵尚书》)朱子几次晋见皇帝都劝说皇帝"正心诚意"，但"正心诚意之论，上所厌闻"(《宋明学案》卷四八)。当他们对"格君心之非"感到失望时，就只能将此归结于"非人力所能为"的由天命所决定的善恶"消长之势"（朱熹致陆九渊书，见《陆九渊集》卷三六）。由此可见，在君主专制时代，单靠"格君心之非"的方式以期行道，是收效甚微的。

五、吊民伐罪，顺天应人

在政治上，儒家主张"大一统"。孔子时，周室尚存，诸侯还常借"尊王"的名义以称霸。因而孔子的"大一统"亦以"尊周"为依归。到孟子时，周室名存实亡，已没有统一天下的号召力，故孟子乃转而寄希望于某一大国能实行仁政来完成统一天下的历史使命。对此，后儒曾以"孔子尊周，孟子不尊周"的不同，认为孟子偏离了孔子的尊王之义。其实，先秦儒家，无论孔子、孟子或荀子，都没有后世那样尊奉一姓为天下之主的思想。

《论语·微子》载："微子去之，箕子为之奴，比干谏而死。孔子曰：'殷有三仁焉。'"微子为商纣王庶兄，箕子、比干都是纣王叔父。纣王无道，三人皆曾进谏，纣王不听。微子抱祭器归顺于周，后来又受封于宋；箕子被囚，及周武王克商，释之，箕子乃陈"洪范九畴"；唯比干极谏被杀。若以秦汉以后的忠君意识加以评论，唯比干可称忠臣而外，箕子难免失节之讥，而微子则简直可加之以叛国投敌之罪。然而孔子竟将三人并称为"三仁"。可见在孔子思想中，本有"天下乃天下之天下，而非一姓之天下"的认识。即使他自己本为殷商后裔，但仍然认为商纣无道而被周推翻，乃属理所当然。所以他评论人物并非以忠于一姓为标准，而以是否顺应天下之民心为标准。孔子认为，像比干这样尽忠于本朝者可谓之仁人，而像微子、箕子那样顺天应人而归顺新朝者亦不失为仁人。由此足以说明，在孔子那里，为"仁"可有多途，对"仁"的评价也可有多条标准，这是符合他所提出的"和而不同"之原则的。由此可见，孔、孟都没有将天下归属于一姓之意,而是以顺应天下之民心为依归。故所谓"孔子尊周,孟子不尊周",乃系分别根据当时所处的实际情况而定,形式虽有不同,而其精神基本一致。可以说,孔孟易地则皆然。

因此,先秦儒家所提倡的"大一统"思想具有如下两方面的基本精神:其一,孔、孟、荀都将天下视为天下之民的公器,天子是为民而立的,若无道,可将其推翻而另易他姓,不同于秦汉以后把天下当作一姓之私器而致忠于一姓的观念,这是先秦儒学与后世儒学在本质上的不同之处。其二,孔、孟、荀都反对以暴力统一天下,而主张以仁政为主,但不排除以所谓"仁义之师"的征讨为辅的方式来统一天下。这两点可谓是先秦儒家"大一统"思想的基本精神。

在孔子的君臣观念中,并无所谓"从一而终"的迂腐观念。孔子积极褒扬"仁人",但他认为忠臣不见得就是仁人。楚国的子文三次出任令尹,没有一点高兴的神色;三次被罢免,也没有丝毫怨恨。孔子认为子文称得上"忠",但不是仁人。同时,孔子认为仁人也不一定要做忠臣,这一思想,可从他评论仁人的言论中表现出来。孔子对管仲的评论已鲜明地表现了这一立场。齐桓公杀公子纠,而公子纠的师傅管仲不但没有以身尽忠,反而做了齐桓公的宰相,辅助齐桓公成就霸业。《论语·宪问》记载,子贡曰:"管仲非仁者与? 桓公杀公子纠,不能死,又相之。"子曰:"管仲相桓公,霸诸侯,一匡天下,民到于今受其赐。微管仲,吾其被发左衽矣。岂若匹夫匹妇之为谅也,自经于沟渎而莫之知也?"子贡和子路都对管仲的行为表示质疑,而孔子却把管仲的功业提到"如其仁! 如其仁!"的高度加以赞许,认为管仲完全不必拘泥小节,从死于一君。孔子及其弟子,后来的孟子、荀子都不是只事一君,而是周游列国,寻求实现自己的理想。由此看来，"忠"于一人或一姓不是孔子的理想境界，更不是他自己追求的最终目标。孔子认为成仁比尽忠更重要，仁人比忠臣更崇高。

孔子虽然主张"臣事君以忠"，但是他并不提倡"愚忠"。一般地说，孔、孟、荀同样都是反对"犯上作乱"和"以臣弑君"的。孔子一贯抨击春秋时代卿大夫的僭越非礼之事，并曾说："弑父与君，亦不从也。"（《论语·先进》）所以听到齐国陈恒弑君时，就建议出兵讨之。孟子对于大臣废立之举，也认为"有伊尹之志，则可；无伊尹之志，则篡也"（《孟子·尽心下》）。荀子在他的《臣道》篇中也对篡弑之臣大加痛斥。不过，这种观点仅限于对个人谋私争权的篡夺行为而言。至于对汤、武"吊民伐罪"的以"臣"伐"君"的革命义举，则又都是一致予以肯定的。

孔子虽对汤、武或有微词，这也不过是认为他们未能达到像尧、舜那样"尽善"而已，而对汤、武的历史功绩，仍给予了很高的评价。《易传·革象》曰："天地革而四时成，汤、武革命，顺乎天而应乎人。革之时大矣哉！"这一评价，充分体现了孔子以民为主的进步思想。

孟子则明确提出诛杀桀、纣这样的暴君是为民除害，不是弑君。其《梁惠王下》曰：

> 齐宣王问曰："汤放桀，武王伐纣，有诸？"孟子对曰："于传有之。"曰："臣弑其君，可乎？"曰："贼仁者谓之'贼'，贼义者谓之'残'。残贼之人谓之'一夫'。闻诛一夫纣矣，未闻弑君也。"

以臣弑君，在君主专制时代一直被当作大逆不道的行为，孟子也不愿让贤者背上"弑君"的名声，所以把诛暴君称为"诛一夫"，这样，不仅使贤者诛暴君合理化，而且导致承认革命的合理性，为后世人民反暴君、反暴政提供了合理性的理论基础。孟子还直言不讳地对齐宣王说:"君有大过则谏;反覆之而不听,则易位。"(《孟子·万章下》)在孟子看来,贤臣可以放逐昏君,甚至可以"易位"。孟子提倡对昏君可由贤臣放逐之,由贵戚之卿废黜之,这种观念无疑是从整个国家和人民的利益出发的。

荀子的观点与孔、孟一脉相承,也认为:"汤、武者,民之父母也;桀、纣者,民之怨贼也";"故桀、纣无天下,而汤、武不弑君"。荀子将"汤武革命"称为"权险之平",这是从"天下归之之谓王","非圣人莫之能王"(《荀子·正论》)的意义上说的。荀子认为:"诛暴国之君若诛独夫"(同上)。"故以枝代主而非越也,以弟诛兄而非暴也,君臣易位而非不顺也。"(《荀子·儒效》)

孔子、孟子和荀子对《尚书》、《易传》所记载的"汤武革命"都给予了肯定。这些都体现了儒家进步的民本主义思想,而对历代君主的许多暴虐行为起到一定的警诫作用。但是,在天神的权威已经衰落的情势下,儒家对于如何切实节制君主的权力,使其不得不服从儒家的道德,是缺少设计的。

总而言之,儒家政治思想中之所谓"忠君",决非指臣对君个人的服从,而是把君看作国家的代表,只有君的政令真正代表国家和人民的利益时,臣才有"忠"的义务;假若君的政令不利于国家和人民的利益时,就该坚持"从道不从君"的原则,进行谏诤;若谏而不从,则可以"去之",甚或可以将君"易位";假若到了仅靠将君易位尚不足以平民愤之时,还可以像汤、武那样以应天顺人的正义之师"吊民伐罪",将其推翻而另建新朝,以合万民之望。所以,在儒家的政治思想中,"忠君"与"爱国"、"爱民"是完全统一的。

第四节 官民关系

关于官民关系,就其本质而言,是统治者与被统治者之间的关系,所以与君民关系有很多相通之处;而为官之道与为君之道也有很多相通之处。在官民关系中,儒家主要是强调治民之"官"的品德修养和应采取的施政方法,而对被治之"民"则很少有专门的论述。这除了儒家对上严而对下宽的原因而外,另一个主要原因是因为儒家在政治上所要培养的是治民之"官",而非被治之"民"。对"民"的培养,主要属于普通教育的范围。当然,要求"民"能知法守法,也与政治有联系。这些问题,皆拟于本节内试予论述。

一、为官之道

在官民关系中,"官"与"民"的关系是否处理得协调和谐,关键在于为官之道。若从"官"必须对"君"负责而言,则爱民即所以"忠君";若从"建官以为民"而言,则忠君正在于"爱民"。所以,为官之道的本质,即在于"爱民"。"爱民"不能仅仅停留在心上,而必须具体表现在施政的行动上,故为官之道主要体现在如下几方面。

首先,为官必须加强自身修养,以身作则。这其实与为君之道有其相通之处,无论为君抑或为官都应以身作则,才能使民服从教化。古文《书·君牙》曰:"弘敷五典,式和民则。尔身克正,罔敢弗正。民心之中,惟尔之中。"这是周穆王命君牙为大司徒时的诰命,他要求君牙为官应以中正之德以身作则而为万民之表率。《论语·颜渊》载,季康子问政于孔子,孔子对曰:"政者,正也。子帅以正,孰敢不正?"《子路》记孔子曰:"其身正,不令而行;其身不正,虽令不从。"又曰："苟正其身矣，于从政乎何有？不能正其身，如正人何？"凡此之类，既是为君之道，也是为官之道，已详前述，兹不赘述；今仅举前所未及者简述之。

《论语·子路》载，子路问政，子曰："先之，劳之。"为政要发挥带头作用。《为政》载，季康子问："使民敬、忠以劝，如之何？"子曰："临之以庄，则敬；孝慈，则忠；举善而教不能，则劝。"这里，"庄"是庄重敬肃的仪态，"孝"、"慈"是为人的道德规范，都属于自身修养范围。孔子认为，只有临民以庄，民才会敬于己；自己做到孝于亲，慈于众，民才会忠于己。这都是以身作则去感化人民之意。唯有"举善而教不能"是一种行政举措，意为提拔善者使之教导不能善者，则民就会互相勉励而乐于为善。

《左传·襄公二十一年》载，邾大夫庶其叛邾，以其漆、闾丘二邑奔鲁。鲁正卿季武子以襄公之姑姊妻之，并有赐于其从者。于是鲁多盗。季武子使司寇臧武仲治之。臧武仲曰："子召外盗而大礼焉，何以止吾盗？子为正卿，而来外盗。使纥去之，将何以能？庶其窃邑于邾以来，子以姬氏妻之，而与之邑，其从者皆有赐焉。若大盗，礼焉以君之姑姊，与其大邑；其次，皂牧舆马；其小者，衣裳剑带：是赏盗也。赏而去之，其或难焉。纥也闻之，在上位者，洒濯其心，壹以待人；轨度其信，可明徵也，而后可以治人。夫上之所为，民之归也。上所不为，而民或为之，是以加刑罚焉，而莫敢不惩；若上之所为，而民亦为之，乃其所也，又可禁乎？"这则故事是说，邾国的大夫带着邾国的封地来投奔鲁国，这就是叛国之"盗"。季武子不仅接纳还加以赏赐，这不但是赃家而且是"赏盗"。作为国之正卿而以"赏盗"为政，这就难怪国中要"多盗"了。若此而令司寇禁盗，司寇当然要犯难了。故臧武仲认为，只有在上者不干坏事，而民偏要去干，才可以加以刑罚；如果在上者干了坏事，而民也跟着干坏事，这是自然之理，还能禁得了吗？所以，《论语·颜渊》载，季康子患盗，问于孔子。孔子对曰："苟子之不欲，虽赏之不窃。"就是同样的道理。

清彭玉麟《致弟》云："委员之道，以四者为最要：一曰习劳苦以尽职；一曰崇俭约而养廉；一曰勤学问以广才；一曰戒傲惰以正俗。有此四德，可以膺重任。为政而得人，乐在其中矣。"也阐明了以身作则之意。

其次，尽力做好本职工作，既不失职，又不越职，而是做到称职。孔子在担任委吏时能做到"会计当而已矣"，在担任乘田时能做到"牛羊茁壮长而已矣"，这是尽职（见《孟子·万章下》）；但他主张"不在其位，不谋其政"，曾子亦谓"君子思不出其位"（《论语·宪问》），就是反对越职侵权行为。有人将此理解为孔子反对庶民关心政治，实为误解。正如顾亭林所说的"天下兴亡，匹夫有责"。关心国家的命运，正是每个庶民的应尽职责。孔子即使在无位时，也以天下为己任，正可证实这一点。凡是古今真儒，即使在身为布衣匹夫时，也一定"处江湖之远，则忧其君"地关心国之兴亡；而一旦在位，既能忠于职守，也决不会滥用职权。孔子的弟子冉有为季氏宰而没有纠正季氏攻伐颛臾的过失，孔子责备道："求！周任有言曰：'陈力就列，不能者止。'危而不持，颠而不扶，则将焉用彼相矣？且尔言过矣，虎兕出于柙，龟玉毁于椟中，是谁之过与？"（《论语·季氏》）这是说，如果能够尽职，才能任职；若未能尽职，就该辞职。犹如作为瞎子的助手而没有尽到扶持的责任，作为管理虎兕或龟玉的人员而没有尽到管理的责任，这都是没有尽职，是不应该的。宋儒吕东莱自述处世态度云："每切自警，不问在朝在野，职分之内，不可偷惰；职分之外，不可侵越，自然日用省力。"（《东莱文集·与潘叔度》）亦系此意。

从官民关系而言，就是为官者既要尽到爱民、利民的责任，又不宜超越自己的职权范围去干涉人民的自主权。《子路》记孔子曰："上好礼，则民莫敢不敬；上好义，则民莫敢不服；上好信，则民莫敢不用情。夫如是，则四方之民襁负其子而至矣，焉用稼？"孔子指出，为官之道并不在于要"与民并耕而食"，而只要做好职务之内的事，人民就自然服从教化了。

其三，选拔贤才。《雍也》载，子游为武城宰。子曰："女得人焉耳乎？"曰："有澹台灭明者，行不由径，非公事，未尝至于偃之室也。"为政以人才为先，故孔子以得人为问。澹台灭明能做到非公事不见邑宰，则其有以自守，而无枉己徇人之私可知。故朱注云："持身以灭明为法，则无苟贱之羞；取人以子游为法，则无邪媚之惑。"《子路》载，仲弓为季氏宰，问政。子曰："先有司，赦小过，举贤才。"曰："焉知贤才而举之？"子曰："举尔所知；尔所不知，人其舍诸？"也强调了为官的用人之道。《大学》曰："见贤而不能举，举而不能先，命（慢）也；见不善而不能退，退而不能远，过也。"这是兼从"举贤"和"退不善"两方面而言。

其四，要讲信用，取信于民。《论语·颜渊》记孔子曰："自古皆有死，民无信不立。"并认为取信于民要比"足食"、"足兵"更重要。《子张》记子夏曰："君子信而后劳其民；未信，则以为厉己也。"也强调了"信"的重要。取信于民是为君和为官所应共同遵守的原则，在"君道"中已有详述，故不赘。

以上仅就几项主要原则加以讨论，此外诸如"居敬而行简"（《论语·雍也》）等等，都是为官之要道，限于篇幅，故此从略。

二、当官应为民做主

关于官民关系，若从"官"乃国家所委任的治民者而言，则官民关系也就是"国"与"民"的关系；若从"官"乃某一地区或某一部门的代表而言，则官民关系也就是集体与个人的关系；若从"建官以为民"的意义而言，则是"公仆"与"主人"的关系；若从"官"的政治地位而言，则自古至今都确实存在着"官尊而民微"的现实，不可否认地又是"上"与"下"的关系，亦即统治与被统治的关系，故对地方长官又有所谓"父母官"之称。从儒家爱民的思想出发，用"当官应为民做主"这句俗语来概括"官"与"民"之间的关系，当是比较合适的。具体表现在如下几方面。

首先，为官必须尊重民意。《左传·襄公三十一年》载，郑人游于乡校，以论执政。然明谓子产曰："毁乡校，何如？"子产曰："何为？夫人朝夕退而游焉，以议执政之善否。其所善者，吾则行之；其所恶者，吾则改之：是吾师也。若之何毁之？我闻忠善以损怨，不闻作威以防怨。岂不遽止？然犹防川，大决所犯，伤人必多，吾不克救也。不如小决使道，不如吾闻而药之也。"这分明是主张广听民意以作为施政的准绳之意。故仲尼闻是语也，曰："以是观之，人谓子产不仁，吾不信也。"给予了很高的评价。

明儒王阳明在既已安抚田州、思恩之后，犹以民心未必尽得，而穷乡僻壤或有隐情，乃亲自备历二邑村落，经理其城堡。并将自己所初拟的处理方案咨询各地头目，皆以为善；又咨询各地父老兄弟，又皆以为善。阳明始信其可行，然后付诸实施，并疏请田州仍以原酋岑氏之后为土官知府，以顺本地之民情，于是其地得以安定。(见王阳明《奏报田州、思恩平复疏》及其《年谱》)这充分说明了王阳明运用尊重民意的施治方法收到了成效。

其次，应以仁爱之心施政。古文《书·君陈》曰："无依势作威，无倚法以削，宽而有制，从容以和。"《论语·公冶长》载，子谓子产："有君子之道四焉：其行己也恭，其事上也敬，其养民也惠，其使民也义。"《阳货》又载,子张问仁于孔子。孔子曰:"能行五者于天下,为仁矣。"请问之。曰:"恭、宽、信、敏、惠。恭则不侮,宽则得众,信则人任焉,敏则有功,惠则足以使人。"其中"宽"和"惠"都充分表现了仁爱之心。《易·兑象》云:"刚中而柔外,说以利贞,是以顺乎天而应乎人。说以先民,民忘其劳;说以犯难,民忘其死。说之大,民劝矣哉!"能以柔道使民悦服,也在于其以仁爱之心为政。

《论语·尧曰》载,孔子还主张从政者必须"尊五美,屏四恶"。所谓"五美"就是:"君子惠而不费,劳而不怨,欲而不贪,泰而不骄,威而不猛。"其中"惠而不费"的具体内容就是"因民之所利而利之",最值得重视。而所谓"四恶",乃是"不教而杀谓之虐;不戒视成谓之暴;慢令致期谓之贼;犹之与人也,出纳之吝谓之有司"。这四者乃是虐民之恶政,必须绝对屏除之;而屏除"四恶"的正面意义无疑是要实行"先教,先戒,信守法令,惠而不吝"四项仁政。《礼记·王制》云:"凡使民:任老者之事,食壮者之食。"这显然也是一种惠政。《孟子·尽心上》记孟子曰:"以佚道使民,虽劳不怨;以生道杀民,虽死不怨杀者。"这是总结以仁爱之心施政的成效。

清胡林翼《致枫弟》云:"夫词讼案件,首当注意者,一为惩蠹,一为爱民。"其实,刑法上"惩蠹"的本质即在于"爱民"。

其三,对民应怀有同情心。《论语·子张》载,孟氏使阳肤为士师,问于曾子。曾子曰:"上失其道,民散久矣。如得其情,则哀矜而勿喜。"朱注引谢氏曰:"民之散也,以使之无道,教之无素。故其犯法也,非迫于不得已,则陷于不知也。故得其情,则哀矜而勿喜。"而对于矜寡孤独以及残疾之类贫民,更应加以同情。《礼记·王制》曰:"少而无父者谓之孤,老而无子者谓之独,老而无妻者谓之矜,老而无夫者谓之寡。此四者,天民之穷而无告者也,皆有常饩。瘖、聋、跛、躃、断者,侏儒、百工,各以其器食之。"

唐柳玭《戒子弟》曰："廪禄虽微，不可易黎甿之膏血；榎楚虽用，不可恣褊狭之胸襟。忧与福不偕，洁与富不并。"这是说，即使俸禄微薄，也不能以吸取民之膏血来充饱私囊；即使不得已而用刑，也不能参以私意，而应以同情怜悯为本。

王阳明奉命征剿思恩、田州时。他认为"所以为乱者，皆当事诸人不能推诚安抚，有以致之"，而叛乱者之"所以阻兵负险者，亦无他意，不过畏罪逃死，苟为自全之计，其情亦有可悯"。所以决定采取招抚之法屾加生全，乃得以不杀一卒、不费斗米而使顽夷之众皆能从命归服。抚定其众，凡一万七千，皆谓再生之恩，誓以死报，且乞杀贼立功，以赎前罪。阳明再谕之曰："朝廷之意，惟愿生全尔等，今尔方来投生，岂忍又驱之兵刃之下？尔等逃窜日久，家业破荡，且宜速归，完尔家室，及时耕种，修复生理。"（见王阳明《奏报田州、思恩平复疏》及其《年谱》）观此，足见阳明深得"如得其情，则哀矜而勿喜"之精神。

清彭玉麟《致弟》云："余自治兵，未虐使军士，未得罪百姓。此二语可自信之。盖养兵为民，能卫民者，讵忍虐使之；设官亦为民，其不爱民者，何以食禄报君恩，且慰黎民之感戴也耶？"这也充分体现了对于军、民的怜悯同情之心。

其四，重视教化。《书·酒诰》曰："勿庸杀之，姑惟教之。"《论语·泰伯》记孔子曰："民可，使由之；不可，使知之。"孔子作为一位开发民智的大教育家，对于未被人民所理解的政策法令，主张先要进行教育，使之理解，然后施行。故《礼记·王制》曰："司徒修六礼以节民性，明七教以兴民德，齐八政以防淫，一道德以同俗，养耆老以致孝，恤孤独以逮不足，上贤以崇德，简不肖以绌恶。"《孟子·告子下》记孟子曰："不教民而用之，谓之殃民。殃民者，不容于尧舜之世。"这里的"用之"，使之战也。亦即孔子所谓"以不教民战，是谓弃之"之意。

儒家还认为,假若为官不行仁政而施以虐政,必将受到人民应有的报复。《孟子·梁惠王》载,邹与鲁闲。穆公问曰:"吾有司死者三十三人,而民莫之死也。诛之,则不可胜诛;不诛,则疾视其长上之死而不救,如之何则可也?"孟子对曰:"凶年饥岁,君之民老弱转乎沟壑,壮者散而之四方者,几千人矣;而君之仓廪实,府库充,有司莫以告,是上慢而残下也。曾子曰:'戒之戒之!出乎尔者,反乎尔者也。'夫民今而后得反之也。君无尤焉。"邹国这些平时"上慢而残下"的虐民官吏,在战争时就受到了人民"疾视其长上之死而不救"的回报,可为官吏之戒。

在儒家"爱民"思想的培育下,中国历史上确实出现过许多爱民如子的清官廉吏。诸如历代正史的《循吏传》中所载的多不胜计的清官廉吏的爱民事迹就是明证。如清儒郑板桥《潍县署中画竹呈年伯包大中丞括》诗云:

> 衙斋卧听萧萧竹,疑是民间疾苦声。些小吾曹州县吏,一枝一叶总关情。

作为一个父母官,总是把老百姓时刻放在心上,即使听到竹叶晃动的声响,也会联想到民间疾苦。其中充分反映了富有儒家思想的清官廉吏的爱民之情。

第五节　上下级关系与同僚关系

在政治关系中,除了君民、君臣和官民关系而外,还有官场内部的上下级关系和同僚关系。上下级关系略似于君臣关系又有很大的区别;同僚关系有似于朋友关系却包含了政治的内容。官场内部的这种关系,有时也会影响到政治的稳定和国家的兴亡。

《论语·乡党》记述孔子在朝廷分别对待上、下级与国君的不同态度:"朝,与下大夫言,侃侃如也;与上大夫言,訚訚如也;君在,踧踖如也,与与如也。"《说文》云:"侃侃,刚直也;訚訚,和悦而净也。"朱注云:"踧踖,恭敬不宁之貌;与与,威仪中适之貌。"并引张子曰:"与与,不忘向君也。"这说明孔子在对待下级、上级乃至国君的态度上是有所区别的。

《易·系辞上》记孔子曰:"知几其神乎?君子上交不谄,下交不渎,其知几乎!"就一般情况而言,与上级交往容易过分谦恭而偏于谄媚,与下级交往则又容易有所简傲而流于渎慢。然而作为君子,则既能达到与上级交往而不谄媚,又能达到与下级交往而不渎慢,无论与上级或下级交往都能做到不卑不亢的恰如其分的程度,这可谓是上下级之间交往所应遵循的基本原则。

《中庸》则从职权的角度加以规范。其曰:"君子素其位而行,不愿乎其外。……在上位不陵下,在下位不援上,正己而不求于人,则无怨。"所谓"素其位而行",朱注云:"素,犹见在也。言君子但因见在所居之位而为其所当为,无慕乎其外之心也。"所谓"在上位不陵下,在下位不援上",就是在尽心做好本职工作之外,不要有任何侵权行为。孔子所谓"不在其位,不谋其政",曾子所谓"君子思不出其位",就是这个意思。假若在上位而"陵下",在下位而"援上",这都是超越职权而越俎代庖的侵权行为,都是不正常的上下级关系。

在下位而"援上"的侵权行为,大概是春秋之世日趋严重的普遍现象。《论语·季氏》记孔子曰:"天下有道,则礼乐征伐自天子出;天下无道,则礼乐征伐自诸侯出。自诸侯出,盖十世希不失矣;自大夫出,五世希不失矣;陪臣执国命,三世希不失矣。天下有道,则政不在大夫；天下有道，则庶人不议。""礼乐征伐自天子出"，是周礼规定的天子的职权。到了春秋之世，礼崩乐坏，王室陵夷，下位对上位的侵权行为层出不穷。自"礼乐征伐自诸侯出"以下，就是下对上的侵权行为日益严重的具体表现。其结果则正如朱《注》所谓"逆理愈甚，则其失之愈速"。故孔子又曰："禄之去公室，五世矣；政逮于大夫，四世矣；故夫三桓之子孙，微矣。"鲁国自文公薨，公子遂杀子赤，立宣公，而君失其政。历成、襄、昭、定，凡五公。季孙氏自季武子始专国政，历悼、平、桓子，凡四世，而为家臣阳虎所执。这是以鲁国的具体史实来证明上述理论的正确性。朱《注》引苏氏曰："礼乐征伐自诸侯出，宜诸侯之强也，而鲁以失政；政逮于大夫，宜大夫之强也，而三桓以微。何也？强生于安，安生于上下之分定。今诸侯、大夫皆陵其上，则无以令其下矣，故皆不久而失之也。"这说明了一个很明显的道理：从政治伦理上说，只有各级自尽其职，上下整然有序，政治才能安定，国家才能强大。假若在下位者向上侵权，初看好像是自己强大了，然而上行而下效，自己的下位也必将向自己侵权。这样一来，上级的职权必然逐渐下移，从而打乱了整个政治秩序，国家也就衰亡了。国既衰亡，各级的职权也就不存在了。这严密地论证了政治界的下位"援上"之危害与"素其位而行"的重要性。

与之相反，在上位而"陵下"的侵权行为，一般都是权力过于集中，在上位者单凭自己的主观意志行使职权而产生的侵权现象。《论语·泰伯》记曾子曰："君子所贵乎道者三：动容貌，斯远暴慢矣；正颜色，斯近信矣；出辞气，斯远鄙倍矣。笾豆之事，则有司存。"朱《注》引程子曰："动容貌，举一身而言也。周旋中礼，暴慢斯远矣；正颜色则不妄，斯近信矣；出辞气，正由中出，斯远鄙倍。三者正身而不外求，故曰笾豆之事则有司存。"这就是说，动容貌、正颜色、出辞气三者是在上位者的自身修养,也是以身作则来影响下属服从政令和教化的应有品质。而所谓"笾豆之事"亦即具体的政务则有下属各科的办事人员分别去办理,只要用人得当,自然能够办好,在上位者是不必去过问的。假若在上位者去干涉这些具体事务,就是"陵下"的侵权行为。这样,不仅会使自己承受不必要的劳累,更重要的是会使下属不能正常地办事。故《论语·卫灵公》记孔子曰:"无为而治者其舜也与? 夫何为哉? 恭己正南面而已矣。"所谓"恭己正南面",亦即曾子所谓"动容貌,正颜色,出辞气"之意。若能做到"恭己正南面"而不去干涉下属的具体事务,这样,就能达到"无为而治"。当然,要达到"无为而治"是要有一个很重要的前提的,这就是:举贤任能。正如《大戴礼记·主言》云:"昔者舜左禹而右皋陶,不下席而天下治。"所任得其人,自己才能"恭己正南面"而达到"无为而治"。唐魏徵《谏太宗十思疏》云:"简能而任之,择善而从之,则智者尽其谋,勇者竭其力,仁者播其惠,信者效其忠。文武并用,垂拱而治。何必劳神苦思,代百工之职役哉!"这就是儒家有别于道家之所谓"无为而治"的正确解释。诚然,这讲的都是关于"君臣"的关系,不过,君臣关系与上下级关系本有相通之处。尤其是地方长官与下属各职之间的上下级关系,实可作如是观。

《大学》则提出了所谓"絜矩之道",其曰:"所恶于上,毋以使下;所恶于下,毋以事上;所恶于前,毋以先后;所恶于后,毋以从前;所恶于右,毋以交于左;所恶于左,毋以交于右:此之谓絜矩之道也。"这里所谓"上"与"下",指的就是上下级的关系;而所谓前、后、左、右,即可视之为周围与之有联系的同僚关系。《大学》所提出的"絜矩之道",就是兼及上下级关系和同僚关系而言的政治关系学说。对此,朱注云:"如不欲上之无礼于我,则必以此度下之心，而亦不敢以此无礼使之；不欲下之不忠于我，则必以此度上之心，而亦不敢以此不忠事之。至于前后左右，无不皆然，则身之所处，上下、四旁、长短、广狭，彼此如一，而无不方矣。彼同有是心而兴起焉者，又岂有一夫之不获哉。所操者约，而所及者广，此平天下之要道也。"所谓"所操者约"，其实就在于把握一个"恕"字。故朱注又云："是以君子必当因其所同，推以度物，使彼我之间各得分愿，则上下、四旁均齐方正，而天下平矣。"所谓"推己度物，使彼我之间各得分愿"，就是"恕"的原则。故《大学》又曰："所藏乎身不恕，而能喻诸人者，未之有也。"这分明是用"恕"的原则来协调上下级以及同僚之间的关系的政治理论。在官场中，如果每个职位的在位者都能以"恕"的原则来处理上下、前后、左右的关系，则整个统治集团自然就达到协调一致的和谐境界了。

对每个官员来说，要做到"恕"，最重要的是必须具有容人之量，不能妒贤嫉能。《书·秦誓》曰："如有一介臣，断断猗无他技，其心休休焉，其如有容。人之有技，若己有之；人之彦圣，其心好之，不啻如自其口出。是能容之，以保我子孙黎民，亦职有利哉！人之有技，冒疾以恶之；人之彦圣，而违之俾不达。是不能容，以不能保我子孙黎民，亦曰殆哉！"这在赞许了好贤爱才品德的同时，又对妒贤嫉能的恶习作了无情的抨击。提倡这种容人之量，是与亲仁尊贤之心密切联系在一起的。故《大学》也引用了这段话，来说明具有容人之量才能遵循"恕"的原则，从而合乎"絜矩之道"以达到平天下之最高境界。

在历史上，官僚之间的关系影响及政治安定和国家兴亡者，则有所谓"朋党"之说。诸如：北宋时期的新、旧党争，阻碍了改革的进行；南宋时期的党争，导致道学受贬，恢复大计无从开展；而汉末和明末的士族与宦官之间的党争，更直接导致了国家之衰亡。所以，论者对于朋党之争率多微词。然而宋儒欧阳庐陵针对当时的党争情况而作《朋党论》，提出了自己颇为精辟的见解。其曰：

> 臣闻朋党之说，自古有之，惟幸人君辨其君子小人而已。大凡君子与君子，以同道为朋；小人与小人，以同利为朋。此自然之理也。然臣谓小人无朋，惟君子则有之。其故何哉？小人所好者，利禄也；所贪者，货财也。当其同利之时，暂相党引以为朋者，伪也；及其见利而争先，或利尽而交疏，则反相贼害，虽其兄弟、亲戚，不能相保。故臣谓小人无朋，其暂为朋者，伪也。君子则不然，所守者道义，所行者忠信，所惜者名节。以之修身，则同道而相益；以之事国，则同心而共济，终始如一，此君子之朋也。故为人君者，但当退小人之伪朋，用君子之真朋，则天下治矣。

接着他列举尧、舜能退共工、驩兜等"四凶"小人之朋，而进"八元"、"八恺"以及皋、夔、稷、契等二十二人的君子之朋，故能天下大治。汉末"尽取天下名士囚禁之，目为党人"，而汉室乱亡；唐末"尽杀朝之名士，或投之黄河"，而唐遂亡矣。而且，舜用二十二人而不疑，后世亦"不诮舜为二十二人朋党所欺，而称舜为聪明之圣者，以能辨君子与小人也"。最后，他慨叹道："嗟乎！治乱兴亡之迹，为人君者，可以鉴矣！"

欧阳氏所谓"君子之朋"，就是在儒家之"道"的指导下，以"恕"为互相之间处理关系的原则所形成的政治团体。这种政治团体既以利国、利民为共同目标，而其上下级和同僚之间又都达到协调和谐。这是儒家所追求的上下级与同僚之间处得其宜的最高境界。

第六节　君民、君臣观的演变

先秦儒家颇具民主精神的君道论,并未为处于兼并混战中的时君所接受。秦并六国,否定了天下为公的思想,儒家君道论被贬入底谷;而适合于专制君主口味的法家理论,成为秦代暴力政治的指导思想,从而建立起天下为私的绝对君主专制主义统治。于是,忠君思想乃随之升级。《资治通鉴》载:"初,秦有天下,悉纳六国礼仪,采择其尊君抑臣者存之。"但排儒尊法的极端暴力统治,也促使秦朝迅即崩溃。

汉承秦制,为了适应君主集权,统一思想,大儒董仲舒提出"罢黜百家,独尊儒术"的大一统思想。董子虽然以继承儒业自居,但已尽弃先秦儒学中的民主性精华,接纳了法家的绝对君权理论,结合阴阳五行学说,建立起一套完整的天人感应的神学哲学体系。他一方面"屈民而伸君",吸收韩非子之学而提出了"三纲"之说;另一方面"屈君而伸天",重建天神的权威,以所谓"天人相与之际甚可畏也"儆戒人君,节制君权。但天神的权威已不可能完全恢复,以天神节制君权的效果其实是很有限的。在君臣关系方面,董子论证君权的神圣和至高无上,认为皇帝代表"天意",是万民的主宰,君命不可违抗,臣必须绝对服从君主,于是把"忠君"的道德准则抬到最高地位。汉朝名义上是以"孝"治天下,而实际上,孝已退居服从忠君的地位。从此,忠、孝便成为专制道德的总纲领。

然而,尽管董子把忠君提到了一个神圣的高度,但忠君观念却并未立即在人们心里生根。西汉末年,在面对严重的统治危机时,出现了颇多要求易姓改朝的言论。盖宽饶引《韩氏易传》云:"五帝官天下，三王家天下。家以传子，官以传贤，若四时之运。功成者王，不得其人，则不居其位。"（《汉书·盖宽饶传》）刘向上书云："王者必通三统，以天命所受者博，非独一姓也。"（《汉书·楚元王传》）谷永说得更加明确："天下乃天下之天下，非一人之天下也。……夫去恶夺弱，迁命贤圣，天地之常经，百王之所同也。"（《汉书·谷永传》）这些言论分明是发挥了先秦儒家思想之遗意。可见要想使一种观念深入人心，成为被社会普遍认同的价值观，还需要一个长期的、渐进的过程。因此，忠君观念最终直到东汉时期才被大大地强化。

东汉时期，在加强忠君观念上做了多方面的工作。首先，大力宣扬君臣大义和名教气节。顾亭林《日知录·两汉风俗》云："汉自孝武表章六经之后，师儒虽盛，而大义未明。故新莽居摄，而颂德献符者，遍于天下。……光武有鉴于此，故尊崇节义，敦厉名实。"所谓"大义未明"，主要指"君臣大义"而言。西汉时，"君为臣纲"的理论虽已确立，但作为君臣大义尚未深入人心而成为一种气节的自觉。故在王莽摄政时，竟至于"颂德献符者，遍于天下"，助长了王莽的篡汉之局。光武吸取西汉的历史教训，即位后就大张旗鼓地旌扬许多以不仕王莽而名重当时的忠节之臣，深化了君尊臣卑的内容，也确立了扬忠抑逆的观念，因而忠君观念得到了进一步强化。

其次，东汉政府抓了教育和选官两件大事以推崇气节观念。在教育上，掀起了学习儒经的热潮，使儒学中的忠孝节义观念浸染渗透到人的头脑中去。在选官方面，推行孝廉取士的方式，"孝悌，天下之大顺也"；"廉吏，民之表也"（《汉书·文帝纪》）。这两项措施都有利于加深官吏的气节观念。所谓"气节"，是一种能够坚持价值理想的勇气。一个有气节的人，才可能坚持自己忠于君国的信念，才可能是一个刚直不阿的忠臣。所以，东汉重视气节，实际上对强化忠君观念是一个有力的促进。

其三，光武接过了王莽为代汉而大造舆论的谶纬符命之说，在即位的诏文中公开引用"刘秀发兵捕不道，卯金修德为天下"的符谶，并于中元元年"宣布图谶于天下"（《后汉书·光武帝纪》）。其后继者又承续这一传统："光武善谶，及显宗、肃宗同祖述焉。"（《后汉书·张衡传》）于是谶纬符瑞之学得到了膨胀式的发展，而其中君权神授的迷信设教大大深化了天人感应说中的君尊臣卑的理论，且为忠君观念提供了一种理论依据，即刘姓为帝是天意，人臣只有忠于它的义务，而绝不能有非分之想。

诸方面的结合，更有效地将忠君观念渗透到人们的头脑中去。于是，君尊臣卑的关系就如同天高地卑的关系那样不可更改。因而东汉末年的群臣迥异于西汉末年之臣，面对政治黑暗，首先想到的不是易姓改朝，而是用自身的努力挽救危机，以延汉祚。奸雄如曹操，尽管取得了挟天子以令诸侯的政治优势，并日益将献帝傀儡化，但始终不敢步王莽后尘迈出取而代之的最后一步，可见在他的心中确实还残存了一点君臣的名分，"若天命在吾，吾为周文王矣"（《三国志·魏书·武帝纪》）。鼎足而立的三家，不约而同地打着献帝这张王牌，其意图就在于利用当时人心普遍存在忠君观念的背景，这无疑是东汉忠君观念达到了高潮的表现。

宋、明之世，大儒辈出，他们卑视汉唐，攘斥佛老，上承孔孟千年不传之学，欲在文化事业上再造乾坤，为万世开太平。但令人遗憾的是，他们对先秦儒学中的民主性精华视而不见，不敢发挥，只是接过性善说，大谈心性天道。在君臣关系问题上，宋儒仍然继承汉儒，甚至比董子有过之无不及，把三纲五常看成是天理良知，人之本性，在客观上加强了君主专制的统治。

程子自称"天理二字却是自家体贴出来"，而君臣之道就是他所谓"天理"的主要内容。朱子说:"宇宙之间,一理而已。天得之而为天,地得之而为地,而凡生于天地之间者,又各得之而为性。其张之为三纲,其纪之为五常,盖皆此理之流行,无所适而不在。"(《朱文公文集·读大纪》)这就是说,三纲五常只是天理之流行。朱子还认为君臣之义是人的本心的显现:"惟天下之义莫大于君臣,其所以缠绵固结而不可解者,是皆生于人心之本然,而非有所待于外也。"

明代王阳明的良知学说在一定程度上有突破传统、追求思想解放的意义,但仍把君臣之义看作是良知内容,良知也就是天理,"人到纯乎天理方是圣,金到足色方是精"(《传习录》上)。这样,宋、明儒者就把君臣之义建构成上同于天理,下纳于人心的缜密完整的理论体系,看成是无所逃于天地之间的大本大伦,把它当作牢牢桎梏人心的锁链。中国近现代以来启蒙思想家所猛烈批判的传统儒学,主要就是汉、宋、明儒学的理论体系。

明清之际,君主专制制度的流弊已充分暴露出来。黄宗羲、顾炎武、王夫之、颜元、唐甄等一大批思想家奋起批判绝对君权、君主专制。其中黄宗羲又把视野投向先秦儒学,在直接继承先秦儒学的基础上,系统反思君臣关系,提出了一系列富有近代民主色彩的新见解。其《明夷待访录·原君》曰:"古者以天下为主,君为客,凡君之所毕世而经营者,为天下也;今也以君为主,天下为客,凡天下之无地而得安宁者,为君也。……然则为天下之大害者,君而已矣。"他痛斥秦汉以来所建立的君主专制制度是"非法之法",深刻地揭露历代专制君主把天下为公变成天下为私,把君主一己之"大私"说成是天下之"大公"。明确指出专制君主是"天下之大害",是人民的公敌,人民视之为"寇仇",称之为"独夫",诛之犹恐不及,而汉宋陋儒、俗儒却不能继承先秦儒家的思想,"至废孟子而不立",

侈谈什么"君臣之义无所逃于天地之间"。甚至像桀、纣这样的暴君,"犹谓汤、武不当诛之",是非之颠倒,莫此为甚!黄氏认为"天下之治乱,不在一姓之兴亡,而在万民之忧乐"(《明夷待访录·原臣》)。君臣是共治天下者,共同的职责是为"天下万民",臣决不是君的仆妾奴婢,没有效忠于君主一人一姓的道理和义务,如君臣相得,宜在师友之间。

黄宗羲的思想超出先秦儒家之处,在于制度建设方面的思想透露出近代民主的黎明曙光。他认为不必把天子的地位看得过高,而应看作不过是比公卿高一级的官员而已。为防止天子一人独裁,应设宰相一人,并通过提高宰相的权力来限制皇帝的权力。宰相和六卿、谏官等官员与天子一起"每日便殿议政","同议可否"(《明夷待访录·置相》)。"宰相设政事堂",即政府,处理全国大政,必要时宰相还可以代行天子的职权。这种政治主张里已经体现了"虚君共和"的思想,而宰相领导的政府也接近于民主政府中的内阁制政府。黄氏还主张扩大学校的职能,认为学校不仅仅是为了"养士"、培育人才、敦风化俗,更重要的是"必使治天下之具皆出于学校",把学校变成议政的机构,由学校最终裁决政事的是非得失。他说:"天子之所是未必是,天子之所非未必非,天子亦遂不敢自为非是而公其非是于学校。"(《明夷待访录·学校》)黄氏对学校的认识明显受春秋时期"子产不毁乡校"的影响,但更主要是想把明末东林书院的讲学论政的模式扩大、提升为制度的形式,颇具议会的雏形。学校不仅议政,而且还有监督弹劾郡县地方行政官吏的权力。

黄宗羲的制度建设的思想已朦胧地接近近代民主的观念,但仍然只是笼统的设想,而不是严格的论证。他对"君害"的批判是深刻的,但没有找到解决君主制的根本出路。先秦儒家提出"天下为公"的理念,以天下所归作为君权合法性的基础,黄氏也未能在此基础上推出民权理论,因而也就未能彻底超越君臣关系的传统框架,与近代意义上的民主理论体系相比,仍有一段差距。当然,我们完全可以设想,假若后继者能够沿着这一思路进一步探索下去,是完全可以在中国颇具民主精神的儒家学说的自身中孕育出民主制度的。然而遗憾的是,由于时代条件的严酷,黄氏的进步思想恰似电光一闪,即被清代更为严密的专制制度所湮没,黯然消失在茫茫的黑暗之中。而名儒实法的"三纲"再次以更僵化、腐朽的形式重新禁锢人心。最后不得不延迟到西方列强以武力打开国门之后,才以屈辱的身份迎纳西方资产阶级民主制度这一舶来品。从此开始了中西思想文化相摩相荡、冲突融会的新时代。在此新时代的发展进程中,许多深思远览之士却再次发掘儒家思想中富有民主精神的精华内容,并以此作为媒介来接纳西方近代的民主共和观念。例如:当时最受注目的"革命"一词,即源自儒家群经之首的《周易》;而如"天下为公"、"民贵君轻"、"独夫民贼"、"吊民伐罪"、"立君为民"等等富有民主精神的内容,无不在接纳西方民主观念中起到积极促进的巨大作用。因而可以说,西方的自由民权学说也借助于儒家思想中的进步学说而逐渐传播开来。

第六章　儒家的师友观

在社会关系中,"朋友"是一种既突破了血缘关系,又不受政治所限制,而又有别于"众人"的一种特殊关系。这种关系,是完全建立在道义的基础之上的。孔子把"朋友"列为五伦之一,对传统的血缘加政治的宗法制度作了大胆的突破。这对建立和发展具有广泛社会意义的伦理道德,起着极其重要的作用。孔子常以多交良友为乐:"有朋自远方来,不亦乐乎!"《《论语·学而》》这里的"朋",也包括前来受学的学生在内。故儒家的"朋友"一伦,也包括师弟关系在内。

第一节　处于父子与朋友之间的师弟关系

人类要把所积累的文化科学知识和一定的观点、行为规范传授给下一代,就要通过教学的方式来完成。通过教学,人类的知识与经验的宝库才能逐渐丰富起来,文化知识才能不断发展,并一代一代传授下去。而在传授知识的教学过程中,就产生了知识授受的关系:从事施教以传授知识者称为"师";从学于"师"而接受知识者称为"弟子",亦称"学生"或"门生"。于是,就形成了"师弟"之伦。"师"与"弟子"的关系,若从传授知识的辈分上说,略似于父子关系,故古有所谓"一日为师,终生为父"之说;而从社会交往的性质上说,又略似于朋友关系,故孔子以"有朋自远方来"为乐。所以,从名分和感情上说,"师弟"关系,乃是一种处于"父子"与"朋友"之间的关系。

一、儒家的教学宗旨

据《周礼·地官司徒》所载,古时国家设有司徒之官以分管教育,并有乡师、族师、师氏等职从事教育工作。《礼记》则有"国老"、"庶老"之称,在"上庠"和"下庠"中任职从教以传授知识。又据《孟子·滕文公上》记孟子曰:"设为庠、序、学校以教之:庠者,养也;校者,教也;序者,射也。夏曰校,殷曰序,周曰庠,学则三代共之,皆所以明人伦也。人伦明于上,小人亲于下。"朱《注》云:"庠以养老为义,校以教民为义,序以习射为义,皆乡学也;学,国学也。"可见"校"、"序"、"庠"都是"乡学",即小学;而"学"则是"国学"。"乡学"的名称三代不同,"国学"的名称是一律的。这是三代学制在教育方面由贵族垄断的"学在官府"的大致情况。

到了春秋时代,特别是孔子所生活的春秋末期,由于有些贵族下降为平民了,文化也随之下移。这时除了原来贵族垄断教育的现象依然存在而外,民间私相传习的情况也渐渐出现了。但私人设馆,聚徒讲学,自编教材,供人传诵,把教育作为个人终身事业的,则在孔子以前,绝无先例。从这个意义来说,毫无疑问,孔子是我国首创私学的第一人。孔子办学的意义,还不只限于向学生传授知识,尤其重要的是开私人办学之风,促使"学在官府"的文化逐渐下移。从此以后,私学连续相传了两千多年,它为历代培养了无数的人才,所起的作用是非常巨大的。

孔子儒家的教育宗旨,唐韩昌黎在其《师说》中将教师的职能概括为"传道、授业、解惑"三项任务,而把"传道"列于首位。

所谓"传道",就是传授儒家之"道",包括立身处世的为人之道,治国、平天下的内圣外王之道等等,而集中体现在"人伦"方面。《周礼》明确指出"言师,教人以道者"。《礼记》亦谓"师也者,教人以事而喻诸德者也"。儒家的所谓"道"和"德",主要从"人伦"中体现出来。

据《书·舜典》载,帝曰:"契,百姓不亲,五品不逊。汝作司徒,敬敷五教,在宽。"蔡沈注谓"五品"就是"五伦",而"五教"就是"以五者当然之理,而为教令也"。《周礼·地官司徒》亦曰:"师氏,……以三德教国子:一曰至德,以为道本;二曰敏德,以为行本;三曰孝德,以知逆恶。教三行:一曰孝行,以亲父母;二曰友行,以尊贤良;三曰顺行,以事师长。"其中"孝德"和"三行"都属于人伦范围的内容。孔子创建了以"仁"为本体,以"礼"为规范,以"中庸"为方法的哲学体系,而在实践上,则又具体贯穿于"人伦"之中。又前引孟子的话也告诉我们:三代办学即在于"明人伦"以达到"人伦明于上,小人亲于下"的目的。由此可见,儒家教育的宗旨主要在于"明人伦"。所谓"人伦",亦即"五伦",就是指夫妇、父子、兄弟、君臣、朋友五者的相互关系;而"明人伦"就是要使人明确这些关系而处得其宜,以期各种关系都协调和谐而达到国治而天下平。

所谓"授业",就是传授专业知识,诸如政事、文学、言语,以及《诗》、《书》、礼、乐,乃至射、御、书、数之类。《周礼·地官司徒》曰:"保氏,掌谏王恶,而养国子以道。乃教之六艺:一曰五礼,二曰六乐,三曰五射,四曰五驭,五曰六书,六曰九数。"这就是关于包括礼、乐、射、御、书、数之"六艺"的具体记述。

春秋时代,随着官府之学逐渐下移,文化的接触面正在逐步扩大。孔子为了推动这一趋势，积极从事文化教育。他根据各人不同的志趣和特长而分为德行、政事、文学、言语四科；又根据不同的水平而分为初等教育和高等教育。初等教育的内容包括礼、乐、射、御、书、数等六项日常应用的仪节和技艺；高等教育包括《诗》、《书》、《礼》、《乐》、《易》、《春秋》六部文献典籍，而其中《易》、《春秋》又属于最高一档的教育。孔子教学生以"六艺"时，是以礼、乐为首，即把用礼、乐的形式表达出来的政治思想教育当作整个教育事业的先决条件。乐是配合礼的一种表现形式，为了强调礼，孔子也十分重视乐。孔子的学生子夏关于"仕而优则学，学而优则仕"（《论语·子张》）的说法，明确地道出其办学的目的。他认为若要从政而达到称职，就要不断地学习各种从政经验与文化知识，而其中最重要的当数礼、乐方面的专业知识。其"六艺"中的乐、射、御就相当于今天的文体课，所以孔门多才多艺的学生很多。

所谓"解惑"，就是解答学生提出的疑问。在《论语》中，孔子对于众弟子提出的种种问题，诸如问仁、问孝、问礼、问政等等，都加以明确的解答。这都属于"解惑"的实例，多不胜举，故不赘述。

教育不局限于知识的传授，而是注重素质教育，在于精神的传承。传道、授业、解惑，"道"是根本。教育就是启发人的内在道德性，教育人如何"做人"，具体说，就是教育人明白做人的道理，做人的要求，做人的方法，并让人从中得到做人的乐趣，表现出人的崇高的精神境界。

无论是传道、授业乃至解惑，孔子都主张归之于"学以致用"。有人说，孔子的教学内容，全是脱离实践的书本知识，其实不然。"礼、乐、射、御、书、数"之教学必须在实践中进行，固不待言；即使是六部文献典籍，孔子也是从学以致用出发，而与社会实践密切结合起来进行教授的。孔子说："诵《诗》三百，授之以政，不达；使于四方,不能专对;虽多,亦奚以为?"(《论语·子路》)如果不能把学得的知识应用到社会实践中去,即使书读得再多又有何用! 孔子又说:"加我数年,五十以学《易》,可以无大过矣。"(《论语·述而》)孔子认为,学了《易》,可使在行为上少犯错误。可见他学《易》也是与社会实践结合在一起的。

孟子与荀子也都很重视圣人与师长的教化作用。孟子曰:"圣人,百世之师也,伯夷、柳下惠是也。故闻伯夷之风者,顽夫廉,懦夫有立志;闻柳下惠之风者,薄夫敦,鄙夫宽。奋乎百世之上,百世之下,闻者莫不兴起也。非圣人而能若是乎? 而况于亲炙之者乎!"(《孟子·尽心下》)荀子曰:"国将兴,必贵师而重傅;贵师而重傅,则法度存。国将衰,必贱师而轻傅;贱师而轻傅,则人有快;人有快,则法度坏。"(《荀子·大略》)重视教学,乃是儒家的基本精神。

二、儒者为师之道

在师弟关系中,居于主导地位的核心问题在于为师之道。儒门的为师之道,主要可以概括为三个方面:一是在教学精神上"学而不厌,诲人不倦";二是对待教育对象上达到"有教无类"与"因材施教"的辩证统一;三是在教育实践上,必须躬行实践,身教重于言教。这样,才可谓之称职的教师。兹拟着重谈谈被称为"至圣先师"和"万世师表"的孔子的为师之道。

(一)学而不厌,诲人不倦

教学活动,是师生的双边活动。只有双方面的积极性结合起来,才能获得好的成绩。其中更重要的是教师的积极性的充分发挥,学生才能学得更好。而孔子正是这样做的。《论语·述而》记孔子曰:"默而识之,学而不厌,诲人不倦,何有于我哉!"又曰:"若圣与仁,则吾岂敢? 抑为之不厌,诲人不倦,则可谓云尔已矣。"为师之道，只有自己能"学而不厌"，才能学得更多的知识，以供施教之用；而"诲人不倦"，则直接体现了为师之道的基本精神。他的积极性，最突出地体现在"学而不厌"和"诲人不倦"两方面。

教师的职责是"传道、授业、解惑"。教师对所传的"道"总要比学生理解得正确些、深透些，对所授的"业"总要比学生知道的广博些、精深些，而对于学生随时提出的"惑"，则应具有更高的理论水平给予解答。这就决定了教师必须"学而不厌"，精益求精，才能不断丰富与提高自己，教起来才能得心应手，运用自如，才能做到"以其昭昭，使人昭昭"，而不至成为"以其昏昏，使人昭昭"（《孟子·尽心下》）。

孔子曾说："吾十有五而志于学。"到了年近半百，还慨叹地说："加我数年，五十以学《易》，可以无大过矣。"（《论语·述而》）司马迁说孔子学《易》"韦编三绝"，可见他确实下了很大工夫。他平时学习起来，"发愤忘食，乐以忘忧，不知老之将至"（同上）。更体现出他学习起来忘掉一切的专一精神。他说："吾尝终日不食，终夜不寝，以思，无益，不如学也。"（《论语·卫灵公》）他一生本不爱吹嘘自己，但对好学这一点，却很自负。他说："十室之邑，必有忠信如丘者焉，不如丘之好学也。"（《论语·公冶长》）他说："人一能之己百之，人十能之己千之。虽愚必明，虽柔必强。"（《中庸》）

孔子的学习态度是很谦虚的，年少时"入太庙，每事问"（《论语·八佾》）。他本来早就是一位饱学之士，但并不自满。他说："吾有知乎哉？无知也。有鄙夫问于我，空空如也。"（《论语·子罕》）孔子虽然承认有天才，但并不认为自己是天才。他说："我非生而知之者，好古，敏以求之者也。"（《论语·述而》）所谓"敏以求之"，实为求学上进之道。

孔子强调为学必须务实并持之以恒。他说："亡（无）而为有，虚而为盈,约而为泰,难乎有恒矣。"(同上)他反对"中道而废","为山九仞,功亏一篑"。并借"人而无恒,不可以作巫医"为喻以戒有始无终。孟子也反对为学"一曝十寒"。

为师者只有"学而不厌",才能达到"博学"、"多能",具备教育学生的资本;只有胸怀"诲人不倦"的态度,才是教师应有的品质,才具备教好学生的前提。

孔子十七八岁时,鲁大夫孟懿子就闻名说他"年少好礼"(《史记·孔子世家》),并令自己的儿子向他从学。可见当时他已是一个热心教育的人了。此后一直到去世的半个多世纪,除了当中有四五年在鲁国从政而外,其余绝大部分时间,孔子都以教书为业。而尤其可贵的,则是他"诲人不倦"的精神。

孔子自谓"诲人不倦",可见在能够耐心教人方面,他是非常自负的。他常说:"吾与回言终日,不违,如愚。"(《论语·为政》)又说:"语之而不惰者,其回也与。"(《论语·子罕》)这些话,反映了两方面的情况:一方面,反映了颜渊的好学,不管老师教的内容如何多,时间多么长,都能虚心坚持恭听,既"不违",也"不惰";另一方面,就是反映了孔子"诲人不倦"的精神。因为教与学,是一种双边活动,从颜渊的"不惰"、"不违",恰好看出孔子的"不倦"来了。再从颜渊的切身体会来看,也证明了这一点。他说:"夫子循循然善诱人,博我以文,约我以礼,欲罢不能。"(《论语·子罕》)"循循善诱"和"欲罢不能"八个字,正道出了孔子"诲人不倦"的精神。

孔子教人很尽心。《论语·宪问》记孔子曰:"爱之,能勿劳乎?忠焉,能勿诲乎?"朱注引苏氏曰:"爱而勿劳,禽犊之爱也;忠而勿诲,妇寺之忠也。爱而知劳之,则其为爱也深矣;忠而知诲之,则其为忠也大矣。"可见孔子严格要求学生勤学,就是教育尽心的表现。孔子教人又是公正无私的。当有人怀疑他在教学方面还有什么保留时,他说:"二三子以我为隐乎?吾无隐乎尔。吾无行而不与二三子者,是丘也。"(《论语·述而》)他的学生陈亢曾怀疑孔子对儿子伯鱼在教学上可能有所"照顾",但当得知教导伯鱼也只有"学诗"、"学礼"等普通内容时,才恍然大悟地说:"问一得三:闻诗,闻礼,又闻君子之远其子也。"(《论语·季氏》)

孔子那时还不是班级授课制,教师,不是向大量学生一起讲授,而是一个个地耳提面命,个别教育。因为每个学生的出身、经历、年龄、水平、特点等各不相同,所学的内谷不同,对问题的理解和看法也不尽相同。但当学生向他提出各式各样的问题时,孔子从来也没表示过厌烦,总是耐心地予以回答。这样一来教师的工作量自然加大了。但因孔子有"诲人不倦"的精神,所以学生们照样能从老师那里得到较大的收获。

"学而不厌,诲人不倦",这是孔子在历史上成为一个大教育家的两个最基本的优点和特点。

(二)有教无类,因材施教

孔了在教育事业中,提出了"有教无类"与"因材施教"辩证统一的原则。"有教无类"体现了招收学生时的一视同仁,平等看待;"因材施教"体现了在具体教育中根据每个人的不同资质而给予区别对待。二者在孔子的教育实践中达到了高度的统一。

所谓"有教无类",就是对教育对象没有种类上的选择与歧视。对此,孔子自己已经讲得很清楚。他说:"自行束修以上,吾未尝无诲焉。"(《论语·述而》)。束修是学生对老师表示敬意的一种见面礼。其所值虽微,而孔子却很重视,因为这是确立师生关系的见证。基于"有教无类"的原则,凡是持"束修"之礼前来拜他为师的,不分贵贱、贫富,不分智愚、老少,不分国籍、种族,他莫不收而教之。

在孔门中,贵者如孟懿子,他是鲁国三巨室(孟孙、叔孙、季孙三氏)之一的孟孙氏的继承人,是遵照父亲的遗嘱,同兄南宫敬叔一起"学礼"于孔子的;贱者如冉雍,"父贱而恶"(《史记·仲尼弟子列传》),但孔子不仅没有嫌弃他,而且还很器重他,认为"雍也可使南面"(《论语·雍也》)。贫者如颜渊,"一箪食,一瓢饮,在陋巷"(同上);富者如子贡,"结驷连骑,家累千金"(《史记·仲尼弟子列传》)。智者如颜渊,"回也闻一以知十";其次是子贡,"赐也闻一以知二";而"柴也愚,参也鲁"(《论语·先进》),可见高柴和曾参二人的智慧都较差,但他们在孔门中并不受歧视,而曾参还成为孔门的主要传人。孔子学生中年龄最大的是颜渊的父亲颜路,只小他六岁;其次是子路,小他九岁;年龄最小的为公孙龙,小他五十三岁。以颜路与公孙龙相比,同学间年龄的差距是四十七岁,故在孔门中父子同堂的,除了颜氏父子外,还有曾晳、曾参父子。在孔门的"七十二贤人"当中,多数都是鲁国人;此外,如宋、卫、齐、陈、晋、楚、秦、吴等国都有。国籍多,种族和氏族当然也复杂,所以不分国籍,也就包括有不分种族和氏族,即无"族类"的区别。由此可见,孔子对各种类型的学生都是兼收并蓄、平等看待的。

《荀子·法行》载,南郭惠子问于子贡曰:"夫子之门,何其杂也?"子贡曰:"君子正身以俟,欲来者不距(拒),欲去者不止。且夫良医之门多病人,檃栝之侧多枉木,是以杂也。"这个"杂"字,就像画龙点睛一样,把"有教无类"的意义点明了。在"有教无类"的原则指引下,孔子一生培养了三千多个学生,其中"受业身通六艺者七十有七人",一说是"七十二人",即所谓"三千徒弟子,七十二贤人"。在这些人当中,有德行崇高的,有善于辞令的,有的以政事见长,有的以文学出众,真是人才济济,盛极一时。这不仅为随之而来的战国时期的学术繁荣和百家争鸣创造了条件,而且对后世教育事业的发展也产生了巨大的影响。

在"有教无类"的基础上，孔子在长期的教学实践中创造了"因材施教"的教育原则，而且把它运用得很成功。

孔子的"因材施教"，是以平时对学生的了解为基础的。孔子说："柴也愚，参也鲁，师也辟，由也喭。"又说："回也其庶乎，屡空；赐不受命，而货殖焉，亿则屡中。"（《论语·先进》）这是他从日常观察中得出来的评语。他只用一两个字就把高柴、曾参、子张、子路、颜渊、子贡这些人的特点都分别勾画出来了，甚至连颜渊、子贡二人的经济生活也了然于心。还有一次，子贡问："师（子张）与商（子夏）也孰愈？"他说："师也过，商也不及。"子贡说："然则，师愈与？"他马上又说："过犹不及。"（《论语·先进》）这又是针对子张、子夏二人的长短所作的恰如其分的评价。孔子还善于具体地分析每个学生的性格、才能、兴趣和特点。同是几个学生在他身旁，他能清楚地指出各人不同的特点，如"闵子侍侧，訚訚如也；子路，行行如也；冉有、子贡，侃侃如也"（同上）。由此可见，孔子平常对学生们的了解，是极其细致和深入的。正是在了解学生各自特点的基础上，对他们进行各种不同形式的教育。

有了熟悉情况的前提，再来贯彻"因材施教"的原则，就有客观的依据了。在这方面，孔子作出的生动的例子是很多的。如关于"问孝"问题：孟懿子问孝，他说："无违。"孟武伯问孝，他说："今之孝者，是谓能养。至于犬马，皆能有养；不敬，何以别乎？"子夏问孝，他说："色难。"（《论语·先进》）又如关于"问政"问题：子张问政，他说："居之无倦，行之以忠。"（《论语·颜渊》）子夏问政，他说："无欲速，无见小利。欲速则不达，见小利则大事不成。"（《论语·子路》）子路问政，他说："先之，劳之……"（同上）仲弓问政，他说："先有司，赦小过，举贤才。"（同上）"问孝"、"问政"这两个例子，都是说明孔子对于同样的问题,能够因提问人之不同,作出方向一致而要求有所侧重的回答。

孔子还有对同一问题,因提问人之不同而作出方向完全相反的回答的。如子路问:"闻斯行诸?"他说:"有父兄在,如之何其闻斯行之?"冉有问:"闻斯行诸?"他说:"闻斯行之。"公西华感到很奇怪,请问为什么问同而答异。他说:"求(冉有)也退,故进之;由(子路)也兼人,故退之。"(《论语·先进》)郑玄注:"言冉有性谦退,子路务在胜人,各因其人之失而正之。"就是说,冉有的进取心差些,要替他"打气";子路的好胜心很强,要给说"降温"。这说明孔子是用一把钥匙开一把锁的办法来教人,这是他的"因材施教"的妙招之一。

为了贯彻"因材施教",孔子还针对学生的特点、志趣和要求,而采取分科教学的办法。他的门下有德行、言语、政事、文学四科,"各因其材而教之"。"德行:颜渊、闵子骞、冉伯牛、仲弓;言语:宰我、子贡;政事:冉有、季路;文学:子游、子夏"(《论语·先进》)。这里不过是以十个人为代表而已,在孔门中,其他分科受教的人还很多。

正由于遵循"有教无类"的不拘一格的招生原则,才使得孔门学生众多,人才济济;又由于遵循"因材施教"的教育原则,才使得孔子在教育上成就卓著,培养出许多各方面的专业人才。

(三)躬行实践,身教重于言教

孔子不但有言教,而且还有身教。有一次,他对学生们说:"予欲无言。"子贡说:"子如不言,则小子何述焉?"他说:"天何言哉?四时行焉,百物生焉。天何言哉?"(《论语·阳货》)意思是说,他有身教是一样的,不一定要言教。因而孔子认为,为了有效地对学生进行教育,教师本人应有一定的道德修养,以身作则。故孔子在其一生活活动中,不停地锻炼自己的性格,推敲自己的主张,磨炼自己的毅力,把自己比作岁寒后的松柏(《论语·子罕》),一再坚定自己的信念,使其"克己复礼"的政治主张和忠恕之道"一以贯之"。

青少年学生的特点是模仿性强,可塑性大。教师对学生进行教育时,"言教"固然是重要方式,"身教"往往更加重要。《说文》曰:"教,上所施,下所效也。"扬子《法言·学行》云:"师者,人之模范也。"都是说教师应该做学生的楷模。要身体力行,以身作则,用自己的实际行动向学生展示出榜样来影响学生。孔子正是这样做的。他在对弟子教育时,往往并不强调口头说教,而是用自己的举止行动作出榜样,以达到使学生潜移默化的目的。他认为政治并非空谈,而是身体力行。在他向学生樊迟解释"崇德"一词时,说"先事后得"(《论语·颜渊》),即先努力去做,然后才能有所收获。在关于一个人言与行的关系上,他认为"其身正,不令而行;其身不正,虽令不从"(《论语·子路》)。这里虽然主要是指从政治国,但也同样是对教师的要求。他主张"君子欲讷于言而敏于行"(《论语·里仁》),主张少说话,用实际行动来证明自己的主张。当子贡向他请问什么是君子时,他告以"先行其言而后从之"(《论语·为政》),就是主张先干实事再去发表议论。反之,那种只说大话,不干实事的人则是可耻的,"君子耻其言而过其行"(《论语·宪问》)。他认为古代的圣贤都是说到做到的,向圣贤学习首先学习他们说到做到这一点。与其做不到,不如不说。"古者言之不出,耻躬之不逮也"(《论语·里仁》)。

他认为学习的目的是"学以致用",他说:"诵诗三百,授之以政,不达;使于四方,不能专对。虽多,亦奚以为?"(《论语·子路》)意思是:读了三百篇诗,把政事交给他管,他管不好;叫他去办外交,又应付不了。这种人即使书读得再多,又有何用?

依此标准出发,他就要求学生做到"九思"(《论语·季氏》)、四"毋"(《论语·子罕》),加强实际工作能力的培养。他要求学生好学,自己就首先做到"学而不厌"。他要学生做个"君子",自己首先加强各方面的修养。他要学生遵循周礼,自己在见国君、见诸侯、上朝从政时都毕恭毕敬,循规蹈矩,一丝不苟。翻开《论语·乡党》就可明显地看出孔子恪遵周礼的各种情态来。

同时,他还不断用"仁"、"礼"的标准来检查自己的言行。犯了错误,公开承认,立即改正。当有人向他提出在鲁昭公是否知礼的问题上未能作出公正的评价时,便很谦虚地说:"丘也幸,苟有过,人必知之。"(《论语·述而》)对于揭露自己的缺点视作"幸",说明不文过饰非。这样做,不但不会降低自己的威信,相反却提高了威信,有利于对学生进行身教。

教师是教育学生的人,在学生的心目中占有很大的分量。大至政治品质,小到言谈举止,学生多模仿教师的样子。在塑造学生的灵魂时,教师起到重要的作用。因而被称作"灵魂工程师"。为了把一个年轻的灵魂塑造得更好,教师就必须"其身正",用自己的模范行动对学生发布无声的命令,潜移默化,将教育内容寓于言行举止之中。在这方面,孔子的做法确实堪称楷模。清康熙帝对孔子作了"万世师表"的题字,把他尊奉为历代教师的表率,对此,孔子是当之无愧的。

三、弟子从学之义

凡是为"师"者,必先从做"弟子"开始。唐韩昌黎《师说》曰:"人非生而知之者,孰能无惑? 惑而不从师,其为惑也,终不解矣。"孔子在这方面也为儒门树立了出色的榜样。

《论语·子张》载,卫公孙朝问于子贡曰:"仲尼焉学?"子贡曰:

"文武之道,未坠于地,在人。贤者识其大者,不贤者识其小者。莫不有文武之道焉。夫子焉不学?而亦何常师之有?"这是说,孔子学无"常师"。孔子自己也说:"三人行,必有我师焉:择其善者而从之,其不善者而改之。"(《论语·述而》)又说:"见贤思齐焉,见不贤而内自省也。"(《论语·里仁》)这就是随时随地虚心学习,取人之长,补己之短的意思。据载,孔子每到一地,先向该地的"贤者"求教,先观察、学习一番,然后再发言。故能"夫子之于是邦也,必闻其政"(《论语·学而》)。

《左传·昭公十七年》载,郯子来朝,仲尼闻之,见于郯子而学之。既而告人曰:"吾闻之:天子失官,学在四夷,犹信。"他还曾问礼于老聃,问乐于苌弘,学琴于师襄。哪怕童子说的有道理,他也尊其为师。韩昌黎《师说》曰:"生乎吾前,其闻道也,固先乎吾,吾从而师之;生乎吾后,其闻道也,亦先乎吾,吾从而师之。吾师道也,夫庸知其年之先后生于吾乎?是故无贵无贱,无长无少,道之所存,师之所存也。"又曰:"圣人无常师。孔子师郯子、苌弘、师襄、老聃。郯子之徒,其贤不及孔子。"正由于孔子无常师,他才能博通众学而卓然超出于众"师"之上。

正因为孔子博通众学而水平独高,所以从学于孔子的弟子就把他当作终生之师,不再像孔子那样"学无常师"了。这也大概就是孔子的学生没有能超过孔子的根本原因。

孔子从自己拜师治学的实践中总结出了一些弟子从学时的基本要求。他认为求学最根本的问题在于要有学习的兴趣。所以他说:"学而时习之,不亦说乎!"(《论语·学而》)又说:"知之者,不如好之者;好之者,不如乐之者。"(《论语·雍也》)由知道学,到爱好学,到以学为乐,乃是求学者的逐渐深化的过程。如果能把学习当作一种幸福和快乐,那就不愁学不好了。所以,"好学"二字,是一个学者从求学开始贯穿于毕生的精神素质。

孔子认为弟子从学时,首先要立志,亦即要有明确的目的性。他要求学生"志于道,据于德,依于仁,游于艺"(《论语·述而》),就是要学生首先必须树立起崇高的理想。孔子认为:"士志于道,而耻恶衣恶食者,未足与议也。"(《论语·里仁》)作为求学的弟子,虽然还没有具备较高的品德修养,但最起码的条件必须有志于圣人之道,而且不应以口体之奉不若人为耻,否则就不足以施教。孔子又认为一旦立志之后就必须坚定不移地坚持下去:"三军可夺帅也,匹夫不可夺志也。"(《论语·子罕》)孔子又曰:"苟志于仁矣,无恶也。"(《论语·里仁》)"仁"也就是圣人之道。既然有志于"仁",尽管还难保不犯错误,但故意为恶之事就不会有了。所以,作为"士",也就自然进入了善人或正人的行列了。

孔子后期的学生曾子,一开始就具有坚毅不拔之大志。曰:"士不可以不弘毅,任重而道远。仁以为己任,不亦重乎!死而后已,不亦远乎!"(《论语·泰伯》)士既然有志于仁,当然就应该肩负起行仁的责任,而且还应做到毕生为此而努力,可谓任重而道远,所以必须具有弘大而坚毅的品德。因为没有弘大的气魄,就不足以胜重任;没有坚强的毅力,就不足以致远道。因而"弘毅"乃是从学之"士"所必具的品德。曾子虽以"鲁"见称,但由于他有"弘毅"之志,终于学而有成。而且于此可见,孔子提出"士志于道"之"道",就是"仁以为己任"之道,亦即通过人伦教化而达到治国、平天下之道。

孔门的优秀学生,都是有志于圣人之道的,故经常向孔子问仁、问孝、问礼、问政乃至问性与天道等等,而且非问一个彻底明白不止。如《论语·颜渊》载,颜渊问仁,子曰:"克己复礼为仁。一日克己复礼,天下归仁焉。为仁由己,而由人乎哉?"颜渊曰:"请问其目。"子曰："非礼勿视，非礼勿听，非礼勿言，非礼勿动。"颜渊曰："回虽不敏，请事斯语矣！"又载，仲弓问仁，子曰："出门如见大宾，使民如承大祭。已所不欲，勿施于人。在邦无怨，在家无怨。"仲弓曰："雍虽不敏，请事斯语矣。"又载，子贡问政，子曰："足食，足兵，民信之矣。"子贡曰："必不得已而去，于斯三者何先？"曰："去兵。"子贡曰："必不得已而去，于斯二者何先？"曰："去食。自古皆有死，民无信不立。"这些提问，说明他们都有志于圣人之道，有其明确的目的性。

不过，在孔门中，也有开始时目的性并不明确的学生。《论语·子路》载，樊迟请学稼。子曰："吾不如老农。"请学为圃。曰："吾不如老圃。"樊迟出，子曰："小人哉，樊须也！"今人大都将此作为孔子轻视农业劳动的罪证，完全是曲解。孔子当年办学的宗旨很明确是培养道德之士和政治人才，而并未举办"农业大学"，所以樊迟向孔子求学立德、从政之道才是正确的目的，而樊迟竟向孔子提问"学稼"、"学为圃"的问题，犹如现代攻读文史类专业的博士生向导师求学种田、种菜的技术，岂非牛头不对马嘴的笑话！这则问答的唯一解释只能是，樊迟初向孔子求学时尚未形成明确的目的，才有此盲目的提问。所以孔子回答"不如老农"、"不如老圃"，是最得体的答复；而批评樊迟为目光短浅的"小人"，也是最恰当而客气的批评。当然，樊迟后来水平有所提高，也曾"问仁"、"问知"，虽然还未能透彻理解孔子所答的深义，但有志于圣人之道的学习目的性总算树立了。而当他"敢问崇德，修慝，辨惑"时，孔子就称赞他"善哉问！"并作了详尽的答复。这说明只有树立了正确的学习目的，水平才能提高，才能学到真正的学问。

在治学的态度上，弟子必须具有诚、谦、恒的品德。首先，必须有诚实的态度。孔子教导子路说："知之为知之，不知为不知，是知也。"(《论语·为政》)教导子张说:"多闻阙疑,慎言其余,则寡尤;多见阙殆,慎行其余,则寡悔。"(同上)又自谓:"盖有不知而作之者,我无是也。"(《论语·述而》)这都体现了治学上实事求是的精神。其次,还须有谦虚的态度。《书·大禹谟》曰:"满招损,谦受益。"《易·谦彖》曰:"人道恶盈而好谦,谦尊而光。"其《象》曰:"谦,君子以裒多益寡。"孔子很赞赏孔文子"敏而好学,不耻下问"(《论语·公冶长》)的谦虚好学精神。曾子则称崇颜子"以能问于不能,以多问于寡,有若无,实若虚"的谦虚好学品德。孟子也称誉"禹闻善言则拜"的从善如流精神。这都体现了治学上谦虚好学的美德。其三,做学问更须持之以恒。《易·恒彖》曰:"恒,久而不已也。"其《象》曰:"能久中也。"孔子曰:"南人有言曰:'人而无恒,不可以作巫医。'善夫!"(《论语·子路》)因而他一生"学而不厌,诲人不倦",为学生作出了好学的榜样。而看到宰我昼寝则深加责备:"朽木不可雕也,粪土之墙不可污也。"(《论语·公冶长》)这都体现了治学上必须有坚持不懈的精神。

孔门的弟子,大都具有好学的品德,既有志于圣人之道,又有诚实、谦虚并能持之以恒的精神,因而形成了良好的学风。他们对于圣人之道,不厌于一问、再问、三问,孔子也一答、再答、三答。有的表示"请事斯语",有的甚至还"书诸绅",以作为终生学习的指导。这正是学生们认真向孔子学习的反映。

孔子还能以发展的观点看待学生们,他说:"后生可畏,焉知来者之不如今也。"(《论语·子罕》)孔子还认为,在师弟之间,弟子是有其独立人格的。《论语·卫灵公》记孔子曰:"当仁,不让于师。"朱注云:"当仁,以仁为己任也。虽师亦无所逊,言当勇往而必为也。盖仁者,人所自有而自为之,非有争也,何逊之有?"孔子提出"当仁,不让于师"的观点,说明在师弟关系上,弟子并非唯唯诺诺唯师命是从的顺从者,而是具有独立人格的主动者。韩昌黎《师说》曰:"弟子不必不如师,师不必贤于弟子。闻道有先后,术业有专攻,如是而已。"弟子从师,只是学师之长,并非不分精粗、兼收并蓄地全部照搬。这就是儒家关于师弟关系的辩证观点。

年轻时必须从师求学,乃是儒者之大事,故儒籍对此颇多记述。如《礼记·曲礼上》云:"礼闻来学,不闻往教。"以礼拜师,向师求道问学,乃是弟子从学之义。孟子曰:"挟贵而问,挟贤而问,挟长而问,挟有勋劳而问,挟故而问,皆所不答也。"(《孟子·尽心上》)朱注云:"此言君子虽诲人不倦,又恶夫意之不诚者。"又引尹氏曰:"有所挟,则受道之心不专,所以不答也。"荀子亦曰:"古之学者为己,今之学者为人。君子之学也,以美其身;小人之学也,以为禽犊。故不问而告谓之傲,问一而告二谓之囋。傲,非也;囋,非也;君子如向(响)矣。"(《荀子·劝学》)又曰:"楛者,勿告也;告楛者,勿问也;说楛者勿听也;有争气者,勿与辩也。故必由其道至然后接之,非其道则避之。故礼恭,而后可与言道之方;辞顺,而后可与言道之理;色从,而后可与言道之致。故未可与言而言谓之傲,可与言而不言谓之隐,不观气色而言谓之瞽。故君子不傲、不隐、不瞽,谨慎其身。"(同上)所谓"楛",是指恶劣、不正当的事;"争气",犹言意气用事。这是说,凡以不正当之事为问,则不予解答分辨。这是论述师弟关系之原则。虽就双方而言,但弟子从师之道,亦可由此而知焉。

荀子又曰:"礼者,所以正身也;师者,所以正礼也。无礼,何以正身? 无师,吾安知礼之为是也? 礼然而然,则是情安礼也;师云而云,则是知若师也。情安礼,知若师,则是圣人也。故非礼,是无法也;非师,是无师也。不是师法,而好自用,譬之是犹以盲辨色,以聋辨声也,舍乱妄无为也。故学也者,礼法也;夫师以身为正仪,而贵自安者也。"(《荀子·修身》)又曰:"故人无师无法而知,则必为盗;勇,则必为贼;云能,则必为乱;察,则必为怪;辩,则必为诞。人有师有法而知,则速勇;勇,则速威;云能,则速成;察,则速尽;辩,则速论。故有师法者,人之大宝也;无师法者,人之大殃也。人无师法,则隆性矣;有师法,则隆积矣。而师法者,所得乎情,非所受乎性,不足以独立而治。"(《荀子·儒效》)这是论述弟子从师的重要性。

当然,在弟子从学之前,还要碰到如何择师,以及从师后如何待师等问题。对此,清儒郑板桥《家书》云:"夫择师为难,敬师为要。择师不得不审,既择定矣,便当尊之敬之,何得复寻其短?吾人一涉宦途,即不能自课其子弟,其所延师,不过一方之秀,未必海内名流。或暗笑其非,或明指其误,为师者既不自安,而教法不能尽心。子弟复持藐忽心而不力于学,此最是受病处。不如就师之所长,有训吾子弟之不逮。如必不可从,少待来年,更请他师,而年内之礼节尊崇,必不可废。"这说明了慎于择师和待师以礼的原则。总之,弟子从师求学,乃是儒家极其看重的问题。

四、教学相长

《礼记·乐记》曰:"学,然后知不足;教,然后知困。知不足,然后能自反也;知困,然后能自强也。故曰:教学相长也。"这是说,只有经过学习实践,才会发现自己知识不够;只有经过教学实践,才会发现教学中的困难。自知不够,便能督促自己进行反思;发现了困难,便能鞭策自己去努力提高。所以说,教与学是相辅相成的。"教学相长",反映了在启发式教学下,教与学之间的相互制约,相互渗透,相互提高的关系。

聚徒讲学,是孔子终身从事的宏伟事业,而私学之设,又是以他为首创。孔子在教学实践中,正是以启发式的教学方法体现了教学相长的效果。为了使学生发挥学习时的主动性,真正了解学生的水平,并在他们现有水平的基础上进一步加强教育,孔子教学时常常使用启发和诱导的方法。《论语·述而》记孔子曰:"不愤不启,不悱不发。举一隅不以三隅反,则不复也。"即要通过启发诱导的办法使学生开动脑筋,探索事物的所以然,从这一点联系到另一点和另几点。孔子教导学生要"学",要"问",但又反对学生不开动脑筋想问题,随便就问。他的原则就是"不愤不启,不悱不发"。当学生认真思考过,"其人心愤愤,口悱悱"(郑玄注),口里想说又不能圆满地表达出来时,他才给以指点。这就能使学生收到"举一隅"而"以三隅反"的效果。"不愤不启,不悱不发"就是针对学生的思维活动,把老师的启发作用用在"点子"上。"举一反三"就是通过触类旁通来训练和增进学生的积极思维与独立思考的能力。这都是教学上最好的经验和方法。

《论语·学而》载,子贡曰:"贫而无谄,富而无骄,何如?"子曰:"可也;未若贫而乐、富而好礼者也。"子贡曰:"《诗》云'如切如磋,如琢如磨',其斯之谓与?"子曰:"赐也,始可与言《诗》已矣,告诸往而知来者。""告诸往而知来者",就是收到了"举一反三"的效果。《论语·八佾》载,子夏问曰:"'巧笑倩兮,美目盼兮,素以为绚兮。'何谓也?"子曰:"绘事后素。"曰:"礼后乎?"子曰:"起予者商也,始可与言诗已矣!"子夏读《诗》,有些不了解,经指点之后,能够有新的体会。子夏对于"礼后"的理解,就是"举一反三"之效;而孔子所谓"起予者商也",就有因受"启发"而"教学相长"之意。颜回是孔门最好学的学生,可是他对孔子所讲授的内容,总是全盘接受,很少有相反的意见。于是孔子不满意地说:"回也,非助我者也,于吾言,无所不悦。"(《论语·先进》)所谓"非助我者",就是孔子认为颜渊对他来说缺少了"教学相长"的意义。

孔子有时就在学生"侍坐"时，提出问题对他们进行启发式教育。他自己也常从和学生的谈话中，或答问中，受到启发而收到"教学相长"之效。如《论语·公冶长》载：

> 颜渊、季路侍。子曰："盍各言尔志？"子路曰："愿车马、衣轻裘，与朋友共，敝之而无憾。"颜渊曰："愿无伐善，无施劳。"子路曰："愿闻子之志。"子曰："老者安之，朋友信之，少者怀之。"

孔子令颜回、子路言志时，让他们先说出自己的志愿，然后在学生的要求下说出自己比学生高超的想法和主张。同书《先进》所记"子路曾皙冉有公西华侍坐章"的例子更为典型：

> 子路、曾皙、冉有、公西华侍坐。子曰："以吾一日长乎尔，毋吾以也。居则曰：'不吾知也！'如或知尔，则何以哉？"子路率尔而对曰："千乘之国，摄乎大国之间，加之以师旅，因之以饥馑；由也为之，比及三年，可使有勇，且知方也。"夫子哂之。"求！尔何如？"对曰："方六七十，如五六十，求也为之，比及三年，可使足民。如其礼乐，以俟君子。""赤！尔何如？"对曰："非曰能之，愿学焉。宗庙之事，如会同，端章甫，愿为小相焉。""点！尔何如？"鼓瑟希，铿尔，舍瑟而作，对曰："异乎三子者之撰。"子曰："何伤乎？亦各言其志也。"曰："莫（暮）春者，春服既成，冠者五六人，童子六七人，浴乎沂，风乎舞雩，咏而归。"夫子喟然叹曰："吾与点也！"三子者出，曾皙后。曾皙曰："夫三子者之言何如？"子曰："亦各言其志也已矣。"曰："夫子何哂由也？"曰："为国以礼，其言不让，是故哂之。""唯求则非邦也与？""安见方六七十如五六十而非邦也者？""唯赤则非邦也与？""宗庙会同，非诸侯而何？赤也为之小，孰能为之大？"

孔子首先向学生提出问题。于是子路、冉有、公西华各自说出了自己的政治主张。后来当他敦促迟迟不语的曾皙令其发言时,曾皙说出了自己的志向,孔子在表示对他赞同时,还对此问题的讨论作出了总结。看样子,座谈会开得很热闹。有的学生还演奏器乐,可知谈话时没有什么拘束。其间互相探讨、互受启发,并收到"教学相长"之效,是非常明显的。

孔子还善于根据学生的特点运用表扬与批评相结合的方法进行施教。颜渊的自觉性很高,孔子对他总是表扬的多而很少批评。如说"回也不愚"(《论语·为政》),"贤哉回也"(《论语·雍也》)及"用之则行,舍之则藏,惟我与尔有是夫"(《论语·述而》),等等,使之成为众弟子学习的榜样。而对于子路,则因为他性情鲁莽,易于妄动,孔子总是批评多表扬少,以抑其气。不过,同是对于子路,有时抑扬并用的,或先扬后抑,或先抑后扬。先扬后抑的,如《论语·公冶长》载,子曰:"道不行,乘桴浮于海。从我者,其由与!"子路闻之喜。子曰:"由也好勇过我,无所取材。"又《论语·子罕》载,子曰:"衣敝缊袍,与衣狐貉者立,而不耻者,其由也与!'不忮不求,何用不臧?'"子路终身诵之。子曰:"是道也,何足以臧!"两次都是先表扬了子路的优点,看见他产生了骄气,连忙又给予适当的压抑。先抑后扬的,如《论语·先进》载,子曰:"由之瑟,奚为于丘之门?"门人不敬子路。子曰:"由也升堂矣,未入于室也。"据说"子路鼓瑟,有北鄙之声",故孔子批评之;然后又以"升堂矣"三字的高度评价消除了门人对子路的偏见。孔子随时都根据情况的变化,用对症下药的办法来教育子路。

孔子还采用"能近取譬"(《论语·雍也》)及"举善而教不能"(《论语·为政》)的办法。"能近取譬"就是通过旁征博引,由近及远,由浅入深,使人易于理解,乃至引人入胜。"举善而教不能"则类似于树立榜样,使同学之间互相学习,互相促进,共同提高。又《论语·子罕》记孔子曰:"吾有知乎哉?无知也。有鄙夫问于我,空空如也。我叩其两端而竭焉。"如果有人心中无数,却向他提出问题时,他并不立即回答,而是从正反两方面加以启发,使其独立思考,然后得出结论来。

孔子跟学生谈论问题,是不拘场合的,随时随地都在教导大家。《论语·卫灵公》载,师冕见,及阶,子曰:"阶也。"及席,子曰:"席也。"皆坐,子告之曰:"某在斯!某在斯!"师冕出,子张问曰:"与师言之道与?"子曰:"然,固相师之道也。"对瞽目的乐师,这样恭而且敬,是符合"相师之道"的。可见在平时待人接物、起居饮食之间,也成了师生们进行教学的场合。

孔子能灵活运用各种方法从事教学,作出了卓越的成就;自己也不断从中受到启发,积累了经验,收到了"教学相长"之效。学生们对孔子不倦的教导很感动。《论语·子罕》载,颜渊喟然叹曰:"仰之弥高,钻之弥坚。瞻之在前,忽焉在后。夫子循循然善诱人,博我以文,约我以礼,欲罢不能。既竭吾才,如有所立卓尔。虽欲从之,末由也已。"这"循循善诱"四个字,除了体现了孔子的"诲人不倦"而外,也很形象地说明了他的启发式教学。经过循循善诱,感染熏陶,把学生的积极性调动起来,做到"欲罢不能"的程度,可谓已达到了教学成就的最高境界。孟子说,"七十子之服孔子",是"中心悦而诚服也"(《孟子·公孙丑上》),是完全符合事实的。

孟子和荀子以及历代儒者在孔子的影响下,也探索了许多有益的教学经验。《孟子·尽心上》载,公孙丑曰:"道则高矣,美矣,宜若登天然,似不可及也。何不使彼为可几及而日孳孳也?"孟子曰:"大匠不为拙工改废绳墨,羿不为拙射变其彀率。君子引而不发,跃如也。中道而立,能者从之。"所谓"引而不发",也是一种启发式教育。孟子又曰："教亦多术矣，予不屑之教诲也者，是亦教诲之而已矣。"（《孟子·告子下》）又曰："君子之所以教者五：有如时雨化之者，有成德者，有达财者，有答问者，有私淑艾者。此五者，君子之所以教也。"（《孟子·尽心上》）朱注云："圣贤施教，各因其材，小以成小，大以成大，无弃人也。"

荀子曰："师术有四，而博习不与焉。尊严而惮，可以为师；耆艾而信，可以为师；诵说而不陵不犯，可以为师；知微而论，可以为师。故师术有四，而博习不与焉。水深而回，树落则粪本，弟子通利则思师。"（《荀子·致士》）《荀子·法行》引孔子曰："君子有三思，而不可不思也：少而不学，长无能也；老而不教，死无思也；有而不施，穷无与也。是故君子少思长，则学；老思死，则教；有思穷，则施也。"这是说，教与学都是人生有意义的事业。

王阳明《传习录中·训蒙大意示教读刘伯颂等》有云："大抵童子之情，乐嬉游而惮拘检，如草木之始萌芽，舒畅之则条达，摧挠之则衰痿。今教童子，必使其趋向鼓舞，中心喜悦，则其进自不能已，譬之时雨春风，霑被卉木，莫不萌动发越，自然日长月化。若冰霜剥落，则生意萧索，日久枯槁矣。"这是说，教育蒙童首先在于鼓动其兴趣，深得孔门教学之法。

五、师弟之谊

《礼记》谓"师严而道尊"，中国古语"严师出高徒"，都说明教师对学生严格要求的重要性和必要性。孔子生平俨然以师道自重，他在学生面前有师道尊严。他在培养学生的品质和进行文化教育时，对学生的要求从来是很严格的，当听到学生有不正确的举动时，马上予以纠正。孔子曾向季康子推荐过冉求，但当他发现冉求替季氏聚敛，违背了自己"仁"的主张时，便对其严厉地进行批评，还愤怒地号令学生对其"鸣鼓而攻之"（《论语·先进》）。然而，孔子对于学生，严格要求是一方面，关心爱护又是一方面。他时时关心学生的思想、学习与生活状况，对他们关怀备至。《论语》中记有许多事实证明，在孔门之中，师生间的感情是极为深厚的，他们的关系是十分融洽的。

首先，在教学上，孔子始终坚持以"诲人不倦"和"循循善诱"的精神教育学生，这是他对学生最大的爱护。《论语·为政》载，子曰："吾与回言终日，不违，如愚。退而省其私，亦足以发，回也不愚。"这说明孔子随时在关心学生的学习情况。此外，他对学生的缺点、错误能够及时指出，并进行适当的批评，也是爱护他们的表现之一。

其次，孔子在生活上是很关心学生的，特别在疾病乃至死丧之际，其情尤足以感人。如《论语·雍也》载，伯牛有疾，子问之，自牖执其手，曰："亡之，命矣夫！ 斯人也而有斯疾也！ 斯人也而有斯疾也！"从中可以看出他对学生关心的程度。《论语·先进》载，子畏于匡，颜渊后。子曰："吾以女为死矣。"曰："子在，回何敢死！"又载，颜渊死，子曰："噫！ 天丧予！ 天丧予！"又载，颜渊死，子哭之恸。从者曰："子恸矣！"曰："有恸乎？ 非夫人之恸而谁为？"又记孔子曰："回也视予犹父也，予不得视犹子也。"这些记述，都生动地体现出孔子与弟子们的密切关系，真是感人至深。

其三，孔子跟学生接触是平易近人的，并没有道貌岸然、高深莫测的样子。他有时也给学生开些玩笑。《论语·阳货》载，子之武城，闻弦歌之声。夫子莞尔而笑，曰："割鸡焉用牛刀！"子游对曰："昔者，偃也闻诸夫子曰：'君子学道则爱人，小人学道则易使也。'"子曰："二三子！ 偃之言是也，前言戏之耳。"在孔门中，师生相处，气氛也很民主。如《论语·雍也》载，子见南子，子路不悦。

夫子矢之曰:"予所否者,天厌之! 天厌之!"子路就敢于在老师的面前表示"不悦"。这两件事说明,孔门师生之间的思想交流是很活跃的。

其四,孔子对学生的才识都很了解,所以对他们的修养特长和适宜于干什么工作,都胸中有数。《论语·公冶长》载,孟武伯问:"子路仁乎?"子曰:"不知也。"又问。子曰:"由也,千乘之国,可使治其赋也,不知其仁也。""求也何如?"子曰:"求也,千室之邑,百乘之家,可使为之宰也,不知其仁也。""赤也何如?"子曰:"赤也,束带立于朝,可使与宾客言也,不知其仁也。"在孔子看来,"仁"是最高的道德标准,很不容易做到,平时从来不轻易以"仁"许人;但对他们的从政才能则都加以肯定。又《论语·雍也》载,季康子问:"仲由可使从政也与?"子曰:"由也果,于从政乎何有?"曰:"赐也可使从政也与?"曰:"赐也达,于从政乎何有?"曰:"求也可使从政也与?"曰:"求也艺,于从政乎何有?"他很肯定地答复这些学生都可以从政。又《论语·先进》载,季子然问:"仲由、冉求可谓大臣与?"子曰:"所谓大臣者,以道事君,不可则止。今由与求也,可谓具臣矣。"曰:"然则从之者与?"子曰:"弑父与君,亦不从也。"可见孔子对每个学生的专长和品德都了如指掌。又如《论语·公冶长》载,子谓公冶长,"可妻也。虽在缧绁之中,非其罪也。"以其子妻之。这种真正了解学生和求实的精神是很难得的。

尊师与爱生从来是相辅相成的。孔子对学生的关心爱护,自然会带来学生对他的敬佩与尊重。有人把孔子比作"太和元气",把他的学生比作"四时之春"。仅比孔子小九岁的学生子路就对他十分尊敬与佩服。尽管孔子多次批评子路好勇少文,甚至"不得其死然"(《论语·先进》),但子路却一直愿意跟随孔子学习,实际上充当了孔子的卫士的角色。颜回对孔子更是亦步亦趋,情同父子。

至于子贡,对孔子更是佩服得五体投地。如《论语·子张》载,叔孙武叔语大夫于朝,曰:"子贡贤于仲尼。"子服景伯以告子贡,子贡曰:"譬之宫墙,赐之墙也及肩,窥见室家之好。夫子之墙数仞,不得其门而入,不见宗庙之美,百官之富。得其门者或寡矣。夫子之云,不亦宜乎!"又载,叔孙武叔毁仲尼。子贡曰:"无以为也!仲尼不可毁也。他人之贤者,丘陵也,犹可逾也;仲尼,日月也,无得而逾焉。人虽欲自绝,其何伤于日月乎?多见其不知量也。"又载,子贡在回答子禽时说:"夫子之不可及也,犹天之不可阶而升也。"《礼记·檀弓上》载,孔子之丧,门人疑所服。子贡曰:"昔者夫子之丧颜渊,若丧子而无服;丧子路亦然。请丧夫子,若丧父而无服。"又据《孟子·滕文公上》载,"昔者孔子没,三年之外,门人治任将归,入揖于子贡,相向而哭,皆失声,然后归。子贡反,筑室于场,独居三年,然后归。"《史记·孔子世家》亦载,孔子殁,门人都服丧三年以志哀,子贡且"庐于塜上,六年然后去"。至今曲阜孔林中孔子墓侧尚有"子贡庐墓处",形象地体现出孔子与弟子之间密切的关系。

古时读书人尊奉"天地君亲师",人们也常说"师徒如父子"。这些说法,应有两个含义:一是"师"与天、地、皇帝、父母一样的尊贵;另一含义则应是教师对待学生,要像父母对待子女一样的关怀备至,精心培育,严格要求。父、师以"圣人"之道教育弟子,弟子则应听从父、师的教导,继承父、师的事业。这与后世那种只把教书当作混饭吃的职业,对学生毫不负责及教书不教人的"教书匠"来比,何啻天渊之别!

由于孔子的倡导与影响,儒家很重视师弟之间的关系和情谊。孟子以"得天下英才而教育之"为君子"三乐"之一(《孟子·告子下》)。荀子曰:"言而不称师,谓之畔;教而不称师,谓之倍。倍畔之人,明君不纳,朝士大夫遇诸途不与言。"(《荀子·大略》)朱子《训子帖》曰："事师如事父,凡事咨而后行。"都体现了儒门的师弟之谊。

《礼记》中还专门记有师弟间的一些礼仪。如《曲礼上》云:"从于先生,不越路而与人言。遭先生于道,趋而进,正立拱手。先生与之言,则对;不与之言,则趋而退。"又云:"先生书策、琴瑟在前,坐而迁之,戒勿越。"又云:"侍坐于先生,先生问焉,终则对;请业则起,请益则起。父召无诺,先生召无诺,唯而起。"同书《玉藻》云:"童子……见先生,从人而入。"诸如此类甚多,有些则过于繁细,兹不赘述。

汉代以后,师弟关系如同其他伦理一样,也有很大变化。孔门那种活跃的民主气氛有所减弱,而增多了弟子对于师长的顺从之义。师长与弟子关系也用父子关系来解释,弟子对师长要行孝道。弟子自拜师之日起,对师长须恭敬备至,专心服从。弟子孝事师长主要表现在两个方面:

1. 为师服丧。和帝时,议郎乐恢死,弟子缞绖輓者数百人(《后汉书·乐恢传》)。顺帝时司徒李郃死,弟子冯胄服丧三年(《后汉书·李郃传》)。大儒郑玄死,规模更为浩大,"自郡守以下,尝受业者,缞绖千余人"(《后汉书·郑玄传》)。有弟子为奔师丧而去官,如桓帝时延笃任平阳侯相,"以师丧弃官奔赴,五府并辟不就"(《后汉书·延笃传》)。

2. 为师申冤请命。如《后汉书·郑弘传》记载:郑弘师事河南太守焦贶,后来焦贶因事被捕,病死道中,妻子家属被收捕入狱,郑弘"髡头负铁锧,诣阙上章,为贶讼罪"。杨政为师请命,"乃肉袒,以箭贯耳,抱师子潜伏道,侯车驾,而持章叩头……武骑虎贲惧惊乘舆,举弓射之,犹不肯去;旄头又以戟叉政,伤胸,政犹不退,哀辞乞请,有感帝心,诏曰:'乞杨生师,即尺一出升。'"(《后汉书·儒林

传》)

汉代弟子为师服丧、申冤、请命是孝的要求。它反映了汉代人把师长和弟子的关系与父子关系等同起来。东汉时期弟子对师长人身依附关系的加强，不仅同孝的观念影响逐渐扩大有关，与当时察举征辟制度亦有联系。郡国察举征辟时，"率取年少能报恩者"，察举征辟对象多是一些经师的门生。这些门生为了利禄，不惜以父子之礼对待师长。东汉时应劭在《风俗通义·愆礼》中对弟子为师服丧一事曾一针见血指出："今人乃为制杖，同之于父，论者既不匡纠，而云观过知仁，谓心之哀恻，终始一者也。凡今杖者，皆在权戚之门，至有家遭齐衰同生之痛，俯伏坟墓，而不归来，真不爱其亲而爱他人者也；无他也，庶福报耳。"说中了汉代以后师弟关系演变之弊。观此益见孔门师弟关系之可贵，实为儒门树立楷模，而为万世所取法。

第二节　志同道合的朋友关系

在社会关系中，更普遍的是自己与广大众人之间的关系。不过，普通的众人属于"泛爱"的范围，而其中仁者、贤者，则属于"亲"和"尊"的对象。然而在现实社会中，即使对于同样的仁者或贤者，交情也不可能是等同的。因为人与人之间，性格上会有差别，志趣和爱好上会有同异，接近的机会也有多有少。如果两人之间的性格接近，志趣和爱好相投，接触的机会也较多，那么交情也必然会深一些。于是，这就形成了"朋友"一伦。

一、嘤其鸣矣，求其友声

关于"朋友"，《说文》曰："朋，古文凤，象形。凤飞，群鸟从以万

数,故以为朋党字。"又曰:"友,同志为友。从二又相交。"《论语》郑
注曰:"同门曰朋,同志曰友。"可见"朋"是指形式上的同学关系,
"友"是指思想上的志同道合的关系。一般而言,形式上的"同门",
也正体现了思想上的同道,两者密不可分。当然,出于"同门"者,
也不一定完全是"同道";而"同道"者,更不限于"同门"。两者既有
联系,又有区别,如此而已。故《辞源》释"朋友"为"同师同志的
人";《汉语大词典》释"朋友"为"同学,志同道合的人;后泛指交谊
深厚的人"。严格说来,只有志同道合而又交谊深厚的人,才可以
称为"朋友"。

朋友关系,很早就产生了。《诗·小雅·伐木》云:

> 伐木丁丁,鸟鸣嘤嘤。出自幽谷,迁于乔木。嘤其鸣矣,
> 求其友声。相彼鸟矣,犹求友声;矧伊人矣,不求友生? 神之
> 听之,终和且平。

这是以鸟之求友,喻人之不可无友也。人能笃朋友之好,则神明鉴
而听之,自然和谐而且平康矣。《唐风·有杕之杜》云:

> 有杕之杜,生于道左。彼君子兮,噬肯适我? 中心好之,
> 曷饮食之?

> 有杕之杜,生于道周。彼君子兮,噬肯来游? 中心好之,
> 曷饮食之?

这也是好贤求友之诗,意谓好贤而恐不足以致之,然而中心好之无
已,而望贤者之相顾也。

《周易》中之《兑》卦,实明朋友相悦之道。其"初九"曰:"和兑,
吉。"意谓阳爻居初之位,体禀阳刚,和悦端正,能平和欣悦以待人,
故获吉祥。其"九二"曰:"孚兑,吉,悔亡。"意谓阳居中位,禀"刚
中"之德,中心信实又能欣悦以待人,故获吉祥,悔恨消亡。其"六
三"曰:"来兑,凶。"意谓阴居阳位,处位不正,与上无应,而来求合

于"初"、"二"两阳以谋欣悦;以此处"兑",为邪佞之象,故凶。其"九四"曰:"商兑未宁,介疾有喜。"意谓阳居阴位,而失其正,上承"九五"之中正,下比"六三"之邪佞,故不能决而商度所"悦",未能有定;然质本阳刚,故能介然严守其正,而隔绝"六三"之"疾",则有喜庆。其"九五"曰:"孚于剥,有厉。"意谓本爻虽阳刚中正,却比近"上六"之阴,为其引诱,而孚信小人,并与相悦,乃"小人道长,君子道消"之义,故有"厉"。其"上六"曰:"引兑。"意谓阴居上位,为一卦欣悦之主,引下二阳相与为悦,而不能必其相从。故"九五"当戒,而此爻不言其吉凶。由此可见,《兑》卦所明朋友相悦之道,乃强调以"刚中柔外"为悦,悦不失正。卦中六爻,两阴均以柔媚取悦,为被否定之象;四阳情状不一:"初"刚正和悦,最吉;"二"诚信而悦,"悔亡"亦吉;"四"商度抉择其悦,"有喜";"五"居尊位而悦信于小人,则以"有厉"深戒之。纵观全卦大旨,无非说明:阳刚不牵于阴柔,秉持正德,决绝邪诣,才能成"欣悦"之至美;反之,偏离正德,曲为欣悦,则不论是取悦于人,还是因人而悦,均将导致凶咎。可见《周易》所肯定的朋友相悦之道,是立足于鲜明的道德准则之上的。

《解》之"九四"曰:"解而拇,朋至斯孚。"意谓本爻阳居阴位,下比"六三"邪佞,为之所附,犹如足趾生患,妨碍其与"初六"相应,故须"解"其"拇",然后可致"初六"之"朋"来,阴阳相"孚"之德乃见。这是说,摆脱小人之纠附,然后朋友就能前来以诚信之心相应。

《左传·襄公二十六年》载,"楚伍参与蔡大师子朝友;其子伍举,与声子(子朝之子)相善也。……伍举奔郑,将遂奔晋。声子将如晋,遇之于郑郊,班荆相与食,而言复故。"所谓"班荆相与食;而言复故",意谓布荆籍地而坐,相与饮食,共议归楚之事。故后人称朋友途中相遇,共话旧情,谓之"班荆道故"。又《左传·襄公二十九年》载,吴公子季札"聘于郑,见子产,如旧相识。与之缟带,子产献纻衣焉"。子产名公孙侨,故后人称朋友之相契者,谓之"侨札之好"。由此可见,古人很早就已看重朋友关系。

而《左传·定公四年》载,伍员与申包胥友,在因父伍奢被楚王所杀而逃亡时,谓申包胥曰:"我必覆楚国。"申包胥曰:"勉之!子能覆之,我必能兴之。"后来伍员以吴师伐楚,誓报父仇以尽其"孝";而申包胥则入秦乞师,誓复楚国以尽其"忠"。两人既能互相勉励以尽朋友之谊,又不影响彼此各行其志,并且都能以矢志不渝的精神践履自己的诺言。他们在不可调和的客观矛盾面前,既遵守共同的原则,又有各自的志趣,体现了朋友之间和而不同的高尚境界。

春秋末期,由于"士"阶层的快速发展,朋友关系也日益显得重要。儒家创始人孔子很看重朋友关系,也很喜欢结交朋友。据史籍所载,孔子与各国许多贤人都有交往,如齐之晏子、吴之季札、陈之司城贞子、卫之蘧伯玉、颜雠由等等都是孔子的好友。

又据《孔子家语·致思》载,孔子之郯,遭程子于途,倾盖而语终日,甚相亲。顾谓子路曰:"取束帛以赠先生。"子路屑然对曰:"由闻之,士不中间见,女嫁无媒,君子不以交,礼也。"有间,又顾谓子路,子路又对如初。孔子曰:"由!《诗》不云乎?'有美一人,清扬宛兮,邂逅相遇,适我愿兮。'今程子,天下贤士也。于斯不赠,则终身弗能见也。小子行之。"此事亦见《韩诗外传》。"倾盖而语终日",可谓相契之深,交谈之欢,以致后人称朋友之间倾心交谈久而不厌者,谓之"倾盖而谈"。又《礼记·檀弓下》载,孔子之故人曰原壤,其母死,夫子助之沐椁。即此可见孔子特重朋友交情。

孔子在总结前人交友之道和自己交友体会的基础上,确立了儒家的朋友观念及其伦理规范。这就是:以道义为基础,相交以信,相持以敬的交友之道。

二、同道相合,取友必端

朋友关系,完全是建立在同道基础之上的人际关系。儒家的道,就是以"仁"为宗旨,以"义"为准则,以"礼"为规范的立身济世之道。儒家所推崇的"朋友",就是共同以儒家之道为人生目标,且有深厚友谊的一种人际关系。《易·系辞》曰:"方以类聚,物以群分。"又引孔子曰:"二人同心,其利断金;同心之言,其臭如兰。"故后世称朋友的情谊为"金兰之交"。《乾文言》引孔子曰:"同声相应,同气相求。水流湿,火就燥;云从龙,风从虎……则各从其类也。"《大戴礼记》曰:"与君子游,苾乎如入兰芷之室,久而不闻其香,则与之化矣。"这些论述,正可作为"同道相合"的朋友关系之妙喻。

《礼记·儒行》记孔子曰:"儒有合志同方,营道同术;并立则乐,相下不厌;久不相见,闻流言不信;其行本方立义,同而进,不同而退。其交友有如此者。"这是说,交友在于有共同的志向,共同的道术。若能并立于朝,则交欢为乐;即使地位有高下,也互不厌弃。虽然长期不相见,也不会听信流言飞语而影响关系。行为所本者必出方正,所立者必得其宜;故同于为义,则进而从之;不同,则退而避之。所谓"同而进,不同而退",也就是不以自己的意志强加于人之意,体现了儒家在志同道合的大前提下求同存异、"和而不同"的交友之道。《儒行》所记是否确为孔子所言,颇有争议;然而所论交友之道,是符合孔子思想的。

孔子崇尚朋友之道,亦以交友为乐。他说:"有朋自远方来,不亦乐乎?"(《论语·学而》)他还把"乐多贤友"列为人生"益者三乐"之一(《论语·季氏》)。然而他对选择朋友,是有一定原则的,这个原则就是以是否有益于自己的道德修养为标准。《论语·季氏》载：

> 孔子曰："益者三友，损者三友。友直，友谅，友多闻，益
> 矣；友便辟，友善柔，友便佞，损矣。"

《说文》云："谅，信也。""谅"就是信实之意。朱注云："友直，则闻
其过；友谅，则进于诚；友多闻，则进于明。便辟，谓习于威仪而
不直；善柔，谓工于媚悦而不谅；便佞，谓习于口语，而无闻见之
实。三者损益，正相反也。"又引尹氏曰："自天子至于庶人，未有
不须友以成者。而其损益有如是者，可不谨哉！"孔子认为朋友
有两大类，一类是对自己有益的，一类是对自己有害的。有益的
朋友三种，有害的朋友三种。同正直的人交友，同信实的人交
友，同见闻广博的人交友是有益的；同谄媚逢迎的人交友，同当
面恭维背后毁谤的人交友，同夸夸其谈而无实学的人交友是有
害的。"益者三友"的前两种系从道德上着眼，后一种系从知识
上着眼。而所谓"损者三友"，显然就是孔子所深恶痛绝而斥之
为"德之贼"的"乡愿"。作为圣人的怀抱，除了"乡愿"之外，孔子
都是愿意与之交朋友的。他说："过我门而不入我室，我不憾焉
者，其惟乡愿乎！"（《孟子·尽心下》引）

《论语·子张》载，子夏之门人问交于子张。子张曰："子夏云
何？"对曰："子夏曰：'可者与之，其不可者拒之。'"子张曰："异乎吾
所闻：君子尊贤而容众，嘉善而矜不能。我之大贤与，于人何所不
容？我之不贤与，人将拒我，如之何其拒人也？"朱注云："子夏之言
迫狭，子张讥之是也。但其所言小有过高之病。盖大贤虽无所不
容，然大故亦所当绝；不贤固不可以拒人，然损友亦所当远。"其实，
子张所谓"君子尊贤而容众，嘉善而矜不能"，确实体现了以"仁"待
人的儒者胸怀；而朱子所谓"大故亦所当绝"和"损友亦所当远"，显
然系指孔子所谓"损者三友"并斥之为"德之贼"的"乡愿"而言。相

容与相斥两方面的辩证统一，乃成为儒家完整的交友之道。

《孟子·离娄下》记孟子述子濯孺子曰："夫尹公之他，端人也，其取友必端矣。"这里虽系指师弟关系而言，但"取友必端"一语，实乃交友之准则。又《孟子·万章下》载：

> 万章问曰："敢问友。"孟子曰："不挟长，不挟贵，不挟兄弟而友。友也者，友其德也，不可以有挟也。孟献子，百乘之家也，有友五人焉……献子之与此五人者友也，无献子之家者也。此五人者，亦有献子之家，则不与之友矣。非惟百乘之家为然也，虽小国之君亦有之。费惠公曰：'吾于子思，则师之矣；吾于颜般，则友之矣；王顺、长息则事我者也。'非惟小国之君为然也，虽大国之君亦有之。晋平公之于亥唐也，入云则入，坐云则坐，食云则食；虽疏食菜羹，未尝不饱，盖不敢不饱也。然终于此而已矣。弗与共天位也，弗与治天职也，弗与食天禄也，士之尊贤者也，非王公之尊贤也。舜尚见帝，帝馆甥于贰室，亦飨舜，迭为宾主，是天子而友匹夫也。用下敬上，谓之贵贵；用上敬下，谓之尊贤。贵贵、尊贤，其义一也。"

这是说，朋友乃人伦之一，所以辅仁，故以天子友匹夫而不为诎，以匹夫友天子而不为僭。此尧舜所以为人伦之至，而孟子言必称之也。在这里，孟子把交友中的"士之尊贤"与"王公之尊贤"区别开来，并认为作为一国之君，仅仅做到"士之尊贤"的程度，未能发挥贤人的才智，其实是浪费了人才，是有违贤者以天下为己任的素志的；而是应该像尧对待舜那样，既能以天子而友匹夫，又能加之以适当的职位，使之能尽其才，有利于天下百姓，才合乎"王公之尊贤"之旨。

《孟子·万章下》又载，孟子谓万章曰："一乡之善士斯友一乡之善士，一国之善士斯友一国之善士，天下之善士斯友天下之善士。以友天下之善士为未足，又尚论古之人。颂其诗，读其书，不知其人，可乎？是以论其世也。是尚友也。"朱注云："夫能友天下之善士，其所友众矣，犹以为未足，又进而取于古人。是能进其取友之道，而非止为一世之士矣。"这是论述儒者交友的档次。从友一乡、一国之士，以至于友天下之士，犹以为未足，乃进而又与古人为友，达到了交友的最高境界。

《荀子·大略》云："士有妒友，则贤交不亲。"又云："匹夫不可以不慎取友。友者，所以相有也。道不同，何以相有也？均薪施火，火就燥，平地注水，水流湿。夫类之相从也如此之著也，以友观人，焉所疑？取友善人，不可不慎，是德之基也。《诗》曰：'无将大车，维尘冥冥。'言无与小人处也。"

历代儒者都很重视交友之道。诸如：魏刘廙《戒弟伟》云："夫交友之美，在于得贤，不可不详。而世之交者，不审择人，务合党众，违先圣人交友之义，此非厚己辅仁之谓也。吾观魏讽不修德行，而专以鸠合为务，华而不实，此直撹世沽名者也，卿其慎之，勿复与通。"

朱子《与长子受之》云："交游之间，尤当审择。虽是同学，亦不可无亲疏之辨。此皆当请于先生，听其所教。大凡敦厚忠信，能攻吾过者，益友也；其谄谀轻薄，傲慢亵狎，导人为恶者，损友也。推此求之，亦自合见得五七分。更问以审之，百无所失矣。但恐志趣卑凡，不能克己从善，则益者不期疏而日远，损者不期近而日亲。此须痛加检点而矫革之，不可茬苒渐习，自趋小人之域。如此，则虽有贤师长，亦无救拔自家处矣。"这是从道德修养上的损益论友，深得孔氏微旨。

三、交友以信，久而敬之

建立朋友关系的基础是道义，而维系朋友关系的准则乃在于"信"。孔子提出"朋友信之"，孟子进而把"朋友有信"定为"五伦"规范之一。从此，"信"就主要成为"朋友"一伦所必须遵循的道德规范。

"信"是儒家学说的重要德目。《说文》曰："信，诚也。从人言。"段注："人言则无不信者，故从人言。"又注："言必由衷之意。"从道德修养和人际关系上说，《辞源》释"信"主要有二义：一为"诚实，不欺"；二为"信从，信任"。《汉语大词典》释"信"主要有三义：一为"诚实不欺"；二为"守信用，实践诺言"；三为"信从，相信"。其中"诚实不欺"是其本义，其余是引申义。

"信"的道德基础是"诚"，而其内在意向是"忠"。"诚"作为哲学范畴，是为真实；作为道德范畴，是为诚实。诚实是人性向善的基本素质。正如一件物品，不管它的功用有多大，包装有多美，然而首先还得具备货真价实的质量，才能保证其真正的价值。为人也是如此。一个人如果内心不诚实，待人也虚伪，那么就失去了修德的基本条件，也就无从取信于人了。因此，"诚"是一切德目之本，无论是仁、义、礼、智抑或孝、悌、忠、信等等道德，如果没有以诚为本，其他一切品德就无从谈起。然而与"诚"关系最直接的德目则是"忠"和"信"。"诚"是天赋的德性，指自诚于心；而"忠"则是以诚待人，即指对人尽心竭力而言，故后世常以"忠诚"并称；然而，最能体现"诚"或"忠"的品德者则是"信"，故儒家常以"诚信"或"忠信"并称。在先秦儒学中，"忠"乃以诚待人之通称，秦汉以后，始主要用于忠君之意，所以先秦儒籍中的"忠信"，乃是待人的普遍道德，而且主要用于朋友之际。总之，诚、忠、信三者有其内在的密切联系。"诚"兼指哲学和伦理道德而言,"忠"与"信"则专就伦理道德而言;"诚"指自诚于心而言,"忠"指以诚待人之心而言,而"信"则系指"诚"或"忠"之发现于外者而言。因为"信"是内心忠诚的外化,体现为社会化的道德践行,亦即取信于人,所以,"诚"或"忠"是"信"的依据和根基,"信"是"诚"或"忠"的外在体现,二者相为表里。也就是说,一个人的内心是否"忠诚",首先可从他与人交往之际是否有"信"表现出来。所以,孔子非常重视"信"的品德。尤其在朋友之间,主要以"信"为共同遵守的道德准则,而"诚"和"忠"的德性,亦自然已体现于"信"的道德实践之中了。朋友之间若能互相以"信"相待,则朋友关系亦自然达到协调和谐。

《论语》中,孔子论信二十余处,大部分为交友而言。《论语·学而》记孔子曰:"弟子入则孝,出则弟,谨而信,泛爱众,而亲仁。""谨而信"主要是指弟子的交友之道而言。《论语·公冶长》记孔子曰:"老者安之,朋友信之,少者怀之。"孔子把"朋友信之"作为自己的人生志向之一,可见其重要性。孔子又常以"忠信"并称,"主忠信,徙义,崇德也"(《论语·颜渊》)。《论语·卫灵公》载,子张问行,子曰:"言忠信,行笃敬,虽蛮貊之邦,行矣;言不忠信,行不笃敬,虽州里,行乎哉?"他认为一个人只有具备忠信等品质,才能走遍天下;否则,在社会上就会寸步难行。这当然主要也系指交友而言。程明道曰:"尽己之谓忠,以实之谓信。发己自尽为忠,循物无违谓信,表里之义也。"(《程氏遗书》卷十一)孔子的忠信是表里关系,忠就是全心全意地为他人,而一个人在全心全意为他人时必然表现为一种诚实的态度,这就是信。

孔门弟子也在继承孔子的基础上作了阐发。子夏强调"与朋友交,言而有信"(《论语·学而》),曾子亦曰:"吾日三省吾身:为人谋而不忠乎? 与朋友交而不信乎? 传不习乎?"(《论语·学而》)曾子把忠、信作为"三省"内容的前两项,其实,"为人谋"主要也是指为朋友谋,故前两项实际上就是指"忠信"的交友之道。孟子进而把"信"与仁、义、礼、智并列为"五常",并把"朋友有信"定为"五伦"规范之一。从此,"朋友有信"就成为朋友关系的道德规范而确定下来。荀子还把是否有"信"作为区分君子与小人的重要道德标准(《荀子·不苟》)。

当然,守信并不是无原则的,只有当"信"合乎"义"的前提下才予以遵守,如果离开了"义",单纯地去追求"信",就会偏离正道。尤其是朋友关系本身就是建立在道义基础之上的,所以只有合乎道义的"信"才是有意义的,也是必须遵守的。孔子虽然主张"朋友信之",但并不盲目守"信"。他说:"言必信,行必果,硁硁然小人哉!"(《论语·子路》)假若脱离"义"的原则而讲信,就会流为小人之信。故有子曰:"信近于义,言可复也。"(《论语·学而》)孟子亦曰:"大人者,言不必信,行不必果,惟义所在。"(《孟子·离娄下》)有子和孟子的话可以作为孔子上句话的注脚,"信"合乎"义",才可以兑现。所以"君子贞而不谅",应讲合乎"义"之大"信",而不固执于不合乎"义"之小"信"。

"朋友有信"主要是指道德主体对朋友"诚实不欺"而言,但也包括有对朋友必须加以"信任"之意。不过,信任朋友更不是盲目地轻信;盲目轻信,倒是进德修业中应该克服的缺陷。故孔子曰:"始吾于人也,听其言而信其行;今吾于人也,听其言而观其行。于予与改是。"(《论语·公冶长》)

朋友之间还须以敬相待,互相尊重。孔子曰:"晏平仲善与人交,久而敬之。"(同上)朱注引程子曰:"人交久则敬衰,久而能敬,所以为善。"可见孔子认为,在交友以"信"的基础上,还必须做到"久而敬之"。也就是说,与朋友相处要有恭敬的态度,言行举止要合平礼仪。子夏曰:"君子敬而无失,与人恭而有礼,四海之内,皆兄弟也。"(《论语·颜渊》)恭敬是对朋友的尊重,恭而有礼则易得友,朋友相敬才能久交而敬意不衰,才能友谊长存。

孔子在涵养方面提出了"修己以敬"(《论语·宪问》)的修养纲领。所谓"敬",对己对内而言是态度端肃,专心认真之意;对人对外而言,则是尊敬、尊重,就是要尊重别人,待人接物要有礼貌。当然,对人之敬,是要以内心之敬为基础的;否则,就会变成内心不诚、徒有其表的虚文。《礼记·曲礼上》起首即曰"毋不敬,俨若思",以为礼之大本就是"敬"。所以孔子极力反对"为礼不敬"(《论语·八佾》)。而"敬"与"忠"或"信"往往又是联系在一起的。孔子曰:"居处恭,执事敬,与人忠"(《论语·子路》);"言思忠,事思敬"(《论语·季氏》);"言忠信,行笃敬"(《论语·卫灵公》)等等,都是与"忠"或信"并举而言的,可见其间的密切关系。所以,与朋友相交而能"久而敬之",也是与"忠信"有密切联系的。在"忠信"的基础上又能"久而敬之",乃是儒家所倡导的交友之道。

《荀子·法行》引曾子曰:"同游而不见爱者,吾必不仁也;交而不见敬者,吾必不长也;临财而不见信者,吾必不信也。三者在身,曷怨人! 怨人者穷,怨天者无识。失之己而反诸人,岂不亦迂哉!"曾子的话说明在交游中仁、敬、信三者的重要意义,充分体现了儒家在以"仁"为本旨的基础上的相交以"信",相持以"敬"的交友之道。

四、以文会友,以友辅仁

朋友既然是以道义相交的人际关系,故其谊在于互相学习,互相勉励,互相磋切,共同提高。儒家对此非常重视,并有很多精辟的论述。

《周易·兑》卦是阐明朋友讲习之义的卦。其《说卦》曰："兑，说（悦）也。"又曰："兑为泽。"又曰："说万物者，莫说乎泽。"故其《大象》曰："丽泽，兑；君子以朋友讲习。"这是说，"丽泽"者，两泽并连而交相浸润之象，以象征欣悦也；而君子取以效法，作为良朋益友之间相互讲解义理、研习学业，从而获得欣悦之意。故孔《疏》曰："君子以朋友讲习者，同门曰朋，同志曰友，朋友聚居，讲习道义，相说（悦）之盛，莫过于此也。故君子象之以朋友讲习也。"故其象辞所谓"兑：亨，利，贞"者，意谓朋友之际以义理"欣悦"之时，必可"亨通"畅达而"有利"于共同提高；但不能"悦"于为邪，应以守持"贞正"为本。此以治学为喻，与《论语》悦、乐之意有合。《孟子·告子上》曰："理义之悦我心，犹刍豢之悦我口。"亦与本卦"欣悦"之义若合符节。

《周易·蹇》之"九五"曰："大蹇，朋来。"意谓"九五"阳居坎中，当"大蹇"之时，以阳刚中正之德下应"六二"，故朋友纷纷来归，共济蹇难。故《象》曰："大蹇朋来，以中节也。"王注："处难之时，独在险中，难之大者也，故曰'大蹇'；然居不失正，履不失中，执德之长，不改其节，如此则同志者集而至矣，故曰'朋来'也。"这是阐明朋友之间要共济艰难之谊。

《周礼·地官司徒·司谏》云："司谏，掌纠万民之德而劝之，朋友正其行而强之，道艺巡问而观察之。"意谓友道，应以道义互相切磋也。

孔子重视交友之道，认为与益友交往，见贤而思齐，可以加强自己的品德修养，增加自己的学识。《论语·卫灵公》载，子贡问为仁，子曰："工欲善其事，必先利其器。居是邦也，事其大夫之贤者，友其士之仁者。"朱注云："贤以事言，仁以德言。夫子尝谓子贡悦不若己者，故以是告之。欲其有所严惮切磋以成其德也。"并引程子曰："子贡问为仁,非问仁也,故孔子告之以为仁之资而已。"这是说,为仁之道,在于结交有仁德的人来提高自己的品德。《孝经》记孔子曰:"士有争友,则身不离于令名。"《荀子·子道》引孔子曰:"由志之,吾语汝:虽有国士之力,不能自举其身,非无力也,势不可也。故人而行不修,身之罪也;出而名不章,友之过也。故君子入则笃行,出则友贤,何为而无孝之名也!"这都说明交友之重要。而"入则笃行,出则友贤"之训,可谓修德治学之名言。

《论语·颜渊》记曾子曰:"君子以文会友,以友辅仁。"朱注云:"讲学以会友,则道益明;取善以辅仁,则德日进。"曾子认为,结交朋友的意义就在于"辅仁",培养自己的仁德。故《大戴礼记·曾子制言上》记曾子曰:"蓬生麻中,不扶自直;白沙在泥,与之皆黑。是故人之相与也,譬如舟车然,相济达也。己先则援之,彼先则推之。是故人非人不济,马非马不走,土非土不高,水非水不流。"这段话形象地阐明了朋友之间的相成相济之道。

在《论语》中,记载了不少孔门同学之间互相切磋学问的具体事例。如《论语·里仁》载,子曰:"参乎! 吾道一以贯之。"曾子曰:"唯。"子出,门人问曰:"何谓也?"曾子曰:"夫子之道,忠恕而已矣。"足见平时所传授的"一贯之道",除了曾子而外,其他门人都不大了解。只有经过互相讨论,才能理解其真义。而且,也正因为门人有此一问,以"忠恕"为内容的"一贯之道"才得以相传下来。

又《论语·颜渊》载,樊迟问仁,子曰:"爱人。"问知,子曰:"知人。"樊迟未达。子曰:"举直错诸枉,能使枉者直。"樊迟退,见子夏曰:"乡也吾见于夫子而问知,子曰,'举直错诸枉,能使枉者直',何谓也?"子夏曰:"富哉言乎! 舜有天下,选于众,举皋陶,不仁者远矣;汤有天下,选于众,举伊尹,不仁者远矣。"樊迟未能理解孔子所传授的深意,只有问过同学子夏之后,才理解了。这里也说明了同学之间"切磋琢磨"的重要性。

《荀子·劝学》云:"兰槐之根是为芷,其渐之滫,君子不近,庶人不服。其质非不美也,所渐者然也。故君子居必择乡,游必就士,所以防邪僻而近中正也。""渐",浸也;"滫",臭水。"芷"虽然是香草,但在臭水中浸过后,就无人佩戴了。荀子借以比喻君子交友必须"防邪僻而近中正"之义。《论语·修身》云:"庸众驽散,则劫之以师友。"这是说,平庸之人驽钝散漫,必须有师友加以约束。

《颜氏家训·慕贤》云:"人在年少,神情未定,所与款狎,熏渍陶染,言笑举动,无心于学,潜移暗化,自然似之;何况操履艺能,较明易习者也?是以与善人居,如入芝兰之室,久而自芳也;与恶人居,如入鲍鱼之肆,久而自臭也。墨子悲于染丝,是之谓矣。君子必慎交游焉。孔子曰:'无友不如己者。'颜、闵之徒,何可世得?但优于我,便足贵之。"这是说明慎于交友之义。

宋袁采《袁氏世范》云:"人之性行,虽有所短,必有所长。与人交游,若常见其短而不见其长,则时日不可同处;若常念其长而不顾其短,虽终身与之交游可也。"又云:"忠信笃敬,先存其在己者,然后望其在人者。如在己者未尽而以责人,人亦以此责我矣。今世之人,能自省其忠信笃敬者盖寡,能责人以忠信笃敬者皆然也。虽然,在我者既尽,在人者亦不必深责。今有人能尽其在我者固善矣,乃欲责人之似己,一或不满吾意,则疾之已甚,亦非有容德者,只益贻怨于人耳。"又云:"世人有虑子弟血气未定,而酒色博弈之事得以昏乱其心,寻至于失德破家,则拘之于家,严其出入,绝其交游,致其无所见闻,朴野蠢鄙,不近人情。殊不知此非良策!禁防一弛,情窦顿开,如火燎原,不可扑灭。况拘之于家,无所用心,却密为不肖之事,与出外何异?不若时其出入,谨其交游,虽不肖之事,习闻既熟自能识破,必知愧而不为。纵试为之,亦不至于朴野蠢鄙，全为小人之所摇荡也。"这是从多方面的角度来阐明交友之道。

朱子《训子帖》云："朋友年长以倍，丈人行也；十年以长，兄事之；年少于己，而事业贤于己者，厚而敬之。"又云："不可言人过恶，及说人家长短是非。有来告者，亦勿酬答。于先生之前，尤不可说同学之短。"又云："见人嘉言善行，则敬慕而纪录之。见人好文字胜己者，则借来熟看，或传录之，而咨问之，思与之齐而后已。"这是训子交友以敬，并勉以"以文会友，以友辅仁"之义。

五、忠告善道，不可则止

朋友既然是同道相合的关系，故在彼此之间，不仅要互相责善，而且还要互相规过，就是看到朋友有过错时，应该毫无隐瞒地给予指出，真诚地给予批评帮助，使之及时改进。《论语·子路》记孔子曰："朋友切切、偲偲。"朱注引胡氏曰："切切，恳到也；偲偲，详勉也。"所谓"切切、偲偲"，就是诚恳而详尽地互相批评、互相责善之貌。《论语·宪问》记孔子曰："忠焉，能勿诲乎?"也是说对朋友的过失应该批评指正。

然而，对于朋友的劝告，又不宜过于烦琐，而是应该适可而止。《论语·颜渊》载，子贡问友。子曰："忠告而善道之，不可则止，毋自辱焉。"朱注云："友所以辅仁，故尽其心以告之，善其说以道之。然以义合者也，故不可则止。若以数而见疏，则自辱矣。"这是说，对于朋友的过错，应该给予忠心劝告，善以引导；但是，如果忠言逆耳，朋友听不进去，就应及时停止，不应自取其辱。故《论语·里仁》记子游曰："朋友数，斯疏矣。"朱注引胡氏曰："导友善不纳，则当止。至于烦渎，则言者轻，听者厌矣，是以求亲而反疏也。"这是说，对于朋友，如若唠叨不休，不仅达不到目的，反而伤了和气，被朋友所疏远。这是因为,"君子和而不同"(《论语·子路》),朋友之间应该允许有不同意见,而且这并不妨碍朋友和睦相处。"君子矜而不争,群而不党"(《论语·卫灵公》),自己庄敬自守,不与人争,与人合群但不结党营私。因此,朋友之间若有不同意见,既有必要互相进行辩论,又不妨求同存异,但决不能把自己的意志强加于人。这就是朋友相处之道。

从以上论述可以得出这样一种道理:对于朋友的过错,如果做不到"忠告而善道",是"不及";但若批评得过于烦琐乃至于自取其辱,则是"过"。只有做到既无"不及",又不"过",而能达到适得事理之宜,适可而止,才合乎儒家的中庸之道,也是最佳的朋友全交之道。

《论语·宪问》载,"原壤夷俟。子曰:'幼而不孙弟,长而无述焉,老而不死,是为贼。'以杖叩其胫。"原壤是孔子之故人。夷俟,蹲踞以待,是一种无礼的态度。这里是说,原壤见孔子来而蹲踞以待之。孔子见其无礼,故责之,又以杖叩其胫。朱注云:"以其自幼至长,无一善状,而久生于世,徒足以败常乱俗,则是贼而已矣。孔子既责之,而因以所曳之杖,微击其胫,若使勿蹲踞然。"这里形象地记述了孔子对于原壤的无礼之态加以指责,以期其改正,体现了朋友之间的责善规过之义。

然而在《礼记·檀弓下》又记载了原壤的另一件事:"孔子之故人曰原壤,其母死,夫子助之沐椁。原壤登木曰:'久矣予之不讬于音也。'歌曰:'狸首之斑然,执女手之卷然。'夫子为弗闻也者而过之。从者曰:'子未可以已乎?'夫子曰:'丘闻之,亲者毋失其为亲也,故者毋失其为故也。'"原壤母死,孔子助以沐椁帮他治丧,足见孔子待友之情;然而原壤竟在母丧中登椁而歌,实在是一种败坏礼法之大恶。在此情况下,孔子若与之计较,必将引起争论而与之绝交,这样,既撕毁了朋友的面子,又不合朋友居丧之礼。于是,孔子只好装做没听见而走开了。孔子这样处理,既避免了一场争执,合乎朋友之间和而不同的原则,又保全了朋友的面子和居丧的礼仪。可以说,孔子这样处理是合乎情理的。对此,有人请问朱子:"原壤登木而歌,夫子为弗闻而过之,待之自好;及其夷俟,则以杖叩其胫,莫太过否?"朱子曰:"这说却差。如壤之歌,乃是大恶,若要理会,不可但已,只得且休;至其夷俟之时,不可不教诲,故直责之,复叩其胫,自当如此。若如今说,则是不要管他,却非朋友之道矣。"(见陈澔注引)朱子认为,当原壤"夷俟"之时,作为朋友,不可不加以批评教诲;而在"登木而歌"之时,已到了无可教诲之境,故"只得且休"。质言之,前者合乎"忠告而善道之"之义,后者合乎"不可则止,毋自辱焉"之义,两者都合乎朋友相处之道。

《论语·乡党》记有一些孔子对待朋友的态度。如:"朋友之馈,虽车马,非祭肉,不拜。"朱注云:"朋友有通财之义,故虽车马之重不拜;祭肉则拜者,敬其祖考,同于己亲也。"又如:"朋友死,无所归,曰:'于我殡。'"可见孔子很深于朋友之情。而且于中可见,孔子待友既无不及,也不过分,而是达到了恰如其分、适得事理之宜的境界。

在儒籍中,记有很多君子全交之道。《论语·公冶长》记孔子曰:"伯夷、叔齐不念旧恶,怨是用希。"朱注云:"伯夷、叔齐,孟子称其'不立于恶人之朝,不与恶人言;与乡人立,其冠不正,望望然去之,若将浼焉'。其介如此,宜若无所容矣,然其所恶之人,能改即止,故人亦不甚怨之也。"并引程子曰:"不念旧恶,此清者之量。"《礼记·曲礼上》云:"君子不尽人之欢,不竭人之忠,以全交也。"陈澔注引吕氏曰:"尽人之欢,竭人之忠,皆责人厚者也。责人厚而莫之应,此交所以难全也。"《礼记·表记》曰:"君子之接如水,小人之接如醴；君子淡以成，小人甘以坏。"这就是后世所谓"君子之交淡如水，小人之交甘如醴"这条格言之所自出。《大戴礼记·曾子立事》记曾子曰："君子不先人以恶，不疑人以不信，不说人之过；成人之美，存往者，在来者。朝有过，夕改则与之；夕有过，朝改则与之。"这是说，与朋友相处，不要先用不好的眼光去看人，不要怀疑朋友，不要宣扬别人的过失。对以往的过错可以存而不论，要向前看，有过能改正就嘉许之，总之要"成人之美，不成人之恶"。这些都属于儒家所强调的交友之道。

北齐颜之推《颜氏家训·省事》云："为善则预，为恶则去，不欲党人非义之事也。凡损于物，皆无与焉。然而穷鸟人怀，仁人所悯；况死士归我，当弃之乎？伍员之托渔舟，季布之入广柳，孔融之藏张俭，孙嵩之匿赵岐，前代之所贵，而吾之所行也。以此得罪，甘心瞑目。至如郭解之代人报仇，灌夫之横怒求地，游侠之徒，非君子之所为也。如有逆乱之行，得罪于君亲者，又不足恤焉。亲友之迫危难也，家财己力，当无所吝；若横生图计，无理请谒，非吾教也。墨翟之徒，世谓热腹；杨朱之侣，世谓冷肠。肠不可冷，腹不可热，当以仁义为节文尔。"这是说，凡是对人有损害的事，都不要参与；即使是做好事，也不宜太过分而给自己带来危害。所谓"肠不可冷，腹不可热"，就是说，像杨朱那样不管世事的"冷肠"之人，是不及；而像墨翟那样专管不该管之事的"热腹"之人，则是过。在朋友之间，既不宜过，也不宜不及，而是应该"以仁义为节文"，达到适得事理之宜，方才符合儒家的交友之道。

六、"无友不如己者"之真义

《论语·学而》记孔子曰："君子不重则不威，学则不固；主忠信，无友不如己者，过则勿惮改。"关于"无友不如己者"一语，深为今人所诟病,原因是很多人把这句话理解为"不要和比自己差的人交朋友",这样理解,自然难免陷入矛盾之境。因为如果人人想同比自己好的人交朋友,那么对方也必将认为比自己差而加以拒绝,这样一来,"朋友"一伦岂非不能成立了? 而且,从当时的历史记载看,无论在道德上抑或在学问上,都没有比孔子更高的人,假若孔子认定不能与"比自己差的人"交朋友,那孔子岂非无友可交了? 然而事实证明,孔子不仅有朋友,而且还很多,那些"有朋自远方来"的朋友也不见得都胜于孔子,而孔子却感到"不亦乐乎"而大加欢迎。所以,把"无友不如己者"理解为"不要和比自己差的人交朋友",无论从理论上还是从事实上都是讲不通的。

那么,应该怎样理解呢? 其实,孔子所谓"无友不如己者",不过是一种比较委婉的说法而已,其意当为不与"不如己意"的"不仁"之人交朋友。而其实际所指,只能是他所斥为"德之贼"的"乡愿"一类人,才能讲得通。

从整章文义看,讲的是君子要自重的问题。通章分做两半,前半章从反面讲述君子不自重之害,其害是"不威"和"学不能固"。后半章讲的是自重之道,具体条件有三条:一是"主忠信",意谓要坚守忠信以待人;二是"无友不如己者",意谓不要与那些"不如己意"的"乡愿"交朋友;三是"过则勿惮改",意谓有了过错勇于改正。这里包括了对人和对己之道,总括起来无非是束身自好的道德修养,这样便做到了自重;做到了自重,才能树立起威信,治学才能巩固。这就是整章书的宗旨。朱注云:"友所以辅仁,不如己,则无益而有损。"从"友所以辅仁"而言,显然是从道德上说,如果仅仅是与比自己差的人交朋友,即使"无益",也不至于"有损";只有与不仁之"乡愿"交朋友,才会"无益而有损"。刘宝楠《论语正义》也曾指出,"不如己者"就是"不仁之人"。所谓"不仁之人",当是指"乡愿"

而言。这样理解,可从孔子的许多论述中得到证明。

前文所引孔子把"友便辟,友善柔,友便佞"三者归结为"损者三友",而所谓便辟、善柔、便佞之类,就是巧言令色,工于谄媚奉承、悦世取容的小人,也就是孔子斥为"德之贼"的"乡愿"。由此可见,孔子所谓"无友不如己者",就是说不要与"损者三友"交朋友;而所谓"损者三友",显然就是孔子所深恶痛绝的"乡愿"。

《论语·阳货》记孔子曰:"乡愿,德之贼也。"对于"乡愿",孟子曾作过透辟的描述:"阉然媚于世也者,是乡原(愿)也。"其具体表现是:"非之无举也,刺之无刺也,同乎流俗,合乎污世,居之似忠信,行之似廉洁,众皆悦之,自以为是,而不可与入尧舜之道,故曰'德之贼'也。孔子曰:'恶似而非者:恶莠,恐其乱苗也;恶佞,恐其乱义也;恶利口,恐其乱信也;恶郑声,恐其乱乐也;恶紫,恐其乱朱也;恶乡原,恐其乱德也。'"(《孟子·尽心下》)即此可见所谓"德之贼"的"乡愿",亦即通常所谓"伪君子"是也。很明显,孟子所描述的"乡愿",正是孔子所谓"损者三友"的"便辟"、"善柔"、"便佞"之类。这类人以"阉然媚于世"为处世原则,故而"言不顾行,行不顾言","同乎流俗,合乎污世",而永远"不可与入尧舜之道",所以孔子将其排除在交友的范围之外。《论语·公冶长》记孔子曰:"巧言、令色、足恭,左丘明耻之,丘亦耻之;匿怨而友其人,左丘明耻之,丘亦耻之。"这里所说的,显然也是这种花言巧语、外貌恭顺而内心虚伪的"乡愿"。除了"乡愿"而外,只要有心向善的人,孔子认为都是可以教育的,因而也是可以与之交朋友的。孟子引孔子曰:"过我门而不入我室,我不憾焉者,其惟乡愿乎!"(《孟子·尽心下》)可见除了在品德上"不如己意"的"乡愿"之外,孔子是都可以与之交朋友的。这就是"无友不如己者"这一交友原则的真义之所在。

《大戴礼记·曾子制言中》记曾子曰:"吾不仁其人,虽独也,吾弗亲也。"卢注云："人而不仁,不足友也。故周公曰:'不如我者,吾不与处,损我者也。'"按:卢引周公语,见《吕氏春秋·先识览·观世篇》。这里卢注把曾子所谓"不仁其人"等同于周公的"不如我者",正可以说明孔子所谓"不如己者"是指"不仁"之人,亦即"乡愿";还足以说明曾子的交友之道是对孔子思想的继承。

《荀子·修身》云:"见善,修然必以自存也;见不善,愀然必以自省也。善在身,介然必以自好也;不善在身,菑然必以自恶也。故非我而当者,吾师也;是我而当者,吾友也;谄谀我者,吾贼也。故君子隆师而亲友,以致恶其贼。好善无厌,受谏而能诫,虽欲无进,得乎哉? 小人反是:致乱,而恶人之非己也;致不肖,而欲人之贤己也;心如虎狼,行如禽兽,而又恶人之贼己也。谄谀者亲,谏争者疏,修正为笑,至忠为贼,虽欲无灭亡,得乎哉?"又云:"以善先人者谓之教,以善和人者谓之顺;以不善先人者谓之谄,以不善和人者谓之谀。"荀子所谓"谄谀我者,吾贼也",正是孔子所谓"乡愿,德之贼也"的注脚。荀子所谓"非我而当者,吾师也;是我而当者,吾友也;谄谀我者,吾贼也",正是对孔子"益友"与"损友"的进一步分析。而荀子所谓"君子隆师而亲友,以致恶其贼",正是继承了孔子"乐多贤友"和"无友不如己者"的交友之道。

第三节　朋友关系的扩充与推广

在现实社会中,除了"五伦"而外,还有其他一些人际关系,诸如同事关系、宾主关系、商家与顾客关系,以及各种服务行业与顾客关系等等,如果从宽广的角度而言,可以视之为朋友关系的扩充与推广,因而都可归为"朋友"的范围之内。而且,也同样可以用

"信"作为共同遵守的道德规范。由于这类关系情况复杂,不能一一加以论述,故略举一二,以见一斑。

关于同事关系,略同于"君臣"章所论述的同僚关系;不过,同僚关系是专就政治范围而言,同事关系则是泛指政治上以及社会上一切事业而言,两者有其广狭之分。同事关系的本质,体现为在同一事业上的和衷共济之义。它与同僚关系虽在范围上有广狭之分,而在实质上也颇多相通之处。限于篇幅,故此从略。

关于宾主关系,则以社会交往中的礼尚往来为义。唐韩昌黎《原道》曰:"其位:君臣、父子、师友、宾主、昆弟、夫妇。"韩子把"宾主"作为人伦之一,而与"五伦"并列,可见"宾主"也是一种重要的人际关系。不过,"宾主"关系与"五伦"实有本质上的区别。其一,"五伦"的双方都有固定的对象,而"宾主"的双方可以是各种人际关系,诸如亲戚、朋友、兄弟、同事、君臣以及普通人等,都可成为宾主关系;其二,"五伦"的关系基本上是长期稳定的,而"宾主"关系都是临时相合的;其三,"五伦"中的夫妇、父子、兄弟、君臣四伦的双方都有固定的名分,不能互换;朋友一伦双方的名分完全等同,没有互换的意义;而"宾主"关系双方的名分是随时可以互换的,如《孟子·万章下》谓"舜尚见帝,帝馆甥于贰室,亦飨舜,迭为宾主",即说明可以"迭为宾主",但不可迭为君臣,也不可迭为翁婿或其他。因此,"宾主"虽然是一种日常生活中具有经常性的人际关系,但是,它只是在"礼尚往来"的交往中随着一定的场合而临时命名的关系,而不是长期固定的关系;当离开一定场合,则"宾主"之名分亦随之消失。所以,它不能成为一种正式的伦理关系。产生"宾主"关系的社会基础是"礼尚往来",故双方所共同遵守的道德准则也是"礼";而其间往来的意义,则根据其具体关系而各不相同。

其实,"宾主"关系很早就已形成了。在《诗经》中,就有许多燕

飨宾客之诗,盛情地抒发了宾主之间的深厚感情。如《小雅·鹿鸣》云:

> 呦呦鹿鸣,食野之苹。我有嘉宾,鼓瑟吹笙。吹笙鼓簧,承筐是将。人之好我,示我周行。
>
> 呦呦鹿鸣,食野之蒿。我有嘉宾,德音孔昭。视民不恌,君子是则是傚。我有旨酒,嘉宾式燕以敖。
>
> 呦呦鹿鸣,食野之芩。我有嘉宾,鼓瑟鼓琴。鼓瑟鼓琴,和乐且湛。我有旨酒,以燕乐嘉宾之心。

按《诗序》,这首本为燕飨群臣嘉宾之诗,所燕之客,或本国之臣,或诸侯使节。但《仪礼》中之《乡饮酒礼》和《燕礼》亦用此诗,大概后来又成为上下通用的主人燕飨宾客之诗。诗以鹿之呦呦和声兴起宾主之间的相契之情,而言其礼意之厚也。首章希望宾客之好我,能示我以大道;次章言嘉宾之德音甚明,足以取法;末章言安乐嘉宾之心,所以致其殷勤之意,而欲其示教之无已也。这是一首影响很大的燕飨宾客之诗,后世经常引为宴乐嘉宾的典故。又如《南有嘉鱼》云:

> 南有嘉鱼,烝然罩罩。君子有酒,嘉宾式燕以乐。
>
> 南有嘉鱼,烝然汕汕。君子有酒,嘉宾式燕以衎。
>
> 南有樛木,甘瓠累之。君子有酒,嘉宾式燕绥之。
>
> 翩翩者鵻,烝然来思。君子有酒,嘉宾式燕又思。

据《仪礼·乡饮酒礼》和《燕礼》记载,这是燕飨宾客上下通用之诗。诗中因其所荐之物,而表达主人宴乐嘉宾之意也。又《菁菁者莪》云:

> 菁菁者莪,在彼中阿。既见君子,乐且有仪。
>
> 菁菁者莪,在彼中沚。既见君子,我心则喜。
>
> 菁菁者莪,在彼中陵。既见君子,锡我百朋。

泛泛杨舟，载沉载浮。既见君子，我心则休。

这首也是燕饮宾客之诗。诗以菁菁者莪比君子容貌威仪之盛，而乐于相见之喜也。从这些诗中，我们可以体味到古代在燕飨宾客的宴会上那种尊贤好德、彬彬有礼的欢欣和乐气氛。

《左传·僖公三十年》载，晋、秦二国围郑，郑国的烛之武夜缒而出，见秦穆公曰："若舍郑以为东道主，行李之往来，共（供）其乏困，君亦无所害。"这里反映了当时国与国之间的宾主关系，而"东道主"一词，一直为后世沿用作"主人"之美称。

孔子很重视宾主之礼。《论语·乡党》记载有孔子受君命任摈相接待外国来宾时的礼仪："君召使摈，色勃如也，足躩如也。揖所与立，左右手。衣前后，襜如也。趋进，翼如也。宾退，必复命曰：'宾不顾矣。'"在这里，可以从中体会到孔子在接待外宾时的仪文周到、周旋中礼的风度。

《大戴礼记·曾子制言上》载，曾子门弟子或将之晋，曰："吾无知焉。"曾子曰："何必然！往矣。有知焉谓之友，无知焉谓之主。且夫君子执仁立志，先行后言，千里之外，皆为兄弟。苟是之不为，则虽汝亲，庸孰能亲汝乎！"这里的"无知"，指在晋国没有相知的朋友；"谓之主"，意谓把对方当作主人。曾子认为，既已相知者，可以视为朋友关系；尚未相知者，可以暂行先把他当作主人，与之建立宾主关系。只要能够"执仁立志，先行后言"，虽然是远方疏远之人，也能亲如兄弟；否则，即使身边亲近之人，也不会亲近于你。这里说明，即使不相识的人，也可以先作为宾主关系相待，与之交往以后，也就相识了；由相识进而相知，也就成为朋友了。不过，通常的情况则大都为既已相识的亲友故旧之间的宾主关系。

在《仪礼》和《礼记》两书中，记载有许多宾主之间交往的仪节条文，兹略举数则，以见古礼之一斑。《礼记·曲礼上》云："凡与客入者，每门让于客。客至于寝门，则主人请入为席，然后出迎客。客固辞，主人肃客而入。主人入门而右，客入门而左；主人就东阶，客就西阶；客若降等，则就主人之阶；主人固辞，然后客复西阶。主人与客让登，主人先登，客从之，拾级聚足连步以上。上于东阶，则先右足；上于西阶，则先左足。"即此可见，古代有些礼仪确实过于烦琐，也规定得太死板。不过，我们现在还经常听到，称主人为"东家"，称客人为"西宾"，其义即由此而来。

《礼记·乡饮酒义》云："乡饮酒之义，主人拜迎宾于庠门之外。入，一揖一拜而后至阶，三让而后升，所以致尊、让也；洗扬觯，所以致絜也；拜至、拜洗、拜受、拜送、拜既，所以致敬也。尊、让、絜、敬也者，君子之所以相接也。君子尊、让则不争，絜、敬则不慢。不慢、不争，则远于斗辨矣。不斗辨，则无暴乱之祸矣。斯君子所以免于人祸也。故圣人制之以道。乡人、士君子尊于房户之间，宾主共之也；尊有玄酒，贵其质也；羞出自东房，主人共（恭）之也；洗当东荣，主人之所以自絜而以事宾也。"这里详细记述了在举行"乡饮酒"之礼时，主人接待宾客之礼及其所以然之意义。"乡饮酒礼"是古时通行于乡党之间的聚会乡亲的一种仪式，在古代礼仪交往中有其典型性。

总而言之，宾主关系是在社会交往中，通用于各种具体人际关系之间的，随着具体场合而临时命名的礼仪关系。

关于商家与顾客的关系，完全是一种以商品和货币为中介的买卖交易的关系。交往双方亦以互相守"信"为准则，而且主要对于商家方面有其更严格的要求。古人将能够遵守儒家道德的经商者称为"儒商"，其中最重要的就是要坚守诚信，做到童叟无欺。《孔子家语·鲁相》曾说到："贾羊豚者不加饰。"意思就是指经商人员不售假货、劣货，不违反商业道德。我国古代早就有"信者储也"

的说法，从构字法来看非常明朗："儲"由"信"和"者"会意而成，这就是说，只有信实的人才是最善于积聚财富的人。例如，闻名于世的杭州百年老店"胡庆余堂"之所以能保持长盛不衰，其经营秘诀是"戒欺"，也就是坚持诚信。享有"经营之神"美誉的日本著名企业家涩泽荣一写了一本叫《论语与算盘》的书，提出了"士魂商才"的口号，认为"《论语》才是培养士魂的根基，……商才也要通过《论语》来充分培养"，而"所谓商才，本来也是要以道德为根基的。离开道德的商才，即不道德、欺瞒、浮华、轻佻的商才，所谓小聪明，决不是真正的商才"。他所谓的"商才"，即所谓"儒商"，也就是坚守"诚信"、反对欺诈的商家。尽管为了开拓企业可以尽量运用多种策略，但欺诈诱骗决不是发展企业的正当手段。运用"诡道"虽然也可获得某些短期效果，但从长远着想，多行欺诈必将失信于人，决不利于事业的发展。如果商家欲凭假冒伪劣商品以求发展，实无异于缘木求鱼。无论古今中外，凡是真正有眼光有成就的商家，都是以信誉为重的商家。

此外，社会上各种各样的人际关系层出不穷，尤其是现代社会，诸如各种服务行业与顾客之间的关系之类，其间既有其共通性，也有其特殊性，繁不胜述，均从略。

第四节　重群而不轻己的群己关系

在社会关系中，除了各种个人与个人之间的关系而外，还有个人与社会之间的关系，亦即所谓群己关系。儒家在处理个人与社会的关系上，既重视社会群体的价值，又不轻视个体自我的价值。因其前者，儒家的价值未走向自我中心主义；因其后者，儒家的价值避免了走向个性虚无主义。而这种价值取向,正是儒家中庸之道的显著体现。

一、矜而不争,群而不党

一个人,既是一个独立的人,又是社会中的一分子。个人与社会的关系,通常亦称为群己关系。对此,孔子提出了"君子矜而不争,群而不党"(《论语·卫灵公》)的原则。朱注云"庄以持己曰矜,然无乖戾之心,故不争;和以处众曰群,然无阿比之意,故不党。"可见"矜"是自重,而"不争"则是尊重别人;"群"是和以处众,而"不党"则是不搞党派。既尊重自己的人格,也要尊重别人的人格,这是儒者的立身之道;既强调和以处众,又主张不搞党派,这是儒者的处世之道。而儒家所主张的个人与社会的关系,正是从这种立身处世之道中体现出来。

儒家的立身之道,首先在于尊重人的独立人格。孔子曰:"三军可夺帅也,匹夫不可夺志也。"(《论语·子罕》)明确声明人的独立人格不容侵犯。又曰:"岁寒,然后知松柏之后彫也。"(同上)形象地比喻了儒者不随流俗而变节的独立人格。《中庸》记孔子曰:"君子和而不流,强哉矫! 中立而不倚,强哉矫! 国有道,不变塞焉,强哉矫! 国无道,至死不变,强哉矫!"《礼记·儒行》托为孔子之言以论述儒者立身处世之道,应具有"刚毅"、"自立"、"特立独行"的品格。其曰:"儒有可亲而不可劫也,可近而不可迫也,可杀而不可辱也";"劫之以众,沮之以兵,见死不更其守";"身可危也,而志不可夺也";"虽有暴政,不更其守,其自立有如此者"。这些论述,显然是孔子"匹夫不可夺志"的进一步发挥。孟子更提倡一种"大丈夫"精神:"居天下之广居,立天下之正位,行天下之大道;得志,与民由之;不得志,独行其道。富贵不能淫,贫贱不能移,威武不能屈,此之谓大丈夫。"因而他鄙视那些丧失自己独立人格,一味顺从附和别人的人。他说:"以顺为正者,妾妇之道也。"(《孟子·滕文公下》)而"大丈夫"则应该是"人知之,亦嚣嚣;人不知,亦嚣嚣"(《孟子·尽心上》)。赵注云:"嚣嚣,自得无欲之貌。"孟子认为,不管别人是否理解,仍然自得其乐。因而提出了"穷则独善其身,达则兼善天下"的处世之道(同上)。荀子也说君子应该"不诱于誉,不恐于诽,率道而行,端然正己,不为物倾侧"(《荀子·非十二子》)。提倡一种"傀然独立天地之间而不畏"的君子人格。

中国古代知识分子中历来有那么一类人,他们不计名利,不畏权贵,亦不顾世俗舆论的毁誉,从不人云亦云,阿谀奉承。不管别人怎么说,始终我行我素,保持自己的个性,坚守自己的节操,走自己的路。他们这种独立人格,同儒家所提倡的那种"特立独行"的传统精神也有很大关系。

然而,儒家强调"特立独行"的君子人格,并非"遗世而独立"之意,而是主张在互相尊重人格的基础上正确处理人际关系。儒家认为人是一种"群"的存在。人之所以为人,在于人能"群"。孔子最早提出"群"的概念,他说君子"群而不党",又说诗"可以群"。荀子对"群"作了更为具体的论述。人为什么不同于牛马动物?荀子回答:"人能群,彼不能群也。""故人生不能无群。"(《荀子·王制》)"群"即合群,也即人与人之间互相联系,互相合作,和睦相处,从而组成一个共同的社会。

儒家所说的人的"群",并不同于动物的自然群居。荀子说:"人何以能群?曰:分。""群而无分则争,争则乱。"(同上)这里所说的"分",便是人群之中不同于动物群自然联系的一种社会性联系的反映。人的本质便体现于人群里实际存在着的社会联系之中。这种人的社会性联系就是儒家所特重的"人伦"。儒家以"仁"作为其伦理学的核心范畴。《中庸》曰："仁者人也。""仁"就是人。在儒家思想中，"仁"实际上就是对人的本质所下的定义。而"仁"字的含义，《说文》解释为"从人，从二"，意即人与人之间的社会联系。

儒家一方面将宗法血亲关系视为"群"的关系中最根本的关系，另一方面也认为人群中存在着"通工易事，以羡补不足"（《孟子·滕文公下》）的物质生产分工合作的联系。儒家之所以把宗法血亲关系放在首位，这是由中国古代社会以家族为基本单位的社会生产方式所决定的。

儒家从他们关于人的本质的上述认识出发，认为个体的人的发展同整个群体的发展是互相联系、互相制约的。一方面，儒家立足于个体，把社会、群体的发展和完善落实于个人的发展和完善，亦即把"治国、平天下"落实于"修身"，"自天子以至于庶人，壹是皆以修身为本"，着力于塑造个体的"刚毅"、"自立"、"特立独行"的君子人格。另一方面，又指出个体的发展必须以群体中他人的共同发展为前提，即所谓"己欲立而立人，己欲达而达人"（《论语·雍也》）。那种脱离社会，脱离群体，离群索居式的个人发展是儒家所反对的。所谓"鸟兽不可与同群"，离开了群体，与鸟兽为伍，实际上也就失去了作为个体的人的存在，更谈不上个人的发展。

正因为个人的发展与群体的发展是相互制约的，因而儒家所谓"特立独行"的君子人格的发展，就必须受到形式上体现着群体共同利益的"义"，和形式上体现着群体道德规范的"礼"的限制。荀子所谓"明分使群"、"群居和一之道"，实际上就是要用"礼"、"义"来规范个体人格的发展。个人如果损害群体利益，不顾社会公德，独往独来，则势必成为害群之马，遭到群体的唾弃。从这个意义上看，儒家在个人与群体关系问题上的认识，确实反映着人类社会个人与群体关系发展中的某种共有规律。儒家认为个人的发展和完善必须以群体中他人的共同发展为前提,必须受到群体利益和群体道德规范的制约,因而提倡一种以群体为重的精神。这种思想在目前的现代社会中仍然不失其价值。

儒家在处理群己关系方面,一般认为国家、社会、集体、他人和家庭的利益高于个人的利益;个人为了群体利益的实现,在必要时可以抛却自家性命,杀身成仁,舍生取义。这明显地表现出一种重群的价值观。然而,这种重群的意向并不意味着个体对于群体必须绝对服从,而是以维护"道"和个体的人格为基本条件的。所以,"道"或"正义"乃是个体对于群体关系所应遵守的准则。

二、周而不比,和而不同

《论语·宪问》记孔子曰:"古之学者为己,今之学者为人。"朱注引程子曰:"为己,欲得之于己也,其终至于成物;为人,欲见知于人也,其终至于丧己。"这是说,"为人"而学,不管是出于何种用心,都有可能流于形式而做表面文章;只有"为己"而学,方能真正自我受用,使主体人格挺立起来,从而也就能实现"修己以安人"乃至"修己以安百姓"的"成物"目标。所以,儒家的"仁",从来都是从"仁者人也"的前提出发,因而总是"为仁由己"的。儒家从"学以为己"和"为仁由己"的观念出发,认为仁者之"爱人",既非理性的制约要求,亦非功利主义的权宜之计,而是出于主体的内在需要和情感的自然流露,也是个体自我价值实现所必然采取的形式。所以,重视群体和重视个体的矛盾关系,在"学以为己"的意义上达到了统一。

孔子提出"群而不党"作为人的处世原则,意为和以处众而不搞党派。对此,孔子曰:"君子周而不比,小人比而不周。"(《论语·为政》)朱注云:"周,普遍也;比,偏党也。皆与人亲厚之意,但周公而比私耳。君子小人所为不同，然究其所以分，则在公私之际，毫厘之差耳。"这是说，同样是与人亲厚之意，但君子出于公心，故为"普遍"之"周"；而小人出于私心，故为"偏党"之"比"。故杨伯峻先生把这句书译为"君子是团结，而不是勾结；小人是勾结，而不是团结"，可谓深得其要旨。"勾结"，正是小人拉党派的手段；"团结"，正是君子和以处众、群而不党的胸怀。

孔子又曰："君子和而不同，小人同而不和。"（《论语·子路》）"和"与"同"是大有差别的。《国语·郑语》载春秋初期的史伯以"和"与"同"对举提出了"和实生物，同则不继"的命题："夫和实生物，同则不继。以他平他谓之和，故能丰长而物归之；若以同裨同，尽乃弃矣。故先王以土与金木水火杂，以成百物。是以和五味以调口，刚四支以卫体，和六律以聪耳，正七体以役心……声一无听，物一无文，味一无果，物一不讲。"因为同一事物相结合，虽然数量增加，但所得仍为原物，并无新事物产生；只有不同事物的互相结合才能产生新事物。《左传·昭公二十年》又载春秋末期的晏子进而提出了多种不同事物之间协调致和的理论。他以烹调设喻："和，如羹焉，水火醯醢盐梅，以烹鱼肉，燀之以薪，宰夫和之，齐之以味，济其不及，以泄其过。君子食之，以平其心。"按照古人的说法，所谓"和"，犹如五音合奏，音质不同；唯其不同，才可合而为美妙的音乐。又好比五味调和，风味各异；唯其各异，方能调而为可口之佳肴。而所谓"同"则是他人言是，己亦言是；他人曰非，己亦曰非。完全丧失自己的个性和主见。"和"意味着允许不同个性、不同意见的共同存在；而"同"则是取消个性，取消差异的绝对同一。

在处理人际关系方面，所谓"和而不同"，就是用自己的正确意见来纠正别人的错误意见，使之达到适得事理之宜，却不肯盲从附和;而所谓"同而不和",就是只知盲从附和,却不肯表示自己的不同意见。朱注云:"和者,无乖戾之心;同者,有阿比之意。"并引尹氏曰:"君子尚义,故有不同;小人尚利,安得而和?"所以《中庸》说,君子应该"宽裕温柔,足以有容也;发强刚毅,足以有执也"。所谓"有容"就是能"和",能够容纳与自己意见不一的人;所谓"有执",便是"不同",有所执著,有个性,有主见。因此,"和而不同"乃是达到"周而不比"乃至"群而不党"的方法和准则。儒家以"和而不同"作为处世的法则,既反对放弃自己的独立人格和见解去和稀泥,也避免了过分强调"独行"而导致的另一个极端——离群索居、"素隐行怪"之弊。孔子的高足有子进而提出了"礼之用,和为贵"的观点。就是要求在共同遵守"礼"的前提下,与自己周围的人互相合作,和睦相处,以达到协调和谐的理想境界。

既然"和"意味着允许不同个性、不同意见的存在,因而儒家也并不一概排除矛盾斗争。孟子"不得已"而辩,荀子也认为"君子必辩"(《荀子·非相》)。"辩"就是一种斗争。但儒家认为争要争在大道理上,辩要辩在大是大非问题上。要正大光明,"其争也君子"地去争、去辩。不论古今,人在世上总是既不能事事无争,也不能事事皆争;既不可处处无辩,也不可处处皆辩。事无巨细皆争而不已,便达不到和的目的。相反,如果事事无争,没有执著,一味顺同,便成为"乡愿"之人:"非之无举也,刺之无刺也,同乎流俗,合乎污世,居之似忠信,行之似廉洁,众皆悦之,自以为是,而不可与入尧舜之道。"(《孟子·尽心下》)这便是所谓"乡愿"——老好人,是儒家所痛恨的。这种人看上去似乎也挑不出缺点毛病,但没有棱角、没有立场,随时附和别人,而且足以欺世盗名。所以孔子说:"乡愿,德之贼也!"孔子以为与其要"乡愿",还不如要"狂狷"。"狂狷"之士虽不尽合乎儒家的"中行"标准,但却有自己的个性,有自己的立场。按照儒家"无求备于一人"的态度,"狂狷"之士仍不失为正人君子之列。若能加以修养,有望成为中行之士而可"与入尧舜之道"。

三、尊贤而容众,嘉善而矜不能

凡有人群的地方,人的德行和才能总会有所差距,不可能完全齐一,故贤与不肖、能与不能之间的关系也是人际关系学说所要解决的一个重要问题。

儒家认为,根据人的智愚、善恶、贤不肖的差别,"爱人"还必须区分一定的层次。对此,孔子提出了"泛爱众,而亲仁"(《论语·学而》)的原则。孔子的学生子张进而提出了"尊贤而容众,嘉善而矜不能"(《论语·子张》)的观点。他们看到,在现实社会中,由于各人所处的环境和所受的教育互不相同。则善恶贤愚的差别也是客观存在的。因而在"爱人"的问题上,也不得不有所区分。即在"泛爱众"的基础上,对仁者、贤者更应当尊敬和亲近些;而对恶者、愚者则应该抱有宽容态度和同情心。其实,只有对仁者多加亲近,对贤者给予尊敬,才有利于自己的提高;也只有对恶者、愚者抱有宽容的态度和同情心,才能帮助别人改正错误或者使之进步。这在层次上虽有所差别,但其同为"爱人"之心则一。儒家这种对善恶贤愚的分别对待,并非有意造成人与人之间的不平等,而是"爱人"之心在现实社会中十分切合实际的具体运用。

在"泛爱"和"容众"方面,子夏提出了"君子敬而无失,与人恭而有礼,四海之内,皆兄弟也"(《论语·颜渊》)的观点。宋儒张横渠更进而提出了"民吾同胞,物吾与也"(《西铭》)的名言。陆放翁《家训》亦云:"吾平生未尝害人,人之害我者,或出忌嫉,或偶不相知,或以为利,其性多可谅,不必以为怨,谨避之可也。若中吾过者,尤当置之。"即使对于恩怨之间,孔子也提出了"以直报怨,以德报德"(《论语·宪问》)的处置原则。所谓"以直报怨",就是要用公平正直的态度来对待有怨之人,这充分体现了不计人过的宽容态度。

在"亲仁"和"尊贤"方面,孔子曰:"里仁为美。择不处仁,焉得知?"(《论语·里仁》)即使居住,孔子也希望能与仁者为邻。儒家是尊重贤能之人的。孔子主张"举贤才"。孟子劝告人主要使"贤者在位,能者在职","尊贤使能,俊杰在位"(《孟子·公孙丑上》)。荀子也提倡"尚贤使能","无德不贵,无能不官"(《荀子·王制》)。尊重贤能,便意味着鼓励人们冒尖,鼓励人们"出乎其类,拔乎其萃"。

现在人们常常愤慨地提到现实社会中存在着一种嫉贤妒能的"东方式嫉妒"。其实这种所谓"东方式嫉妒"也是儒家所深恶痛绝的。《大学》里引用《尚书·秦誓》的一段话,说有两种对待别人才能的态度。一种是"人之有技,若己有之;人之彦圣,其心好之,不啻若自其口出,实能容之"。这是尊重贤能的表现。另一种是"人之有技,媢疾以恶之;人之彦圣,而违之俾不通,实不能容"。这是嫉贤妒能的表现。这两种态度,儒家提倡前者,鄙视后者。荀子也痛斥那些自己没有才能却"妒嫉怨诽以倾覆人"(《荀子·不苟》)的小人,并说"世之灾,妒贤能","世之祸,恶贤士"(《荀子·成相》),把嫉贤妒能视为世上一大灾祸。

儒家认为一个人德行和才能不如别人尚不十分可怕,但决不可对别人有嫉妒之心。应该像大舜那样"乐取于人以为善",虚心向有才能有德行的人请教。不要怕别人超过自己,而应该乐于与超过自己的人交朋友,"乐多贤友"。同时也不可自甘落后,不求上进。孟子说:"不耻不若人,何若人有?"耻不若人,就应该努力上进,赶上别人,这就是儒家所提倡的"见贤思齐"的态度。要相信自己的能力,"舜,人也;我,亦人也。"(《孟子·离娄下》)人与人生下来是平等的。因此,只要充分发挥主观能动性,经过自己的不断实践和积累,则"人皆可以为尧舜","途之人可以为禹"。这是对于不肖者、不能者一方而言的。

对于贤者、能者一方,儒家也有所要求。孔子主张"举善,而教不能"(《论语·为政》)。荀子主张"君子能则宽容易直以开道人"(《荀子·不苟》);"贤而能容罢,知而能容愚,博而能容浅,粹而能容杂"(《荀子·非相》);"致贤而能以救不肖,致强而能以宽弱"(《荀子·仲尼》)。这就是要求贤者、能者应该容纳德行才能比自己低的人,并帮助他们一道进步、提高。再则,寸有所长,尺有所短,贤者、能者从平常人那里也未必不可以学到一些自己所不具备的东西,所以儒家提倡"以能问于不能,以多问于寡;有若无,实若虚"(《论语·泰伯》)的谦虚态度。如果有了一点才能,便自以为是,高高在上,脱离群众,"倨傲僻违,以骄溢人"(《荀子·不苟》),则虽有才能,亦仍未免为小人。

一个社会里如果压制人才,不让少数出类拔萃的贤者、能者冒尖,则社会不可能进步;但如果贤者、能者遗弃千千万万的平常人、普通人,得不到他们的配合,则社会也无法前进。且贤能与否,也都是相对而言的。所以儒家总的态度是"尊贤而容众,嘉善而矜不能"。既尊重、鼓励出类拔萃的能者贤者,又容纳、同情、帮助众多的普通人和不能者。最终目的则在于能使社会群体的共同进步与提高。儒家这种用以处理贤能者与不肖不能者之间矛盾关系的方法和态度,对于社会生活中调节个人与广大群众之间的关系,可谓是一种适得其宜的方法和准则。

四、忠恕之道，推己及人

自我与他人的关系，从某种意义上可以说是个体与群体关系的一个细胞。儒家处理人己关系的基本态度，便是所谓"忠恕之道"。

孔子尝以"吾道一以贯之"之语告曾子。曾子释云："夫子之道，忠恕而已矣。"朱注曰："尽己之谓忠，推己之谓恕。"并引程子曰："忠者天道，恕者人道；忠者无妄，恕者所以行乎忠也。"由是观之，所谓"忠"，就是人所受命于天的无妄之性，亦即存于人心的诚实本质；而所谓"恕"，乃是人所禀此本性以施诸行为之功用，亦即推己及人之仁爱意向。曾子言"恕"而益以"忠"者，盖谓非"忠"则无以行其"恕"，非"恕"则无所用其"忠"耳。苟能以推己及人之"恕"见诸事业，则无妄之"忠"固已在其中矣！此亦孔子所以告子贡惟"己所不欲，勿施于人"之"恕"为"可以终身行之"之深意也。

"人"是一个类概念。孟子曰："故凡同类者，举相似也，何独至于人而疑之？圣人与我同类者。……口之于味也，有同嗜焉；耳之于声也，有同听焉；目之于色也，有同美焉。至于心，独无所同然乎？心之所同然者何也？谓理也，义也。圣人先得我心之所同然耳。"（《孟子·告子上》）正因为人之心有共同的嗜欲与好恶，故而可以运用将心比心、以己度人的逻辑方法来推测别人的心理要求，运用推己及人的逻辑方法来处理人际关系。故荀子说："圣人者，以己度者也。故以人度人，以情度情，以类度类。"（《荀子·非相》）这种以己度人、推己及人的逻辑方法，古人称之为"恕"。

"恕"包括两方面的内容：从消极方面说，就是"己所不欲，勿施于人"（《论语·卫灵公》）；从积极方面说，就是"己欲立而立人，己欲达而达人"(《论语·雍也》)。所谓"己欲立而立人,己欲达而达人"的实质,也可以概括为"己所欲,施于人"。故若分而言之,"恕"可包括"己所不欲,勿施于人"与"己所欲,施于人"两方面的内容;综而言之,亦即"好恶与人同之"而已。

人作为一个类,不仅仁义礼智之"四端"相同,即七情之赋,亦无所异。《礼记·礼运》云:"饮食男女,人之大欲存焉;死亡贫苦,人之大恶存焉。故欲恶者,心之大端也。"这里的"恶",是厌恶之意。凡人皆赋有"欲"和"恶"两方面的本能以及满足所欲和排斥所恶的愿望。这种天赋的"欲"和"恶",乃是人类的正常心理。也正因为人类具有这种正常心理,才维护了人类的生存繁衍并推动了社会的发展。然而,这种本属正常的欲望和满足所欲的要求,若不加以引导自律而任其放纵滋长,又会成为贪得无厌的私欲。这种私欲的横流泛滥,则又是损害他人、危害社会甚至毁灭世界的罪恶根源。既然是人的天赋之"欲",又如何权衡其利弊得失呢?其分界全在于公与私之间的差别而已。

人若出于人欲之私,为了满足己之所欲而不顾损害他人之欲,则是以他人之所不欲者来满足己之所欲,而以己所不欲者施之于他人。若此,则人与人之间必将失去其平衡而引起争端。若在贪图私欲的同时,又嫉视他人之所欲而百般危害之,则是《大学》所谓"好人之所恶,恶人之所好,是谓拂人之性,灾必逮夫身"了。又如孟子所云:"杀人之父,人亦杀其父;杀人之兄,人亦杀其兄。然则非自杀之也,一间耳。"(《孟子·尽心下》)可见人若以逞一己之私欲为目的,其结果不仅损及他人,危及社会,而且最终仍至于害己而后已。所以,对于"欲",必须出于天理之公,方能杜绝其弊而发挥其利。

何谓出于天理之公?就是对于他人之"欲",亦应以平等精神相待。即自己有满足某种欲望的要求时，就该想到他人也具有与自己一样的欲望以及满足欲望的权利。《诗·豳风·伐柯》云："伐柯伐柯，其则不远。"《中庸》云："君子以人治人，改而止。"所谓"执柯以伐柯"与"以人治人"，亦即将心比心、推己及人的恕道。举例而言，我欲人之爱我，我亦应以爱待人；我欲人之敬我，我亦应以敬待人。推而广之，不仅自己要做到爱人敬人，而且还须以爱敬之德影响他人，使人人感化而能尽其爱敬之道。反之，我不欲人之诬我，我亦不应诬人；我不欲人之欺我，我亦不应欺人。推而广之，不仅自己要做到不诬不欺，而且还须以不诬不欺之德影响他人，使人人感化而以不诬不欺自律。以此类推，所有德目都能做到"好恶与人同之"，方为出于天理之公。《大学》云："君子有诸己而后求诸人，无诸己而后非诸人。所藏乎身不恕，而能喻诸人者，未之有也。"因此，只有以"恕"待人，好恶与人同之，才能使人人皆归于至善，然后人与人之间才能保持平衡而建立起和谐的关系。

施仁于天下，并非人人可为，虽尧舜亦有未逮。但待人以恕，"己所不欲，勿施于人"，却是每个人都可以勉而为之的。孔子曰："仁远乎哉？我欲仁，斯仁至矣。"当系指此而言。孟子曰："人能充无欲害人之心，而仁不可胜用也。"又曰："强恕而行，求仁莫近焉。"都说明了"恕"是"能近取譬"的"求仁之方"。孟子曰："爱人不亲反其仁，礼人不答反其敬。行有不得者，皆反求诸己。"又曰："爱人者，人恒爱之；敬人者，人恒敬之。"（《孟子·离娄下》）汉儒贾谊亦曰："爱出者爱反，福往者福来。"（《新书》）此皆足以说明：只有以"恕"存心，做到"己所不欲，勿施于人"和"己所欲，施于人"，处处以天下之公利为利，尽力为他人和社会创造幸福，自己也才会从中获得幸福。

孔子尝自言其志："老者安之，朋友信之，少者怀之。"这是因为孔子从自己的体会推想到：老者所欲者"安"也，朋友所欲者"信"也，少者所欲者"怀"也。孔子之志，显然是以"己所欲"者"施于人"也。故《周易·同人》之《象》云："唯君子为能通天下之志。"孔子又曰："君子成人之美，不成人之恶；小人反是。"所谓"成人之美"者，"己所欲，施于人"也；所谓"不成人之恶"者，"己所不欲，勿施于人"也。此乃君子之道，反之则为小人矣。

儒家的忠恕之道，以要求别人者首先来要求自己这样一种"絜矩之道"的修养方法，在社会生活中对于调节人际关系实有其重大意义。我们可以从"忠恕"的"絜矩之道"中引申出一种尊重别人的人格和价值，从而也使自己的人格和价值得到别人的尊重这样一种人际关系的精神。所以，在社会生活中，若要与周围之人和谐相处，就必须以"恕"为则。只有以"恕"存心，时常替人家着想，自己所不愿者，不要推给人家，做到互相宽容谅解，才能与人和谐相处。

此外，在己与人的交往中，提倡"言而有信"，反对"人而无信"；提倡严于责己，宽以待人，"躬自厚而薄责于人"等等。这些态度对于妥善地处理自我与他人的交往关系自有其价值。

现在有很多人，深受西方自我中心说之影响，唯以追求私欲为目的。为了逞己之欲，专以利己为务，乃至道德沦丧，机诈百出，巧取豪夺而无所不施，给社会带来了严重危害。显然，要根治这种危害的关键在于控制私欲之膨胀。要控制私欲，自非大力提倡忠恕之道不可。只有人人以"恕"存心，做到"己所不欲，勿施于人"和"己所欲，施于人"，则自然私欲消除而公理流行，种种欺诈损人行为得以遏止，社会道德亦可得以净化。

今人每以博爱、平等、自由、民主之治作为现代文明之进步标志，然其立论之本却以"自我"为中心。殊不知"自我中心"之说与博爱、平等、自由、民主之治，实乃背道而驰者。试观今之众多流弊皆从"自我中心"之说引起私欲膨胀所致,而所谓博爱云云者,反成空谈矣。其实,若要真正实现博爱、平等、自由、民主之治,自非大力提倡忠恕之道不可。只有"恕"以存心,然后吾心可以扩充为博爱;"恕"以待人,然后人格赖此而为平等;"恕"以处世,然后人身言行赖此而为自由;"恕"以施政,然后制度法令赖此而为民主。所以,只有人人以"恕"自励,才能真正实现博爱、平等、自由、民主之治,而为现代进步的精神文明。

第七章 总 论

　　儒家的人伦思想是一套自成体系的伦理思想。它具体体现为"五伦",而其中的每一伦并非孤立,而是与其他各伦之间有着密切的联系。因而在对每一伦进行独立探讨的基础上,有必要将它们进而试作综合的论述,才能准确地评价它在中华民族的伦理思想史上所起的实际作用。而且,作为中华民族所具有的丰富多彩的伦理思想,在儒家这一主流思想之外,还有其他各家的伦理思想,都对历代的人际关系产生过或多或少的影响;再则,自西学东渐以来,西方的伦理思想也强烈地影响着我国的现代化生活。因此,也有必要将儒家伦理思想与其他各家乃至西方伦理思想进行比较研究,才能准确地把握其本质和特色。在此基础上,才能探索其所具有的现代意义及其在现代伦理中所能发挥的作用。

第一节 五伦综评

　　提倡人伦教化,乃是历代儒者作为推行圣道以平治天下之先务。所谓"人伦",就是人际秩序以及其中所包含的义理。儒家的人伦思想,系根据各种人际关系的具体内容和不同性质,而以"仁"

为本体,以"中庸"为方法和准则所制定出来的,以"五伦"为主体内容的一整套适得情理之宜的实用伦理体系,并以"礼"作为行为规范而具体落实于实践之中。中庸之道体现在"五伦"方面,主要在于儒家能从社会人际关系的具体情况出发,制定了一整套既适得客观事理之宜,又合乎主观心理感情的自成体系的人伦规范,并恰当地规定了其间的权利和义务,使之融入人们不可分离的日常生活之中。因而在"五伦"之间,既有本质的区别,也有密切的联系。为了对其全局性有所理解,故在掌握各伦之间区别的基础上,有必要对它们之间的联系性再进行探讨。

一、"五伦"之间的区别与联系

儒家所创建的"五伦",有其各不相同的性质。"夫妇"出于两性之爱,"父子"、"兄弟"出于血缘之情,"君臣"出于政治所需,"朋友"出于道义之交。"五伦"中的前三"伦"都属于家庭关系,这说明儒家对于家庭关系之重视,也体现了中华民族所固有的伦理特色。

从家庭发生学看,父子、兄弟关系是由夫妇关系衍生出来的,所以孔子将"夫妇"列于"五伦"之首。但从古代宗法制的立场看来,夫妻只是一种社会或法律关系,其间并无必然的血缘关系,而父子关系则兼社会和血缘关系而有之。夫妻是可选择的,而父子、兄弟却是无可选择的,并且唯有父子关系可以连续不断地世代相传。这种连续性和无选择性,使得中国古代文化一直以父子关系为家庭核心,而兄弟关系次之,故有人称其为"父子本位"。而近年出土的郭店楚简《六德》则曰:"为父绝君,不为君绝父;为昆弟绝妻,不为妻绝昆弟。"这不仅强调父子、兄弟关系在家庭中较之夫妻关系重要,而且还强调较之政治上的君臣关系更为重要。这正在于夫妻、君臣乃是后天以义相合的关系,相投则合,不投则离,不妨由人选择所定。这一格局,正是以血缘优先原则为根据的。当然,这是就先秦儒家的观念而言,秦汉以后君臣关系显著提高,实非原儒之意。

正因为父子或兄弟之间的关系,是与生俱来的;而如君臣或朋友之间的关系,是属于后天政治或道义上的结合。所以,在处理各种关系的态度上,应根据其不同性质而有所区别。孔子说:"事父母几谏,见志不从,又敬不违,劳而不怨。"(《论语·里仁》)侍奉父母,即使父母有过错,也必须耐心地婉言劝告,而不应怀有怨恨之心。然而,事君和交友就不同了:"大臣者,以道事君,不可则止。"(《论语·先进》)子贡问交友之道,孔子说:"忠告而善道之,不可则止,毋自辱焉。"(《论语·颜渊》)孔子的弟子子游也说:"事君数,斯辱矣;朋友数,斯疏矣。"(《论语·里仁》)这就是说,君主和朋友如果不听劝告,只索罢休,不要自找侮辱和自讨没趣。对于朋友和兄弟的关系,孔子也是分别对待的。他说:"朋友,切切偲偲;兄弟,怡怡。"(《论语·子路》)这是说,朋友之间,应以互相批评规过为原则;而兄弟之间,则主要应以和睦共处为原则。即此可见,儒家给"五伦"这五类特殊社会关系所规定的不同的权利和义务,都是从人之本性出发,也深合人之正常心理,因而完全是合乎"中正"之原则的。

然而,"五伦"之间虽有区别,但更重要的还在于互相之间有其密切的联系。例如"孝"并未局限在家庭的范围之内,而是扩大、延伸到国家、社会之上,带有鲜明的政治色彩。孔子说:"出则事公卿,入则事父兄。"(《论语·子罕》)"君子之事亲孝,故忠可移于君。"(《孝经·广扬名章》)他认为"事公卿"与"事父兄"在基本原则和精神上有其一致性,凡事父能孝者,必定事君能忠,即"孝慈,则忠"(《论语·为政》)。"孝"的社会政治功能表达得十分清楚。

孔子提倡孝与忠相通的本意,是为了达到上下协调统一,君臣和睦相处，因之他不光要求臣下尽忠，还要求君主"为政以德"（《论语·为政》），做到"身正"（《论语·子路》）。应当说，这有一定的合理性。可是，后来的统治者为适应"家天下"的专制统治的需要，将"孝"的思想中所包含的"忠"的因素片面夸大、吹胀，成为约束和压迫人民的工具，这个责任不能由孔子来承担。

在儒者看来，事父之"孝"与事君之"忠"之间，完全可以根据不同情况而以"义"亦即"中"为准则，把两者统一起来。这就是应根据自己所处的环境或职分而定。举例说，若是一个负有守土之责的官员处于危急存亡之际，那就不应顾及身家，而应与国土共存亡，只有这样才算尽职而合乎"义"，也为父母祖先赢得了荣誉，既实现了"忠"，也不失为"孝"，从而达到了两全。但若是一个平民百姓或者是一个并无守土之责的闲官，如果舍弃父母身家而去殉节，那就过于轻生而失"中"了。《孟子·离娄下》载，曾子居武城，居宾师之位，寇至而避之；子思守卫城，寇至而坚守不避。孟子认为："曾子、子思同道。曾子，师也，父兄也；子思，臣也，微也。曾子、子思易地则皆然。"朱注引尹氏曰："或远害，或死难，其事不同者，所处之地不同也。君子之心，不系于利害，惟其是而已，故易地则皆能为之。"又引孔氏曰："古之圣贤，言行不同，事业亦异，而其道未始不同也。学者知此，则应所遇而应之；若权衡之称物，低昂屡变，而不害其为同也。"即此可见，只要根据具体情况而以合"义"求"是"为准则，则"孝"与"忠"之间也并无矛盾，而是可以处得其宜而达到统一的。

诚然，"孝"与"忠"之间也会发生矛盾，这种矛盾产生于它们是处理两种不同的人际关系的准则与规范。在和平时期，遇到贤明的皇帝能够辨别忠奸、正邪，又善于知人任事，在这种情况下，忠直之臣可能做到忠孝两全。但是，在战乱时期，或者遇上昏庸的皇帝,以顺己意为忠,又易听谗言,不辨忠奸正邪,这样,忠正刚直的良臣便容易因进忠言而得罪,由此株连父母亲属受祸。不过,这种情况往往出现在秦汉以后深受"愚忠"之害的忠臣身上,如果遵照孔子"以道事君,不可则止"的原则,这种矛盾显然是可以避免的。

孔、孟、荀都很重视"尊贤",又都很重视"亲亲"。孔子的"亲亲"侧重在伦理道德方面,而在政治上,则更重视尊贤,把"举贤才"作为治国的重要策略提出来。他曾引用周武王所说"虽有周亲,不如仁人"的话来说明:在建国创业的事业上,虽然有至亲,却不如有仁德的人!因而在《中庸》所提出的治天下之"九经"中,"尊贤"列于"亲亲"之前。

孟子也认为,"国君进贤"是可以"卑逾尊,疏逾戚"的,不过处在这种情况时,国君必须慎重对待。这是因为在当时那种贵族掌权的时代,国君一下子把位卑的贤人提拔上去并使之超过贵戚,是会碰到很大的阻力的。所以他主张要在"国人皆曰贤"的基础上,"然后察之,见贤焉,然后用之"(《孟子·梁惠王下》)。这样,既可使贵族们心悦诚服,又能够得到真正的贤才。

荀子也主张"亲疏有分",而又提倡"尊贤"。但他更进而认为,国君只有在"尊贤"的前提下,才能更好地实现"亲亲";如果不尊贤,则亲亲也会失去条件。他论证说,正因为文王能尊贤而任用太公以取得天下,才使自己的众多子弟都获得封爵。所以,"唯明主为能爱其所爱,暗主则必危其所爱"(《荀子·君道》)。荀子从这一观点出发,主张在尊贤上应该做到"内不可以阿子弟,外不可以隐远人"(同上)。这较之孔、孟更强调了尊贤的作用,而在骨子里则更埋藏了"家天下"的功利主义,因而也更迎合了当时君主的心理。

在孝亲和忠君之外,儒家还很尊重"师"的地位。一直到近代许多家庭里还供着"天地君亲师"的牌位。将"师"与天、地、君、亲并尊,体现了儒家重视知识、尊师重道的优良传统。

二、中正以序人伦

儒家的"五伦",首先是运用中庸之道的"中正"法则加以规定的。孔子认为,从"五伦"的全局而言,对于不同性质的关系必须分别对待,因而他对这五类特殊的社会关系之间的权利和义务都分别作了具体的规定;而从其中的每一伦而言,可以把"五伦"中的每一伦视为一个太极整体,而把其中所包含的双方视为同一整体中相反相成关系之两端。所以,"中正"法则体现为同一伦中的双方都能遵守相应的准则,来维护双方关系之有序与平衡。

关于"夫妇"的性质及其意义,儒家认为"夫妇"关系是由男女两性关系发展而来的有别于一般男女关系的特殊关系。在夫妇这对矛盾中,既含有男女两性矛盾的普遍性,又含有较之男女两性矛盾更为深刻而复杂的特殊性。为了维护夫妇关系的永久稳定并摆正其位置,儒家运用中庸之道的"中正"法则对夫妇关系作了明确的定位。对此,孔子在《礼记·哀公问》提出:"大昏(婚礼)既至,……弗爱不亲,弗敬不正。爱与敬,其政之本与!"明确提出了夫妇关系的"敬"和"爱"两个要素。所谓"弗敬不正",就是说夫妇之间如果没有互相尊重,就摆不正互相平等的关系。而《礼记·昏义》中的一段话特别值得注意:"昏礼者,将合二姓之好,……妇至,婿揖妇以入,共牢而食,合卺而酳,所以合体、同尊卑,以亲之也。敬慎重正而后亲之,礼之大体,而所以成男女之别,而立夫妇之义也。男女有别,而后夫妇有义;夫妇有义,而后父子有亲;父子有亲,而后君臣有正。故曰:昏礼者,礼之本也。"在这里,提出了两个重要的观点。其一是"同尊卑",也就是夫妇之间应该保持人格平等。"同尊卑"的具体表现就是互"敬",也就是互相尊重。其二是

"男女有别,而后夫妇有义"。"男女有别"系指一般男女之间应有所区别,而"夫妇有义"即指夫妇之间正当的亲爱关系,质言之,就是夫妻关系是有别于一般男女关系的特殊关系。有一般男女之"别",才能维护夫妇之"亲","别"和"亲"乃是婚姻这一问题中不可或缺的两个方面。孔子所谓"爱与敬","爱"系就感情上的互相融洽言,"敬"是就人格上的互相尊重言。而所谓"婿揖妇以入,共牢而食,合卺而醑",正所以表示夫妇间的互相敬爱之情。夫妇只有在平等相待、互相尊重的基础上才谈得上真正的相亲相爱(亲之)而达到二位一体(合体)的高度和谐状态。而且,《礼记·哀公问》还记载孔子曰:"昔三代明王之政,必敬其妻也有道。妻也者,亲之主也,敢不敬欤?"在"敬"字上,孔子首先要求丈夫应该尊敬妻子。今人动辄指责儒家思想造成了夫妇关系的不平等,殊不知造成夫妇关系不平等的乃是汉儒吸取法家思想所建立的"三纲",而非先秦儒家所提倡的"五伦"。"三纲"明确规定"夫为妇纲",而"五伦"明确规定夫妇之间应"同尊卑",就是明证。儒家所提出的这两个观点,其中"男女有别,夫妇有义"的意义在于明确划清夫妇关系与一般男女关系之间的区别,维护了夫妇关系的永久稳定;而"同尊卑"的意义在于强调夫妇人格平等,互相尊重,从而摆正了夫妇双方的位置。夫妇关系的稳定和地位的平等,才合乎"中正"之道;而"夫为妇纲"宣扬妇对夫的绝对服从而造成夫妇关系的严重不平等,显然是违背儒家的"中正"之道的。

儒家特别重视"父子"这一伦,并运用"中正"法则把其间的关系规定为"父慈子孝"。其意义在于要求双方都能遵守这项准则而尽到自己应尽的义务,而使对方也能相应地获得所应获得的权利,于是双方的关系也就保持了有序和平衡。假若其中有一方没有尽到应尽的义务,则无论是父慈而子不孝抑或是子孝而父不慈,其间的关系都会因失去平衡而产生矛盾。然而,现代学者一般都认为以孔子为首的儒家都有"重孝轻慈"的倾向,这种观点其实是有待商榷的。今人认为儒家"重孝轻慈"大致有两方面的原因:其一是把"三纲"中"父为子纲"所宣扬的子对父必须绝对服从的思想误当作先秦儒家的思想。其实,在先秦儒家的父子关系中双方都有义务,而且倡导子女对父母的过错应该谏诤,绝对没有要求子女对父母必须绝对服从之意。其二是看到孔子谈"孝"多而谈"慈"少,故认为他有"重孝轻慈"的倾向。鄙意窃谓,这仅仅是看到其表面现象而没有探究其本质。孔子之所以多谈"孝"而少谈"慈",正可从中领会到他在实践中追求合乎"中正"的纠偏之道。因为在现实社会中,父母对于子女,一般都能尽到"慈"的责任,只有过之,而无不及;而子女对于父母,则往往比较难以尽到"孝"的责任。针对这种偏向,根据中庸之道"戒过、勉不及"的原则,孔子只有多谈"孝",才能达到纠偏除弊而使之合乎"中正"的目的。再则,在孔门就学的多为尚属"子弟"身份的年轻人,他们家中大都还有年老的父母。孔子对年轻的学生设教,自然应多谈孝道。所以,从孔子谈"孝"多而谈"慈"少的现象中并不能得出他"重孝轻慈"的倾向。

而且,历代儒家还看到,现实中的父母大都有过于溺爱而不善于教育的弊病,所以他们认为,父母对于子女,不必担忧其在物质养育方面之"慈"不尽心,而在于担忧其"慈"得是否正确、合理而适得其宜,以及能否教子女以为人之道。所以,孔子乃至历代儒家都认为,父母的"慈"的内容,不仅包含物质生活方面的养育之责,而且更重要的还包括道德和文化方面的教育之责。因而儒家著述中很少谈父母对于子女的物质养育之爱,而着重于品德修养和文化修养方面的教育。这尤其在历代儒者所撰的各种家训、家诫中体现出来。儒家对"孝"特别重视"养志",对"慈"特别重视教育,这正是根据具体情况所作出的纠偏除弊以期达到"中正"标准的体现。

然而，"三纲"中的"父为子纲"以及"君为臣纲"所宣扬的子和臣对于父和君必须绝对服从的思想，不仅严重违背了儒家仁学的忠恕之道，而且也严重违背了儒家方法论的中庸之道。至于朋友关系，儒家主张在"朋友有信"的前提下又强调"久而敬之"，就是要求双方都要守信和互相尊重，这样才能保持双方关系的互相平衡而合乎"中正"之道。

三、人伦以和为贵

在"五伦"中，根据"太极阴阳"方式的普遍适用性原理，既可把每一伦视为一个太极整体，而把其中所包含的双方视为相反相成关系之两端；也可把其中每一方分别视为一个太极整体，而把双方视为异质互补关系的不同事物。前者在于两端之间取"中"，在于维持量的相对平衡，已如前述；后者在于不同事物之间取"和"，在于达到质的协调和谐，试予讨论。

若以夫妇关系而言，夫妇作为同一整体的两端，其间的关系是互"敬"以合乎"中"；但若双方分别作为独立的整体，则其间可运用"和而不同"的原则"异质互补"以达到"和"。在夫妇之间，也不妨在大方向基本一致的条件下讲求一点"异质互补"的效应。

同理，父母与子女的关系若作为同一事物之两端，其关系是"父慈子孝"；君臣关系，若作为同一整体中之两端，其间的关系是"君使臣以礼，臣事君以忠"；而若双方分别作为独立的整体，则无论父与子抑或君与臣之间都具有互相匡正过失的"互补"关系。孔子曰："当不义，则子不可以不争于父，臣不可以不争于君。故当不义，则争之。从父之令，又焉得为孝乎！"《孝经》所谓"从父之令"，乃是"同"；只有"当不义，则争之"，才是"和"。又如晏子所谓"君所谓可而有否焉,臣献其否以成其可;君所谓否而有可焉,臣献其可以去其否",双方互补而达到了"和"。

至于兄弟、朋友两伦,更具有较多的"异质互补"的关系。如兄弟之间的互相照顾、互相帮助,朋友之间的互相学习、共同提高之类,都是属于"异质互补"以达到"和"的关系。在兄弟之间,如《诗·何人斯》所谓"伯氏吹埙,仲氏吹篪"般的和谐;在朋友之间,如孔子所谓"士有争友,则身不离于令名"(《孝经》),曾子所谓"君子以文会友,以友辅仁"(《论语·颜渊》)等等,都体现了互补以臻乎"和"的精神。儒家著作中对此多有记载与论述,此不赘述。

然而,在伦理方面更为普遍的情况则是,应将"五伦"看作五种不同事物之间的关系,并运用"因中致和"的法则,分别以每伦之间的"中",来实现"五伦"总体上的"和"。这是因为,凡在现实中生活的人,并非只是某一伦中的角色,而是同时在多伦关系之中充当着相应的角色。举例说,某位男士,在夫妇关系中充当了"夫"的角色,在父子关系中充当了"父"的角色,在兄弟关系中充当了"兄"或"弟"的角色,在君臣关系中则充当了"臣"的角色,而在朋友关系中则又是他人之"友"。这样,只有分别在每一伦的关系中相处到适得其宜,亦即合乎"中"的标准,才能实现人伦总体上的"和";无论哪一伦的关系处理"失中",都会导致人伦总体上的"不和"。这还是仅就某位公民的本身着眼而言;但若进而从整个社会着眼,也只有每位公民在每一伦的关系上处理"得中",才能实现整个社会人际关系总体的"和";无论哪位公民在哪一伦的关系中处理失当,都会或多或少地影响整个社会之"和"。儒家特重人伦的原因盖亦在此。

对此,孟子提出了"父子有亲,君臣有义,夫妇有别,长幼有序,朋友有信"(《孟子·滕文公上》)。他对每一伦关系都做了规定,所谓

"亲"、"义"、"别"、"序"、"信"五者,分别为"五伦"之准则,也就是"中"。他要求作为一个人在"五伦"的每一伦上都应处得其"中",那么这个人在人伦的总体上就达到了"和"。只要人人都能在人伦上达到"和",那么全社会也就实现了"和"的最高目标。

儒家实现人伦之"和"的方案,在途径上强调以"忠恕"为原则。只有以"忠"作为内在的本质,以"恕"作为"能近取譬"的原则,才能与人建立起正常的关系。无论在夫妇、父子、兄弟、君臣、朋友之间,都应以"忠恕"为共同遵守的基本原则。

儒家实现人伦之"和"的方案,在施行的步骤上主张以家庭为起点。家庭是人借以修持德行和处理人际关系的最原始的摇篮。家庭内部的人际关系,无论是夫妇互敬互爱,父慈、子孝,兄友、弟恭,或是父子有亲,夫妇有别,长幼有序,都是个人在群体之中的最原始的忠恕之道的发挥。从家庭而家族,而氏族,而民族,而社会,而国家,而国际,人际关系越来越复杂,但是,原则上还是以家庭人员之间的互爱互助为基础。像"四海之内,皆兄弟也"的理想,像《礼记·礼运》所描述的大同社会的理想,亦都是由家庭中的亲情所扩大而成。所谓大同社会,就是把家庭中的人际关系推展到了整个人类社会之中。

《周易》的"家人"卦是专门阐发治家之道的卦象。其《彖》曰:"父父、子子,兄兄、弟弟,夫夫、妇妇,而家道正。"这就是说,只有每个家庭成员都能各尽其责,并能互相正确地处理好关系,家庭才能管理好。又曰:"家人有严君焉,父母之谓也。"这固然是说父母教育子女应该严正,但也并非要求子女对父母必须绝对服从,而是说父母对子女应恩威并施,更应重视德化和身教的作用。其"九五"云:"王假有家。"("假"读如"格",感格也。)《彖》曰:"王假有家,交相爱也。"意谓作为家长,宜用美德感格家庭成员,使之互相亲爱和睦,才能保有其家。其"上九"云:"有孚,威如,终吉。"《象》曰:"威如之吉,反身之谓也。"意谓作为一家之长,先要反身自省,严格要求自己,心存诚信,然后才能以威严治家,故可终获吉祥。这两条爻义,对于现代家庭中居于长辈之位的父母,很有指导意义。又据《说卦》"乾为父,坤为母"之意,关于父母的职责,也可结合乾坤二卦进行理解。《乾象》云:"天行健,君子以自强不息。"《坤象》云:"地势坤,君子以厚德载物。"为父者若能具有"自强不息"的奋发精神,为母者若能具备"厚德载物"的博大胸怀,这不仅有利于建设美好的家庭,而且也将使子女享受到良好的培养与教育。

《周易》不仅强调父母对子女应尽教养之责,而且还提倡子女可以匡正父母的过失。《蛊》卦的初、三、五爻,皆以"幹父之蛊"(匡正父弊)为言,或"终吉",或"无大咎",或"用誉"(备受称誉);其"九二"则以"幹母之蛊"为言,其《象》谓"幹母之蛊,得中道也",意谓匡正母弊应当掌握刚柔适中的方法。而其"六四"言"裕父之蛊,往见吝",则谓若不及时匡正父弊,导致父之过失更为严重,必将遇到"吝"的不良后果。可见《周易》所提倡的父子关系,乃是父母与子女之间相对平等,感情融洽,而且还可以互相匡正过失的比较开明的关系。

"家人"卦还很重视治家对治国所起的作用。《彖》谓"正家而天下定矣",就表明了这一思想。其《象传》则更对家庭、对社会所起的影响作了进一步阐述:"风自火出,家人;君子以言有物而行有恒。"这是说,家人卦上巽为风,下离为火,即为内火外风之象,系象征家事自内影响到外。所谓"风自火出",实含"家事"与"社会风化"的关系问题,亦即"风化之本,自家而出"之意。所以君子观"家人"卦象,即领悟到日常居家小事亦关社会风化之理,故能自修小节,做到言语不妄,行事守恒不变。这是从宏观上来看家庭问题,特别能使现代人受到启发。唯有健全而幸福的家庭,才能组成安定和谐的社会,从而保证民族和国家的正常发展。研究一下这种把修身、齐家、治国、平天下联系起来进行综合治理的传统家庭理论,对于建立中国式的现代化家庭,确乎不乏其积极的意义。

经世致用的人生事业首先必须从自身的日用人伦开始。从自身出发,以忠恕为原则推向家庭,再进而推向社会这一规律,《大学》称为"絜矩之道"。《大学》曰:"所谓平天下在治其国者:上老老而民兴孝,上长长而民兴弟,上恤孤而民不倍,是以君了有絜矩之道也。"所谓"絜矩之道",亦即普遍适用的法度之意。故朱注云:"君子必当因其所同,推以度物,使彼我之间各得分愿,则上下四方均齐方正,而天下平矣。"

孟子曰:"居下位而不获于上,民不可得而治也。获于上有道,不信于友,弗获于上矣;信于友有道,事亲弗悦,弗信于友矣;悦亲有道,反身不诚,不悦于亲矣;诚身有道,不明乎善,不诚其身矣。是故诚者,天之道也;思诚者,人之道也。至诚而不动者,未之有也;不诚,未有能动者也。"(《孟子·离娄上》)皆生动地阐发了推己及人的絜矩之道。故又曰:"乡田同井,出入相友,守望相助,疾病相扶持,则百姓亲睦。"(《孟子·滕文公上》)可见人性发乎"善"的中道,由互助合作的相得益彰,从而求得统一与和谐的境界。

王阳明则从心学的观点阐明推己及人之理。其曰:"圣人之求尽其心也,以天地万物为一体也。吾之父子亲矣,而天下有未亲者焉,吾心未尽也;吾之君臣义矣,而天下有未义者焉,吾心未尽也;吾之夫妇别矣,长幼序矣,朋友信矣,而天下有未别、未序、未信者焉,吾心未尽也;吾之一家饱暖逸乐矣,而天下有未饱暖逸乐者焉,其能以亲乎? 义乎? 别、序、信乎? 吾心未尽也。故于是有纪纲政事之设焉,有礼乐教化之施焉,凡以裁成辅相、成己成物,而求尽吾心焉耳。心尽而家以齐,国以治,天下以平。故圣人之学不出乎尽心。"(《王阳明全集·重修山阴县学记》)于是,阳明通过"中和"法则而把"道心"具体落实到"五达道"之中:"道无不中;一于道心而不息,是谓允执厥中矣。一于道心,则存之无不中,而发之无不和。是故率是道心而发之于父子也,无不亲;发之于君臣也,无不义;发之于夫妇、长幼、朋友也,无不别、无不序、无不信:是谓中节之和,天下之达道也。放四海而皆准,亘古今而不穷。天下之人同此心,同此性,同此达道也。"(《王阳明全集·重修山阴县学记》)所谓"达道",亦即普遍的真理之意。正因为天下之人同此心,同此性,因而正确处理五伦关系而使之合乎"中节之和"的基本法则,也就成了人类的普遍真理。

颜习斋曰:"盖吾人之'中和'与天地万物一般,大致吾一心之'中',一身之'和',则钦明温恭是也;推而致一家之'中',一家之'和',则一家仁、一家让是也。推而致一国之'中和',天下之'中和',则调燮阴阳,协和万邦,三百、三千之礼,《韶》、《英》、《濩》、《武》之乐是也。夫然后清宁还之天地,咸若还之万物,斯真修道之极功,而吾人尽性至命之能事毕矣。"(《四书正误·中庸》)

戴东原曰:"其纯粹中正,则所谓'立人之道曰仁与义',所谓中节之为达道是也。中节之为达道,纯粹中正,推之天下而准也;君臣、父子、夫妇、昆弟、朋友之交,五者为达道,但举实事而已。智仁勇以行之,而后纯粹中正。然而即谓之达道者,达诸天下而不可废也。"(《孟子字义疏证·道》)这是对《中庸》所提出的两种"达道"作了理论上的分析。他认为,"中节谓之和"的"达道",系从《周易》的"纯粹中正"与"曰仁与义"提炼而来,这是理论上的"推之天下而准"的法则;而"五伦"之称为"达道",是从社会现实中综括出来的、在处世实践中所"不可废"的五类人际关系。也就是说,"五伦"作为处世实践中的达道，必须以理论上的"中和"法则为指导，才能处得其宜。

康南海则把"朋友之信"推广到一般的人际之间乃至国际之间："讲信修睦者，国之与国际，人之与人交，皆平等自立，不相侵犯，但互立和约而信守之，于时立义，和亲康睦，只有无诈无虞、戒争戒杀而已，不必立万法矣。此朋友有信之公理也。"（《礼运注》）

总之，人际的互助合作才是促使社会进化的动力。"絜矩之道"的全部实行，就能使自身、家庭、社会乃至整个世界都成为广大同情的领域，每个人都能设身处地以各种观点体察各种人在不同环境中的问题。若此，就能使天下之所有境界都达到纵之而通，横之而通，贯穿起来成为一个和谐统一的系统，并发为整体功能之大效，以实现人伦关系的高度和谐，共同赴向理想的大同社会。

四、善处"人伦之变"

宇宙间一切事物的运行都有常有变，人伦之道亦复如此，故有所谓"人伦之变"。而人之所以处之之道，既要遵守一定的原则，又要根据具体情况而有相当的灵活性，也就是在"执中"的同时还必须能"达权"，才能适应事物的变化发展。正由于中庸之道包含有"执中达权"的内容，乃使其本身具有可以根据具体情况而加以灵活变通的功能，因而决定了它所蕴涵的基本理论并非死的教条，而是活的灵魂。人们可以在变幻莫测的处境中借以作为思想和行动的指导，以期临事应变而处得其宜。

所谓"人伦之变"，主要有两种情况：一种情况是同一伦中某一方违背了常则，导致另一方不得不采取权变的行动。例如虞舜出生于"父顽、母嚚"的恶劣家庭，可谓处于"父子之变"，因而采取了有违常礼的"不告而娶"的权变之举，孟子认为这仍然是合理的。

又如汤、武处于桀、纣暴虐之世,可谓处于"君臣之变",因而不得不采取"以臣伐君"的权变之举等等。另一种情况则是两伦之间发生了矛盾,使人无法兼顾,不得不放弃其中一伦以保全另一伦的权变之举。关于前一种情况在有关专章中已有论述,故此从略;这里仅就后一种情况试予简述。

在"五伦"中,"夫妇"与"父子"都是很重要的人际关系。如前举虞舜之例其实也可视之为"夫妇"与"父子"之间发生了矛盾。由于虞舜处在"告则不得娶"的两难境地,为了不违背"男女居室,人之大伦也"之大义,不得不放弃娶妻"必告父母"之礼而采取了"不告而娶"的权宜之计。又如《左传》载有两件性质类似而作出完全不同处理的事例。《左传·桓公十五年》载:

> 祭仲专,郑伯患之,使其婿雍纠杀之。将享诸郊。雍姬知
> 之,谓其母曰:"父与夫孰亲?"其母曰:"人尽夫也,父一而已,
> 胡可比也?"遂告祭仲曰:"雍氏舍其室而将享子于郊,吾惑之,
> 以告。"祭仲杀雍纠,尸诸周氏之汪。公载以出,曰:"谋及妇
> 人,宜其死也!"

郑厉公欲除去权臣祭仲,故与祭仲之婿雍纠设计,使雍纠在郊外宴请祭仲,乘机杀之。雍纠之妻雍姬(即祭仲之女)知其谋,陷于两难之境:从夫则杀父,保父则杀夫,莫知所从。于是回家请问其母。其母回答得很幽默:"人尽夫也,父一而已,胡可比也?"意谓夫妻是可选择的,而父女却是无可选择的。于是,雍姬向父告发了其夫之谋,以致其夫雍纠被父祭仲所杀。而《左传·襄公二十八年》又载:

> 卢蒲癸、王何卜攻庆氏……卢蒲姜谓癸曰:"有事而不告
> 我,必不捷矣。"癸告之。姜曰:"夫子愎,莫之止,将不出,我请
> 止之。"癸曰:"诺。"十一月乙亥,尝于大公之庙,庆舍莅事。卢
> 蒲姜告之,且止之。弗听,曰:"谁敢者!"遂如公。……卢蒲

> 癸、王何执寝戈。……卢蒲癸自后刺子之(庆舍字),王何以戈
> 击之,解其左肩。

卢蒲癸本系齐庄公的卫士。庄公被权臣崔杼、庆封所弑。后庆封之子庆舍执政专权,卢蒲癸即投靠庆舍门下,欲趁机杀庆舍以为庄公报仇。乃与同谋王何定计,将乘太公庙举行祭典之机以杀庆舍。卢蒲癸之妻卢蒲姜(庆舍之女)疑而问之。癸即以谋相告。卢蒲姜认为其父刚愎自用,如果不用激将法,可能懒得参加祭典,并说自己愿意帮这个忙。于是回家故意劝告其父不要去参加祭典,说是有人将不利于父。庆舍本来确实是不想去参加,但一听其女的话,不由得发火了:"谁敢奈何我?"于是就去参加祭典,终于被卢蒲癸所杀。这两例同为女子处于"夫妇"与"父女"无法兼顾的两难境地,雍姬选择了保父杀夫的路,而卢蒲姜则选择了帮夫杀父的路。两者的是非将作如何评价呢? 一般都从"君"的立场出发,认为雍姬破坏了其君欲杀权臣的计划,而卢蒲姜则帮助其夫为君报仇,故以卢蒲姜为是而以雍姬为非。这样评价固然也不能说没有道理,但根本问题还在于"君"之行为是否合乎道义。据载,齐庄公本是因为与崔杼之妻通奸才被崔杼所弑,其死本属不义,所以,无论卢蒲癸之为君报仇抑或卢蒲姜之帮夫为君报仇,都不能说是为国为民的正义之举。正如晏子当时所说:"君民者,岂以陵民,社稷是主;臣君者,岂为其口实,社稷是养。故君为社稷死,则死之;为社稷亡,则亡之。若为己死,而为己亡,非其私昵,谁敢任之?"所以,对于作为社稷之臣的晏子来说,像庄公这样的死,确实是不值得为之殉节或报仇的。不过,卢蒲癸并非"社稷之臣",而只是庄公的卫士,正是属于庄公的"私昵"之类,其本职就在于保卫庄公的人身安全。所以,卢蒲癸之为君报仇,虽非出于为国为民之大义,但对于其本职而言,实属应尽的义务。即此而言,卢蒲姜之帮夫为君报

仇，确实也可以说较之雍姬保父杀夫略胜一筹。

“父子”与“君臣”并为最重要之伦，古人坚信，只有在家做孝子的人，出仕才能成为忠臣，故有“求忠臣于孝子之门”的说法。在一般情况下，孝与忠是可以统一的；但有时也会发生矛盾。如《左传·襄公二十二年》载：

> 楚观起有宠于令尹子南，未益禄而有马数十乘。楚人患之，王将讨焉。子南之子弃疾为王御士，王每见之，必泣。弃疾曰：“君三泣臣矣，敢问谁之罪也？”王曰：“令尹之不能，尔所知也。国将讨焉，尔其居乎？”对曰：“父戮子居，君焉用之？泄命重刑，臣亦不为。”王遂杀子南于朝，轘观起于四竟。子南之臣谓弃疾：“请徙子尸于朝。”曰：“君臣有礼，唯二三子。”三日，弃疾请尸。王许之。既葬，其徒曰：“行乎？”曰：“吾与杀吾父，行将焉入？”曰：“然则臣王乎？”曰：“弃父事雠，吾弗忍也。”遂缢而死。

这是一则处于“父子”与“君臣”的矛盾之间的事例。楚国令尹子南之子弃疾在得知其君将杀其父子南时，却采取了中立的办法，既没有将君之谋向父泄露，而在父被杀后，又不忍“弃父事雠”，只得采取消极的“缢而死”的方式来表达自己处于两难之境的为难之情。其实，这种不是以“道”作为指导的“折中”办法，并不可取。又《左传·昭公二十年》载，楚国大臣伍奢因进谏被楚平王所杀，其长子伍尚选择忠君之道从父而死，次子伍员选择为父报仇之志，入吴兴师伐楚，终于得以鞭平王之尸以报父仇。后人对于伍员鞭君之尸以报父仇的事迹，大都表示赞赏。其理由很简单：因为楚王无道，而伍奢乃忠而见杀；而且，当时伍员尚未出仕，与楚王尚未建立“君臣”的关系。所以，伍员的复仇之举既无可非议，又值得同情。再则，伍员后来尽忠于吴，正说明他能集忠臣和孝子于一身。所以，伍员的复仇事迹能获得后世的肯定,盖非偶然。又《史记·管晏列传》载,管仲说:"吾尝三战三走,鲍叔不以我为怯,知我有老母也。"这也是孝亲与忠君矛盾之例。又《史记·循吏传》载,楚昭王时,石奢为楚相,出巡时,途有杀人者,他追上一看,乃其父也。石奢乃纵其父而自缚投罪。使人言之王曰:"杀人者,臣之父也。夫以父立政,不孝也;废法纵罪,非忠也。臣罪当死。"于是自刎而死。这个例子表明,捕父治罪,是不孝;私放罪犯,则是不忠于王法。怎么办?结果他放走父亲以全孝道,自己以死来抵不忠之罪。

在西汉初期,忠于君主、国家和民族,已经是最高的政治道德要求。忠君这一政治道德准则,在当时已经和忠于国家、保持民族尊严紧密联系在一起,是专制时代最高的道德准则。《后汉书·赵苞传》载,辽西太守赵苞,派人去接他的老母和妻子,回来途经柳城,被鲜卑人劫去,作为进攻辽西的人质。赵苞率两万人迎击鲜卑军,鲜卑军出赵母以示苞,赵苞见后悲号对母亲说:"为子无状,欲以微禄奉养朝夕,不图为母作祸。昔为母子,今为王臣,义不得顾私恩,毁忠节,唯当万死,无以塞罪。"这位母亲对赵苞说:"人各有命,何得相顾以亏忠义,尔其勉之。"赵苞于是立即进攻敌人,大破鲜卑军;而母亲和妻子都被敌人所害。后来赵苞深以舍母全忠义而悲痛,呕血而死。这一实例说明,当时人们的道德观念认为:忠于职守、忠于以君主为代表的国家民族是公义和大节,孝于父母是私恩小义,在忠孝不能两全的情况下,需要全大义舍私恩。

"君臣"与"朋友",都是属于以义相合的人际关系。《说苑·立节》载,周宣王将杀其臣杜伯,而非其罪。伯之友左儒争之于王,九复之,而王不听。王曰:"汝别君而异友也。"儒曰:"君道友逆,则顺君以诛友;友道君逆,则顺友以违君。"王杀杜伯,左儒死。《说苑》是儒家典籍,此例说明在"君臣"与"朋友"发生矛盾时,主张应以从

"道"为准。然而到秦汉以后,一般只能顺从君意而放弃朋友,不敢为了朋友而违君命,这是专制制度所造成的,实违儒家本旨。

其余诸如夫妇与兄弟之间,夫妇与君臣之间,夫妇与朋友之间,父子与兄弟之间,父子与朋友之间,兄弟与君臣之间,兄弟与朋友之间,有时也会遇到难以兼顾的矛盾情况,但只要能根据其不同性质和实际情况,而以"义"为准则,就可以处得其宜,因"中"而达到"和"的境界。

五、人伦观念与时俱进

人类的人伦观念是随着时代的前进而不断变化发展的,作为体现人伦观念的行为规范也必须与之相适应。故在社会生活中,本乎"时中"的法则,既要反对固守旧章、顽固不化的守旧思想,又应反对随波逐流、盲目追求时髦的不正潮流,而应该追求一种既适应时代发展趋势而又适得事理之宜的最佳的理想境界。这对当今世界来说,尤其显得重要。

儒家在推行其人伦思想时,具体落实在"礼"的规范之中;而"礼"则是以"仁"为宗旨,根据人伦的具体需要,并通过"中庸"的方法所制定的外在形式,包括制度、法律和日常礼仪等一切条文规范。正因为如此,当"礼"一旦制定之后,就成为人所必须遵守的行为规范。人们只要依"礼"而行,也就必然合乎"仁"的要求和"中"的标准,在人伦方面也就适得其宜了。所以《礼记·仲尼燕居》记孔子曰:"礼乎礼!夫礼所以制中也。"这是说,唯有"礼"才是行为的标准,可以使一切行为做得恰到好处。诚然,从常理而言,遵礼而行实乃美德;但是,若把"礼"当作千古不易的教条,非得加以死守不可,那就大谬不然了。因为"礼"是随着时代的发展而不断变化着的。

现在有一种错误观点，认为儒家的"仁"具有较多的积极进步的意义，而"礼"则是消极落后的。这种观点之所以错误，在于把原本联系的"仁"与"礼"割裂开来：认为"仁"是可以超越时代的，而把"礼"则视为千古不变的教条。其实，作为儒家方法论的中庸之道，其中包含有"时中"的法则，所以，当运用中庸之道进行制"礼"时，"礼"也必然要适应时代的发展而有所变通。

《礼记·礼运》曰："故礼也者，义之实也。协诸义而协，则礼虽先王未之有，可以义起也。"可见制礼的原则，应以是否合乎"义"为标准。义者，宜也。是否合乎"义"，质言之，亦即是否合乎人伦观念发展之宜。于是，《礼记·礼器》从理论上着重提出了"礼，时为大"的观点："礼，时为大，顺次之，体次之，宜次之，称次之。尧授舜，舜授禹；汤放桀，武王伐纣：时也。"这是说，礼之为礼，首先在于能否适应时代的发展，这是礼的根本原则；其次才是理顺业已发展的人伦关系，再次是使各种祭祀皆得其体，复次是使一切行为适得其宜，最后则是使各种枝节问题也能处理得妥当相称。然而如何理解"时为大"呢？这里特别举了尧、舜、禹禅让与汤、武征伐为例，两者虽然事迹不同，然而都是适应时代的正当行为，因而都是合"礼"的。程伊川曰："五帝公天下，故与贤；三王家天下，故与子。论善之尽，则公而与贤，不易之道也；然贤人难，而争夺兴焉，故与子以定万世，是亦至公之法也。"（《程氏粹言·论政》）伊川认为，三王传子不同于五帝之传贤，乃是根据不同时势而采取的变通之道。"君臣"本是儒家所重视的"五伦"之一，但为了顺乎民心以适应时代的发展，即使像汤、武这样以臣伐君的犯上行为，也被认为是合乎"礼"的。可见"礼"必须适应时代的发展，这较之固守原来的人伦关系更为重要。这就是"礼，时为大"的积极意义。对于理解儒家的"礼"来说，这段话特别值得重视，说明那种把君臣之礼视为不可逾越的观点是完全违背儒家思想之精神的。

由是观之，历代通儒都认为"礼"是应该适应时代的发展而根据具体情况进行因革损益的。然而，当前学术界一般都认为，儒家主张"礼"之枝节条文是可以损益的；而作为儒学主干的"五伦"或"三纲"之礼则是千古不变的。其实不然。即以"五伦"的顺序和内容而言就曾有过多次演变，而"五伦"与"三纲"之间也存在着很大的差异。

首先，"五伦"的排列顺序，从孔子创建"五伦"，经《中庸》、孟子乃至荀子，曾有一个适应时代的演变过程。这在首章《导论》中已有详论，此不赘述；其次，从先秦儒家的"五伦"到汉儒"三纲"的建立，在内容上也有其适应时代的演变过程。在原始儒家的"五伦"中，无论是夫妇、父子和君臣，互相之间既有权利也有义务，其关系基本上是对等的；而在后起的"三纲"中，却成为绝对服从的关系。汉儒为了建立大一统的伦理体系以适应中央集权的专制统治的时代需要，吸取法家学说使之融合于儒学之中而建立了"三纲"说，成为两千年来统治者大力宣扬专制主义的伦理思想。于是，在夫妇关系上，出现了"饿死事小，失节事大"的片面要求女方守节的说教；在君臣、父子关系上，则出现了所谓"君令臣死，不得不死；父令子亡，不得不亡"之类极端专制的礼教。今人每将"三纲"当作孔孟的思想，乃是错误的；而将其作为汉代以后的儒家思想加以批判，则是合乎事实的。

综观这种"五伦"顺序的调整，以及从"五伦"的相对平等关系到"三纲"的绝对服从关系的演变，都说明儒家人伦关系显然已有很大的变化。这种变化，从表面上看好像是对原始儒学的背离，而从本质上看，则是适应大一统的中央集权政治的时代需要，也是符合儒家的"时中"法则和"礼，时为大"的基本精神的。而且，不仅人伦关系如此,即以整个儒学体系而言,从先秦儒学发展为汉唐经学乃至宋明理学,无不是在遵循其内在的"时中"法则而使之适应时代之发展。所以,汉代以后包括"三纲"在内的整个儒学体系,也与大一统的中央集权的政治制度一样,在一定历史时期之内是有其时代生命力的。

然而,秦汉以来的儒学也与秦汉以来的专制制度一样,当其发展到了极端僵化时,必将因其阻碍历史发展而走向反面。因此,"五四"以来,民主和文明的理论对秦汉以来的专制制度和与之相应的儒学作了无情的批判。这对于秦汉以来的专制主义制度当然是一种否定,而对于比较宽松自由的先秦时代来说,则又无疑是一种否定之否定。因此,遵照"时中"的法则,将先秦儒学的合理内容加以改造发展并使之系统化,以适应现代的需要,是完全可行的。试举君臣关系而言,先秦儒家从"民贵君轻"的价值观出发,他们提倡忠君,是以代表国家和人民利益的"明君"为对象的。如果君的行为与国家和人民利益不一致时,就采取"从道不从君"的态度,并主张"诸侯危社稷,则变置",若社稷不利于民生时,"则变置社稷"(《孟子·尽心下》)。把残虐百姓的暴君斥为独夫民贼,而称颂汤、武以臣伐君的"吊民伐罪"之举是完全正义的。(《孟子·梁惠王下》)可见先秦儒家的忠君思想,与秦汉以后所提倡的片面服从君意的愚忠思想大异其趣,而与现代的爱国爱民思想却如出一辙。若能对此加以弘扬,完全可与现代的进步思想融合为一。故朱子有名言曰:"经世只是随时。"(《朱子语类》卷一〇八)此言深得儒门正传。

《礼记·大传》曰:"立权度量,考文章,改正朔,易服色,殊徽号,异器械,别衣服,此其所得与民变革者也;其不可得变革者则有矣:亲亲也,尊尊也,长长也,男女有别,此其不可得与民变革者也。"这是说,作为人的立身处世之道的亲亲、尊尊、长长、男女有别之类伦理道德,乃是正常典则之"经",是相对稳定的,是不容改变的;而如度量、正朔之类具体制度则是可以从"权"改革的。然而,由于时代的不断发展,不但度量、正朔之类具体制度历代皆屡有变革自不必说,即使是立身处世的大道之"经",其所谓"不可变"也只是相对的而非绝对的。即如"亲亲"、"尊尊"之类观念,自今日观之,也已有本质的改变,而"男女授受不亲"之礼早已不适用于今世。但是也不能否认尽管变化很大,其中确实也有千古不变者在。即使到了现代,对于亲人也不能毫无亲情,对于上级领导和老年长辈也不能不表示尊敬,在男女关系上,也不能不在一定程度上仍应讲究"男女有别"。即以"礼"而言,许多礼仪的具体条文如丧礼、祭礼之类早已过时废弃了,然而礼的本质是"毋不敬",以及"礼之用,和为贵"的基本精神,至今仍有其进步的意义。

由此可见,在儒家学说中,不仅"仁"是超越时代的具有进步意义的学说,即便是被今人目之为守旧的"礼",也完全是一种融通无碍的进步学说;不仅枝节礼仪可以因时损益,即便是作为儒学之本的人伦关系,也未尝不可随着时代的发展而加以扬弃和更新。更何况,儒家的"礼"的学说本身就包括有"天下为公"的大同理想,因而将儒家的"礼"转化为适应时代的法制和礼仪,既是儒学本身的内在要求,也是儒学发展的必然趋势。据此,鄙意窃谓先秦儒学就其主要精神而言,基本上可以说是超越时代的普遍真理,我们应该加以发展和弘扬。至于某些受时代局限的礼教之具体条文,我们一方面应该遵循"时中"的准则对其作出公正的历史评价;而另一方面则更应该运用"时中"的法则对其进行扬弃与转化,使之适应现代的需要。再则,利用先秦原始儒学中的合理内容来纠正秦汉以来的专制礼教,较之用其他思想来纠正,必将收到更好的效果,而且也更为符合中华民族自身的发展规律。

总之，从儒学内在的"时中"法则出发，我们不应该把儒家人伦思想视为顽固不化的伦理观念，而是应该将其作为一种适应时代发展的活的理论来加以开拓、创新和发展。所以，运用儒学内在的"时中"法则来对待儒家人伦思想，乃是儒家人伦思想现代化与普世化的可行之路。

第二节　诸家人伦观比较述要

春秋战国之交，自孔子提出以"仁"为宗旨、以"中庸"为方法、以"礼"为规范、而以"人伦"为主要内容的儒家学说之后，相继而起的诸子百家，看到当时那种礼崩乐坏、充满矛盾的动荡局面，也都纷纷建立起自己的学说，提出了各不相同的种种治理社会的方案。

在伦理方面，当儒家不断提倡限制君主个人专断、积极推进民主精神的时候，从墨家到法家却在积极宣扬君主独裁，不断提升君主个人的绝对权力，而道家则向君主暗地输送"君人南面之术"，也为助长君主独裁统治提供了权术。诸家围绕君臣关系这一核心问题所引起的伦理思想之争，也从而连带波及其他各种人际关系的不同观点。对此做些考察，将有利于对儒家人伦思想的深入理解。

一、儒与杨、墨人伦观异同

最早继孔子而起的是战国初期的杨、墨二家之说。孟子曰："杨子取为我，拔一毛而利天下不为也；墨子兼爱，摩顶放踵利天下，为之。"（《孟子·尽心上》）若从方法论上说，儒家是运用"执两用中"的原则以追求中道；而两家之说，分明是蓄意背离中道而分别赴向两个极端的互为相反的理论。大凡趋向极端的理论，偏偏最易受人注目,而具有很大的吸引力。孟子曰:"杨朱、墨翟之言盈天下。天下之言不归杨,则归墨。"(《孟子·滕文公下》)可见当时杨、墨两家学说的巨大影响。故在儒、杨、墨三家之间展开的激烈辩论,拉开了中国学术史上波澜壮阔的"百家争鸣"的序幕。

杨子之学,大概是由消极避世者的思想发展而来。在孔子时已有一种避世的隐者,虽有知识学问,但因看到世乱难以挽救,遂皆持消极态度,不肯干预世事,如《论语》所载的石门晨门、卫之荷蒉者、楚狂接舆、长沮、桀溺以及荷蓧丈人之类都是。不过在孔子之时,此类隐者亦只消极地独善其身而已,尚未成为一种理论。杨子始从理论上发展为一种学说,并大力作了宣传。《韩非子·显学》云:"今有人于此,义不入危城,不处军旅,不以天下大利易其胫一毛。世主必从而礼之,贵其智而高其行,以为轻物重生之士也。"这显系指杨氏的学说。《吕氏春秋·不二》云:"阳生贵己。"阳生就是杨子,贵己就是为我。《淮南子·氾论训》云:"全生保真,不以物累形,杨子之所立也,而孟子非之。"这些记载都说明了杨子的学说乃是一种"轻物重生"、"全生保真,不以物累形"的贵己、重生的理论。

据《列子·杨朱》篇所载,杨子的理论是:"古之人,损一毫利天下,不与也;悉天下奉一身,不取也。人人不损一毫,人人不利天下,天下治矣。"所谓"不损一毫,不利天下",可有两种解释:一是不肯拔一毛以有利于天下,这是孟子的解释,是极端"为我"之例;一是不愿拔一毛而享受天下之利,这是韩非子的解释,是极端"轻物重生"之例。两个解释可能都符合原意,各说明了杨子思想的一个方面。但不管作何种解释,杨子的学说是一种完全不同于儒家中道而趋向极端的偏颇学说,则是无可置疑的。再则,即以"贵己"或"为我"而言,也可产生两种倾向:既可以为了养生而主张克制欲望;也可能出现另一种想法,认为人生的意义就在于眼前欲望的最大满足,不需有任何限制,从而滑向纵欲主义。杨子的本意大概仅仅是重生贵己而已;但出于后人伪托的《列子·杨朱》篇,则借杨子之名而大肆宣扬纵欲主义。其实,由"贵己"或"为我"发展为极端的个人纵欲主义,实属逻辑之必然。

杨子之学认为,天下之所以大乱,主要是因为人们争权夺利,如果全社会人人都能够做到既不利人,也不损己,尔为尔,我为我,互不争权夺利,天下就会太平了。这光从理论上讲,好像也说得通。然而,殊不知这样取消人与人之间一切互助友爱的关系,人类还能生存吗? 其实,只有面对现实,正确处理各种不同的关系,才是有效的办法。所以孟子从社会学的角度加以指责:"杨氏为我,是无君也"(《孟子·滕文公下》)。显然,杨子这种取消一切人际关系,而以"贵己"或"为我"为旨归的消极避世之学,与儒家以协调各种人际关系为主要内容,以期达到"修己以安百姓"之目的的积极济世之学,何啻天壤之别!

与杨子相反,墨子创建以"利他"为宗旨的墨家学说。其积极入世的态度与欲救民于水火的怀抱,较之儒家实有过之而无不及;而其不同之处即在于方法论上的区别。儒家以"执两用中"为基本原则,故主张群己兼顾;而墨家则表现为偏重一端而放弃另一端的方式,故流为极端利他而不惜丧失自我。墨家这种偏颇的思维贯穿于其所包括的尚贤、尚同、兼爱、非攻、节用、节葬、非乐、非命、天志、明鬼等十大项目之中。

首先,在处理人际关系上,儒家从人的天性和道德理性出发,主张区分亲疏贤愚,按照"亲亲而仁民,仁民而爱物","尊贤而容众,嘉善而矜不能"的原则,有层次、有步骤地推行仁道;而墨子则为了片面求"兼"而完全取消了"别"的一面,提出了"视人如己"的

"兼爱"之说，主张"视人之国若视其国，视人之家若视其家，视人之身若视其身"（《墨子·兼爱中》）。光从形式上看，这种"以兼易别"的"兼爱"思想，似乎比孔子的"人不独亲其亲，不独子其子"的博爱思想爱得更为彻底。但从实质上看，这种"兼爱"只能是空想。因为具体的"爱"当中，既有主观成分，也有客观成分，墨子完全否定客观对象之间的差异，单从主观上讲同样地爱一切人，则这种"爱"其实是不存在的。而且，爱和恨都不是无缘无故而发，只有爱和恨达到适得事理之宜，才是正确的；离开具体对象而谈"兼爱"，乃是错误的。再则，说爱普天下素不相识的人与爱自己的亲生父母相同，这是不可能的，尽管墨子本人确实具有"摩顶放踵而利天下"的精神，但也不可能做到同样地爱一切人；反过来说，假如对待自己亲生父母与对待普天下素不相识的人相同，那么就无怪乎孟子要指责"墨氏兼爱，是无父也"，并不算过分。显然，孟子之指责墨子"无父"，并非言墨子在具体行动上待父母不好，而是指其以兼爱的理论取消了父母与子女之间的特殊关系，把自己的生身父母等同于普天下之一切人。这确实是一言击中了墨子之说的要害。其实，墨子也不可能彻底取消父母与子女间的特殊关系。他所谓"视人之家若视其家"的一个"若"字，正见出墨子在潜意识中不自觉地承认了父母与子女之间客观地存在着一种特殊关系。既然在客观上本来就存在着特殊性，那么就应该给予正视并作出正确的对待，才能使人与人之间的各种关系趋于平衡。而简单地取消其"特殊"，则违反了人的自然本性。所以墨子所提出的"兼爱"，在理论上是不正确的，在实践中是行不通的，因而在现实中也是不存在的。

其次，在政治上，儒家处理各种不同意见之间的关系，主张从"异"和"同"两端之间进行考虑，在不违乎"中"的前提下，以"和而不同"的方法进行协调解决，亦即《易》所谓"天下同归而殊途"，《中庸》所谓"道并行而不相悖";而墨家则正如在人际关系上为了片面求"兼"而取消"别"一样,在政治上也片面强调"同"的一面而完全否定"异"的一面。《墨子·尚同中》云:"凡里之万民,皆尚同乎乡长,而不敢下比。乡长之所是,必亦是之;乡长之所非,必亦非之。……凡乡之万民,皆上同乎国君,而不敢下比。国君之所是,必亦是之;国君之所非,必亦非之。……凡国之万民上同乎天子,而不敢下比。天子之所是,必亦是之;天子之所非,必亦非之。去而不善言,学天子之善言;去而不善行,学天子之善行。天子者,固天下之仁人也,举天下之万民以法天子,夫天下何说而不治哉!"墨子主张,在一乡之内要先立一个绝对正确之乡长,而使一乡之民皆以乡长之是非为是非;在一国之内要先立一个绝对正确之国君,而使一国之民皆以国君之是非为是非;在全天下则应先立一个绝对正确之天子,而使天下之民皆以天子之是非为是非。这样,天下就会没有不同的意见,思想完全归于统一,天下也就大治了!且不说这完全是一种脱离实际的过于天真的空想,即从其思维方法而言,就犯了根本性的大错误。儒家正因为认识到君或天子不可能都绝对正确,故而孔、孟、荀等大儒皆主张"从道不从君"的观点;而在方法上,又能从"异"与"同"的两端着眼,主张用和而不同的方法来实现天下大同,这确实是一种可行的正确方法。而墨子妄想用一人之思想来统一天下之思想,这样求"同"的后果,其终必将违背墨学为民立言的初衷,反而变成专为专制独裁统治服务的理论了。

其三,从"兼爱"出发,墨子又主张"非攻",亦即反对侵略性的进攻战争而支持反侵略的自卫战争,这体现了墨子拒强护弱的思想。不过,仅仅以攻守为标准并不能区分战争的正义性与非正义性。儒家一方面反对危害百姓的争夺战争,另一方面又歌颂吊民伐罪、推翻暴政的革命战争,也主张以仁政为基础的统一战争。可见在战争观上,儒家较之墨家更胜一筹。

其四,在物质生活与精神生活的关系上,儒家主张在"庶"和"富"的基础上还提倡"教之",亦即在发展人口与经济的基础上再实行礼乐教化;而墨家则专从物质方面的功利主义出发,主张早婚以发展人口,勤苦节俭以发展经济,但反对实行礼乐教化,其所宣传的节用、节葬、非乐等主张中都贯穿了这一思想。其实,墨家反对儒家厚葬、久丧等方面确有可取之处;不过,墨家之所以反对久丧,仅仅从久丧妨碍生产着眼,没有考虑人的感情中确实包含有一种对于亲人的哀悼怀念之情,将其一概否定,故也难免为偏颇之论。

近来有人认为,孔子的爱有差等的"仁",与墨子的爱无差等的"兼爱"相比,犹如"小巫之见大巫"。我则认为,光是提出一种超人的理想倒并不难,而难在所提出的理想既有理论上的高度,又能使人人乐于接受,且在现实中有其普遍的可行性。而这,正是墨子的"兼爱"远远不及孔子的"仁"的要害所在。孔子的爱有差等之"仁",较之杨朱为我、墨子兼爱更符合历史的真实状况,故在整个古代社会多为人们所接受和赞同。其实,接受孔子"仁"的思想,而能做到公而忘私、国而忘家、爱国忧民、为了坚持正义而不畏刀锯鼎镬的仁人志士,在历史上相继不绝;而能"兼爱"全人类的"超人",则历史上从未有过,将来也不可能有!

儒家的由亲及疏、先人后物的"仁",乍视之,似乎还有人我、人物的分别,但这仅是为适应人情之常而设定的实施程序,实际上仁道的具体表现在于忠恕。自己既希望能生能活,则可推知人、物也希望能生能活;自己既不愿受戕害,则可推知人、物亦不愿受戕害。故其终极目标乃在使万物皆能各遂其生,各得其所。此即孟子所谓:"万物皆备于我矣,反身而诚,乐莫大焉。强恕而行,求仁莫近焉。"(《孟子·尽心上》)而墨子主张兼爱,不分人我、彼此,将普天下之人等量齐观,主张用"以兼易别"来取消社会上存在的等级差别及各种客观矛盾,其陈义虽高,然而罔顾人情之常,实际上是一种抹杀现实阶级、等级差别的幻想,所以一落入实际人群社会,就遭遇窒碍而无法推行,以致不旋踵即告衰微。由此反证,益发显现孔孟仁爱思想的平实而可遵循。再据此而检视现代长期以来的某些思想,其理念固然高超,口号也很响亮,可是都未能衡量人情事理,因此一旦勉强付诸实行,不但无法解决现有的难题,反而将人家导入另一种困境之中。今天,鉴于孔孟的仁爱思想之能衡情入理,因而确实值得我们认取而加以弘扬。

　　显然,孔子的"仁",因其切中社会现实,符合一般人的心理,所以为人所乐于接受;而墨子的"兼爱",因其脱离社会现实、不符合一般人的心理,所以也难以接受。打比方说,孔子和墨子各在高山上造了同样华美的两座楼阁。孔子还修筑了从地面通向楼阁的道路和阶梯,安上了前进的路标,并沿途建了水亭花榭,使人一入其境,随处可览名胜,欲止而不能。即使最后未能到达终点,也能终有所获。而墨子的楼阁,则是高居在悬崖之上,空悬于云霄之间,令人可望而不可即,欲攀不能,致使巧伪者指为奇货,而务实者望而却步,终同于海市蜃楼,偶尔一现而已。所以,按照孔子"仁"的方案做去,即使达不到博爱的境界,亦不失为一定范围内的有德之士;而且在历史上,也确实造就了不少爱国爱民的志士仁人。而墨子的"兼爱",最终只能成为历史上的一种点缀而已。二家学说之优劣即此可见。在当时,孔、墨同为显学,但墨家后继无人,这并非为其他外力所击败,而是其内在的弱点所造成。

　　有人问王阳明,既然"仁者以天地万物为一体",何以墨子的"兼爱"反不得谓之"仁"。阳明答道:"仁是造化生生不息之理,虽弥漫周遍，无处不是，然其流行发生，亦只有个渐，所以生生不息。如冬至一阳生，必自一阳生，而后渐渐至于六阳；若无一阳之生，岂有六阳？阴亦然。惟其渐，所以便有个发端处；惟其有个发端处，所以生；惟其生，所以不息。譬之木，其始抽芽，便是木之生意发端处；抽芽然后发干，发干然后生枝生叶，然后是生生不息。若无芽，何以有干有枝叶？能抽芽，必是下面有个根在。有根方生，无根便死。无根何从抽芽？父子兄弟之爱，便是人心生意发端处，如木之抽芽。自此而仁民，而爱物，便是发干生枝生叶。墨氏兼爱无差等，将自家父子兄弟与途人一般看，便自没了发端处；不抽芽，便知得他无根，便不是生生不息，安得谓之仁？孝弟为仁之本，却是仁理从里面发生出来。"（《传习录上》）这是说，推行"仁"也有一个渐进的过程，所以必须有一个起点，就像木之抽芽。而父子兄弟之爱就是爱人之心所借以发芽的根本，只要加以扩充，则仁民爱物皆从此出。假若没有一个起点，就大谈"兼爱"普天下之民，那么这种"爱"就像是可望而不可即的空中楼阁，永远也无从实现，所以"兼爱"不是"仁"。

王阳明又曰："墨子兼爱，行仁而过耳；杨子为我，行义而过耳。"（《王阳明全集·答罗整庵》）"仁"与"义"本是圣人所提倡的正道，但是一旦行之过当，也就陷入异端了。这是因为即便是仁爱之心，也有个爱得是与不是的问题："爱之本体，固可谓之仁，但亦有爱得是与不是者。须爱得是，方是爱之本体，方可谓之仁。若只知博爱而不论是与不是，亦便有差处。"（《王阳明全集·答黄勉之》）正如董仲舒所说的："仁者，人也；义者，我也。"《说文解字注》解释道："谓仁必及人，义必由中断制也。"可见"仁"与"义"的辩证统一，也就是"为人"与"为我"的辩证统一。只有"仁"与"义"的辩证统一，才合乎中道，才算"是"。而杨、墨两家的伦理思想分别片面地致力于其中某一方面而取消了另一方面,故而难免流为异端了。

二、儒、道人伦观异同

道家之说,归宗于《老子》一书。相传《老子》为春秋末年的老聃所作,但据"孔子问礼于老聃"之说,则老聃必定是一位崇尚礼教的学者,显然与道家自然无为之旨相悖,故《老子》的作者是否即为孔子问礼之老聃,实为一大疑案。又据郭店楚简《老子》中,并无"绝智弃仁"等内容,与儒家的分歧并不很大,可见原本《老子》中尚未具备通行本《老子》中所体现的反礼教思想。因此,通行本《老子》盖写定于战国中期或稍后,乃成为奠定自具特色的道家思想体系的经典之作。《老子》之书以"道法自然"的"无为"之义为旨,大概与杨子轻物重生的"贵己"之说有渊源关系。稍后的庄子继其说,并对自然无为之旨作了进一步发挥,而以追求个性自由为其特色。两书虽亦有差异之处,但皆以"自然无为"为宗旨。故世称老庄之学,即为正宗的道家学派。

道家学说以"清静虚无,自然无为"为宗旨,而在方法论上,则以"反者道之动"(《老子》四十章)为其思维原则。所谓"反者道之动",就是认为一切事物都有其相反的对立面,当事物发展到一定程度时,必将向其相反方面转化,这是推动事物变化的规律。对此,《老子》作了大量的论述。其二十二章云:"曲则全,枉则直,洼则盈,敝则新,少则得,多则惑。"二十九章云:"为者败之,执者失之。"三十章云:"物壮则老"。四十二章云:"物或损之而益,或益之而损。"四十四章云:"甚爱必大费,多藏必厚亡。"五十八章云:"祸兮,福之所倚;福兮,祸之所伏。"七十六章云:"兵强则灭,木强则折。"如此等等,无不深刻地揭示了事物要向相反方面转化的规律。单从这一原理而言,本与儒家《易》理关于事物变化的所谓"反复"

之道基本相同。其所以不同之处，则在于对待矛盾的指导思想不同：儒家主张以"执两用中"亦即"执中、戒过、勉不及"的原则来处理互为相反的矛盾，使之相济相成而达到适得事理之宜；而道家则主张以"无为"的原则来取消矛盾，或者永远退居"不及"一方，运用"守弱"的办法来预防事物向"过"的一端转化。道家的这一理论主要表现在如下几方面。

第一，否定根本性一方以取消矛盾。老子看到当时社会现实中的各种矛盾日益复杂化和尖锐化，觉得仅像杨子那样重生贵己的消极避世态度已不足以逃避现实中的矛盾，因而主张运用釜底抽薪的办法从根本上来彻底取消矛盾。对此，老子竟然从最根本处着眼，认为人之所以处于各种矛盾之中而备受忧患的折磨，其最根本的原因在于人之有"身"，假若没有这个劳什子的"身"，一切忧患也就不存在了："吾所以有大患者，为吾有身。及吾无身，吾有何患！"（《老子》三章）然而所憾者，"身"是现实中的客观存在，在未死之前，谁都莫想解脱。而作为极端重生贵己的道家而言，对于"身"又是特别看重的，那有什么办法呢？于是，老子不得不退而求其次，终于在现实中发现了许多足以从根本上取消矛盾的办法。例如：他认为世界上之所以会有"丑"与"恶"的现象，其根本原因在于有"美"和"善"的存在："天下皆知美之为美，斯恶矣；皆知善之为善，斯不善矣。"（《老子》二章）假若要在世界上根除"丑"和"恶"的现象，最彻底的办法莫过于能使天下之人都不知"美"，不知"善"。又如他认为，社会上之所以有竞争现象，其根源在于统治者之"尚贤"；民之所以为盗，其根源在于统治者之"贵难得之货"；民心之所以思乱；其根源在于民之有欲。因而老子主张："不尚贤，使民不争；不贵难得之货，使民不为盗；不见可欲，使民心不乱。……常使民无知无欲，使夫智者不敢为也。为无为，则无不治。"（《老子》三章)只要统治者能够做到不尚贤、不贵难得之货并能使民无知无欲,则现实中那些竞争、盗窃、思乱等现象也就彻底消除了,从而也就达到了天下大治。老子还发现,人之所以有诈伪,其最根本的原因在于人有智慧:"智慧出,有大伪。"(《老子》十八章)"民之难治,以其智多。"(《老子》六十五章)所以他主张:"古之善为道者,非以明民,将以愚之。"(《老子》六十五章)若要彻底消除诈伪,其根本办法莫如使人没有智慧。所以治天下之大法,莫过于实行愚民政策。于是,他主张对于—《老子》切圣智、仁义之类智慧和道德一概加以摒弃:"绝圣弃智,民利百倍;绝仁弃义,民复孝慈;绝巧弃利,盗贼无有。"(《老子》十九章)任继愈先生说得好:"采取了抹杀矛盾的手法来对待矛盾。……照这样的逻辑,为了避免牙痛,就不要牙齿;为了不犯错误,就不要工作。在这种错误世界观指导下,把参与社会生活看作累赘。"①可谓一针见血地道中了老子之玄妙!

　　庄子在继承老子学说的基础上,其取消矛盾的妙法又有进一步的提高。庄子认识到,客观现实中存在的许多矛盾终究是无法取消的。若要从客观现实中去取消矛盾,远个如在自己的主观意识上取消矛盾更为方便。因而他主张从"道"的高度来看待世界,乃提出了所谓"齐万物"、"齐是非"的观点。庄子认为,事物的大小、是非之类的区别,并非来源于事物本身,而是主体赋予客观事物的,故取决于人的认识,取决于观察者的角度。诸如"大"和"小"等等的转化,并不需要客观条件而完全是由主观决定的。所以,只要从主观上以"道"的高度看事物,一切大小、是非都可由我随意作出判断。他说:"以差观之,因其所大而大之,则万物莫不大;因其所小而小之,则万物莫不小。"(《庄子·秋水》)"自其异者视之,肝胆

---

① 　任继愈:《老子新译》,上海古籍出版社 1985 年版,第 86 页。

楚越也;自其同者视之,万物皆一也。"(《庄子·德充符》)这样,一切大小、同异之类矛盾也就取消了。更有甚者,以"道"观物的奥妙还在于可以任意地将事物的性质完全加以颠倒。他说:"天下莫大于秋毫之末,而泰山为小;莫寿乎殇子,而彭祖为夭。"(《庄子·齐物论》)"知天地之为稊米也,知毫末之为丘山也,则差数睹矣。"(《庄子·秋水》)主观上的以"道"观物之效,竟能使外在的大小、寿夭都能为之颠倒。不唯大小、寿夭为然,对于是非、善恶莫不如此。庄子认为,在现实中,"彼亦一是非,此亦一是非"(《庄子·齐物论》),世间根本就没有真是真非之可言,所以辩论也不能区分是非。他在《齐物论》中费了大量笔墨论证了辩论的双方无论谁胜谁负都不能说明谁是谁非,可见关于是非的争辩毫无意义,因而提出了"是非莫辩"的观点。这样,庄子就把对于"是"与"非"的判断局限在主观领域,不仅否认有检验真理的客观标准,而且根本否认客观真理,否认明辨是非的必要性。而根据庄子的逻辑,只要主观上按照以"道"观物的原则,尽可以把现实中所存在的一切"非",视之为比"是"更是的"是";一切"恶",视之为比"善"更善的"善";一切"邪",视之为比"正"更正的"正";一切"丑",视之为比"美"更美的"美"。这样,就从"道"的高度从主观上泯灭了一切是非、善恶的界限,那么一切矛盾当然也就彻底取消了。庄子这一轻而易举地就能取消矛盾的理论,乃是其较之老子更为奥妙之处。主观上的以"道"观物之效,竟能使外在的大小、寿夭、是非、善恶都能为之颠倒,即此足见道家之"道"的神通有多大了!

　　第二,"守弱"以预防矛盾转化。其实,道家也并非不知道,单凭主观上取消矛盾,现实中的矛盾依然存在,而人之有"身",也不可能完全脱离现实。于是,道家终于又摸索出了一条比较实惠的法则,这就是紧接着"反者道之动"后面的"弱者道之用"(《老子》四十章)一语,亦即从"无为"的宗旨出发,主张以"守弱"的策略来预防矛盾的转化。所以老子主张:"虚其心,实其腹,弱其志,强其骨。"(《老子》三章)"是以圣人后其身而身先,外其身而身存。"(《老子》七章)"持而盈之,不如其已。揣而锐之,不可常保;金玉满堂,莫之能守;富贵而骄,自遗其咎。"(《老子》九章)"保此道者不欲盈,夫唯不盈,故能敝而新成。"(《老子》十五章)这是说,若要保持"道",就不要追求圆满,也不要出头露面,以免受到挫折。只有这样,才能取得新的成功。又云:"圣人去甚,去奢,去泰。"(《老子》二十九章)这里所谓"去甚,去奢,去泰",好像颇有求"中"之意,其实不然。老子深深认识到,如果达到了"中",只要向前再走一步,就有倾向"过"的危险,而"过"的危害,更甚于"不及"。所以他为了避免倒向"过"的危险,就极力主张"无为"和"守弱"的宗旨,认为戒"过"最保险的办法在于不要去求"中",而是永远退居"不及"的一端。所以他说:"知其雄,守其雌,为天下溪。为天下溪,常德不离,复归于婴儿。知其白,守其黑,为天下式。为天下式,常德不忒,复归于无极。知其荣,守其辱,为天下谷。为天下谷,常德乃足,复归于朴。朴散则为器,圣人用之则为官长。故大制不割。"(《老子》二十八章)老子主张用退守的策略来从事政治活动。他认为只有这样,才能以柔弱胜刚强,以取得最后的胜利。故《老子》五十二章云:"见小曰明,守弱曰强。"五十九章云:"治人、事天莫若啬。"六十四章云:"圣人无为,故无败;无执,故无失。"这都表达了对待事物、对待生活的消极态度。尤其在七十六章,尽情地推崇了"柔弱"的奥妙:"人之生也柔弱,其死也坚强;万物草木之生也柔脆,其死也枯槁。故坚强者死之徒,柔弱者生之徒。是以兵强则灭,木强则折。坚强处下,柔弱处上。"正因为老子认为坚强者常处于劣势,而柔弱者必处于优势,乃进而屡次教人必须返璞归真,复归于婴儿那样无知无欲的天真状态。其十章云："专气致柔，能婴儿乎?"二十章云："我独泊兮，其未兆，如婴儿之未孩。"二十八章云："常德不离，复归于婴儿。"四十九章云："圣人在天下，歙歙为天下浑其心，圣人皆孩之。"五十五章云："含德之厚，比于赤子。"老子何以如此谆谆教导要人复归于婴儿呢? 据说这是实现了"无为"之旨的最高境界。老子认为，只有这样永远退居"柔弱"一方，亦即"不及"的一端，而不去追求圆满之"中"，就能避免转化到相反的"过"那端去，从而保持自己长久立于不败之地。

第三，以退为进的斗争策略。假若真的认为老子的宗旨在于取消矛盾之间的斗争，那就太天真了。其实，老子之多番表白"不争"，正是为了实现其更有效的"争"，这才是"无为而无不为"之真义。当今也有不少学者认为老子虽然提出了"反者道之动"这条事物转化的规律，但是并不懂得事物转化还须具备一定的条件，而他专以"无为"、"守弱"为旨静等变弱为强，而不去积极地创造条件，怎能由弱变强呢? 其实，老子对于由弱变强的条件是有成竹在胸的。如其不信，请看他的转化之术曰："将欲歙之，必固张之；将欲弱之，必固强之；将欲废之，必固兴之；将欲夺之，必固与之。是谓微明，柔弱胜刚强。鱼不可脱于渊，国之利器，不可示人。"《老子》三十六章)可见老子确实善于运用"反者道之动"这条规律。原来他是以"将欲弱之，必固强之"作为使敌方变强为弱的条件，从而达到己方由弱变强的目的。由此可知，老子之主张"守弱"，并非真的甘居柔弱，而是为了在与人斗争中可以达到"柔弱胜刚强"的目的。这一目的，还可以从许多推崇"柔弱"的言论中窥见其微旨。《老子》四十三章云："天下之至柔，驰骋天下之至坚，无有入无间，吾是以知无为之有益。"六十一章云："牝常以静胜牡，以静为下。"六十六章云："欲上民，必以言下之；欲先民，必以身后之。……以其不

争,故天下莫能与之争。"七十八章云:"天下莫柔于水,而攻坚强者
莫之能胜,其无以易之。弱之胜强,柔之胜刚,天下莫不知,莫能
行。"如此等等,其中无不蕴涵着欲以"柔弱胜刚强"之深义。老子
这种"将欲夺之,必固与之"的心计,分明是处心积虑想把"己所不
欲"者强加于人,而"己所欲"者"夺之"于人;既可获得"夺之"之利,
又可获得"与之"之名。可谓一举而名利兼收。这与孔子"己所不
欲,勿施于人"的襟怀,确实大异其趣。

　　至此方才明白,老子之所以大力宣扬"无为",并非真的钟情于
"无为",而确实在于"无为而无不为",欲用表面"无为"的假象来达
到"无不为"的目的。既然如此,他所教导的许多善于伪装的妙术
就大派用场了。诸如:"大巧若拙,大辩若讷"(《老子》四十五章)之
类,再如平时多说几句自卑的话:"我愚人之心也哉,沌沌兮! 俗人
昭昭,我独昏昏;俗人察察,我独闷闷。……众人皆有以,而我独顽
似鄙。"(《老子》二十章)虽然胸中藏有万般机巧,但表面却不露声色
地装成大智若愚的样子,可谓高深莫测,令人摸不着城府有多深。
而且也至此方才明白,为什么老子总要不惮其烦地多次教人应复
归于婴儿那样天真的无知无欲状态,原来他之所以教别人复归于
婴儿,即在于使人无力获悉自己胸藏机巧的秘密;他之所以要把自
己假装成混混沌沌的婴儿模样,则是为了掩人耳目,麻痹人心,使
人摸不清自己胸藏百万甲兵! 否则的话,为什么既要向往像婴儿
那样天真无知,又要装出"大巧若拙"的表象呢? 难道一个业已复
归于婴儿那样天真无知的人,还会有"将欲夺之,必固与之"这样的
心计吗! 这其实很简单,因为"国之利器不可以示人"(《老子》三十六
章)! 假若不是这样装傻,胸中深藏的机巧岂不要被人发现吗?

　　从上述可知,道家的"反者道之动"的规律与儒家易理的"反
复"规律一样,都认为事物在一定条件下会向反面转化。这一认

识,两家基本一致。但由于两家的世界观不同,以致运用这一规律的手法完全不同,从而形成了两家思想的许多差异。

其一,在人的价值上,儒家重视人,道家的庄子则贬低人。庄子崇尚自然,因而认为人比起自然来,是微不足道的。他说:"眇乎小哉,所以属于人也;謷乎大哉,独成其天!"(《庄子·德充符》)又曰:"吾在于天地之间,犹小石小木之在大山也。方存乎见少,又奚以自多!"(《庄子·秋水》)他从宏观的宇宙来看人,不过"似豪末之在于马体"(同上),乃沧海之一粟,是微不足道的。所以《荀子》说:"庄子蔽于天而不知人。"(《荀子·解蔽》)

其二,在天人关系上,儒家主张既尊重客观规律,更强调发挥人的主观能动性。而道家的老子主张"道法自然",而人则处于完全"无为"之地。庄子更进而认为:"死生、存亡、穷达、贫富、贤与不肖、毁誉、饥渴、寒暑,是事之变,命之行也。"(《庄子·德充符》)这一切都非人力所能改变。人的一生"终身役役,而不见其成功;苶然疲役,而不知其所归"(《庄子·齐物论》),都是命运使然。庄子完全否定了人的主观能动性,要求人对客观处境唯命是从。故又云:"知其不可奈何而安之若命,德之至也。"(《庄子·人间世》)他把听天由命提到"至德"的高度,主张"无以人灭天,无以故灭命"(《庄子·秋水》)。这与孔子"知其不可而为之"的进取精神,确有天渊之别。

其三,在道德评价上,孔子主张"择其善者而从之,其不善者而改之"(《论语·述而》),"见善如不及,见不善如探汤"(《论语·季氏》),表现出一派善恶分明的态度。然而老子则说:"善者吾善之,不善者吾亦善之,德善;信者吾信之,不信者吾亦信之,德信。圣人在天下,歙歙为天下浑其心,圣人皆孩之。"(《老子》四十九章)即此可见老子是一个不分善恶是非的人。他之所以如此,在于使天下人的心都归于混混沌沌,像无知无欲的婴儿一样,都分不清是非善恶。然而他说的究竟是真话呢？抑或是假装懵懂呢？如果说的是真话，那么必然是一个同流合污的"乡愿"；假若是故作懵懂，那就必然是一个表里不一的虚伪之人。二者必居其一。若证之以"挫其锐，解其纷，和其光，同其尘"（《老子》四章）之语，老子当是一个善于圆滑处世的"乡愿"。庄子更进而奉行一种"不谴是非，以与世俗处"（《庄子·天下》）的人生哲学。他说："无誉无訾，一龙一蛇，与时俱化，而无肯专为；一上一下，以和为量，浮游乎万物之祖，物物而不物于物，则胡可得而累耶？"（《庄子·山木》）这完全是一种与世浮沉的混世态度。故又归结为一种无原则的处于所谓"材与不材之间"的折中主义了。

其四，在社会伦理方面，儒家强调人的社会性，道家强调人的自然性。儒家的伦理思想，系以"仁"为本体，以"诚"为基础，以"恕"为途径，以"中庸"或"义"为准则，以"礼"为行为规范，而以"五伦"为具体内容。其内容比较明确而易于为人所认识和掌握，并表现出一种生生不息的大化流行气象。而老子则云："失道而后德，失德而后仁，失仁而后义，失义而后礼。夫礼者，忠信之薄而乱之首。"（《老子》三十八章）这样一概排斥仁义礼智而唯"道"是尚，则其"道"就变得空洞无物、神秘莫测而无从捉摸了。对于"孝慈"，老子既否定又肯定，一方面既说"六亲不和，有孝慈"（《老子》十八章）；另一方面又说"绝仁弃义，民复孝慈"（《老子》十九章）。而庄子则完全加以否定："夫孝悌仁义，忠信贞廉，此皆自勉以役其德者也，不足多也。"（《庄子·天运》）但是由道家而产生的道教却从一开始就重孝道。在道教的创始著作《太平经》卷九十六即有"六极六竟孝顺忠诀"等；而著名的《太上感应篇》则讲"忠孝友悌，正己化人，矜孤恤寡，敬老怀幼"，显然已吸取了儒家的思想。

其五，在治国方面，道家既反对儒家的"德治"，也反对法家的

"法治"，而强调"无为"而治。老子提出"我无为而民自化，我好静而民自正，我无事而民自富，我无欲而民自朴"（《老子》五十七章），认为执政者只要这样做了，人民就会自然归化，自然端正，自然富足。而行清静无为之政则在于放宽对人民的统治，不要以烦琐过多的禁令去捆住人民的手脚，不要去限制与扰乱人民的生活，严禁瞎折腾。他认为百姓的苦难全是统治者造成的："民之饥，以其上食税之多，是以饥；民之难治，以其上之有命，是以难治。"（《老子》七十五章）因而主张节俭爱民，反对严刑峻法的压民政策与残酷剥削的榨民政策，这与儒家的"节用而爱人"颇为一致。有学者认为道家的"无为"思想与儒家的"无为而治"有相通之处，其实不然。由于"舜有臣五人，而天下治"，所以孔子赞叹道："无为而治者，其舜也与！夫何为哉？恭己正南面而已矣。"（《论语·卫灵公》）这里的"无为而治"，乃是指舜"任官得其人，故无为而治"（见赵岐《孟子注》），而与道家主张取消一切礼制文化的"无为"思想实有本质的区别。然而在君臣关系上，道家却向人君提供了表面"无为"而实际上"无不为"的"君人南面之术"，并为法家韩非子所吸取。

其六，在发展观上，儒家主张人应掌握事物的变化规律，从而推动其正常发展。而道家则主张永远固守在柔弱的"不及"一端，企图阻止事物的向前发展。

其七，在社会理想上，儒家以托古的方式推崇高度文明的大同社会，而道家则崇尚"小国寡民"（老子），甚至"同与禽兽居"（庄子）。老子主张"绝圣弃智"、"绝仁弃义"。继起的庄子更进而提出："绝圣弃知，大盗乃止；擿玉毁珠，小盗不起；焚符破玺，而民朴鄙；剖斗折衡，而民不争。"（《庄子·胠箧》）他们认为，只有取消一切制度、文化和财富，把历史倒退到原始社会去，人民才会不争，社会才会安定。显然，这与儒家崇尚圣人创造制作以正德、利用、厚生的主张不啻有天渊之别。道家所提倡的主张,光从他们的书上看来,倒也说得动听而且富有诗意。然而掩卷试想,这样的社会能实现吗?退一步说,即使真的实现了,社会就会"不争"吗? 如果只要"绝圣弃智"、"擿玉毁珠"、"掊斗折衡"就会不争,那么动物界倒确实是既无圣智,又无珠玉,更无斗衡的,难道动物界就"不争"了吗? 假若"绝圣弃智"云云而能不争,那么除非再退化到"草木之无知"而后可。其实,正因为人类具有智慧,并能制定出共同遵守的道德和制度,才有可能自觉地控制争夺。

三、儒、法人伦观异同

战国中晚期,各大国的君主集权的专制统治日益发展,故而出现了专为最高统治者提供驾驭术的所谓"君人南面之术"的理论。其间秦国的商鞅专重法,韩国的申不害专重术,赵国的慎到专重势。继起的韩非子本与李斯同学于荀子,后都成为法家。他综合法、术、势三派之长,并吸取了墨子、老子和荀子的某些观点,系统地建立了一整套集法家之大成的极端专制主义的法家学说,并成为秦国统一天下所一贯奉行的指导思想。

韩非子认为法、术、势三者皆"帝王之具",不可偏废。《韩非子·定法》云:"今申不害言术,而公孙鞅为法。术者,因任而授官,循名而责实,操杀生之柄,课群臣之能者也,此人主之所执也。法者,宪令著于官府,刑罚必于民心,赏存乎慎法,而罚加乎奸令者也,此臣之所师也。君无术则弊于上,臣无法则乱于下,此不可一无,皆帝王之具也。"其《八经》篇云:"君执柄以处势,故令行禁止。柄者,杀生之制也;势者,胜众之资也。"观此,韩非子认为法、术、势三者是不可分离的。其《难三》篇云:"人主之大物,非法则术也。法者,编著之图籍,设之于官府而布之于百姓者也。术者,藏之于胸中以偶众端而潜御群臣者也。故法莫如显而术不欲见。"《人主》篇云："万乘之主，千乘之君，所以制天下而征诸侯者以其威势也。威势者，人主之筋力也。"《难势》篇云："抱法处势则治，背法去势则乱。"韩非子认为，所谓"法"，是公之于众的成文国法，是官吏据以统治人民的条规；所谓"术"，是君主"藏之于胸中"的心机，是用来"潜御群臣"的权术；至于"势"，亦即权势或威势，实际上就是君主所掌握的政权。若要巩固和加强君主的统治地位，法、术、势三者缺一不可。于是，形成了一整套以法治为纲，以法、术、势相结合为基本内容的极端专制的法家统治学说。

如果从积极入世的进取精神与主张实现天下大一统的目标上着眼，法家与儒家的宗旨基本上一致。但由于立论的基础与方法论的原则不同，以致两家学说形成了很大的差异。

首先，在立论的基础上，儒家的思孟学派从性善论出发而推崇道德教化自不必说，即使荀子以性恶立论，但其目的仍在于"化性起伪"，即通过后天的礼义教化而修养为具有道德的人。而韩非子受《管子》的人性"自利"和荀子的"性恶论"的影响，坚持"人性利己"的观点。而其与荀子的根本分歧，在于他认为人的利己性不可能通过礼义教育以"化性起伪"，而只有依靠"法"的手段来对付。他说："好利恶害，夫人之所有也"；"喜利畏罪，人莫不然"（《韩非子·难二》）。他在《备内》等篇中，还列举大量事例以论证其"人性利己"的观点。既然人的本性是利己的，一切行为都以是否有利于己为准则，那么任何道德良心、道德价值都被从根本上否定了。因而把人与人之间的关系，无论是夫妇、父子、兄弟、君臣、朋友之间的关系，统统看成是互相利用的利害关系。

在人与人之间最亲近的家庭关系中，韩非子彻底否定儒家所提倡的夫妇互相敬爱和父慈子孝等道德，而将之看成是纯粹的利害关系。其《备内》篇云:"夫妻者,非有骨肉之恩也,爱则亲,不爱则疏。……丈夫年五十而好色未解也,妇人年三十而美色衰矣。以衰美之妇人事好色之丈夫,则身死见疏贱,而子疑不为后,此后妃夫人之所以冀其君之死者也。"《六反》篇云:"父母之于子也,产男则相贺,产女则杀之。此俱出父母之怀袵,然男子受贺,女子杀之者,虑其后便,计之长利也。故父母之于子也,犹用计算之心以相待也,而况无父子之泽乎!"他把社会上"产男则相贺,产女则杀之"的个别现象加以无限夸大,以否定绝大多数父母的爱女之心。在韩非子看来,即使是丈夫与妻妾、父母与子女之间,都是"用计算之心以相待"的关系。

在君民关系上,韩非子反对儒家以民为本的"爱民"之说,而认为君主统治人民为的就是要民为自己"尽死力"。其《六反》篇指出:"明主"对民"不养恩爱之心,而增威严之势";"君上之于民也,有难则用其死,平安则尽其力"。在君臣之间,韩非子认为完全是"官爵"与"死力"的买卖关系。其《难一》篇云:"臣尽死力以与君市,君垂爵禄以与臣市,君臣之际,非父子之亲也,计数之所出也。"韩非子还把人的利欲看成动物的本能,把君臣之间的关系,看成是人役使禽兽的关系。正如其《内储说上》所谓君视臣"犹兽鹿也,惟荐草而就"。这是何等露骨的兽欲论! 这种极端利己主义的人性论,是他非道德主义的法治学说的立论基础。

其次,在方法论上,儒家的"执两用中"法则认为事物矛盾着的双方是相反相成的辩证统一关系,而法家的"矛盾"观点则认为矛盾双方之间只有互相排斥的对立关系而没有统一的关系。例如以"忠"与"孝"的关系而言,儒家从道德的高度着眼,认为两者是统一的:凡当官在职者能够尽职尽忠,就是为祖先父母赢得了荣誉;假若贪赃枉法而败坏道德,就是使祖先父母蒙受了污辱,这是从"忠"

的行为中体现了"孝"的品德。若以庶民而言,能够孝顺父母,就是尽到了社会的责任而有助于风化,这是在"孝"的行为中体现了"忠"的品德。而法家光从功利的立场出发,认为"忠"与"孝"之间存在着不可调和的矛盾。对此,韩非子列举了许多事例加以论证。诸如:像"其父窃羊而谒之吏"那样的直躬者,因为其"直于君而曲于父"而受到处决,说明"君之直臣,父之暴子也"。而像为了养父而"三战三北"的鲁人,则是"父之孝子,君之背臣也"(《韩非子·五蠹》)。所以韩非子认为"忠"与"孝"之间是不可能调和的。又如以公利与私利的关系而言,儒家认为只要合乎"义"的原则去求"利",那么"公"与"私"之间完全可以统一的;而法家韩非子则认为"公私之相背也","私行立而公利灭矣"(《韩非子·五蠹》),公利与私利之间是互不相容的。矛盾双方之间非此即彼、互不相容的观点,是法家在方法论上的基本原则。

法家从功利主义立场和方法论上的矛盾观点出发,不仅反对儒家的道德教化,而且反对儒家兼重两端的中道,采取了偏重一端而放弃另一端的极端主义的处理办法。这一倾向主要体现在如下几方面。

其一,在政治上,反对儒家"德主刑辅"的施政原则而主张一于"法治"。韩非子主张摒除仁义教化,用严刑峻法以治民,用权术手段以驭臣,用强大武力以征服天下。韩非子认定人性利己,既不要扩充人心之"善端"以启发内心之自觉,也不必"化性起伪"以改造人性,而只要求人民能在严刑重赏之下驯服地任统治者驱使就行。其《五蠹》篇谓"民者固服于势,寡能怀于义","骄于爱而听于威",所以不能同他们讲仁义道德,而只能"峭其法而严其刑","使民畏之"。故其《奸劫弑臣》篇云:"夫严刑者,民之所畏也;重罚者,民之所恶也。故圣人陈其所畏以禁其邪,设其所恶以防其奸,是以国安而暴乱不起。"就是说,对人民必须实行暴力镇压!韩非子还认为,君主对于臣民,除了压服和利用,决无相互信任之可能。故《显学》篇云:"圣人之治国,不恃人之为吾善也,而用其不得为非也。恃人之为善也,境内不什数;用人不得为非,一国可使齐。为治者用众而舍寡,故不务德而务法。"可见韩非子的法治,完全取消了积极方面的"劝善",而仅限于消极方面禁人不敢为非而已。故在《五蠹》篇提出:"故明主之国,无书简之文,以法为教;无先王之语,以吏为师。"可以取消一切文化典籍,而一以法律条文是从。

其二,在人伦方面,韩非子提出:"臣事君,子事父,妻事夫,三者顺则天下治,三者逆则天下乱。此天下之常道也。"(《韩非子·忠孝》)这完全从专制主义立场出发,否定儒家关于夫妇、父子、君臣等双方之间基本对等的关系,而从理论上断定了君、父、夫对于臣、子、妻的绝对统治权利,显然是后世"三纲"说之所自出。在父子关系上,如秦始皇赐长子扶苏死,就说:"扶苏为人子不孝。"蒙恬让扶苏再请示一下,扶苏说:"父而赐子死,尚安复请!"(《史记·李斯传》)这就是"父要子亡,不得不亡"。至于笞打之类的刑罚,则是一贯的家法。《吕氏春秋·荡兵》谓:"家无怒笞,则竖子婴儿之过也立见。"这种父母对子女的绝对权威,流毒极其深远。尤其在君主与臣民的关系上,韩非子在全面继承前期法家法、术、势的统治术的基础之上,又兼取了其他诸家中对于法治有利的观点,形成了以高压为手段的专制独裁统治体系。首先,吸取了墨子"凡国之万民上同于天子,而不敢卜比"的"尚同"之说,主张以君主一人的思想来统一天下万民之思想。其次,又发展了老子的"无为而无不为"的所谓"君人南面之术",在《主道》篇提出了"明君无为于上,群臣竦惧乎下","有功则君有其贤,有过则臣任其罪"的极端独裁的权谋统治。这显然是后世"天王圣明,臣罪当诛"说法之所自出。再次,又从荀子的"性恶论"出发,进而把一切人都说成是要与君主争夺权位的坏人,所以奉告君主要专断自信,不要相信任何人:"人主之患在于信人,信人则制于人。"对官吏只能控制利用,绝不能信任依靠。其结果就使君主作茧自缚,变成一个孤立的"寡人"或"独夫"。于是,他从"防奸"的心理出发,把君主的权势、法术、严刑、重罚等作为重要的统治工具,用冷酷的手法来镇压人民、驾驭群臣和防备内奸。从而形成了一整套暴力加阴谋的绝对专制统治体系。这种极端的皇权思想,致使儒家传统中的一些民主思想,诸如孟子的"民贵君轻",荀子的"立君以为民"等进步思想,至此遭受到严重的摧残。从君臣关系而言,韩非子从君主的立场出发,一概摒弃儒家的仁慈、礼让、贤智、廉洁、信义等道德,而唯以权势法术是尚,主张"尊主卑臣",集一切权力在君主一人之手以实现君主专制的中央集权统治。韩非子这种对一切人不加信任的心理和高压的残酷手段,只能加深被统治者对专制统治者之间的阶级仇恨,同时又造成了统治阶级内部的矛盾。秦国之所以能由落后国一跃而为先进国,终于统一天下,固然是商、韩之法的收获;然而仅仅十五年就灭亡,实与韩非子的"极端皇权"和"严而少恩"的思想不能无关。

其三,在社会历史观上,儒家提倡"法先王"以继承优良传统与"因时致治"以适应时代发展两者兼重的"时中"思想;而法家则一概否定文化传统上"今"对于"古"的继承关系,而把"今"和"古"完全看作是互不相容的矛盾。商君提出"圣人不法古"(《商君书·开塞》)的观点,明确主张:"治世不一道,便国不必法古";"各当时而立法,因事而制礼";"苟可以强国,不法其故;苟可以利民,不循其礼"(《商君书·更法》)。他坚持这些变法革新思想,并且付诸实施。韩子更进而反对"法先生"而主张"美当今",强调"因时变法"的重要性。他说:"世异则事异,事异则备变";"欲以先王之政,治当世之民,皆守株之类也"(《韩非子·五蠹》)。于是作出了"法与时转则治,治与世宜则有功"(《韩非子·心度》)的结论。本来,这种因时变法的思想,与儒家的"礼,时为大"的思想有其相通之处,而其区别在于:儒家是在充分继承前人的优良传统的基础上进行革新,要求达到继承和创新之间达到辩证统一;而法家则为了片面追求适应时代而一概否定历史的经验和教训对于制定法律所起的作用和价值,从而在理论上趋向了极端。

观此,法家的学说,显然是一种提倡暴力统治的君主专制主义的学说。它在政治上片面崇尚法治而否定德治,在人伦上提倡君、父、夫对于臣、子、妻的绝对权威,在历史发展观上片面追求创新而否定继承等等,皆足以说明法家学说乃是一种背离中道而趋向极端的理论。这种学说,在短时期内确实能收到富国强兵的实效,也有利于促进中央集权的统一国家之建立。但是,他们的严刑苛法的政治高压手段,是违背民心的,容易导致社会矛盾的激化;而他们的君主绝对专制主义,又助长了"独夫之心,日益骄固",虽然犯了错误,亦无人敢予纠正。所以,法家的学说,不利于维护统治阶级的长远利益,不利于社会的长期安定,也不利于发挥人民的主动性和创造性,因而阻碍了社会的发展。其优劣得失,可以在秦之兴亡中取得验证。据此而论,法家的学说乃是一种只追求眼前成效而趋于极端的偏激理论,与儒家从可持续性发展的长远利益出发而且合乎天理人情的中庸之道是完全不同的系统。然而,由于法家学说有利于君主的专制统治,因而被汉儒吸取到儒家学说之中,而成为业已变质的"外儒内法"的所谓"儒学"。"五四"时期所批判的实际上就是这种变质的"儒学",而与先秦的儒学大相径庭,现在有必要将其加以辨析,才有利于批判地继承。

法家所谓的"法治"与现代法治的根本区别在于:现代法治是

建立在民主体制之上的；而法家所谓的"法治"则仅仅是操纵在专制统治者手中的一种"刑治"而已。这是两者的本质区别。

法家从"人性恶"的观点出发，把一切社会关系，都看作是交相利用、冷酷无情的争夺关系，而否认其间的纯真感情和道德性。这显然是既违背人的正常心理，也不利于家庭之间和人民之间的友好团结。在十年浩劫时期的所谓"评法批儒"运动中，搞得全社会人人互相猜忌，人人危惧，盖非偶然。据史籍所载，韩非子系受同学李斯所忌而被陷害致死；而李斯后来又被共事的赵高诬陷致死。这种恶性循环的相报，不能不说是由于他们信奉"性恶论"和极端利己主义理论所导致的自食其果。而在孔门众弟子中，尽管在学术观点上也有争论，但从未听说曾有互相陷害之事。这一优良传统一直为尊崇孔孟的真儒所继承。诸如南宋大儒朱、陆之间及其与事功学派之间的学术争论，不可谓不激烈，但他们仍然能够保持朋友之谊；又如明代阳明后学各派之间，学术争论也很剧烈，但也仍能保持同门之谊。这种只争学术观点之是非而不影响友情的优良传统，确实应归功于孔孟崇尚道德的遗风。若与法家同门相残的恶习相比，其优劣自见。

春秋战国时代的诸子百家，就其某一方面而言，都有其独到之处。例如：墨家的艰苦利人精神，道家的反复倚伏之说，法家的信赏必罚思想等等，莫不对中国的传统文化注入了可贵的新血液。然而，求其在现实社会中的可行性，则百家之学就远远不及孔学的合乎中庸之道的"仁"的学说了。这也就是几千年来儒学得以独尊于世、盛行不衰的最根本的原因。

四、儒、释人伦观异同

佛教源自印度，以消极出世为宗旨，其于君臣、父子、夫妇、兄弟之伦,皆所割舍,本也无所谓人伦。但在进入中国后,为了适应中国素重伦理的习俗,乃作了根本性改造,演变而为重人伦,才得与儒、道相抗衡,而以"三教"并行于世,因而在伦理思想上也有其一定的影响。

佛教的创始者释迦牟尼,继承了印度传统的"因果报应"、"生死轮回"的观点,把人生之苦说得无以复加,要人厌恶人世,故佛教修行,以涅槃为终极目的。所谓"涅槃",译义为灭、圆寂、解脱等,实际只是死的化名。希望死后解脱轮回之苦,达到浑槃,永远无为和安乐,才是无限圆满、无限美妙的境界。故释氏说教的宗旨就是蔑视人生,蔑视现实,要求人们抛弃现实的一切,追求虚幻的涅槃及来生。因此,佛教传入中国之初便与中国文化相抵触。

首先,佛教思想与中国传统的文化思想正好相反。《易传·系辞》曰,"天地之大德曰生",而佛教以涅槃为无上妙境,等于说"天地之大德曰死"。《易传·系辞》又曰:"富有之谓大业,日新之谓盛德,生生之谓易。"人之所以为人,因为能够进行劳动生产以推动社会不断前进,使社会富有日新,并且生生不息,才是发展的气象;而佛教提倡不事生产,大批僧众不耕而食,不织而衣,过着寄生生活,等待涅槃。其后果正如唐代傅奕所谓"入家破家,入国破国",也可以说入族灭族。

其次,在伦理观念上,儒佛双方存在着根本的矛盾。儒家最重视家庭关系,而佛教宣扬人世是火海,人身是毒器,死可爱,生可恶,所以最重出家,俗尘爱网,一割两断,僧徒不婚配不生子,辞别父母,不愿再见,即使相见,也要父母对子礼拜,子拜父母便犯戒律,堕入轮回。特别是对父母的关系上,儒家认为孝是"至德要道,百行之首"。而佛教却别有说法:"识体轮回,六趣无非父母;生死变易,三界孰辨怨亲?"又说:"无明覆慧眼,来往生死中,往来多所作,更互为父子,怨数为知识,知识数为怨。是以沙门均庶类于天属,等禽气于己亲,行普正之心,等普亲之意。"按照这种怪说,当前的禽兽虫蚁,前生可能是自己的父母;现在的父母,来世可能是自己的子孙。所以孝父母是无意义的事。这与儒家"孝悌为仁之本"的伦理学说如水火之不能相容。对此,儒家和受儒学影响的人是绝对不能容忍的。而且,儒学有两个要点:一是辨别华夷,二是强调忠孝。这两点,佛教在答辩上想说出理由是很困难的。而中国统治者在国为君,在家为父,臣子服从君父,是维持专制统治秩序的根本所在。儒家坚执这两点,所以任何佞佛的帝王也不能彻底废儒。这对佛教的发展非常不利。然而,佛教从汉代传入中国后,影响一直在扩大,其原因主要有如下几点。

其一,它有一整套廉价的因果报应的说法,使人尽坠其术中。据佛经《婆沙论》所记,佛教大乘首领大天,是商人之子,其父远出经商,久不归家,大天长大,与母通奸。后其父回家,大天设计杀父,与母同逃。遇见曾经供养过的罗汉,恐被告发,又设计杀罗汉。后来母又与别人私通,大天发怒杀母。大天自知有罪,听说佛教有灭罪法,乃出家受戒,即行免罪,还做了大乘教的首领。编造这个故事的用意,在于招揽一切罪大恶极之人,只要皈依佛门,即可免罪得福。又据《佛说盂兰盆经》载,目连之母由于没有将饭施舍游僧,因而得罪了佛,死后便成饿鬼。目连用天眼通望见其状,即以钵盛饭,往饷其母。母送饭到口边,化成火炭,不得入口。目连悲泣,请佛指教。佛谓尔母罪孽深重,谁也无法救她,只有每年七月十五日准备最好的饭菜果品供养十方众僧,可以立即解脱苦海。目连照法施食,其母即日得脱饿鬼之苦。编造这个故事的用意是明显的:对僧不给施舍,就要遭受饿鬼之苦;给予施舍,即可脱离苦海。这样来骗取愚昧者不吝施舍,这就是佛门的生存之法。

　　其二，在伦理方面，佛徒自知弱点所在，不得不向儒家让步，放弃佛教本义，改而大谈孝道。于是强调《智度论》所说，净饭王死，佛亲自执绳床一脚，舁尸体到火葬场，表示一切众生应该报生养之恩。法琳《辨正论》极力表扬释迦舁父尸是孝子，谓"孝敬表仪，兹亦备矣"，唯恐受不孝的责备。唐宗密作《佛说盂兰盆经疏》，序谓"始于混沌，塞乎天地，通人神，贯贵贱，儒释皆宗之，其唯孝道矣"。这些话虽出于佛徒之口，可以说与儒生无甚区别。不过佛徒行孝的方法与儒生不同。宗密说："应孝子之恳诚，救二亲之苦厄，酬昊天恩德，其唯盂兰盆之教焉。"归根还是荒唐的因果报应。

　　因此，佛教在流传中有一种伦理道德儒家化的倾向，主要表现在：一、僧人在翻译佛经时采用选、删、节、增的手法，使译文尽量符合中国儒家伦理道德，比如对长阿含部的《善生东方礼经》的翻译就尽量儒学化、家庭伦理化。二、僧徒拼命抬高那些报父母之恩的佛经，像《盂兰盆经》、《佛说孝子经》等。三、中国的佛教徒还编撰大量阐述孝亲观的论著。如三国时期康僧会的《六度集经》，北宋宗晓的《苇江集》，最著名的还是北宋契嵩的《孝论》十二篇，它是中国佛教中关于孝论的最系统、最全面的论述。《孝论》说："夫孝，诸教皆尊之，而佛教殊尊也。"智旭是明代的四大圣僧之一，他的《灵峰宗论》收集了《孝闻说》、《广孝序》、《题至孝回春传》等论孝的文章，并强调"孝名为戒"。四、某些禅僧想从孝道取得声誉，居然出现以孝得名的和尚。如希运禅师的弟子道纵，俗姓陈，织卖蒲鞋养母，时人号为"陈蒲鞋"。又如道丕乞食养母，与母匿岩穴中避乱。他立志为孝子，到战场认亡父遗骸，负骨归家，因而孝声大增。

　　自从佛徒制造出不少讲孝的佛经，强调孝是成佛的根本，而且实行三年之丧，儒佛对孝的分歧，至少形式上得到一致。而中国孝文化对佛教的文学、绘画、音乐、雕塑等方面也产生了很大的影响，流行于晚唐的《父母恩重经变文》,敦煌歌辞中的《孝顺乐》、《十恩德》等皆大倡孝道的重要。

此外,佛教认为人在前生都是有大小不等的罪过,这实际是性恶论,和儒家正统派"人皆可以为尧舜"的性善论正相矛盾。禅宗南宗改为性善论,以为狗子也有佛性,人人可以成佛,在人性的基本问题上也与儒家一致了。

由于佛教徒不敢用天竺异说反对孝道,儒生才有调和的借口。唐柳河东《送僧澔归淮南序》云:"金仙氏(佛)之道,盖本于孝敬而后积以众德,归于空无。"又《送如海弟子浩初序》云:"吾之所取者与《易》、《论语》合。……退之(韩愈)所罪者其迹也。曰髡而缁,无夫妇、父子,不为耕农蚕桑,若是,虽吾亦不乐也。"又《送元暠序》云:"释之书有大报恩七篇,咸言由孝而极其业,世之荡诞慢讹者,虽为其道而好违其书,于元暠师,吾见其不违,且与儒合也。"柳氏主张调和儒释,其根据是佛教也重孝敬以及与《易》、《论语》合。即如攻佛最坚决的韩昌黎,在潮州与大颠禅师往来,认为"颇聪明识道理"。所谓道理,当然是儒家的道理,佛徒谈儒道,自然是颇为聪明。

儒、佛虽然伦理观念不同,但佛教却能接受并融合儒家的家庭伦理思想,所以也就逐渐演变成为中国三大主流文化之一。从佛教汉化过程中的孝化内容,正可以看出孝在中国文化史上的重要性和影响的广泛性。

五、中、西人伦观异同

西方的许多伦理思想大都发源于古希腊罗马时期。当时,伦理学家们大多围绕着"人应当如何成为一个肉体和心灵和谐统一的人"这样一个中心问题,阐述自己的伦理思想。由于对这个中心问题的不同回答,形成了理性主义和感性主义两个各趋极端的互相对立的伦理思想流派。

理性主义伦理思想流派的鼻祖苏格拉底,率先在道德领域内自觉地确立了理性精神。他把人的道德本性直接建立在人的认知本性的基础之上,认为理性是一种普遍的永恒的善,独立于人的道德行为,是道德的本源。人生的目的,就在于追求这种普遍的永恒的善。他提出了"德性即知识"的著名命题,认为一个人只有凭借知识才能成为一个有道德的人。他在强调理性知识对于伦理德性具有决定作用的同时,完全把人的情感欲望和物质利益从道德中排除出去,要求人们只应关心自己的心灵纯洁,不要追求财富和荣誉等身外之物,因为这些对道德不仅无益,而且有害。只有那些善于节制情感欲望的聪明、正直、勇敢的人才会幸福。归根结底,只有知识才能支配感情,才是道德活动的终极主宰。显然,苏格拉底伦理观的道德理性精神主要就表现在:他认为只有理性知识才是导致善的行为的根本原因,感性情感则是导致恶的行为的根本原因;所以,只有理性的知识才是人的灵魂中最优越、最富于神性的部分,应该在道德领域内占据统治地位,甚至应该主宰和压抑感性的情感。这样,在道德理性精神的主导下,他就极大地凸显了理性知识与感性情感之间的对立冲突,认为道德实践所依据的"理",只能够存在于认知活动之中而不可能存在于情感活动之中,把一切伦理德性仅仅归结为理性的知识,主张只有知识才是幸福的源泉,无知则是不幸的源泉;宣称受到肉体情欲支配、不能自制的人就是蠢笨的畜牲,甚至认为情感意志这些感性的因素在道德领域内只能具有消极否定的负面意义。苏格拉底将道德理性建立在认知理性基础之上的根本精神,构成了西方哲学道德理性精神的根本特征。

柏拉图继承和发展了苏格拉底的伦理思想。他认为"理念"是一种客观独立存在的精神实体,现实世界的万事万物都是由理念派生出来的。他把德性分为三种:智慧、勇敢和节制。一个人只要用理性协调自己灵魂的各部分,就能达到善的理念,便是有智慧;就能为达到理念的善而奋斗,便是有勇敢;就能按智慧的指导,控制自己的情欲,便是有节制。这三种品德的和谐统一,就表现为"公正"。他认为,只有理性和知识才是有价值的真正的善,而那些物质生活和肉体感官享乐都没有价值,不过是精神的监狱和桎梏。因此,人只有"节制"自己肉体感官的欲念,追求那些神秘的理念,用它来主宰自己,才能成为一个有价值的人,他的人生才有意义。

集古希腊伦理思想之大成的亚里士多德认为,人要实现自己的特殊本质,就要求坚持"唯理的态度"。人生的目的是追求至善,也就是爱护和满足灵魂之中的理性部分,怀着高尚的动机,从事高尚的事业。他把德性分为两类:一类是理智的德性,一类是道德的德性。前者以知识、智慧的形式表现出来,后者以制约情感和欲望的习惯表现出来。人要达到至善,就必须把理智的德性与道德的德性二者结合起来。但是他又认为,决定人的价值的是理智的德性。这种理性主义伦理思想,代表了西方哲学发展的主流方向,并且对西方文化传统产生了深远的影响。

欧洲中世纪时期,著名的经院哲学家托马斯·阿奎那继承理性主义伦理思想,着重探讨了所谓"至善"问题。他认为,从客观方面说,至善就是上帝;从主观方面说,人的至善就是在认识上帝的过程中实现自己。世俗的个人的物质生活和肉体快乐虽然不能抹杀,然而这不是最大的幸福,不是人应当追求的目标,不是最高的善;最大的幸福、最高的目标、最高的善是对上帝的追求。并认为若要把社会治理好,必须要求个人"关心公共福利"。谁若是不关心公共福利而只追求个人私利,那就是"不正义";反之,就是"正义"。在这种意义上,所谓善也就是"公共利益"。并进而认为,人类达到幸福的最可靠和最迅速的道路,是完全放弃现实生活的物质财富,而去寻求"永恒"的生活,诸如清贫、独身、顺从之类,亦即实行禁欲主义。只有这样,才能使灵魂摆脱肉休的束缚,达到忘我的纯净的境界,即与上帝接近的境界。

与此相反,感性主义伦理思想流派的代表德谟克利特则认为,人之作为人,是具有感情的,人性不仅遵循"逻各斯",而且富于同情心。他认为,人生的目的是追求幸福。因为人的本性都是趋乐避苦的,所以凡是引起人们痛苦的东西就是有害的,引起人们快乐的东西就是有利的。这种有利或有害就是判断人们行为应该与否的标准。他主张把肉体的快乐和精神的快乐结合起来,从而达到真正的幸福。

伊壁鸠鲁继承和发展了德谟克利特的感性主义伦理思想,认为人生的目的就是追求快乐,快乐就是至善。他还强调人应当放弃可能带来更大痛苦的快乐,忍受可能带来更大快乐的痛苦。快乐主义的基本特征就是从人的自然本性出发,认为道德就是使人得到快乐,善就是对自然本性的顺应。

欧洲文艺复兴时期,人道主义者为了反对教会和宗教神学,直接继承感性主义派的伦理思想,进而认为人是自然属性,一切符合人的感官享乐的就是道德,反之就是不道德。他们提倡利己主义,号召人们去追求现实的物质利益,旗帜鲜明地反对禁欲主义,鼓吹享乐的合理性。

英国哲学家休谟曾经试图根本否定道德理性,因而针对苏格拉底以来的西方哲学强调理性高于情感的观点明确指出:既然旨在获得真理知识的理性对于人们的情感和行为没有什么影响,那么,道德原则就不可能由理性得来;因此,道德活动的理由根据不是理性,而是情感,也就是那种具有普遍可传达性的"同情"①。

德国激进的资产阶级民主派思想家费尔巴哈认为,人的本质就是使人能够维持生命的一切本能需要的总和,人的本质决定人是利己的,利己主义根植于人的新陈代谢之中,与人的生命共存亡。但是,人不能孤立地单独地生存,只有在人与人的关系中才能生存,才能实现自己的感性欲望和本能需要。所以,人的本能包含在人与人之间的统一之中。所谓道德,就是从这种人与人的关系中引申出来的。他认为,道德立足的自然基础是人对生命的爱,是对幸福的追求,是个人利益,亦即"利己主义"。他主张反对损人利己的利己主义,而拥护同爱结合的利己主义。他自称这是"合理的利己主义"。

西方感性主义伦理思想把人的需要归结为感官的享受和情感的快乐,把道德仅仅看成是满足这些需要的手段,而没有认识到道德本身也是人的一种需要而且是更高的需要,没有意识到道德的独立意义和价值。这种道德观的长处在于充分肯定了人的感情欲求和谋取个人利益的合理性,充分肯定了道德的功利作用;其短处在于过分强调个人利益,把个人利益看得高于一切,而且没有注意区分怎样谋求利益是合理的,怎样谋求利益是不合理的。这就造成了西方近代社会个人主义泛滥、人际关系冷漠和精神生活空虚的弊端。

由是观之,西方历史上流行的理性主义和感性主义两大派伦

---

① 参见休谟:《人性论》,商务印书馆 1994 年版,第 451、497—498、628、661—662 页。

理思想,是两种互相对立并各趋极端的伦理思想。它们共同的特点是把人的理性与感情割裂开来,特别强调二者在道德领域内的张力冲突,形成非此即彼之势,故影响所及,或流为中世纪所提倡的禁欲主义,或流为近现代所泛滥的以个人为中心的纵欲主义。相比之下,它们与中国儒家的以情理统一为特色的伦理思想大异其趣。

中国儒家的创始人孔子是个很重感情的人。《论语·述而》载:"子食于有丧者之侧,未尝饱也。""子于是日哭,则不歌。"可是,他反对放纵感性的欲望,对待感情的控制总是非常理智,尽量使之合"礼"。《论语·季氏》记孔子曰:"君子有九思:视思明,听思聪,色思温,貌思恭,言思忠,事思敬,疑思问,忿思难,见得思义。"他要求人们对自己的一言一行、一举一动,乃至喜怒哀乐的流露,都要经过理性的思考,做到无过无不及而适得情理之宜。

孔子强调的一系列旨在节制感性欲望的道德规范,诸如孝、慈、友、悌、仁、爱、忠、亲等等,无一不具有十分浓郁的情感内涵。也正由于孔子的伦理观本来就包含着丰富的感性情感意蕴,因而他并没有把食色之类的感性欲望视为万恶的原罪,也没有呈现出禁欲主义的思想倾向,而是认为伦理道德与感性欲望完全可以保持和谐的统一。《中庸》亦曰:"喜怒哀乐之未发,谓之中;发而皆中节,谓之和。中也者,天下之大本也;和也者,天下之达道也。"儒家要求感情要发而"中节",以达到理性之"和"。

所以,儒家的"爱人"之"仁",系以亲情之"孝"作为根本。孝的本质就在于基于血缘的情感意蕴。孔子之所以特别强调"予也有三年之爱于其父母乎",正是为了凸显三年之丧并非迫不得已地外在遵守礼法,而是应该充满内心情感地居丧守礼。在孔子看来,孝的动力就在于内心情感体验的安适和悦。他之所以特别强调"夫君子之居丧，食旨不甘，闻乐不乐，居处不安，故不为也"，正是为了凸显"短丧"从根本上违背了亲子之爱，不能使君子的内心亲情处于安适和悦的状态，因而属于"不仁"，所以君子"不为"。正是从这种依据血缘情理对于"孝"的正当合理的有力论证出发，孔子就凭借以"孝"释"仁"、以"仁"释"礼"的做法，把血缘亲情看成是判定一切行为是否可行（"为"或"不为"）的理由根据，把内心安适看成是一切行为是否合理（"安"或"不安"）的基本原则，从而确立了"合情"即"合理"、"心安"即"理得"的情理统一的伦理思想。

显然，孔子伦理观主张以"孝"作为本根，把血缘亲情的安适和悦看成是从事各种行为的理由根据和基本原则，依据具有丰富情感意蕴的"血缘情理"来主导规范个体的感性欲望，通过"克己复礼"的途径，达到"仁者爱人"、"天下归仁"的道德理想。这样，就达到了情与理的高度统一。

综上所述，西方古代伦理观的主要特色在于情与理的分裂，或趋向肯定理而否定情的理性主义，或趋向肯定情而否定理的感性主义，两派互相对立。影响所及，理性主义又流为中世纪的禁欲主义，感性主义流为近现代以个人为中心的纵欲主义。而中国处于主导地位的儒家伦理思想，则以情与理的高度统一为主要特色，形成了中华民族所特有的情理合一的伦理观。诚然，宋明理学家所提倡的所谓"存天理，灭人欲"的观点也曾把"理"与"欲"对立起来，导致了禁欲主义的消极影响，但这并非先秦儒家的伦理思想。现在，我们既要继续批判宋明理学所残存的禁欲主义观念，也要坚决抵制西方泊来的以个人为中心的纵欲主义思潮，而是应该弘扬先秦儒家所提倡的较为合理的情理高度统一的伦理思想，以期建立起一种既适应现代文明而又适得情理之宜的伦理思想体系。

第三节 儒家人伦思想的现代意义

研究儒家人伦思想,归根到底是为了给建设现代文明的事业提供借鉴。然而如何把儒家人伦思想与现代文明联系起来呢? 有学者提出"时代在呼唤着新的孔子",于是偶尔想到模仿一下科举时代作八股文时"代圣贤立言"的遗意,试作一个假设:如果孔子出生在现代,面对目前的人类问题,按照他的思路,会提出怎么一个整治的方案呢? 笔者试着顺着他的思路作一些探索。

一、儒学与现代文明

春秋末期,孔子面对人类文明建设这一全局性问题,从宏观方面提出了庶、富、教三个层次。"庶"属于人口建设;"富"属于物质文明建设,"教"属于精神文明建设。孔子以人口建设作为三个层次的根本,正说明他的学说是以"人"为本而立论的。如果除去人口建设这一层,那么后两层的建设就变得毫无意义了。其实,孔子这套人类文明建设的方案也适用于现代。

有人说,"庶"的语义含有发展人口的意向,岂非与现代控制人口的政策矛盾? 鄙意窃谓,作为至圣的孔子,既然能在人口缺少的时代提出发展人口的观点,当然也会在人口过多的时代提出控制人口的主张。这可以根据他所说的"过犹不及"的原则作出断言。因为人口建设的基本问题在于适当的比例,人口的过多或缺少都不利于人类文明的发展,而"戒过、勉不及"乃是儒家方法论中庸之道的基本原则,所以孔子假若出生于现代,作为先觉之资,必将率先提出控制人口的主张。当然，人口建设除了追求合理的数量而外，还有提高人口素质的问题，包括生理素质、心理素质、道德素质、文化素质等。而这些，又有赖于通过物质文明建设和精神文明建设去一起完成了。

关于物质文明建设，其先务当然是发展经济。在发展经济方面，孔子乃至历代儒家曾提出过不少切实可行的方案。其中最具原则性的，当数孔子所提出的"因民之所利而利之"和"节用而爱人"两条。前者意在开源，后者意在节流，两者的统一就概括了发展经济的宏观策略。"因民之所利而利之"的重要意义，在于表明发展经济必须遵循经济的客观规律；"节用而爱人"的具体措施在于"敛从其薄"，实际上体现了藏富于民之意。

因为人口建设和物质文明建设两项不属于本书讨论的范围，故此表过不提。

至于精神文明建设这一层，主要包括道德教育和知识教育两个方面。对此，先秦儒家以及宋代的程朱理学都是两者并重的。孔子曰："博学于文，约之以礼。"《中庸》曰："尊德性而道问学。""文"和"问学"属于知识修养，"礼"和"德性"属于道德修养。而《大学》则以格物、致知为知识修养，诚意、正心为道德修养。程子又将其概括为"涵养须用敬，进学在致知"。可见两者之既不宜偏重，更不可偏废。而本书所探讨的"人伦"教化，又是在道德教育和知识教育兼备的基础上展开的。

"人伦"是人与人之间的关系与秩序，其作用在于追求人际关系的协调和谐。儒家学说就其实际功能而言，不妨看作是处理各种关系的学问。"仁"是孔子处理人际关系的核心思想，"仁"所强调的是对不平等的现实人际关系的超越，是深层次的人与人之间的对等互爱。孔子仁学预设了被爱的一方的心灵是健康的，是可以被爱所感动的,因此施爱的一方的爱是有所回报的。这种爱对爱的回报便形成一种爱的良性互动,从而造成人与人之间的生命契合。达于生命契合的人际关系,便会超越对尊卑名分的计较,从而形成心心相印的生命融合。孔子教导我们,实现这种生命融合必须从自己身边最切近的家庭关系做起,至于家族之外,我们只能够同那些与我们生命有某些机缘的人实现融合,这些人便是构成我们日常五伦关系之一伦的"朋友"。

儒家关于人伦教化方面的德目很少,就其原则性而言,其中"忠恕之道"与"和而不同"两条显得尤其重要。

儒家着重提出了"忠恕"二字作为待人接物的纲领。"忠"是诚实的素质,"恕"是推己及人的原则。"忠恕"是儒家所主张的处理人我关系的道德准则。在与人交往时,若能设身处地替别人想想;反过来,你也希望别人设身处地替你想想。于是理性就推出了道德,因而就可称之为"道德律",好像数学定理一样结实。所以,"忠恕"确实可以作为处理人际关系的普遍原则,可谓是处理人际关系的黄金法则,具有超越阶级、超超时代、超越国界的价值和意义,无论家人之间、朋友之间、上下级之间乃至广大普通人之间皆所适用。即如父子之间,如果我希望子女能孝顺于我,那我就应该率先做到孝顺父母;如果我希望朋友对我讲信用,那我就应该先做到对朋友讲信用;如此等等,可以类推。弘扬忠恕之道,对于增进人与人之间的互相信任和理解,改善人际关系,营造和谐的社会生活环境,都具有不可替代的重要作用。一个人只要能以"忠恕"存心,人际关系就能达到协调和谐。忠恕之道既是传统美德,又是时代风尚,尤为世界各国各民族所共同强调。

忠恕之道的积极方面是孔子所提出的"己欲立而立人,己欲达而达人",简括而言就是"己所欲,施于人",即自己希望达到和实现的,也希望别人达到和实现。这是一种很高尚的品德。自己想成为有修养的君子,也乐于别人是这样的君子;自己想在事业上有成就,也希望别人同样有成就;自己生活得好,也愿意别人生活得更好。这种态度是以仁爱之心、公正之心和宽阔无私的胸怀为底蕴的。倘若心胸狭隘、自私自利,那么一看到别人好了,心里就会不舒服,更不容忍别人超过自己。这种人往往嫉贤妒能,甚至搞阴谋、耍手腕,千方百计把别人踩下去,把自己突出出来。结果不仅有害于人际关系,而且也把自己搞孤立了。而真正的君子风度是:"君子己善,亦乐人之善也;己能,亦乐人之能也。"(《大戴礼记·曾子立事》)其实,只有抱着这样的胸怀去与人竞争,才是互助互利、和衷共济、共同进步的正常的竞争。在现代的商品社会中,尤其需要这种真正有益于推动社会发展的正常性竞争。

诚然,能够达到时刻以"立人"、"达人"为己任这种精神境界的人是为数不多的。于是,孔子换了个角度,从消极方面提出了一个人人都不难做到的准则:"己所不欲,勿施于人。"即自己不喜欢、不愿意的事,也不要强加给别人。《大学》把忠恕之道称为"絜矩之道"。《中庸》亦云:"施诸己而不愿,亦勿施于人。"孟子则曰:"反身而诚,乐莫大焉;强恕而行,求仁莫近焉。"(《孟子·尽心上》)"诚"也就是"忠"。孟子认为,按"忠恕"这个原则做去,乃是实现"仁"的最切近的途径。所以他说:"仁者爱人。"(《孟子·离娄下》)并认为能做到"爱人",就可以收到"爱人者人恒爱之"(同上)的回报。孙中山先生继承这一思想,把仁爱看作是中国的好道德,认为把仁爱恢复起来,再去发扬光大,便是中国固有的精神。仁爱学说成为中国传统美德的核心,成为中国人民处理人际关系和国际关系的基本准则。

"己所不欲,勿施于人"这一道理,人情入理,何等浅显朴实,又何等深刻不凡! 我不希望别人侮辱我,那我就应该去尊重别人;我不希望有人欺骗我,那我就应该以诚信待人;我不希望别人爽约失信,那我就应该重诺守信,如此等等。以此胸怀处世,人生处境焉能不和谐? 人人都依此而行,人际关系焉能不协调!

　　然而值得注意的是,"忠恕"决非无原则的原谅和迁就。诸如对于某些损人利己、伤天害理、祸国殃民的劣迹恶行,如果不谴责,不斗争,却"将心比心"地予以姑息和包庇,那就正如朱子所说:"今人只为不理会忠,只徒为恕,其弊只是姑息。"(《朱子语类》卷四二)假若姑息容奸,那就决非"忠恕",而是陷入孔子所谓"德之贼"的"乡愿"了。

　　然而,实行忠恕之道的同时,还必须济以"和而不同"。这是因为,作为人性,既有其普遍性,又有其特殊性。比喻说,饥而思食,寒而思衣,这是每个人都相同的,所以可从我之饥而思食推知别人也饥而思食;但是喜欢吃什么或需要吃多少,各人就不同了,不能从我爱吃萝卜推知别人也爱吃萝卜,不能从我吃一碗而饱推知别人也吃一碗而饱。这就要用"和而不同"的原则来求同存异了。如果自己爱吃萝卜而硬要别人也吃萝卜,那就是将自己的意志强加于人,而决非推己及人的忠恕之道。"和而不同"既承认多样性与差异性,又主张彼此尊重、和谐共处,其中包含了较多的人权意识和民主精神,它与专制主义、斗争哲学是不相容的。所以,"和而不同"也是处理现代人际关系的普遍原则,在任何人际关系之间皆所适用。

　　因此,在人与人之间,只有在"同"的方面能做到以"忠恕之道"推己及人,在"异"的方面能做到以"和而不同"来求同存异,这样才能合乎中庸之道的准则,关系才能达到协调和谐之境。而且,这两条原则都是超越时代的,既适用于古代,更适用于现代。

　　在现代社会中,所谓"五伦"关系并未发生本质的变化,只是某些在概念阐释上需要略做调整。儒家伦理是天理、人情、国法三者相结合的，从天理下贯下来，国法不外乎人情，人情不违背天理。在今天，我们也应该进一步处理好三者间的关系。

二、现代人伦的失和现象

中国进入现代以来，在人伦教化方面一直未能达到协调和谐的状态。如果按照孔子中庸之道的思路，其所以失"和"，根本原因还在于失"中"。有"中"然后能"和"，所以，要达到人伦之"和"，必须克服两种失"中"的偏向：一种是专制时代残存的"三纲"观念，一种是西方舶来的个人主义观念。

孔子创建的儒学及其人伦思想，历代以来虽备受尊崇，但由于专制统治的时代局限，儒家不得不把实现理想的希望寄托在圣君和贤臣身上。然而作为世袭的君主以及由君主委任的官吏又难保其必为圣贤，所以在实际施行时就难保其不走样。再则，历代统治者之所以独尊儒术，目的全在于为其专制统治服务，而作为一种学说，不管其本身如何正确，但若一旦被专制统治者所利用时，就难免要产生负面影响。这主要表现为统治者出于加强其专制统治的需要，将儒学中原本合乎中道的成分任意加以改造，使之违背中道而走向了极端。于是，许多合理的内容皆被扭曲殆尽，以致一直未能发挥其应有的积极作用。这使专制时代所形成的某些失中现象至今犹存。其危害最烈者，莫过于"三纲"之说。原始儒家"五伦"中的夫妇、父子、君臣三伦的关系是"夫妇别、父子亲、君臣义"（《大戴礼记·哀公问于孔子》），其间全是合乎中道的对等关系；然而汉儒袭取法家韩非之说而建立的"三纲"说，不仅颠倒了顺序，并将其关系篡改为"君为臣纲，父为子纲，夫为妻纲"的君、父、夫对于臣、子、妇的绝对统治权利。于是乃产生了所谓"君命臣死，不得不死；父令子亡,不得不亡";"饿死事小,失节事大"之类愚忠、愚孝、愚节的极端专制主义的礼教,严重束缚了人的思想。即如对"君"的绝对服从观念,在"文革"时期的个人崇拜思潮中推向了极致。时至今日,某些领导干部中的长官意志和一言堂作风犹有存者,使得民主政治的开展举步维艰。在目前现代文明的建设中,诸如此类历史遗留的失中现象仍在起着消极的作用。

近代的西学东渐,西方的思维方式和生活方式乘势而入。这对许多久已失中的专制陈旧观念起到了矫弊救偏的积极作用,推动了传统文明转向现代文明发展。然而,由于人们未能全面而恰当地把握好分寸,使得许多方面由于矫枉过正而走向了另一极端,从而产生了新的失中现象。

西方的思维喜欢把所有的事物都放在手术台上解剖,对什么都进行量化研究。在这种方式面前,科学主义被推向极端,宇宙间的一切事物都被物理化、化学化、数学化了,都被机械化、孤立化、绝对化了,宇宙成为只是质与能的单位,是物质的机械系统。所以他们所重视的物质,要么是在科学定律支配下的物质元素,要么就是供人类在衣食住行方面享受的金钱财富,而精神世界则在宗教中的上帝、天主那里。这使得形而上与形而下、心灵世界与客观世界之间截然对立脱节,物质与精神之间永远隔着一条鸿沟。在西方人眼里,天下只是有用之天下,而非有情之天下。他们不仅对自然万物缺乏感情,认为无须同情与尊重,而且常常把人当作物,看作是会说话会劳动的工具。这种思维,又助长了个人主义的无限膨胀。于是,以庸俗、浅薄、自私为特征,以功利主义、极端个人主义为核心内容的人生观、价值观便堂而皇之大行其道,最终导致严重的文化危机、价值危机、理想危机和精神危机。这一切,都与西方思维方式所体现的主客二分的世界观有着必然的联系。

在社会现实中,西方人以科学分析的方法看物质,确实引发出许多抽象精密的科学理论和发明创造,使工业社会创造了人所共知的辉煌成就。但是,人类仅仅掌握和运用与物质享受有关的科学技术是不够的,还应该寻求与精神生活有关的高层次的知识与境界。所以,我们不能仅仅发展物质科学,还要运用人类的一切智慧去发展道德科学、精神科学、文化科学和人生科学,提高生命的价值与人生的质量。因为人不仅有肉体生命,有衣食住行方面的需求,也有精神生命和精神方面的追求。否则,高贵的人性就与赤裸裸的兽性无大区别了。而这种人生精神上的追求,就必须从人与人的关系中体现出来,因而人伦教化乃显得特别重要。

西方的个人主义,是一种以个人为中心来对待他人和社会的思想,在西方关于人与社会关系的理论中居主流地位。它是在自由主义权利学说的基础上发展起来的。欧洲中世纪的封建神学以神为中心而贬低人、压制人,使人沦为上帝的附庸和工具。为了反抗神权统治,乃产生了极力歌颂人的伟大、赞美人的价值、强调人的尊严、提倡个性自由的自由主义权利学说,其核心命题是"天赋人权"论和"人人生而平等"的观点。差不多在自由权利学说形成之时,资产阶级个人主义也随之产生了。其主要理论是所谓"人对人是狼"的观点,指出了人具有利己和自私的本性。认为"每个人所盘算的只是他自己的利益",并给个人主义赋予了功利主义的形式,主张利己主义、个人权利和利益至上,除了个人权利与利益之外,根本不存在社会利益,社会只是促进个人权利和自我利益的工具。西方的个人主义不仅仅是一种道德原则,而是一种全面系统的资产阶级思想体系。这种强调以个人为本位和目的、以社会为手段的思想理论已渗透到资本主义经济、政治、文化、法律各种制度之中,与资本主义制度血肉相连,融为一体。

　　不可否认,自由主义的权利学说和资产阶级个人主义在历史上和现实社会中都曾起过积极的作用。在中世纪反封建制度和宗教神学的思想解放运动中,它对唤醒人们的自我意识,大胆追求个人幸福,培育人的独立性和自主性,发挥个人的潜在力量,推动商品经济和科学文化的发展,建立资本主义文明,无疑作出过相当大的贡献。然而到今天,资产阶级个人主义所表现出的"贪婪攫取性"和享乐主义,正在严重地销蚀资本主义社会,使之陷入文化和精神危机之中。由于个人主义的泛滥,个人权利与社会利益、个人自由与社会联系之间的平衡已受到了严重的破坏,导致了"现代性的病症"。由于人人都只关注自己,失去了对社会生活的责任感,社会分裂成无数自我幽闭的原子,相互碰撞而缺乏真正的理解和沟通,社会也成了没有凝聚力的"沙砾场",正在出现一场"濒临崩溃"的危机。

　　随着我国的改革开放,西方的思维方式和生活方式也被引入了中国大陆,这对经济的发展和观念的更新都起了巨大的推动作用。然而,现代产业社会和现代科学技术给人们带来了现代化物质文明的同时,由于受西方极端的个人主义观念的影响,资本主义社会的种种"瘟疫"也迅速蔓延开来,造成了人与社会不同程度的扭曲和异化,在许多方面偏离了正常的轨道而走向了极端。人与人、个人与社会之间失去了平衡,导致了多种关系的不和谐。从人伦道德的范围而言,主要表现在如下几方面:

　　在个人身心之间,由于在商业化社会中,人们无止境地追求物质享受和感官刺激,加之人际疏离、亲情冷漠、竞争激烈、生活紧迫,导致许多人身心失调、情感扭曲、精神空虚、人格分裂,以及由此而引起的焦虑、孤独等,使酗酒、吸毒、赌博、凶杀、自杀、精神失常等现象不断上升,不仅毁灭了精神失衡者个人,也严重影响了社会的安宁。

在家庭之间,仅就婚姻问题而言,由于许多人强调绝对的个人自由和性解放,出现了越来越多的单身家庭、单亲家庭、未婚同居家庭。由家庭解体所导致的老人失养、子女失教、人们精神失所、犯罪率上升、社会秩序混乱等一系列社会问题,已不局限于西方发达国家,而成了国际性的不幸和病态。我们这个东方伦理大国也深受影响,而且正显示着日益严重的趋势。

在人与人之间,由于现代社会将一切都商品化、物化了,人与人之间的关系完全变成了赤裸裸的金钱关系和利害关系。个人主义极端发展,为了一己的私利和享乐,一些人唯利是图,毫无信义,甚至杀人越货,不择手段,连亲人之间也相互算计、欺诈伤害,什么良知人性、天理人情,全都被践踏了。人与人之间的冷漠、猜忌和仇视,导致了复杂的社会问题。

在个人与社会之间,本是同生共荣、共同发展的关系。但在现代社会中,极端个人主义和利己主义高度膨胀,一些人置国家、民族、人民和集体利益于不顾。只讲索取,不讲奉献;只要权利,不履行义务和责任。为了一己私利而不思道义,不讲廉耻,不顾人格国格,损公利己,化公为私,令人痛心疾首。

在民族、国家之间,人类本是一个大家庭,各国、各民族之间应当存异求同,和谐相处,互助互利,共存共荣。然而,我们所生存的这个地球却一直没有安宁过。或由于意识形态的分歧,或由于经济利益的争夺,或由于种族之间的偏见,或由于文化上的差异,在国家、民族之间一直是冲突不息,战争不止,流血不断。本来应该贡献于人类繁荣的科学文明反而成了危害人类生存的弊害。

以上诸种社会问题,在我国目前尽管尚未发展到西方发达国家那样严重,但若不加重视,必致遗患无穷。之所以出现以上的失中现象,固然有时代变异、社会商品化等客观因素的作用,但根本的、主要的原因还必须从人类自身的思想与行为上去寻找,归根到底在于人的观念偏离了中道而走向了极端。因此,西方一些有识之士纷纷转向东方文化特别是儒家文化中寻找能够救治这种严重失衡的病态社会的文化资源,认为儒家哲学的心物合一、内外合一、天人合一的整体思维方式与推己及人的"忠恕"之道、"和而不同"的中庸之道,将给未来的世界带来福音。遗憾的是,当现代西方人也开始转向东方文化中寻找爱人体物的真理时,我们却不惜抛弃自己手中掌握的真理,回过头去重走西方人走过的与人为敌、与物为敌、与自然为敌的老路,不避重蹈覆辙,岂不悲哉!

三、家庭的和睦与幸福

从人类文明的趋势看,家庭仍然是一个基本的社会细胞,家庭所具有的生育功能、生活互助功能、培养教育功能、精神慰藉功能是不能由其他社会组织代替的。而且,中西之别的客观存在,也说明了我们现在仍然需要提倡家庭伦理。西方家庭是遵从单向皆立的规则,中国家庭是双向反馈的模式。所以,当代中国的家庭伦理建设,应该在传统与现代的结合中,在中外伦理的融会中,进行综合创新,使传统家庭伦理的精华得以发扬,使人类伦理文明的优秀成果得到吸收。

孔子"仁"的思想产生于以家族为本位的文化的土壤里,这与西方以个人为本位的文化大异其趣。孔子所关心的问题是,人如何能够成其为人? 孔子思考这个问题的进路是:个体的人,首先被抛入一个以家庭为单位的生活世界之中,因为家庭关系是我们人每天必须面对的最基本的人际关系,人的基本人格也必须首先在家庭关系之中被贞定。所以,实行人伦教化必须以家庭内部作为起点。

孔子提出的"五伦",前三伦属于家庭内部的人际关系,可见对于家庭关系的重视。孔子大力提倡家人之间的相互爱敬,十分崇尚和睦的家庭关系,认为和睦的家庭关系是以婚姻的和美为基础的,因此,从结婚之日起,就必须努力创造一个良好的氛围,以增进家人的团结。事实证明,以一夫一妻制为主要形式的婚姻,在当代不仅不能消亡,而且还必须加强。所以,我们主张儒家家庭伦理的现代转化,是寻求在新的时代条件下,对儒家基本伦理原则的合宜运用。

儒家倡导的家庭伦理中,有平等、亲爱、和谐三个层次的积极因素。这里有必要重复引用一下《礼记·昏义》的一段话:"昏礼者,将合二姓之好,……妇至,婿揖妇以入,共牢而食,合卺而酳,所以合体、同尊卑,以亲之也。敬慎重正而后亲之,礼之大体,而所以成男女之别,而立夫妇之义也。男女有别,而后夫妇有义;夫妇有义,而后父子有亲……故曰:昏礼者,礼之本也。"这里虽然说的是婚礼,但不妨将之看作家庭伦理的原则,因为其中明确说明"父子有亲"即系由此而来。其中"同尊卑"就是"平等","亲之"就是"亲爱","合体"就是达到了高度的"和谐"状态。这就是说,在"平等"的前提下建立"亲爱"的关系,并在"平等"和"亲爱"的基础上达到"和谐"的境界。我们今天可以把这三个层次提升为现代家庭伦理的基本原则,赋予新的意义,以实现传统家庭伦理的现代化。

所谓"平等",是说家庭成员间履行道德规范,是一种对等或互动的关系,借用梁漱溟的话说,是"互以对方为重",其中包含两项内容:其一是人格平等,家庭成员无论是夫妇、父子、兄弟关系,抑或男女老少、上下长幼,都一律享有同样的人格尊严,有独立自主性。这里没有从属、依附关系,只有亲情互助关系。其二是在权利与义务的关系方面是公平的,每个人在家庭生活中担任的角色不同,但其享有的权利与其负担的义务,是人人有份,而且是对应相称的。例如,赡养父母,儿或女有同样的责任与义务;在家庭财产的继承权问题上,儿和女享有同等的权利。每一个家庭成员都能尽到应尽的义务而做到"心安",就能享受到最大的快乐。

所谓"亲爱",就是夫妻两性之爱,父子血亲之爱,兄弟同胞之爱。一是互相关心,互相爱护;二是互相支持,互相帮助;三是,互相体谅,互相包涵。这种爱应当是尤私的、真诚的、圣洁的,是人类伟大之爱的光辉体现。爱是家庭伦理的永恒的基石,出于真情实感的家庭关系是最稳固的。这里,"父慈子孝"就其一般意义而言,仍然是当代家庭中父母与子女关系的基本道德准则。父子亲情是以"爱"为其核心内容的,是合乎人类本性的;孝是由人的天然亲情转换成社会性的父母与子女关系的一种规范和道德理念。父母爱子女是出于天性,子女孝敬父母,报答父母的养育之恩,也是天经地义的。正所谓"天理人情",无可逃于天地之间,决不是纯粹私人的事情。它以家庭中夫妇、父母子女、兄弟姊妹之爱为基础不断向外扩充,进而爱邻人,爱同胞,爱国家,爱人类。

所谓"和谐",乃是"平等"和"亲爱"的基础上所达到的一种境界。一是和睦相处,二是和谐融洽,三是和合为一。中国古人讲"家道和顺"、"家和万事兴",强调了"和"的重要性。最值得今人关注的是,儒家强调婚姻的稳定性,有许多具体的要求,比如:要求夫妇爱情忠贞专一,白头偕老,反对感情别移,喜新厌旧;要求夫妇和睦相处,"夫妇和而后家道成",在夫妇和好的基础上再进一步要求相敬如宾;还要讲情,以情为重,提倡"糟糠之妻不下堂"的美德;不仅要讲情,更要讲义,要求夫妇之间不苟合,必须以义为先,"夫妇之道,有义则合,无义则去"。其实,儒家所提出的"父慈子孝,兄友弟恭,夫妇和顺"三种道德规范有一个明显的特点,就是情义合一,"情"指性爱或骨肉血缘之情,"义"指家庭成员之间要有义务感和责任感。二者缺一不可,相互依存和制约。有情无义,或有义无情,都不能形成家庭伦理。

家庭要实现平等、亲爱与和谐,关键在于夫妻。夫妻平等,夫妻相爱,夫妻和谐,具有决定性意义,因为现代家庭是以夫妻关系为主轴的。这就是将儒家的家庭伦理进行现代化转型的初步设想。

近代以来,由于思想界对儒家以"孝道"为核心的家庭伦理采取了简单抛弃的态度,因而西方社会流行的亲情淡薄、家庭破裂、老人晚景凄凉、青少年犯罪率高的问题也多发于我国。如何治疗这一顽固的世纪病? 西方一些有识之士都把目光转向了东方,我们中华民族的子孙更是应当认真地检讨前圣先哲为我们留下的文化资源,发现儒家家庭观中的普世性价值,将其发扬光大。鄙意窃谓,至少有以下几点是值得认真思考的:

首先,儒家的孝道,反映了人类世代繁衍过程中家庭"抚幼养老"的自然属性。人类在漫长的进化过程中,形成了非常特型化的生命属性,即个体在其幼年时期和晚年时期,都是十分脆弱的,需要群体的呵护。当出现了家庭以后,抚幼养老的任务就逐渐成为家庭的责任。人类的这种"反哺"行为,使人类区别于其他生灵。知恩报恩作为生命历程中不同阶段的互补性,也就成了孝道伦理最为深刻的社会依据。这里"报"的概念,可以说是人类个体生命自我保护的伦理表现,只有通过这种代际之间的"反哺"、"报恩",人类的种群才能够继续繁衍。从这种意义上讲,孝道是可以与人类共始终的。

其次,儒家的家庭伦理反映了家庭在满足人们精神生活需要方面的作用。在现代公民社会里,家庭形式逐渐发生了变化,以父子关系为基轴的链式家庭,已经让位于以夫妻关系为基轴的核心家庭。社会化的大生产,已经使"抚幼养老"的许多工作可以转移到社会的方面。但是,幼儿园再完善的生活、教育设备,也代替不了父母之爱,自幼缺乏家庭温暖的孩子将会在一生中留下不可弥补的性格缺陷。同样,老年人可以通过养老金、社会保险解决生活的经济需求,通过雇保姆、进养老院解决送终的问题;但是,这些方法都不能解决老年人晚年的孤独和凄凉。唯一化解的方法是通过子女经常的探望和交流,以亲情来抚慰父母的心灵。我们即将面临老龄社会的到来,重提孝道有其迫切性。

其三,儒家从人的发展角度看,认为有一个和睦幸福的家庭,乃是人赖以获得发展、事业取得成功的必备条件。中国人一生的努力奋斗,建功立业,往往是以给家庭带来昌盛幸福、进而光宗耀祖为原动力之一。所以,强烈的家庭责任感,有利于调动一个人的事业心和道德心。即如东南亚各国的华人也把家庭观念视为勤奋的原动力和道德的源泉。

其四,儒家的家庭观有助于家庭的稳定和子女的培养。在现代家庭中提倡父慈子孝,夫妻恩爱,家庭和睦,可以增强家庭成员的道德责任和义务感,有助于家庭的稳定。同时,成年人孝敬自己的父母,就是对自己未成年子女最好的身教。现代社会结构虽然与古代已经发生了很大的变化,但人皆出于父母之怀衽这一点是不变的。一个连自己的父母都不知敬爱的人,很难相信他会爱祖国、爱人民。家庭是子女的第一课堂,对子女进行一些孝道教育,有利于他们将来在社会上接受其他道德规范。

其五,弘扬儒家的家庭伦理有助于维持社会的稳定。儒家认为"齐家"是"治国"、"平天下"的前提,家庭和睦是社会稳定和进步的基础。良好的社会道德风气的形成，必须首先从家庭开始。特别对于担负治理国家、教化民众之责的各级国家工作人员来说，他的家治理得如何，对国人影响甚大。"一家仁，一国兴仁；一家让，一国兴让"。国家各级官员首先应"宜其家人，而后可以教国人"，他的所作所为首先"为父子兄弟足法，而后民法之也"。不能从自己家庭做起，就不够从政的资格。儒家还一向认为忠臣出于孝子之门，长幼顺而上下治。近代以来，儒家这些维持社会稳定的思想一直是受批判的。然而，当君主专制社会已经被推翻，现代商品经济社会已经初具雏形的时候，全心全意维持社会的稳定，一心一意从事两个文明建设成为全社会的共识。在明确了时代的特性以后再看孔子的思想，那么儒家家庭伦理中维持社会稳定的观念就完全可以阐释出新意。

儒家重视家庭建设，促进家庭和谐的思想不仅在历史上起了积极作用，而且对于现代伦理道德建设和社会的安定进步，亦将有其巨大的社会价值和现实意义。不可否认，现代产业社会和科学技术给人类带来了高度的物质文明，但随之而来的人际疏离、亲情冷漠等非人性化、非伦理化的问题也十分突出。由于西方泊来的个人自由和性解放观念的普遍流行，导致了大量的家庭破裂，由此所引起的各种家庭问题乃至由此所波及的社会问题，已成为人类的不幸和病态。因此，重建家庭伦理规范，重构道德价值体系，已成为全球社会的共同课题。更何况，家庭不仅仅是衣、食、住的场所，它更是人的精神乐园、爱情巢穴和享受天伦之乐的港湾，家庭的这些作用不是任何物质生活所能代替的。即使经济的高度发展使各国都实行了良好的福利制度，使鳏寡孤独都能得到政府和社会的抚养照顾，但绝大多数正常人如要享受和谐的人生，还是需要一个健康、完整、温馨、和乐的家庭。而儒家的家庭伦理观在重整家庭秩序、重建家庭伦理规范、重构家庭道德价值方面必将发挥其重要的积极作用。总之,虽然时代发生了变化,但是只要人类还以家庭的形式繁衍生息,儒家的家庭伦理就不会完全过时,它一定会成为现代社会精神文明建设的丰厚的文化资源。

四、社会的协调与稳定

社会作为一个整体,需要各方面的协调有序,方能健康地运行和发展,而主要问题,还在于人际关系的协调和谐。所以,善于处理人与人之间的关系,乃是达到社会协调有序的关键。

一个人走出家庭,还必须与社会上更多的其他人交往,其中包括朋友、同事乃至其他一切与之接触的人。其间虽在志趣和感情上的亲疏厚薄各不相同,但从广义而言,都可作为"朋友"看待。在这种"朋友"的关系上,儒家的"忠恕"与"和而不同"的准则显得尤为重要。儒家关于朋友关系的规定是"朋友有信","信"其实就是"诚"或"忠"的外在体现。有内在之"诚"或"忠"存于心,然后才能外发为"信",故儒家常以"忠诚"、"忠信"、"诚信"并称。这些都是处理社会人际关系的基本原则。其中"忠信"在于保持双方的平衡,"忠恕"在于取得互相的谅解,"和而不同"在于双方能求同存异而达到协调统一。这样,才能达到人际关系的和谐。

生活在现实社会中的人,尤其是生活于高度竞争的市场经济环境中的中国人,不仅需要亲情的温馨来慰藉,同时更需要友谊,更需要与那些同自己生命相契合的人的生命交融,更需要那种超越一切尘世利益计较的崇高的友情。所以由孔子所倡导的"朋友"之伦,对于我们当下社会来说,不仅没有过时,而且较之古代将发挥更为重大的现实作用。

关于人己关系,在古代中国,曾经有所谓"杨氏为我"与"墨氏兼爱"两种各趋极端的理论,还有法家那样极端利己主义的理论。而儒家则主张"仁者爱人",以"忠恕"之道"推己及人","严以律己,宽以待人";反对有己无人,损人利己。显然,这是一种人己兼重的既切合人情又有益于社会道德的理论。现代西方,尽管在宗教的天国中极力鼓吹所谓"博爱",而在现实社会中,自我中心的个人主义泛滥成灾。随着西方生活方式的东渐,这种极端个人主义也在我国流行起来,在社会上造成了不良影响。面对这一现象,儒家人己并重的思想实在值得提倡。

现代西方社会的人际关系,以"经济人"假设为前提,承认社会的每一个人都是一个"自利"的、经常以实现自己利益的最大化为行为动机的"理性"的人。市场经济就是利用人人都追逐个人利益最大化背后的那只"看不见的手",来自动调节生产、交换、分配、消费全过程的一种"自动均衡"型经济。孔子所主张的人际伦理以"互爱"为特征,从而否弃人与人之间的利益计较,这当然与"唯利是图"不相容。但西方的"经济人"事实上也是新教伦理调节下的"经济人"。尊重他人利益,在不损害他人利益的前提下来为自己谋取利益,是西方人际伦理的基本教义。因而用以强调"仁爱"为主要特色的传统儒家伦理来替代西方社会的"新教伦理",可能是我们今天社会伦理建设的不贰选择。传统儒家的"仁爱"思想将不可避免地会成为我们主要的精神资源。

孔子在强调人际互爱的同时,又强调"义"在调节人际关系中的作用。"义"的主要含义是"宜",可以诠释为恰当、合适。孔子尤其强调人们在利益面前要"取之有道",即所谓"见得思义"、"见利思义"。孔子并不要求人们只讲奉献而不讲索取,而是教导人们要以"义"为准绳,合于"义"者可以毫不犹豫地取,因为"义然后取,人不厌其取"(《论语·宪问》)。而不合于"义"之取,乃是巧取豪夺之取,贪占无道之取,这是万万使不得的。故孔子说"不义而富且贵,于我如浮云"(《论语·述而》)。这种强调"取之有道",反对任何不义所得,尤其反对通过权力来获取"不义之财"的义利观,对于在社会主义市场经济条件下重建道德秩序,应当是具有十分重大的现实意义的。

在人己关系之上,还有个人与社会的关系,包括个人与集体、个人与国家的关系。这种关系,亦称为"群己"关系,就其实质而言,亦即"公"与"私"的关系。在公与私的关系上,儒家主张把国家、民族和人民利益放在第一位,通过人人"兼善天下"来实现"天下为公",并认为"天下兴亡,匹夫有责"。在公私利益上,要求在通过实现公利的前提下来实现私利,起码也应在不损害公利的前提下来获取私利。公与私的关系,也体现为义与利的关系。合乎公利则谓之"义",损公利己则谓之"不义"。在必要时,为了维护公义和正义,不惜"杀身以成仁","舍生而取义"。显然,儒家是偏于重公轻私的。这是因为儒家深刻地认识到,从现实中的一般人而言,大都怀有重私轻公的倾向。出于中庸之道"戒过、勉不及"的原则,只有在理论上突出"公"字的重要性,才能使公与私的关系合乎中道而适得其宜。

然而,儒家的重公轻私并非是无条件的,而是根据在社会中所处的不同身份而有其不同的要求。儒家的处世原则是"达则兼善天下,穷则独善其身"。例如处于禹、稷的地位,就必须全心全意地为国为民,即使像大禹那样为了治水"三过其门而不入",也是分内之事;而像颜子那样,居陋巷而自得其乐,乃是合道的。这是因为他们尽管行为不同,但都符合自己所处的身份,故孟子认为"禹、稷、颜回易地则皆然"。显然,根据儒家的理论,作为人民"公仆"的在位者,更负有为国为民、一心为公的重大责任。这种对在位者提出更高要求的思想,完全是既合乎情理,又有益于社会的理论。

在"五伦"中,变化最大的当数"君臣"一伦,因为随着君主专制统治的彻底推翻,"君臣"关系已不复存在。但是,若从先秦儒家所倡导的"君臣"关系而言,其实际意义经过转化仍然适用于现代。先秦儒家从"民贵君轻"的价值观出发,他们提倡忠君,是以代表国家和人民利益的"明君"为对象的。如果君的行为与国家和人民利益不一致时,就采取"从道不从君"的态度,并主张"诸侯危社稷,则变置",若社稷不利于民生时,"则变置社稷"(《孟子·尽心下》)。把残虐百姓的暴君斥为独夫民贼,而称颂汤、武以臣伐君的"吊民伐罪"之举是完全正义的。(《孟子·梁惠王下》)可见先秦儒家的忠君思想,实质上就是忠于国家和人民,与秦汉以后所提倡的片面服从君意的愚忠思想大异其趣,而与现代的爱国爱民思想却如出一辙。所以,我们完全可以把"君臣"关系转化为国家与个人的关系、全民与个人的关系以及集体与个人的关系,质言之,也就是群己关系;而把"忠君"的道德转化为个人忠于国家、忠于人民和忠于集体的道德。而个人忠于国家、忠于人民、忠于集体的实际行动则主要落实在忠于自己的本职工作上。用现在的说法,则属于职业道德的范畴。职业道德建设是我国当前精神文明建设的主要任务之一,其基本内容为:爱岗敬业、诚实守信、办事公道、服务群众、奉献社会。其实,这几项道德都可从传统的"忠"德中汲取营养。

具体而言,"爱岗敬业"就是忠于职守,兢兢业业,发扬传统的敬业精神,把自己该干的事干好,做一个称职的工作人员,对得起社会提供给自己的这份职业;"诚实守信"就是以诚实劳动和合法经营来从事自己的职业,重承诺,守信誉,童叟无欺,不搞假冒伪劣;"办事公道"就是要求无有偏私,以公平、公正、公开、公道的态度去对待一切与自己有工作交往的人;"服务群众"是职业活动的目的,既是职业道德,也是道德建设的核心;"服务群众"与"奉献社会"是统一的。一个人只有忠于祖国、忠于人民,才能真诚地搞好自己的本职工作,也才能言而有信,行之必笃,做到推己及人、无私奉献,道德境界才会不断提高,而业务工作也一定会不断长进。

"忠"的本义即对他人尽心竭力,真诚无私,包括利民、利国、利公、利他等内容,既是处理个人与国家、个人与集体关系的准则,也是处理人与人之间关系的准则,它的意义和内容是超越时代的,它的价值是永恒的,在任何时代任何人群都可拿来使用。现代社会的弊端最主要是缺少了利民、利国、利公、利他的公德之心,所以才会是非混淆,善恶混淆,美丑混淆,所以才不能正确处理个人与集体和人与人之间的关系,产生利私、利己的种种丑恶现象。

两千多年来,"忠"的观念造就了中国人赤心爱国、忠诚无欺、尽职尽力、忠贞不贰的民族性格,在历史上所起的作用是巨大的。而且,在高度发达的现代工业文明社会里,"忠"也仍然有其存在的价值。诸如:公务员"行之以忠",以利民、利国、利公、利他之心处理个人与国家、与人民的关系,就能真诚地为民服务,改善服务态度,提高服务质量,加强与人民群众的血肉联系,想人民所想,急人民所急,廉洁勤政;就不会索贿受贿,就不会追求享乐,自然就能消除以权谋私、损公肥私等腐化堕落的现象。如果人民"主忠信"、"与人忠",以利国、利公、利他之心处理个人与国家、与集体、与他人的关系,就能处处事事为国家着想,为集体着想,为他人着想;就能忠于国家,忠于职守,敬业爱岗,乐于奉献,尽心竭力地做好自己的工作;自然就能清除极端个人主义,消除见利忘义、损公肥私的现象。

现在,只要我们将"忠"的特殊政治含义定为忠于国家、忠于人民,就可以继续发挥其作用。每个公民都能热爱国家、热爱人民,既是我们民族能够自立于世界民族之林的基础,也是我们民族历经磨难而自强不息从而不断发展壮大的动因。

中国传统儒家所倡导的"王道",就是一种社会和谐之道。因为"王"字的三横一竖所代表的就是社会各阶层的意志通达,因为也只有在社会各阶层的意志通达与契合的条件下,才能形成全社会的政治共识和民心凝聚。这种以"中和"为用的社会秩序,与现代西方以个人为本位的社会秩序是有区别的。西方人将个体与群体的关系看成为一种博弈关系,当个人利益与群体利益发生冲突时,个人与代表群体利益的一方将尽最大可能去博取自己一方的最大利益,社会也将在这种各种利益的博弈过程中实现自己的效益和秩序。而孔子在个体与群体关系上则主张"致中和",这是一种有条件的以群体利益为重的崇高境界。

社会的正常秩序是社会得以维持和谐的关键。儒家以"性善论"为其认识论基础,提出"仁爱"思想,重视人格及人际关系的和谐,以达社会有序稳定之目的。在儒家看来,社会秩序的建立是一套复杂的系统工程,其中"礼"作为社会秩序的规范,起着十分重要的作用。中国社会有一个"礼治"的优良传统。"礼治"并不是人们微词颇多的"人治",而是与"法治"相辅相成的另一种以规范治国的有效方式。在现代化建设的过程中,我们既需要民主政治的"法治",也需要精神文明的"礼治",需要通过对"礼"的现代诠释重建"礼治"文明。首先,"礼治"要与"仁德"相结合,把启发内心的道德自觉与健全外在的约束机制统一起来,使广大公民做到既自觉自愿,又自然在规矩之中。德治的社会政策就是要求建立和谐有序的社会秩序,德治能使社会和谐,礼治能使社会有序。其次,"礼治"要与"法治"相结合而实行礼法互补:"礼治"立足于"导","法治"侧重于"防",这两手都是必不可少的。而礼的运用,应该以

"和"为中心,所谓"礼之用,和为贵",乃是"礼"在建立社会秩序并从中起有协调和谐作用的集中表述。

当兹社会上的各种关系严重失衡,多种问题层出不穷的今天,若能对儒家关于人际关系和群己关系的理论加以探索与反省,吸取其精华而加以弘扬,必将有助于建设中国特色的、现代化高度文明的、协调有序而永久稳定的理想社会。

五、国家统一与世界和平

有学者提出:"现在世界正在进入一个全球性的战国时代,是一个更大规模的战国时代,这个时代在呼唤着新的孔子,一个比孔子心怀更开阔的大手笔。"①的确,现在是一个更大规模的"战国时代",虽与中国历史上的战国时代规模不同,但在形式上却有类似之处。所以,我们不妨来讨论一下春秋战国时代的儒家所提出的关于国家与民族方面的思想,或将有助于启发和开拓今天的思路。

春秋战国之交,周室衰微,列国争霸,加上北方外族不断入侵,诸侯之间和民族之间的矛盾日益加深,导致中原地区长期陷入战乱之中。基于这样的时代背景,由孔子所创建的儒学,在国家观念和民族观念方面也提出了颇为系统的理论。

第一,在国家观念方面提出了"大一统"的理论。孔子的"大一统"思想寓意于《春秋》,其"微言大义"主要是:天下实现统一,使九州、华夷同归一体;天子是天下的最高统治者,执掌天下礼乐征伐的最高权力。《春秋》这一"大一统"思想不仅为历代儒者所推崇,而其体制也为秦汉以后的历代统治者所实行,垂二千余年之久。

先秦儒家所提倡的"大一统"思想具有如下两方面的基本精

---

① 费孝通:《时代需要新的孔子》,《读书》1992年第9期。

神:其一,孔、孟、荀都将天下视为天下之民的公器,天子是为民而立的,若无道,可将其推翻而另易他姓,不同于秦汉以后把天下当作一姓之私器而致忠于一姓的观念,这是先秦儒学与后世儒学在本质上的不同之处。其二,孔、孟、荀都反对以暴力统一天下,而主张以仁政为主、但不排除以所谓"仁义之师"的征讨为辅的方式来统一天下。这两点可谓是先秦儒家"大一统"思想的基本精神。

儒家"大一统"思想在形成伟大的中华民族过程中所起的巨大作用是显而易见的。然而也正因为"大一统"的优越感助长了后世统治者的夜郎自大之心,最终自溺于封闭保守的落后之境,这种由"福兮祸之所伏"所转化而来的恶果,只能由专制统治者的当事人来负责,而不能归咎于儒家"大一统"思想。

本来,先秦儒学具有较多的民主性的进步思想,但由于时代的局限,不得不把"大一统"的希望寄托于专制统治者,这就注定了儒学被专制统治者所利用的命运。因而,儒家"大一统"思想在促进民族团结和国家统一的同时,也维护和加强了中央集权和君主专制政体,使本身的进步思想则历久而无从发挥。这一遗憾,在古代的条件下是难以避免的。"大一统"这个无比神圣的事业,必须同政治上的高度民主联系在一起,使统一不仅仅象征着疆域和领土的完整、不产生分裂和动乱,从而为人们提供安定和秩序,而且更重要的还在于能够为各民族、各地区的人民带来自由和幸福。这是新时代对"大一统"所提出的更高的要求。

第二,在民族观念方面提出了"华夷之辨"。据《书·舜典》所载,尧舜时代就有"蛮夷猾夏,寇贼奸宄"之事。历夏、商、周三代,外族入侵经常成为华夏的主要威胁。故春秋的齐、晋、秦三霸都曾举起"尊王攘夷"的大旗,自诩为华夏代表,以尊崇周王室、驱逐四夷号召天下,从而取威定霸。正是在这个意义上,孔子高度评价管仲辅佐齐桓公"救中国而攘夷狄","民到于今受其赐,微管仲,吾其被发左衽矣"。也正因为如此,乃产生了"华夷之辨"的观念。这在当时来说,乃是出于华夏民族的共同心理和必须采取的正确政策,是适应当时的客观需要而必然产生的理论。

然而,尽管"华夷之辨"是儒家的理论产物,但先秦儒家并未将华、夷完全对立起来,将二者的矛盾和差异绝对化。《论语·子罕》载:"子欲居九夷。或曰:'陋,如之何?'子曰:'君子居之,何陋之有!'"孔子相信夷狄风俗与华夏文明是能够相容的。而且,孔子不以血缘种族分判民族优劣,而以文明程度作为衡量民族落后与先进的标准,这在当时可谓是异乎常人的卓识。因此可以断定,他主张"裔不谋夏,夷不乱华"(《左传·定公十年》),其主要用心是为了维护华夏文明。

孟子也认为,能否成为圣贤,不在于出身于华夏还是夷狄,而取决于是否施行王道仁政和礼乐教化。他说,虞舜是东夷人,周文王是西夷人,"地之相去也,千有余里;世之相后也,千有余岁。得志行乎中国,若合符节,先圣后圣,其揆一也。"(《孟子·离娄下》)这也是以是否崇尚文明作为分判华夷的标准。在儒家看来,不论何种种族,凡能接受礼义教化者,均可纳入华夏文明系统之中。当时华夏与周边少数民族的文明差距确实悬殊,而儒家能理智地以文明程度而不是以血缘种族来分判民族的优劣高下,应该说是一种难能可贵的进步思想。但也正是由于华夏民族的先进文明,使之产生了对周围少数民族的强烈吸引力和同化力,促进了这些民族对华夏文明的向往和仿效,甚至使少数民族亦往往将本民族自认为炎黄支脉、华夏后裔为荣,从而增进了各民族的交往和融合。这种自觉自愿的归属和认同,不能不说是华夏文明的威力使然。华夏民族在招抚和征服周边民族时虽也难免动用武力,但文化力却从中起了更为巨大的、甚至是武力所不可替代的作用。以文明服人，以先进服人，往往比单纯以力服人更能使人心悦诚服。即如清朝本是由少数民族用武力征服华夏而建立的王朝，但经过近三百年的满汉全面融合，满族被彻底同化了，结果征服者反成了被征服者。这正显示了华夏文明的伟大力量，表明先秦儒家"以夏变夷"思想具有一定的必然性、合理性和积极意义。

第三，在国际和民族关系方面，儒家提出了讲信修睦、亲邻柔远的外交原则。儒家认为，在民族之间、国家之间要亲和友善、和平共处，以期达到《书·尧典》所说的"协和万邦"的境界。为了实现这一目标，儒家主张各民族与国家在一切交往中应奉行"讲信修睦"的原则，杜绝一切阴谋欺诈行为；在实现目标的途径和手段上，也要求用和平的而不是暴力的方式，来解决民族间和国家间的矛盾与争端。古文《书·大禹谟》载，当时有苗不服中国教化，舜使禹征之，"三旬，苗民逆命。益赞于禹曰：'惟德动天，无远弗届……至诚感神，矧兹有苗？'禹拜昌言曰：'俞。'班师振旅。帝乃诞敷文德，舞干羽于两阶。七旬，有苗格。"这充分体现了以德服人的国际政策。

孔子继承先圣王以德服人的思想，既主张四海统一，但又反对使用暴力，故提倡以文明的力量与文明的手段使远近悦服。他深信礼义文明可以征服远方。所以他主张："远人不服，则修文德以来之；既来之，则安之。"（《论语·季氏》）齐桓公在管仲的辅佐下，不是靠武力征讨而是靠自身的强大和信义，成为春秋时期第一位霸主。对此，孔子给予了高度赞扬："桓公九合诸侯，不以兵车，管仲之力也。如其仁，如其仁！"（《论语·宪问》）《中庸》把"柔远人"与"怀诸侯"两项列为治天下的"九经"的重要内容。认为："柔远人则四方归之，怀诸侯则天下畏之。""送往迎来，嘉善而矜不能，所以柔远人也；继绝世，举废国，治乱持危，朝聘以时，厚往而薄来，所以怀诸侯也。"所谓"继绝世，举废国"，朦胧中似乎已具有尊重国家主权的意识。

孟子也主张在国际关系上要行仁义之道。他认为，"仁人无敌于天下"，"国君好仁，天下无敌焉，……焉用战"。只有推行仁义，在天下各国中才会享有崇高威望，从而无敌于天下，因此也就用不着战争了。所以他提出："天时不如地利，地利不如人和。……威天下不以兵革之利。得道者多助，失道者寡助。寡助之至，亲戚畔之；多助之至，天下顺之。"（《孟子·公孙丑下》）孟子还主张国无大小，应平等相待，友好相处，认为"能以小事大"者为"智"，"能以大事小"者为"仁"（《孟子·梁惠王下》）。孟子还批评白圭那样"以邻国为壑"的治水方法为"仁人之所恶也"（《孟子·告子下》）。

荀子主张在外交方面也要以礼义原则处理好大国小国、强国弱国的关系："修友敌之道，以敬接诸侯，则诸侯悦之矣。"（《荀子·王制》）"将修小大强弱之义以持慎之，礼节将甚文，珪璧将甚硕，货赂将甚厚，所以悦之者必将雅文辩慧之君子也。……若是，则忿之者不攻也。"（《荀子·富国》）以友好尊敬的礼仪和丰厚的馈赠搞好与各诸侯国的关系，就不会有结下怨恨的国家来进攻了。荀子还强调对于友好的国家必须讲究信用。他说："约结已定，虽睹利败，不欺其与。……是所谓信立而霸也。"（《荀子·王霸》）荀子还主张在国际纷争中保持中立，"中立无有所偏而为纵横之事，偃然按兵无动，以观夫暴国之相卒也"（《荀子·王制》）。即不参与不义之战，对那些"暴国"之间的互相残杀冷眼旁观，让他们互相削弱，而把主要精力用于国内建设。这样，便与那些"乱国"、"暴国"形成鲜明对比："人皆乱，我独治；人皆危，我独安；人皆失丧之，我案起而制之。"（《荀子·富国》）荀子认为，若能内修政教，外和诸侯，然后可以立于不败之地。这样，就可在国际上享有崇高的威望和地位，"名声足以暴炙之，威强足以捶笞之，拱揖指挥，而强暴之国莫不趋使"，我不仅无须"事强暴之国"，而且会"使强暴之国事我"(同上)。如此，则"兵不血刃，远迩来服"，"不战而胜，不攻而得，甲兵不劳而天下服"(《荀子·王制》)；"天下为一，诸侯为臣，通达之属，莫不从服"(《荀子·王霸》)，"平天下"的伟大理想也就实现了。即此可见，儒学贯彻到国家治理和国家关系方面，表现为提倡王道政治，反对霸道政治，试图建立起天下一家的世界秩序。

其四，在对待战争方面，儒家也提出了较为正确的战争观。从根本上说，作为"仁以为己任"的儒家是反对暴力和战争的。对此，先秦的孔、孟、荀三大儒的观点基本一致。孔子平时不谈论暴力和叛乱。《论语·述而》云："子不语：怪、力、乱、神。"其中"力"即武力、暴力；"乱"指叛乱、动乱。对于这类问题，孔子往往是不谈论的。例如卫灵公向他请教如何布阵作战，孔子回答："俎豆之事，则尝闻之矣；军旅之事，未之学也。"(《论语·卫灵公》)并且第二天就离开了卫国，反映出孔子崇尚仁政德治、憎恶战争的一贯态度。又如卫国大夫孔文子出于与太叔进行内战的需要而"问策于仲尼，仲尼辞不知，退而命载而行"(《史记·孔子世家》)。孔子不为孔文子出谋划策并立即离开，表明了他坚决反对无原则内战的立场。孟子非常痛恨诸侯之间为争城夺地而进行的不义之战："争地以战，杀人盈野；争城以战，杀人盈城。此所谓率土地而食人肉，罪不容于死。故善战者服上刑。"(《孟子·离娄上》)所以他明确反对"梁惠王以土地之故，糜烂其民而战之"(《孟子·尽心下》)。而认为"威天下不以兵革之利"(《孟子·公孙丑下》)。荀子极力反对"强夺之地"的"强道"，认为强道奉行"以力胜之"的方针攻城夺地，既"伤人之民"，又"伤吾之民"。被侵略国家的人民满怀仇恨，拼死反抗；而本国人民由于连年用兵而殃及生计,越来越不愿为国出力。这样只能使"强者所以反弱也"(《荀子·王制》)。可见反对战争是先秦三大儒的共同观点。

然而,面对社会现实,儒家对于战争的重要性又有非常清醒的认识。因而根据"仁"的目标并运用"中庸"的方法区分了必要的正义战争和必须制止的非正义战争。孔子曰:"圣人之用兵也,以禁残止暴于天下也;及后世贪者之用兵也,以刘百姓,危国家也。"(《大戴礼记·用兵》)孔子认为,以"禁残止暴"为目的的战争,是正义的,必要的,圣人尚且用之,不为"不祥"。明确地支持正义战争和坚决反对非正义战争,乃是儒家的正确的战争观。

儒家所支持的正义战争大致有如下几种类型:其一是吊民伐罪、推翻暴政的战争,以及配合仁政与王道以实现"大一统"的战争。《易传·革象》云:"汤武革命,顺乎天而应乎人。"对于汤、武出于吊民伐罪的目的而发动的以臣伐君的革命战争,孔、孟、荀三大儒乃至一切儒家经典都给予了高度的赞颂。孟子还认为:"以天下之所顺,攻亲戚之所畔,故君子有不战,战必胜矣。"(《孟子·公孙丑下》)其二是抵抗侵略以保卫国家的战争,包括援助小国抵抗侵略的战争和为了保护华夏文化而抵抗外族入侵的战争。如《公羊传·僖公元年》云:"天下诸侯有相灭亡者,力能救之则救之可也。"其三是镇压叛乱以维护国家安定的战争。如周公东征而诛管蔡,《尚书》和《诗经》都给予称颂。

基于正义战争在现实社会中的必要性,因而儒家在重视推行仁政的基础上,也强调必须重视兵防武备。《论语·颜渊》载孔子曰:"足食,足兵,民信之矣。"《史记·孔子世家》载孔子曰:"有文事者必有武备,有武事者必有文备。"孔子平时还以"六艺"教导学生,其中包括射、御二项是与武备有直接联系的科目。如果迫不得已而需要参加战争,儒家提倡作战要勇敢,把勇敢作为"三达德"之一,和知、仁同列。曾子还明确强调:"战阵无勇,非孝也。"(《礼记·祭义》)

儒家所支持的正义战争,是推行王道仁政所不可缺少的必要手段。它对于实现国家统一或维护国家安定有其积极的作用。即使在今天,对于反对霸权以维护世界和平,也有其值得借鉴的意义。

中国人对和平的追求是自古及今,一以贯之的。与此形成鲜明对照,古希腊罗马文化崇尚武力和战争。西方近代文化中的民族竞争、弱肉强食是与中国传统文化中的"协和万邦"、"万国咸宁"、"世界大同"思想相违背的,也是中国近现代知识分子和广大民众难以认同的。中国人民在学习西方民主的同时就已认识到西方文化的缺陷。中国历来是追求统一和爱好和平的国家,中国先哲们都提倡和平文化。亲邻柔远,天下一家,永保太平,是儒家自古以来就孜孜以求的愿望。目前,全球化的大势不可阻挡,关心争取世界的和平、和谐,这些思想正好是儒家长期提倡的。中国人民酷爱和平得到了世界有识之士的认同。

现在,中国和世界的发展都需要一个和平而稳定的环境。所以,探讨一下儒家关于国家、民族、国际关系及其战争观方面的理论而吸取其精华,对于实现国家统一和维护世界和平,必将起到巨大的积极进步的作用。

六、儒家的最高理想与人类的前景展望

儒家认为,一个国家的首要任务应该是把自己的国家建设好,因而在重视现实中推行仁政德治以平治天下的基础之上,还进而以托古的方式提出了"大同"的社会理想,以作为最高的追求目标,

并制定了经由"小康"进入"大同"的实施方案。也就是说,儒家的政治主张有两个层次,初级目标是建设一个"小康"社会,最高目标是建立"大同"世界。儒家所描绘的"小康"社会的轮廓是:

> 今大道既隐,天下为家。各亲其亲,各子其子,货力为己;大人世及以为礼,城郭沟池以为固;礼义以为纪,以正君臣,以笃父子,以睦兄弟,以和夫妇;以设制度,以立田里,以贤勇智,以功为己。故谋用是作,而兵由此起。禹、汤、文、武、成王、周公,由此其选也。此六君子者,未有不谨于礼者也。以著其义,以考其信,著有过,刑仁讲让,示民有常。如不由此者,在执者去,众以为殃。是谓小康。

儒家把继唐、虞之后变"让贤"制为"传子"制的夏、商、周三代的全盛之世看作"小康"社会。其主要特色为私有制的"家天下"。儒家判别"大同"与"小康"的标准虽然也包括有物质文明水平的因素,但主要是从政治制度和精神文明方面着眼的。正因为"小康"是把"天下"当作一家一姓的私有财产的"家天下"的私有制,所以"谋用是作,而兵由此起",并非完全达到协调和谐的太平盛世。所以,儒家尽管对三代之治推崇备至,但并不将其当作最高的理想社会来追求。儒家奉为最高理想来追求的乃是以"天下为公"的"大同"社会,因而运用"托古"的方式将其时代背景定位在禅让之世的唐虞时代,并加以理想化的设想。儒家的大同思想始萌于《尚书·尧典》所谓"百姓昭明,协和万邦"的理想,而集中论述大同思想的则是《礼记·礼运》篇。儒家所描绘的"大同"社会是:

> 大道之行也,天下为公。选贤与能,讲信修睦。故人不独亲其亲,不独子其子;使老有所终,壮有所用,幼有所长,矜寡孤独废疾者皆有所养;男有分,女有归。货,恶其弃于地也,不必藏于己;力,恶其不出于身也,不必为己。是故谋闭而不兴,

盗窃乱贼而不作，故外户而不闭，是谓大同。

所谓"天下为公"，可有三层含义：一为"天下"乃天下之民所公有之天下；二为天下之民为共同建设"公有之天下"而各尽义务；三为"公有之天下"应为天下之民提供安定舒适的工作环境和生活环境，成为天下之民享受生活的理想乐园。在这个"公有之天下"之中，在政治上则"选贤举能"，以"品德"、"才能"作为选拔人才的标准而达到公正廉明；在人际、国际等各种关系上则"讲信修睦"，以"诚实"、"和睦"作为人与人之间乃至国与国之间应有的相处态度，而达到互相信任和彼此协调合作；在伦理上则达到人人互相亲爱，无论男女老少都能各得其所，矜寡孤独废疾者皆有所养，使之都能享受富裕的物质生活与和谐的精神生活；在经济上则以公有制为基础，并都能自觉地保护资源、珍惜财物，人人都为社会做贡献，各尽所能、各享所需；在社会上则消除战争，和平安定，没有任何危害治安的邪恶现象。该篇还说："天下为一家，中国为一人。"在这幅理想蓝图中，没有任何专制、压迫和剥削，全民都处于平等、自由、博爱的和谐气氛之中。实际上，这是儒家将人我和谐、群己和谐、整个国家内部的和谐扩而充之，变成全世界和全人类的和谐；将家庭之爱、亲友邻里之爱、民族同胞之爱推而广之，变成了全人类之爱。也就是说，儒家对内提倡以王道、德治来平和施政，对外提倡睦邻友好，和平外交，以"和而不同"的原则来实现"世界大同"。

显然，作为儒家最高理想的"大同"社会，虽然是在二千五百年前所提出，但与现代思想家所追求的理想社会相比，不仅毫无冲突的地方，而且基本上一致。毫无疑问，这确实是一种弥足珍贵的伟大思想，值得我们继承并加以进一步弘扬。

综上所述，儒家不仅从现实出发，无论在处理人际关系上抑或在国家和民族问题上都提出了很多合理而进步的思想，而且还从人类发展的高度提出了"天下为公"的"大同"理想,为人类初步勾画了一幅科学而美好的蓝图,以作为自己奋斗的目标。然而,在春秋战国时代,由于当时各国统治者的水平和条件所限,都未能给予重视。即使在汉代独尊儒术以来,由于历代统治者出于专制统治的需要,不惜将儒学加以任意曲解、改造,并将有利于专制统治方面推向极端;而对于其中民主、合理、进步的内容则消解殆尽,以致二千余年以来未能发挥其应有的进步作用。而且,一种进步的理论总是有一定的超前性和被人们误认为不切实际的理想色彩,它的正确性并不能决定任何时代的统治者必定或立即采用它,更不能使历史事实完全按照它所设计的模式和轨迹发生与发展。即使在本学说占主导地位的历史阶段,历史发展的复杂性和曲折性也往往使得其理论功能与社会实际进程难以完全重合。因此,儒学在历史上未能发挥其应有的作用亦属势所必然。

然而,当兹世界正处于更大规模的"战国时代",经济全球化和民族文化多元化已成为世界发展的总趋势。在国际上,两大阵营的对峙早已结束,意识形态的分歧不再成为不同社会制度国家之间的主要障碍,世界政治格局正在向多极化方向发展;在文化方面,"欧洲中心主义"正在受到包括欧美人士在内的多数人的批判,西方思想文化的主流地位将被打破,任何一种文化企图高视独步、睥睨群伦,都会被视为愚蠢可笑的"夜郎",取而代之的将是不同文化的万紫千红,争妍斗艳;在思维方式与生活方式方面,宽容成了公认的美德,人们更强调差异而不是强调同一,个人生活方式的选择愈加自由,只要承认和遵守公共领域的社会规则,至于个人的价值观念、宗教信仰和行为方式,人们很少干涉。总之,21世纪不属于某一个国家和民族,不属于某一种政治和文化,它属于其中的每一"元"。际此千峰竞秀、万壑争流的多元时代的莅临,儒学中的许多进步思想日益显示出其可贵的价值。尤其如中庸之道的"和而不同"的原则,以之处理世界走向多元化的问题无疑是一种最恰当的方式。因而可以断言:世界发展前景的最佳方案,乃是以"和而不同"实现"世界大同"!

儒家所描绘的大同社会,并非渺茫空想的虚幻境界,而是崇尚"厚德载物"的精神以追求协调和谐,高扬"自强不息"的精神以实现开拓和发展,从而使人与人之间充满着友爱,国与国之间互助合作,整个人类社会整然有序、协调和谐而不断发展的理想世界。

责任编辑:田 园 方国根
封面设计:书林瀚海

图书在版编目(CIP)数据

人和论/徐儒宗 著.
-北京:人民出版社,2008.1
ISBN 978-7-01-005718-7

Ⅰ.人… Ⅱ.徐… Ⅲ.儒家-伦理学-研究
Ⅳ.①B82-092②B222.05

中国版本图书馆 CIP 数据核字(2006)第 080948 号

人和论
REN HE LUN
——儒家人伦思想研究

徐儒宗 著

人 太 大阪社 出版发行
(100706 北京朝阳门内大街 166 号)

北京瑞古冠中印刷厂印刷 新华书店经销

2006 年 9 月第 1 版 2008 年 1 月北京第 2 次印刷
开本:880 毫米×1230 毫米 1/32 印张:19.25
字数:461 千字 印数:3,001-6,000 册
ISBN 978-7-01-005718-7 定价:39.00 元

邮购地址 100706 北京朝阳门内大街 166 号
人民东方图书销售中心 电话(010)65250042 65289539